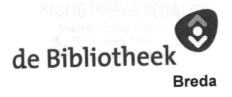

MO HAYDER

ROT

UITGEVERIJ LUITINGH

Uitgeverij Luitingh en Drukkerij HooibergHaasbeek vinden het belangrijk om op milieuvriendelijke en verantwoorde wijze met natuurlijke bronnen om te gaan.

Oorspronkelijke titel: *Hanging Hill*
Vertaling: Yolande Ligterink
Omslagontwerp: Peter te Bos
Omslagfotografie: Nikki Smith/Arcangel Images/Hollandse Hoogte
Auteursfoto: Frank Groeliken

ISBN 978 90 245 3819 5
ISBN e-book 978 90 245 3822 5
NUR 332

www.uitgeverijluitingh.nl
www.boekenwereld.com
www.watleesjij.nu

De begrafenisdienst vond plaats in een anglicaanse kerk op een heuvel net buiten het oude kuuroord Bath. De kerk was meer dan duizend jaar oud en niet groter dan een kapel, en de oprit was te klein voor de verslaggevers en fotografen die elkaar verdrongen voor de beste plekjes. Het was een warme dag en de geuren van gras en kamperfoelie dreven over de begraafplaats toen de nabestaanden arriveerden. Een paar herten, die hier in de namiddag altijd kwamen knabbelen aan het mos op de grafstenen, schrokken van al die drukte. Ze renden weg, sprongen over de lage stenen muren en verdwenen in het omringende bos.

Toen de mensen de kerk binnengingen, bleven twee vrouwen stil op een bankje onder een witte vlinderstruik zitten. De vlinders fladderden heen en weer tussen de bloemen boven hun hoofden, maar de vrouwen keken niet op. Ze voelden zich met elkaar verbonden in hun zwijgen – en in hun versufte ongeloof over de reeks van gebeurtenissen die hen naar deze plek geleid had. Sally en Zoë Benedict. Zussen, hoewel je dat niet zou zeggen. De lange, pezige was Zoë. Haar zus Sally, die nog steeds het ronde, onbedorven gezicht van een kind had, was een jaar jonger en veel kleiner en beheerster. Haar blik was gericht op haar kleine handen en op de tissue die ze aan stukjes zat te scheuren.

'Het is moeilijker dan ik had verwacht,' zei ze. 'Ik bedoel, ik weet niet of ik wel naar binnen kan gaan. Ik dacht dat ik het kon, maar nu weet ik het niet meer zo zeker.'

'Ik ook niet,' mompelde Zoë. 'Ik ook niet.'

Ze bleven nog een tijdje zwijgend zitten. Er kwamen wat mensen de trap op, mensen die ze niet kenden. En toen twee vrienden van Millie, Peter en Nial. Ze zagen er onhandig uit in hun nette pakken en met hun ernstige gezichten.

'Zijn zus is er,' zei Zoë na een tijdje. 'Ik heb haar op de trap gesproken.'

'Zijn zus? Ik wist niet dat hij die had.'

'Dus wel.'

'Vreemd te bedenken dat hij familie heeft. Hoe ziet ze eruit?'

'Heel anders dan hij, godzijdank. Maar ze heeft gevraagd of ze even met je kan praten.'

'Wat wil ze?'

Zoë haalde haar schouders op. 'Haar spijt betuigen, neem ik aan.'

'Wat heb je gezegd?'

'Wat denk je dat ik gezegd heb? Nee. Ik heb uiteraard nee gezegd. Ze is naar binnen gegaan.' Ze keek over haar schouder naar de deuren van de kerk. De dominee stond daar zachtjes te praten met Steve Finder, Sally's nieuwe vriend. Hij was een goede man, dacht Zoë, het soort man dat Sally op de been kon houden zonder haar te verstikken. Precies wat ze nodig had. Hij keek op, zag Zoë kijken en knikte. Toen bracht hij zijn pols omhoog en tikte op zijn horloge om aan te geven dat het tijd was. De dominee pakte de deuren vast, klaar om ze dicht te trekken. Zoë stond op. 'Kom op. Dan is het maar voorbij.'

Sally bleef zitten. 'Ik moet je iets vragen, Zoë. Over wat er gebeurd is.'

Zoë aarzelde. Dit was niet het moment om erover te praten. Ze konden het verleden er niet mee veranderen. Maar ze ging toch weer zitten. 'Oké.'

'Het zal wel vreemd klinken.' Sally draaide de stukjes tissue om en om in haar handen. 'Maar denk je, als je erop terugkijkt... denk je dat je het had kunnen zien aankomen?'

'O, Sally... Nee. Nee, dat denk ik niet. De politie is niet per definitie helderziend. Hoe graag de mensen dat ook zouden willen.'

'Ik vroeg het me gewoon af. Omdat...'

'Omdat wat?'

'Omdat ik achteraf denk dat ík het had kunnen zien aankomen.

6

Ik denk dat ik gewaarschuwd was. Ik weet dat het idioot klinkt, maar ik geloof het echt. Een waarschuwing. Of een voorgevoel. Of een blik in de toekomst, hoe je het ook wilt noemen.'

'Nee, Sally. Dat is idioot.'

'Dat weet ik, en dat dacht ik op dat moment ook. Ik dacht dat het stom was. Maar ik kan toch het idee niet van me afzetten dat ik dit had kunnen voorzien als ik beter had opgelet...' Ze gebaarde naar de kerk, de lijkwagen die onder aan de trap was gestopt, de zendapparatuur en de fotografen. '... dat ik dit had kunnen voorkomen.'

Daar dacht Zoë even over na. Er was een tijd geweest, niet eens zo lang geleden, dat ze zou hebben gelachen om een dergelijke uitspraak. Maar nu was ze niet meer zo zeker van haar zaak. Het was een vreemde wereld. Ze keek naar Steve en de dominee en toen weer naar haar zus. 'Je hebt me nooit iets verteld over een waarschuwing. Wat voor waarschuwing? Wanneer dan?'

'Wanneer?' Sally schudde haar hoofd. 'Dat weet ik niet echt zeker. Maar ik geloof dat het op de dag was dat die toestand met Lorne Wood begon.'

Deel een

I

Dat was op een voorjaarsmiddag aan het begin van mei geweest, de tijd van het jaar waarin de avonden langer werden en de primula's en tulpen onder de bomen er rafelig en haveloos bij stonden. De voortekenen van warmer weer hadden iedereen optimistisch gestemd, en Sally was voor het eerst in maanden bij Isabelle gaan lunchen. De zon stond hoog aan de hemel en de kinderen waren in de tuin, terwijl de twee vrouwen in de keuken een fles wijn opentrokken. De ramen stonden open, de katoenen gordijnen bewogen licht in het briesje en Sally keek vanaf haar plek aan tafel naar de tieners. Ze kenden elkaar al sinds ze baby's waren, maar Millie vond het pas het laatste jaar leuk om mee te gaan naar Isabelle. En nu vormden ze een hecht vriendengroepje, twee meisjes en twee jongens, die twee jaar scheelden in leeftijd, maar op dezelfde privéschool zaten, Kingsmead. Sophie, die met haar vijftien jaar Isabelles jongste was, stond op haar handen en haar donkere krulletjes wipten alle kanten op. Millie, even oud als zij maar een kop kleiner, hield haar benen vast. De meisjes droegen allebei een spijkerbroek en een haltertop, maar Millies kleren waren versleten en vaal vergeleken bij die van Sophie.

'Daar zal ik iets aan moeten doen,' peinsde Sally. 'Haar schooluniform valt ook uit elkaar. Ik ben naar de directrice geweest om te kijken of ik een tweedehands uniform kon krijgen, maar ze had niets meer in Millies maat. Het schijnt dat alle ouders van Kingsmead tegenwoordig tweedehands spullen willen hebben.'

'Het zijn voor iedereen moeilijke tijden,' zei Isabelle. Ze was strooptaart aan het maken en deed de knikkers die ze in een pot op de koelkast bewaarde als blinde vulling op het deeg. De stroop en de boter stonden te borrelen in een pan en er hing een zware, nootachtige geur in de keuken. 'Ik heb Sophies spullen altijd aan de directrice gegeven.' Ze liet de knikkers op het deeg vallen en zette de taartvorm in de oven. 'Maar van nu af aan zal ik ze voor Millie bewaren. Sophie heeft een maat groter dan zij.'

Ze veegde haar met bloem bedekte handen af aan haar schort en bleef even naar haar vriendin staan kijken. Sally wist wat ze dacht; dat Sally bleek zag en rimpels in haar gezicht kreeg, en dat haar haar niet schoon was. Ze zag de roze schort van het schoonmaakbedrijf HomeMaids, die Sally over haar verbleekte spijkerbroek droeg, en had waarschijnlijk medelijden met haar. Het kon Sally niet schelen. Ze begon eindelijk een beetje te wennen aan het medelijden van andere mensen. Vanwege de scheiding, uiteraard. De scheiding en Julians nieuwe vrouw en baby.

'Ik wou dat ik iets kon doen om je te helpen.'

'Je helpt me al, Isabelle.' Ze glimlachte. 'Jij praat tenminste nog tegen me. Dat kan ik van sommige andere moeders van Kingsmead niet zeggen.'

'Is het zo erg? Nog steeds?'

Erger, dacht ze. Maar ze glimlachte. 'Het komt wel goed.'

'Echt?'

'Echt. Ik heb met de bankdirecteur gesproken en er is met al mijn leningen geschoven, zodat ik niet zoveel rente hoef te betalen. En ik krijg meer uren van het bedrijf.'

'Ik weet niet hoe je het doet, dat werk.'

Sally haalde haar schouders op. 'Andere mensen doen het ook.'

'Ja, maar andere mensen zijn het gewend.'

Ze keek Isabelle na toen die naar het fornuis liep en in de stroop roerde. Er stonden open zakken meel en havervlokken op het aanrecht. Op elk ingrediënt stonden namen van A-merken of 'exclusief'. In het huisje van Sally en Millie stond op alle verpakkingen Lidl of 'extra voordelig' en de koelkast lag vol met de slappe, draderige groenten die ze in de achtertuin probeerde te kweken – dat was een financiële les die Sally snel geleerd had: het kweken van groenten was een hobby voor rijke mensen die niets te doen hadden. Het was veel goedkoper om ze in de supermarkt te kopen. Ze beet op haar duimnagel en zag hoe Isabelle zich door de keuken bewoog, haar vertrouwde, stevige rug in de verstandige, modder-kleurige korte broek en blouse. Haar schort met toefjes bloemen erop. Ze waren al jaren bevriend en zij was degene die Sally het meest vertrouwde en de eerste die ze om raad zou vragen. Toch geneerde ze zich een beetje voor wat ze haar wilde voorleggen.

Maar uiteindelijk ging ze toch haar tas pakken en haalde er een blauwe map uit. Het was een versleten geval, dichtgehouden met een elastiekje. Ze nam hem mee naar de tafel, legde hem naast de wijnglazen, trok het elastiek eraf en haalde de inhoud eruit. Met de hand geschilderde kaarten, versierd met kralen, linten en veren, met een laklaag eroverheen. Ze legde ze op de tafel en bleef er on-zeker bij zitten, klaar om ze weer bijeen te rapen en terug in de tas te duwen.

'Sally?' Isabelle tilde de pan van het vuur en kwam al roerend naar haar toe om te kijken. 'Heb jij deze gemaakt? Nee toch?' Ze keek naar de bovenste kaart. Er stond een vrouw op met een vio-lette, met sterren bezaaide sjaal, die ze voor haar gezicht had ge-trokken, zodat alleen haar ogen zichtbaar waren. 'God, wat mooi. Wat zijn het voor kaarten?'

'Tarotkaarten.'

'Tarot? Je gaat toch niet onze toekomst voorspellen, hè? Of an-dere zweverige dingen doen?'

'Natuurlijk niet.'

Isabelle zette de pan neer en pakte de tweede kaart. Er stond een lange vrouw op die met gestrekte arm een grote, transparante ster vasthield. Ze leek door de ster naar de wolken en de zon te kijken. Haar lange, verwarde donkere haar met grijze strepen hing over haar rug. Isabelle glimlachte verlegen. 'Dat ben ik toch niet?'

'Jawel.'

'Echt, Sally, je bent een beetje te flatteus geweest met mijn bor-sten, als je het niet erg vindt dat ik het zeg.'

'Als je ze allemaal bekijkt, zul je veel bekende gezichten tegen-komen.'

Isabelle ging het pak kaarten door en stopte af en toe als ze iemand herkende. 'Sophie! En Millie ook. Je hebt ons allemaal geschilderd, ook de kinderen. Ze zijn práchtig.'

'Ik vroeg me af of ik ze zou kunnen verkopen,' zei Sally aarzelend. 'Misschien aan die hippiewinkel op Northumberland Place. Wat denk jij?'

Isabelle draaide zich om en keek haar vreemd aan. Half verbaasd en half geamuseerd, alsof ze niet goed wist of Sally een grapje maakte of niet.

Sally wist meteen dat ze een fout had gemaakt en begon de kaarten haastig bij elkaar te rapen, terwijl er een verlegen blos vanuit haar hals omhoogkroop. 'Nee, ik bedoel, natuurlijk zijn ze niet goed genoeg. Dat wist ik wel.'

'Nee. Doe ze niet weg. Ze zijn fantastisch. Echt fantastisch. Het is alleen... Denk je echt dat je er genoeg voor zou krijgen om je te helpen met... je weet wel, met de schulden?'

Sally keek neer op de kaarten. Haar gezicht was vuurrood. Ze had niets moeten zeggen. Isabelle had gelijk, ze zou er bijna niets aan verdienen als ze de kaarten verkocht. In ieder geval niet genoeg om een stukje van haar schulden te kunnen aflossen. Stom. Dat was ze, stom.

'Maar niet omdat ze niet goed zijn, Sally. Ze zijn schitterend! Echt, ze zijn ontzettend mooi. Kijk deze eens!' Isabelle hield een afbeelding van Millie omhoog. Gekke Millie, altijd kleiner dan de anderen, die in niets op Sally leek en met haar ongelijke pony en wilde bos rood haar net een Nepalees straatkind was. Haar ogen waren wild en groot als van een dier, net als die van haar tante Zoë. 'Dit is gewoon fantastisch, het lijkt precies. En deze van Sophie, die is prachtig. Prachtig! En Nial, en Peter!' Nial was Isabelles verlegen zoon, haar oudste kind, en Peter Cyrus was zijn knappe vriend, de gangmaker en de lieveling van alle meisjes. 'En Lorne, moet je haar toch eens kijken, en nog een van Millie. En nog een van Sophie, en hier ben ik weer. En...' Ze zweeg opeens toen ze de volgende kaart bekeek. 'O,' zei ze huiverend. 'O.'

'Wat is er?'

'Ik weet het niet. Er is iets mis met de verf op deze kaart.'

Sally trok hem naar zich toe. Het was de Staven Koningin in een golvende rode jurk, die met moeite een tijger vasthield die aan zijn riem trok. Millie had ook hier model voor gestaan, alleen was er op deze kaart iets gebeurd met haar gezicht. Sally liet haar vinger eroverheen gaan en drukte erop. Misschien was de acrylverf gebarsten of om een of andere reden verbleekt, want hoewel het lichaam, de kleren en de achtergrond precies zo waren als ze ze geschilderd had, was het gezicht vervaagd. Als in een schilderij van Francis Bacon of Lucian Freud. Een van die angstaanjagende beelden die door de huid van het onderwerp leken te zien, tot op het bot.

'Bah,' zei Isabelle. 'Gadsie. Ik ben blij dat ik niet in die dingen geloof. Anders zou ik me nu echt zorgen gaan maken. Alsof het een waarschuwing was of zoiets.'

Sally gaf geen antwoord. Ze staarde naar het gezicht. Het was alsof Millies trekken door een geheimzinnige hand door elkaar waren geroerd.

'Sally? Jij gelooft toch ook niet in zulke dingen?'

Sally duwde de kaart onder op de stapel. Ze keek op en knipperde met haar ogen. 'Natuurlijk niet. Doe niet zo dom.'

Isabelle schoof haar stoel naar achteren en nam de pan mee naar het fornuis. Sally maakt een slordige stapel van de kaarten, duwde ze in haar tas en nam haastig een slokje wijn. Ze had het liefst het hele glas in één keer leeggedronken om de onbehaaglijke knoop kwijt te raken die net in haar maag was ontstaan. Ze zou graag een beetje aangeschoten zijn geraakt en met Isabelle in de zon op de ligstoelen zijn gaan zitten, zoals ze vroeger altijd deden, in de tijd dat ze nog een man had en met haar tijd kon doen wat ze wilde. Ze had niet beseft hoeveel geluk ze toen had. Nu kon ze niet in de zon wijn gaan zitten drinken, zelfs niet op zondag. Ze kon zich de goede wijn die Isabelle dronk niet veroorloven. En na de lunch moest ze aan het werk in plaats van in de tuin te kunnen gaan zitten. Misschien was het niet meer dan ze verdiende, dacht ze terwijl ze vermoeid over haar nek wreef.

'Mam? Mám!'

Beide vrouwen draaiden zich om. Millie stond in de deuropening, buiten adem en met een rood gezicht. Haar spijkerbroek zat vol grasvlekken en ze hield haar telefoon naar hen toe gedraaid.

'Millie?' Sally ging rechtop zitten. 'Wat is er?'

'Mogen we uw computer aanzetten, mevrouw Sweetman? Ze zijn er allemaal over aan het twitteren. Het gaat om Lorne. Ze wordt vermist.'

2

Op het politiebureau, net drie kilometer verderop in het centrum van Bath, werd nergens anders meer over gepraat dan over Lorne Wood. De zestienjarige leerlinge van Faulkener's, een plaatselijke privéschool, was heel populair en volgens haar ouders redelijk betrouwbaar. Sally's zus, inspecteur Zoë Benedict, had er van het begin af aan geen moment in geloofd dat Lorne nog levend tevoorschijn zou komen. Misschien lag dat aan Zoë zelf, die veel te nuchter was, maar toen een van de zoekteams die het struikgewas aan het Kennet and Avon-kanaal afzocht om twee uur die middag een lichaam vond, was ze helemaal niet verbaasd.

'Niet dat ik ooit zou zeuren dat ik het wel gezegd had,' mompelde ze tegen inspecteur Ben Parris toen ze over het jaagpad liepen. Haar handen zaten diep in de zakken van de zwarte spijkerbroek die ze als hogere beambte met de plicht het imago van de politie hoog te houden volgens de hoofdinspecteur niet mocht dragen. 'Dat zul je mij nooit horen zeggen.'

'Natuurlijk niet.' Hij wendde zijn blik niet af van het groepje mensen dat even verderop stond. 'Dat ligt niet in je aard.'

De vindplaats was al afgezet en op het pad stonden draagbare schermen. Voor de schermen hingen tien of twaalf mensen rond, voor het merendeel eigenaren van de woonboten, maar ook al iemand van de pers in zwarte regenkleding. Toen de twee inspecteurs zich met geheven identiteitskaart een weg tussen hen door baanden, hief hij zijn Nikon en drukte een paar keer af. Het was het bewijs dat het nieuws sneller de ronde deed dan de politie kon bijhouden, dacht Zoë.

Er was een stuk grond van bijna tweeduizend vierkante meter afgezet, zodat het publiek niets kon zien. Het pad bestond uit los, kalkachtig grind met aan de ene kant het riet van het kanaal en aan de andere een dichte begroeiing van fluitenkruid, brandnetels en gras. De agenten hadden een gedeelte van ongeveer vijftig meter vrijgelaten tussen de schermen en de binnenste afzetting, die bestond uit politielint. Dertig meter daarachter, waar het struikgewas een natuurlijke tunnel had gevormd, stond een witte tent.

Zoë en Ben deden witte overalls aan, met de capuchons strak om hun hoofd, en trokken handschoenen aan. Toen doken ze de tent in. Onder het tentdoek was het warm, er hing een zware geur van geplet gras en aarde en overal lagen lichtgewicht aluminium loopplaten.

'Ze is het inderdaad.' De leider plaats delict stond nog geen halve meter van de ingang aantekeningen te maken op een klembord. Hij keek niet op. 'Zonder enige twijfel. Lorne Wood.'

Achter hem, aan het eind van een looppad, liep een fotograaf om een modderig stuk zeil heen om video-opnames te maken.

'Precies zulke zeilen worden op de woonboten gebruikt om het brandhout af te dekken. Maar niemand in dit deel van het kanaal mist er een. De dader heeft het over haar heen gelegd. Als je haar zo ziet liggen, zou je denken dat ze in bed lag.'

Hij had gelijk. Lorne lag op haar rug alsof ze sliep, met één arm boven op het zeil, dat als een dekbed tot haar borst was opgetrokken. Haar hoofd was opzij gezakt, afgekeerd van de ingang van de tent. Zoë kon het gezicht niet zien, maar wel het t-shirt. Grijs met de woorden 'I am Banksy' over de borst. Het t-shirt dat Lorne gisteren had gedragen toen ze van huis ging. 'Hoe laat is ze als vermist opgegeven?'

'Om acht uur,' zei Ben. 'Ze had onderweg naar huis moeten zijn.'

'We hebben haar sleutels gevonden,' zei de LPD, 'maar nog geen telefoon. Er komt later een duikteam om het kanaal af te zoeken.'

In de hoek van de tent liet een rechercheur een paar zwarte ballerina's in een zak vallen. Hij zette een rood vlaggetje in de grond, verzegelde de zak en zette zijn handtekening over het zegel. 'Zijn die daar gevonden?' vroeg Zoë.

Hij knikte. 'Ja, hier. Allebei.'

'Uitgeschopt? Uitgetrokken?'

'Uitgetrokken. Ze stonden zo.' De LPD hield zijn handen netjes naast elkaar. 'Ze zijn daar gewoon neergezet.'

'Zit er modder op?'

'Ja. Maar niet van hier. Ergens van het jaagpad.'

'En dit geplette gras?'

'Door de worsteling.'

'Het is niet veel,' zei ze.

'Nee. Zo te zien heeft het niet lang geduurd.'

De fotograaf was klaar met zijn video. Hij ging achteruit om Zoë en Ben bij het lichaam te laten. Bij het zeil liepen de loopplaten in twee richtingen om het lichaam heen. Zoë en Ben gingen voorzichtig naar de kant waar Lornes gezicht naartoe was gedraaid en bleven een hele tijd op haar staan neerkijken. Ze werkten allebei al meer dan tien jaar bij de recherche en in die tijd hadden ze maar een handvol moorden te onderzoeken gehad. Niets als dit.

Zoë keek op naar de LPD. Ze voelde dat haar ogen vochtig werden. 'Hoe komt haar gezicht zo?'

'Dat weten we nog niet goed. We denken dat er een tennisbal tussen haar tanden zit.'

'Jezus,' zei Ben. 'Jezus.'

De LPD had gelijk: er was een stuk tape over Lornes mond geplakt. Het hield een rond voorwerp op zijn plek dat zo ver mogelijk naar binnen was geduwd en aan de boven- en de onderkant waren lichtgevend groene plukjes te zien. Haar kaken waren zo wijd opengewrikt dat ze leek te gillen of te grauwen als een beest. Haar neus was tot een bloederige bult geslagen en haar ogen zaten stijf dicht. In haar haar zat ook bloed. Er liepen twee duidelijke strepen bloed van onder de tape naar haar kaak, bijna precies op de plek waar het scharnier van de mond van een buikspreekpop zou zitten, alleen liepen ze door tot bijna onder haar oren. Ze moest op haar rug hebben gelegen toen het bloed was gaan stromen.

'Waar komt het vandaan?'

'Uit haar mond.'

'Heeft ze op haar tong gebeten?'

De LPD haalde zijn schouders op. 'Het kan ook zijn dat de huid opengebarsten is.'

'Opengebarsten?'

Hij raakte zijn mondhoeken aan. 'Met een tennisbal in haar mond? Dat zou veel spanning op de huid hebben veroorzaakt.'

'Huid kan niet ba...' begon ze, maar toen bedacht ze dat huid wel kon barsten. Ze had het gezien op de rug en in het gezicht van mensen die zelfmoord hadden gepleegd door van een hoog gebouw te springen. Door de klap barstte hun huid vaak open. De gedachte bezorgde haar een kil, zwaar gevoel in haar maag.

'Hebben jullie het zeil weggetrokken?' Ben stond voorovergebogen en probeerde onder het zeil te kijken. 'Kunnen we de rest zien?'

'De patholoog heeft gevraagd of iedereen er verder af wilde blijven en of jullie naar de sectie willen komen. Hij... ik... we willen haar allebei precies zoals ze is naar het mortuarium zien te krijgen. Met zeildoek en al.'

'Er is dus een seksueel element?'

De LPD snoof. 'Ja. Dat kun je wel zeggen. Een sterk seksueel element.'

'En?' Ben keek op zijn horloge en wendde zich tot Zoë. 'Wat wil je doen?'

Ze trok haar blik los van Lornes gezicht en keek naar de rechercheur aan de andere kant van de tent, die een etiket op de zak met de schoenen plakte. 'Ik geloof... Ik geloof dat ik even een eindje wil lopen,' mompelde ze.

3

Lorne Wood had een tijdje deel uitgemaakt van het groepje van Millie en Sophie, maar een jaar geleden waren zij en de andere meisjes uit elkaar gegroeid. Misschien hadden ze om te beginnen al niet veel gemeen gehad. Lorne zat op een andere school en was een jaar ouder, en Sally had haar altijd wat vroegwijs gevonden. Ze was de knapste van de meisjes en leek dat heel goed te weten. Een blondine met een melkblanke huid en kenmerkende blauwe ogen. Een echte schoonheid.

Tussen de middag hadden de tieners zich om de computer in Isabelles studeerkamer verdrongen om elk roddeltje op te vangen en via Facebook en Twitter te achterhalen wat er nu eigenlijk aan de hand was. Er was niet veel nieuws; de politie had na de officiële verklaring van die morgen, waarin bevestigd werd dat ze vermist werd, niets meer doorgegeven. Zo te horen was Lorne de vorige middag voor het laatst door haar moeder gezien voordat ze te voet de stad in was gegaan om te winkelen. Sinds die tijd was haar pagina op Facebook niet meer bijgewerkt en er was ook niet gebeld met haar mobiele telefoon. Toen haar ouders haar hadden gebeld, had de telefoon blijkbaar uitgestaan.

'Misschien heeft ze gewoon de kolder in de kop,' zei Isabelle toen de kinderen weer naar buiten waren gegaan. 'Ruzie met haar ouders, weggelopen met een vriendje. Dat heb ik op die leeftijd ook eens gedaan. Om mijn ouders een lesje te leren, zoiets.'

'Waarschijnlijk,' beaamde Sally. 'Misschien.'

Het was bijna halftwee. Tijd om te gaan. Ze begon haar spullen bij elkaar te zoeken, maar moest steeds aan Lorne denken. Ze had haar maar een paar keer ontmoet, maar ze herinnerde zich een vastbesloten meisje met iets triests over zich. Ze wist nog dat ze op een dag in de tuin hadden gezeten, toen zij en Millie nog bij Julian op Sion Road hadden gewoond, en dat Lorne toen opeens had gezegd: 'Millie heeft zoveel geluk, weet u. Omdat ze maar alleen is.'

'Maar alleen?'

'Omdat ze geen broertjes of zusjes heeft.'

Dat had Sally verrast. 'Ik dacht dat jij goed met je broer kon opschieten.'

'Niet echt.'

'Is hij niet lief tegen je?'

'O, ja, hij is heel lief. Hij is lief. En hij is aardig. En hij is slim.' Ze streek haar haar uit haar knappe gezichtje. 'Hij is volmaakt. Hij doet alles wat ma en pa willen. Dat is juist wat ik bedoel. Millie heeft maar geluk.'

Dat gesprekje was Sally bijgebleven en ze herinnerde het zich als de dag van gisteren. Ze had nooit eerder iemand horen beweren dat het een nadeel was om een broer of zus te hebben. Mensen dachten het misschien, maar ze had het nog nooit iemand hardop horen zeggen.

'Ik wou dat ze dat eens afleerden.' Sally keek op. Isabelle stond voor het raam en keek met een frons de tuin in. 'Ik heb het ze al ik weet niet hoe vaak gezegd.'

Sally stond op en ging naast haar staan. Het was een lange tuin vol fruitbomen, omringd door hoge populieren, die ritselden en meebogen als er ook maar een zuchtje wind opstak. 'Waar zijn ze dan?'

Isabelle wees. 'Zie je? Daar aan het eind. Ze zitten op het hek. Ik weet wat ze denken.'

'O, ja?'

'Nou en of. Ze denken aan Pollock's Farm. Ze zitten zich af te vragen of ze erheen kunnen gaan zonder dat wij het in de gaten hebben.'

Isabelles huis stond anderhalve kilometer ten noorden van Bath, op het punt waar de steile hellingen van Lansdown vlakker werden. In het noordwesten bevonden zich de laagvlakte en de golfbanen en in het oosten werd Isabelles tuin begrensd door Pollock's Farm. De boerderij stond al drie jaar leeg, sinds de eigenaar, de oude Pollock, gek was geworden en, zo zeiden de mensen, ontsmettingsmiddel voor schapen was gaan drinken. De gewassen stonden dood op het veld, overwoekerd door onkruid, en de bruine maïskolven hingen slap aan hun stengels. Op de paden stonden halfgesloopte werktuigen te roesten, de varkenstroggen hadden zich gevuld met regenwater en de rottende hopen kuilvoer waren ondergraven en aangevreten door ratten, zodat ze eruitzagen als de afbrokkelende ruïnes van een vergeten beschaving. Het was algemeen bekend dat het er gevaarlijk was, niet alleen vanwege de gevaren op de velden, maar ook omdat het terrein in het midden werd doorsneden door een oude groeve die een steile afgrond in de heuvel had doen ontstaan. De boerderij stond onder aan de afgrond. Als je in de hoogste velden stond, kon je door de toppen van de bomen heen neerkijken op het dak. Daar was de oude Pollock gestorven, in zijn leunstoel voor de televisie. Hij had er maanden gezeten terwijl de seizoenen in elkaar overgingen, het huis verviel en de elektriciteit werd afgesloten, tot hij was ontdekt door een junk die wat privacy zocht.

'De jongens zijn daarna nog erger geworden. Echt, die boerderij lijkt wel een magneet voor ze. Ze jutten elkaar op. Ze vinden het gewoon leuk om elkaar uit te dagen en bang te maken.' Isabelle slaakte een zucht, keerde zich af van het raam en ging terug naar het fornuis, waar de strooptaart inmiddels op een rekje stond af te koelen. 'Het maakt niet uit wat ik zeg. Ze doen alsof ze er nooit heen gaan, maar ik weet dat ze er wel komen. En als zij het niet zijn, is het iemand anders. Ik ben er een maand geleden naartoe gegaan, en het is er verschrikkelijk. Het hele huis ligt vol met chipszakken en ciderflessen en alle walgelijke dingen die je je maar kunt voorstellen. Vandaag of morgen krijgt een van hen een naald in zijn voet. Ik heb laatst een bierblikje in Nials afvalbak gevonden en ik vertrouw Peter niet. Hij had laatst korstjes rond zijn mond. Weet jij waar dat op duidt?'

'Nee.'

'Ik ook niet. Ik denk dat ik automatisch aan drugs dacht. Misschien moet ik het aan zijn moeder vertellen, wie weet? Hoe dan ook, die plek...' Ze maakte een gebaar naar het raam. 'Daar komt alleen maar ellende van. Hoe sneller de nalatenschap is afgehandeld en de boel verkocht wordt, hoe beter. Ik heb de tuinman al een paar keer gezegd dat hij de overstap in het hek moet dichtmaken, maar hij komt er gewoon niet aan toe. Ze hebben nu de leeftijd dat je steeds bang bent...'

Ze huiverde licht. Haar blik ging even naar Sally's tas. Misschien dacht ze aan Millies gezicht op de tarotkaart. Of misschien aan Lorne Wood, die al zestien uur vermist werd. Toen klaarde haar gezicht op. 'Maak je maar niet druk,' zei ze. 'Ik houd haar wel in de gaten. Ik zal haar om zes uur naar Julian brengen. Je hoeft je helemaal nergens zorgen over te maken.'

4

Lorne Wood had er dat voorjaar een gewoonte van gemaakt in de stad te gaan winkelen en daarna naar huis te lopen, en dan ging ze door Sydney Gardens naar het jaagpad waar haar huis stond, nog geen kilometer naar het oosten. Sydney Gardens was het oudste park in Bath en beroemd om zijn replica van een aan Minerva gewijde Romeinse tempel. Het park was ook berucht om zijn homo's – je hoefde maar een stap van het pad te doen om een modieus geklede jongeman met een schaapachtige, hoopvolle glimlach op zijn gezicht in de bosjes te zien staan. Ouders duwden hun kinderen zo snel mogelijk langs de toiletten en praatten luid om hun aandacht af te leiden, en hondenbezitters kwamen regelmatig bij de plaatselijke dierenartsen met dieren die in de bosjes gebruikte condooms hadden gevonden en er vervolgens bijna in stikten. Er liep een spoorlijn door het park en de politie had daar al grondig gezocht, want het was wel eens voorgekomen dat lichamen door een langsrazende trein in stukken waren geslagen, waarna de stukken zover waren meegesleurd dat het lijk helemaal verdwenen leek te zijn. Maar nu waren de zoekteams niet op jacht naar een lijk. Ze zochten sporen van Lornes tocht van de stad naar de plek waar ze vermoord was.

Zoë en Ben liepen zonder iets te zeggen over het pad langs het kanaal. Van tijd tot tijd bleef een van hen staan om tussen de bosjes aan de rechterkant te kijken of naar het ondoorzichtige kanaalwater, in de hoop iets belangrijks te vinden dat de zoekteams hadden gemist. Ongeveer vierhonderd meter in de richting van de stad bleef Zoë staan bij een hek in een muur. Er hingen houtige takken van een blauweregen overheen, waaraan de paarse trossen juist open begonnen te gaan. Het hek gaf toegang tot Sydney Gardens. Dit was waarschijnlijk de plek waar Lorne op het jaagpad was gekomen. Zoë en Ben stonden tegenover elkaar naar de modder tussen hun voeten te kijken.

'Zat dat aan haar schoenen?' vroeg hij.

'Het is dezelfde kleur.'

Ben hief zijn hoofd en keek naar het pad en naar de plassen die op het grind stonden. Het had de vorige dag geregend, maar nu droogde alles op in de zon. 'Je kunt op een heleboel plekken in Bath modder in deze kleur aantreffen. Die ontstaat door de kalksteen in de aarde.'

Zoë keek naar de plassen. Ze dacht aan de schoenen. Ballerina's. Ongeschikt om ver op te lopen, maar alle meisjes droegen ze tegenwoordig.

Ben stak zijn handen in zijn zakken en tuurde naar de hemel. 'En?' zei hij zachtjes. 'Wat denk jij dat zich onder dat zeil bevindt?'

'God mag het weten.'

'Hallo!' Agent Goods, een van de teamleden, kwam over het pad naar hen toe en wuifde om hun aandacht te trekken. 'Er is een mevrouw die u wil spreken.'

'Een vrouw?'

'Iemand van de woonboten. Sommige eigenaren hebben de plaats delict goed kunnen zien voordat hij werd afgezet. Ze kennen het terrein. Deze mevrouw heeft het lichaam gezien, er een glimp van opgevangen. Ze wil jullie iets vertellen.'

'Prima.' Zoë liep met snelle pas het pad af en Ben volgde op een afstandje. Alle radertjes in haar hoofd zoemden. Het zou mooi zijn – heel mooi – om een opgeloste moord in haar dossier te hebben. Om ten overstaan van de politiemacht en de familie van Lorne Wood te kunnen zeggen dat ze de moordenaar gevonden had. Degene die een tennisbal in de mond van hun dochter had geduwd. En God mocht weten wat hij nog meer met haar gedaan had.

De boot bevond zich niet ver van het park, minstens vierhonderd meter van de plaats delict. Hij was in vrolijke kleuren geschilderd, met bloemen over de hele hut, en in de boeg stond de naam *Elfwood* gekerfd. Op het dak, naast het schoorsteentje, waren voorraden opgestapeld – kolen, hout, waterflessen, een fiets. Ben klopte tweemaal op het dak, sprong vervolgens op het achterdek en bukte om in de hut te kunnen kijken. 'Hallo?'

'Ik ben hier,' klonk een stem. 'Kom binnen.'

Hij en Zoë gingen het trapje af, met gebogen hoofd om niet tegen het lage plafond te stoten. Het was een beetje alsof ze de grot van Aladdin in gingen; elk oppervlak – het plafond, de muren en de kastjes – was versierd met houten beelden van boomnimfen. Voor de ramen hing glanzend kaasdoek in paarse en roze tinten en het rook er naar katten en patchoeli. Er kwam niet veel zonlicht naar binnen, net genoeg om een vrouw te kunnen zien van een jaar of vijftig met heel lange, met henna gekleurde krullen, die op een van de bankjes tegen de wand zat met een sjekkie in haar hand. Ze droeg een bloemenkrans in haar haar en een enorme, aan de hals vastgemaakte fluwelen cape om haar schouders, die openviel en een kanten blouse en een rok met kleine gouden spiegeltjes erop liet zien. Haar blote benen en in sandalen met rubberzolen gestoken voeten waren heel wit. Zo wit als de potten met eendenvet die in de zomer in rijen op de Franse markt stonden.

'Aha.' Ze nam een lange haal van de sigaret. 'Prettig om de politie eens iets nuttigs te zien doen in plaats van onschuldige mensen lastigvallen.'

'Ik ben inspecteur Benedict.' Zoë stak haar hand uit. 'Aangenaam kennis te maken.'

De vrouw stak de sigaret in haar mond en schudde haar de hand. Ze tuurde met een peilende blik door de rook heen naar Zoë. Na een paar tellen leek ze tevreden. 'Amy,' zei ze. 'En hij? Wie is hij?'

'Inspecteur Ben Parris.' Ben stak zijn hand uit.

Amy schudde hem de hand, maar bekeek hem argwanend. Toen haalde ze de sigaret uit haar mond en gebaarde dat ze moesten gaan zitten. 'Geen thee – de generator is twee weken geleden kapotgegaan en je wilt mij echt niet met de primusbrander in de weer zien.'

'Dat geeft niet. We blijven niet lang.' Zoë haalde haar aantekenboekje tevoorschijn. Na al die jaren en ondanks alle beschikbare technologie gaf men er bij de politie nog steeds de voorkeur aan dat alles met de hand werd opgeschreven. Meestal nam ze evengoed alles op met haar iPhone. Strikt genomen mocht ze dat niet doen, niet zonder toestemming te vragen, maar daar trok ze zich niets van aan. Ze had er handigheid in gekregen om snel met haar hand over haar zak te gaan en zonder te hoeven kijken de knoppen in te drukken. Biep-biep en het ding nam op; het aantekenboek was maar voor de show. 'De agent zei dat je ons iets wilde vertellen.'

'Ja,' zei Amy. Ze had heel felle ogen vol kapotte adertjes. 'Ik heb het lijk gezien. Veel mensen van hier hebben het gezien.'

'Dat is niet best,' zei Ben. 'We doen altijd ons uiterste best de plaats delict zo onberoerd mogelijk te laten. Soms slagen we daar niet in.'

'Wisten jullie dat je de ziel het lichaam kunt zien verlaten?' vroeg ze. 'Als je goed genoeg kijkt, kun je het zien.'

Zoë sloeg haar ogen neer en deed alsof ze in haar aantekenboek schreef. Als Goodsy hen hierheen had gestuurd om verhalen aan te horen over zielen en geesten, vermoordde ze hem. 'En... Amy. Heb je de ziel gezien? Toen die haar lichaam verliet?'

Ze schudde haar hoofd. 'Hij was al weg. Allang.'

'Hoe lang?'

'Vanaf het moment dat ze stierf. Gisteravond. Ze blijven niet rondhangen. Het moet in het eerste halfuur gebeuren.'

'Hoe wist je dat het gisteravond gebeurd is?'

'Vanwege de armband.'

Ben trok een wenkbrauw op. 'De armband?'

'Ze droeg een armband. Dat heb ik gezien. Toen ze het lichaam vonden, heb ik de armband gezien.'

Amy had gelijk, Lorne had een armband gedragen. Een losse bedeltjesarmband met een verzilverde schedel en miniatuurbestek eraan, een mes, een vork en een lepel. En ook het getal '16', dat ze voor haar verjaardag had gekregen. Het sieraad was door haar ouders beschreven toen ze haar als vermist opgaven.

'Wat is er met die armband? Waarom is die belangrijk?'

'Omdat ik hem gehoord heb. Gisteravond.' Ze nam nog een diepe haal, hield de rook vast en blies die toen in een lange, blauwige sliert naar buiten. 'Je hoort alles, als je hier binnen zit, hoor je het leven voorbijkomen. Ze gaan allemaal over het jaagpad, toch? Je hoort de ruzies, de lol en de geliefden. Vaak hoor je alleen maar fietsbellen. Gisteravond was het een meisje met iets wat rinkelde. Klink-klink ging het.' Ze stak haar vinger en duim omhoog en opende en sloot ze als een snaveltje. 'Klink-klink.'

'Oké. Verder nog iets?'

'Behalve het gerinkel? Niet veel.'

'Niet veel?'

'Nee. Tenzij je het gesprek meerekent.'

'Het gesprek?' vroeg Ben. 'Was er ook nog een gesprek?'

'Via de telefoon. Na een tijdje weet je of het een telefoongesprek is. Toen ik hier pas woonde, dacht ik steeds dat ze met een geest praatten als ze kletsend langs kwamen wandelen zonder dat iemand antwoord gaf. Het heeft een hele tijd geduurd voor ik erachter was. Ik heb niets met technologie. Ik heb geen mobiele telefoon en ik wil er ook geen. Dank je zeer.' Ze knikte kort en beleefd, alsof Ben haar een gratis mobieltje had aangeboden en ze gedwongen was vriendelijk te weigeren.

'En je denkt dat het Lorne was?'

'Daar ben ik zeker van.'

'Je hebt haar niet gezien?'

'Alleen haar voeten. Ze droeg de schoenen die naast haar lichaam stonden. Die heb ik ook gezien toen ze het lichaam vonden. Dat soort dingen vallen me op.'

'Hoe laat was dat?'

'Iets voor achten? Het was rustig, het spitsuur was voorbij. Ik zou zeggen, halfacht, kwart voor acht of zo?'

'Weet je dat zeker?'

'Ik weet het zeker.'

Zoë en Ben keken elkaar even aan. Toen Lorne als vermist was opgegeven, had de agent die de zaak in behandeling had genomen de gesprekken via haar mobiele telefoon laten nagaan, en toen was duidelijk geworden dat ze de vorige avond één telefoongesprek had gevoerd met haar vriendin, een gesprek dat om kwart voor acht was afgelopen. Dat moest het gesprek zijn dat Amy had gehoord. En dat gaf hun het tijdstip waarop Lorne zich precies op het pad had bevonden.

'Amy,' zei Ben, 'heb je gehoord waar ze het over had?'

'Ik heb maar één ding gehoord. Maar één. Ze zei: "O god, ik heb er zo genoeg van..."'

'"O god, ik heb er zo genoeg van?"'

'Ja.'

'Dus ze was van streek?'

'Een beetje geïrriteerd, misschien. Maar ze huilde niet of zo. Verdrietig, maar niet bang.'

Ben schreef iets op. 'En ze was beslist alleen? Je hebt niemand anders gehoord?'

'Nee.' Amy was heel duidelijk. 'Ze was alleen.'

'Dus ze zei: "O god, ik heb er zo genoeg van", en toen...'

'Toen liep ze gewoon verder. Klink-klink-klink.' Amy klemde de sigaret tussen haar tanden, kneep haar ogen dicht tegen de rook en maakte een gebaar in de richting van de plaats delict. 'Die kant uit. Naar de plek waar het gebeurd is. Ik heb daarna niets meer gehoord. Pas toen ze dood gevonden werd. Verkracht ook, neem ik aan. Ik bedoel, daar gaat het meestal om, mannen en de haat die ze voelen voor vrouwen.'

Verkracht ook, neem ik aan. Zoë keek door het raam naar het zonlicht dat op het jaagpad viel en vroeg zich af wat zich onder het stuk zeil bevond waarmee Lorne was toegedekt. Als ze eerlijk was, zou ze graag onder de sectie uit zien te komen. Dat kon niet, natuurlijk. Zoiets zou binnen de kortste keren in het hele korps bekend zijn.

Ze bleven nog even met Amy zitten praten, maar behalve over het telefoongesprek had ze niets nieuws te vertellen. Uiteindelijk kwam Ben overeind. 'Je hebt ons zeer geholpen. Dank je wel.'

Zoë stond ook op en liep achter hem aan. Hij was al aan dek gestapt en zij stond nog in de kombuis toen ze een luid, veelzeggend kuchje achter zich hoorde en bleef staan. Ze draaide zich om en zag dat Amy haar met een vinger tegen haar glimlachende lippen aan stond te kijken. 'Wat is er?'

'Hij,' siste Amy, en ze wees naar het dek. 'Het heeft geen zin je tijd aan hem te verspillen. Hij is homofiel. Dat zie je aan de manier waarop hij zijn kleren draagt.'

Zoë keek achterom naar de trap. Ben stond in het zonnetje op het dek te wachten en zijn schaduw viel een eindje over de trap. Ze zag zijn schoenen, goed gepoetst en duur. Zijn pak, dat waarschijnlijk bij M&S uit het rek kwam, maar dat hij droeg alsof het van Armani was. Amy had gelijk; hij zag eruit als een man uit een reclame voor aftershave. 'Dit is niet iets wat ik met jou hoor te bespreken,' zei ze zachtjes. 'Niet onder deze omstandigheden.'

'Dat weet ik, maar het is toch zo?' Amy glimlachte. 'Kom op. Het kan niet anders.'

'Ik zou het echt niet weten. Ik denk nooit na over zulke dingen. Nou.' Ze keek op haar horloge. 'Ik moet weg. Dank je wel, Amy. Je hebt me een heleboel gegeven om over na te denken.'

5

Sally werkte liever niet in het weekend, maar op zondag had ze een goedbetaalde klus die ze nu eens niet in haar eentje hoefde te doen, omdat het bedrijf haar aan twee andere schoonmakers had gekoppeld. Marysieńka en Danuta waren twee goedgehumeurde blondines uit Gdańsk die met een dikke laag foundation op het werk verschenen en hun nagels lieten doen bij de nieuwe Koreaanse salon in Westgate Street. Ze hadden de beschikking over de roze Honda Jazz van het bedrijf met op de zijkant het HomeMaids-logo in paars vinyl. Marysieńka reed altijd; haar vriend werkte bij de First Bus Company en had haar geleerd om zich als een rally-rijder in het Britse verkeer te storten. 'De eerste regel,' beweerde ze, 'is dat degene die aarzelt het nakijken heeft.' Danuta gilde van het lachen als de kleine HomeMaids-auto tussen het andere verkeer door schoot, zodat de bezadigder automobilisten in noordelijk Bath vol in de remmen moesten. De twee Poolse meiden waren heel aardig en ze namen rookpauzes en roken soms vaag naar gebakken vis en patat, alsof ze een flat deelden boven een afhaalrestaurant. Sally verdacht hen ervan dat ze over haar praatten als de dag voorbij was en dat ze zich dan vast voornamen nooit zo wanhopig en zo slonzig te worden.

Vandaag pikten ze Sally op aan het eind van Isabelles lange oprit. Ze droegen witte spijkerbroeken en hoge hakken onder hun roze schort en zaten met hun armen door de open raampjes te roken en op het ritme van de radiomuziek tegen de zijkant van de auto te bonzen. Ze waren in de twintig en ze hadden geen enkele affiniteit met schoolmeisjes uit de chiquere buurten van de stad, dus zei Sally niets over Lorne en het feit dat ze vermist werd. Ze zat achterin met een stuk kauwgom in haar mond om de geur van de wijn te verdrijven, keek naar de langs schietende heggen en bedacht wat ze zich nog meer over Lorne kon herinneren. Ze had haar moeder een keer ontmoet – ze heette Polly. Of Pippa of zoiets... Hoe dan ook, misschien had Isabelle gelijk, misschien was ze weggelopen omdat er thuis iets aan de hand was. Maar vermist? Echt vermist? En te oordelen naar wat de kinderen op Twitter hadden gelezen, nam de politie de zaak heel ernstig op, alsof er iets afschuwelijks met haar gebeurd was.

Ze moesten over de hoofdweg Bath uit tot helemaal voorbij de renbaan, want de cliënt van die dag, David Goldrab, woonde aan een zijweg bij Hanging Hill, waar bijna vierhonderd jaar geleden de grote slag tussen de royalisten en de parlementaristen had plaatsgevonden. Het was een merkwaardige plek, die vooral opviel door de rij bomen op de top van de tegenoverliggende heuvel, die kilometers in de omtrek te zien was en plaatselijk bekendstond als de Caterpillar. Maar Hanging Hill had voor Sally ook iets sinisters. Alsof de plek was besmet door zijn geschiedenis en er een sfeer van verderf was blijven hangen. Volgens de plaatselijke geruchten was het goud van Brink's-MAT ergens in deze buurt door een goudhandelaar uit Bristol omgesmolten, en zowel David als zijn huis, Lightpil House, hadden iets wat Sally een onbehaaglijk gevoel gaf. Het landgoed, met struiken, grindpaden, bomen, vijvers en geïsoleerde stukken bos, was in de laatste tien jaar aangelegd door hoveniers met graafmachines en grondverzetmachines en paste totaal niet in de omgeving. Ook het huis was modern en overweldigend. Het was opgetrokken uit dezelfde botergele steen als alle gebouwen in Bath en moest een nabootsing voorstellen van een palladiaanse villa; het had een enorme zuilengalerij van twee verdiepingen hoog en een oranjerie met een rij glazen bogen, en de ingang werd bewaakt door een elektronisch hek dat was gesierd met vergulde ananassen.

Marysieńka reed met de Honda over het pad dat langs het hek naar een parkeerplaatsje achter op het terrein liep. Vandaar sjouwden ze hun schoonmaakspullen over het lange pad langs het zwembad en de onberispelijk geknipte rododendrons en ceanothussen. De deur was open en het was stil in het huis, op de televisie in de keuken na. Dat was niet ongewoon; het gebeurde vaak dat ze David helemaal niet zagen. Hun was duidelijk gemaakt dat hij niet lastiggevallen mocht worden en dat ze hem niet mochten aanspreken. Af en toe liep hij in een badjas en op slippers door de keuken, met een mobieltje onder zijn kin en een afstandsbediening in zijn hand, gezichten trekkend en hoofdschuddend als de Skybox niet wilde meewerken, maar vaak zat hij opgesloten in zijn kantoor in de westvleugel of was hij in de stallen waar zijn showpaard Bruiser stond. Er lag altijd een lijst met taken en een envelop met geld voor de meisjes in de keuken. Hij kreeg niet veel bezoek en hoewel hij niet echt netjes of schoon was, was het soms wel vreemd om vloeren te schrobben en wastafels en toiletten schoon te maken die sinds hun inspanningen van de vorige week helemaal niet gebruikt waren. Ze hadden de deuren van de kamers dicht kunnen doen, hun nagels kunnen vijlen, wat was in het rond kunnen sprayen en kunnen vertrekken. Niemand zou het hebben gemerkt. Maar heimelijk waren ze een beetje bang voor David met zijn beveiligingssystemen, zijn elektronische hekken en de camera boven de voordeur. Dus speelden ze op veilig en maakten ze het huis schoon, of het nu nodig was of niet.

De vrouwen gingen aan het werk. Overal lag dik, kamerbreed tapijt in blauw en roze. Aan iedere muur hingen glanzend gepoetste koperen kandelaars en voor elk raam hingen een gordijnkap en elegant gedrapeerde gordijnen met bewerkte randen in weelderige blauwe of goudkleurige zijde. Alles moest afgestoft worden. Er waren twee vleugels met gangen naar het middendeel van het huis, waar de keuken en de woonvertrekken zich bevonden. De Poolse meisjes namen ieder een vleugel voor hun rekening, terwijl Sally in de wasruimte aan het strijkwerk begon.

Er was altijd een hele stapel gestreepte overhemden in pastelkleuren, roze en pepermunt en lichtgeel. In elk zat een met de hand ingestikt etiket met 'Ede & Ravenscroft' in sierlijke letters. Vermist, dacht ze toen ze water in het stoomstrijkijzer deed en het eerste overhemd op de plank legde. Dat kon niet goed zijn. Niet als het om een tiener uit een keurig gezin ging. En toen vroeg ze zich af of de politie haar zou willen verhoren. Of er een man in uniform naar het huisje gestuurd zou worden. Of hij misschien zou zien hoe Millie en Sally tegenwoordig leefden en dat zou doorbrieven aan Zoë. Het zou haar absoluut niet verbazen dat haar domme zusje met de hoopvolle glimlach en de wezenloze sterretjes in haar ogen eindelijk haar verdiende loon had gekregen en op haar plaats was gezet.

Ze stond al tien minuten te strijken toen ze David met kordate passen over het grindpad van de garage naar het huis zag lopen.

Hij was niet lang, maar hij had een krachtig en gezet lichaam – de Poolse meisjes noemden hem 'de dikke' – kortgeknipt haar en een altijd gebruinde huid. Die dag droeg hij een citroengeel poloshirt van Gersemi, bretels en hoge Italiaanse laarzen, en hij tikte met zijn korte zweep tegen zijn bovenbeen. Hij moest naar de stallen in Marshfield zijn geweest. Hij had zijn sieraden niet afgedaan voor hij ging rijden; de zon glinsterde op de gouden ketting om zijn hals en het enkele gouden knopje in zijn oor. Hij kwam binnen door de oranjerie en in de keuken sloeg hij vervolgens de deur van de koelkast dicht. Toen verscheen hij in de wasruimte.

'De enige juiste afsluiting van een goede dressuurrit.' In zijn ene hand hield hij een loodkristallen flûte met roze champagne en in de andere een zakje pinda's. 'Pinda's om het zout dat ik ben kwijtgeraakt aan te vullen en Heidsieck om de hartslag op peil te houden. De enige juiste afsluiting. Dat heb ik geleerd van de beste dressuurruiters in de Piemonte.'

Hij had een accent dat het midden hield tussen Australië, Oost-Londen en Bristol; zijn 'u' klonk altijd als een 'a', zodat 'hut' eruit kwam als 'hat'. Ze had geen idee waar hij vandaan kwam, maar ze was er zeker van dat hij niet was geboren in een groot huis als dit. Ze hield niet op met strijken, maar het kon hem blijkbaar niet schelen dat ze niet reageerde, als hij het al in de gaten had. Hij liet zich in de draaistoel vallen die in de hoek stond en draaide hem een halve slag, zodat hij zijn voeten op het werkblad kon leggen. Hij rook naar aftershave en paarden, en er zaten nog striemen op zijn voorhoofd van de rijhelm.

'Ik ben een gelukkig man, weet je dat?' Hij trok met zijn tanden het zakje pinda's open, liet er een paar in zijn hand vallen en gooide ze een voor een in zijn mond. 'Ik heb geluk omdat ik een goede neus heb voor betrouwbare mensen. Altijd gehad. Dat heeft me al heel vaak uit de problemen geholpen. En wat heb ik aan jou, Sally? Jou heb ik helemaal door. Hierbinnen.' Hij tikte tegen zijn hoofd. 'Netjes in je hokje. Ik weet hoe jij in elkaar zit.'

Sally was gewend geraakt aan de preken die hij af en toe afstak; ze had hem met zijn moeder horen telefoneren en hem horen praten over wat hij bij het journaal had gezien, hoe dat hem had aangegrepen en zijn al sombere kijk op het menselijk ras met de dag pessimistischer maakte. En ze had vooral geleerd dat niet van haar werd verwacht dat ze reageerde op zijn monologen, dat hij alleen maar wilde praten. Maar dit was persoonlijker dan anders. Ze ging door met strijken, maar lette beter op wat hij zei.

'Zie je, ik weet iets wat jij aan niemand wilt toegeven.' Hij glimlachte naar haar. Een langzame glimlach waarbij al zijn tanden zichtbaar werden en die Sally deed denken aan ratten en reptielen. 'Ik weet dat je dit verschrikkelijk vindt. Een vrouw als jij die de poep uit andermans toilet schrobt. Jij bent hier niet voor gemaakt. Die Poolse sletten? Als ik die zie, denk ik: schoonmaaksters – dat doen ze nu en dat doen ze nog als ze tachtig zijn. Maar jij? Jij bent anders, je hebt betere tijden gekend en je vindt het verschrikkelijk om schoon te maken. Echt verschrikkelijk. Je gaat eraan kapot bij elke vloer die je dweilt en elk vuil laken dat je van een bed trekt.'

De kleur kroop over Sally's gezicht, zoals altijd als ze niet wist wat ze moest zeggen. Ze probeerde haar aandacht bij het overhemd te houden, schudde het uit, legde de kraag plat en drukte de knop op het strijkijzer in. Er kwam een sissende straal stoom uit, waar ze een beetje van schrok.

David keek geamuseerd toe. Met zijn voeten op het werkblad liet hij de stoel van de ene kant naar de andere draaien. 'Zie je, Sally, ik vind dat een goede meid als jij een behoorlijke baan verdient.'

'Wat bedoelt u met een behoorlijke baan?'

'Ik zal het uitleggen. Ik zal je in hapklare brokjes een lesje geven over David Goldrab. Als ik ga werken – niet dat ik tegenwoordig veel hoef te doen, *Gottze dank* – maar als ik ga werken, heb ik met mensen te maken. Intensief met ze te maken, als je begrijpt wat ik bedoel. Dus dit is mijn toevluchtsoord. De plek waar ik kom om alleen te zijn, en het allerlaatste wat ik wil, is een paradijsje vol mensen. Dat begrijp je toch zeker wel? Ik hou van ruimte om me heen. Maar ik heb een terrein van vier hectare en bijna vierhonderd

34

vierkante meter woonruimte, en ik hoef je niet te vertellen dat al die ruimte zorg nodig heeft. De buitenkant is voor elkaar; de zwembadman komt elke twee weken en in het huisje tussen dit landgoed en het volgende woont een of andere halvegare. Hij bemoeit zich met de fazanten en zorgt ervoor dat er iets te schieten is als ik zo dom ben geweest mensen uit Londen uit te nodigen. Ik leg lijstjes met klussen voor ze neer, net als ik voor jullie doe, maak hun salaris over op hun bankrekening en hoef ze alleen telefonisch te spreken. Prima. Alleen is het niet genoeg, vanwege het huis. Je hoeft je maar even om te draaien en voor je het weet valt de boel in elkaar. Je kunt me een snob noemen...' Hij legde met een gekweld gezicht zijn hand op zijn hart. '... maar ik kan niet tegen die stomme sukkels die hier komen om dingen te maken, die hun walgelijke knoken over de vloeren slepen en knipperen met hun ene afschuwelijke oog.'

Hij gooide nog wat pinda's in zijn mond en zwaaide met het champagneglas.

'Ik wil die ezels niet eens hoeven zíén. Ik wil boven naar MTV kijken en zien hoe Britney Spears haar kleren uittrekt, zonder iets te weten van de halvezool die beneden mijn afvoeren schoonmaakt. Daar heb ik jou voor nodig. Ik wil dat je blijft schoonmaken, maar ik wil ook dat je elke week door het huis loopt en een lijst maakt van wat er gedaan moet worden. Daarna wil ik dat je het regelt, toezicht houdt, die idioten binnenlaat, koffie voor ze zet of wat die schooiers ook maar mogen willen hebben, dat je ze betaalt en dat je bijhoudt wat ik eraan kwijt ben. Snap je waar ik heen wil?'

'Eigenlijk zoekt u een huishoudster.'

'Ja, nou, zeg dat nou niet alsof je in wezen "eigenlijk zoek je iemand die je pijpt, David" bedoelt. Ik geef je twintig pond per uur, zwart. Geen belasting. Zes uur per week, verdeeld over twee middagen. Dinsdags en donderdags, bijvoorbeeld. Ik betaal het schoonmaakbedrijf vijftien pond per uur, en hoeveel neem jij daarvan mee naar huis?'

Ze sloeg haar ogen neer en schaamde zich een beetje omdat het zo weinig was. 'Vier pond. Ze houden belasting in.'

'Zie je wel? Je moet vijf uur werken om te verdienen wat ik je voor één uur wil betalen.'

Sally zweeg even terwijl ze een optelsommetje deed. Hij had gelijk. Het was veel geld. En ze had op allebei die middagen tijd over, tijd die ze al heel lang nuttig wilde besteden.

'Kom op, Sally. Zeg tegen het schoonmaakbedrijf dat je die twee middagen niet beschikbaar bent en kom in plaats daarvan voor mij werken.' Hij boog zijn hoofd achterover en schudde het zakje noten leeg in zijn mond. Hij beet ze stuk, slikte en veegde met de rug van zijn hand zijn lippen af. 'Kijk niet zo. Er zitten geen addertjes onder het gras en ik probeer je niet in bed te krijgen.'

'En de anderen? Danuta en Marysieńka?'

'Die gooi ik eruit. Ik zal het bedrijf zeggen dat ik geen schoonmakers meer nodig heb. Ik wil toch niets te maken hebben met goedkope sletjes als zij, met hun uitpuilende tieten.'

'Maar ze rekenen erop.'

David haalde zijn schouders op. Hij zette zich met zijn voeten af en liet de stoel achteruit over de vloer rollen. Toen hij tot stilstand kwam, lachte hij tegen haar. 'Weet je wat, Sally? Je bent een goede christelijke vrouw en nu je het zo stelt, zie ik dat ik verkeerd bezig ben. Die stomme Polen hebben het geld nodig, dus zal ik het op de juiste manier aanpakken.' Hij stond op en liep naar de deur. 'Ik bel het bedrijf en begin over ons contract. Ik klaag over jouw werk en zeg dat ik wil dat jij vertrekt en dat de Poolse hoeren kunnen blijven.' Hij knipoogde. 'Weet je wat, misschien ga ik ze zelfs het dubbele betalen. Dat zou ze blij moeten maken.'

6

'Ik wilde het liever niet ter plekke bespreken.' De patholoog stond naast Ben en Zoë bij de snijtafel in het mortuarium neer te kijken op het stoffelijke overschot van Lorne Wood. Voor de dichte deur zat een geüniformeerde agent en er waren verder alleen een lijkbezorger en een fotograaf aanwezig. 'Bij een zaak als deze... Mijn ervaring is dat je dan zo min mogelijk bekendmaakt. Dat je het aantal mensen dat de details kent zo klein mogelijk houdt.'

De fotograaf liep om het lichaam heen, fotografeerde het van alle kanten en zoomde in op het zeil, dat nog steeds tot aan Lornes borst was opgetrokken. Precies zoals ze gevonden was. Zoë keek met op elkaar geklemde lippen toe. Ze was hier eerder geweest, in deze kamer en met deze patholoog, maar dat waren altijd gemakkelijke moordzaken geweest. Afschuwelijk en tragisch, stuk voor stuk, maar ongecompliceerd – merendeels slachtoffers van slecht afgelopen kroeggevechten. Een keer iemand die was neergeschoten, de vrouw van een boer. Maar dit was natuurlijk een compleet andere zaak.

Toen de fotograaf alle noodzakelijke opnamen had gemaakt, ging de patholoog bij Lornes hoofd staan, scheen met een zaklamp in haar neus, tilde beide oogleden op en liet het licht erin vallen.

'Hoe zit het met dat bloed?' vroeg Zoë. 'Dat uit haar mond komt.'

De patholoog fronste. Hij trok een piepklein stukje tape los en ging iets naar achteren, zodat Zoë kon kijken. Bij Lornes mondhoeken was de huid helemaal uitgerekt door de tennisbal. En inderdaad waren de hoeken ingescheurd, twee bloederige scheuren, elk ongeveer een centimeter lang. Net zoals de LPD had gezegd.

Zoë knikte even. 'Dank je,' zei ze stijfjes. Ze ging rechtop staan en deed een stap achteruit.

'Ik denk dat haar kaak door die bal uit de kom is geraakt.' De patholoog legde beide handen onder Lornes oren en voelde, met zijn blik op het plafond gericht. 'Ja.' Hij kwam overeind. 'Uit de kom.' Hij keek op naar de fotograaf. 'Wil je hier opnamen van maken terwijl ik de tape wat naar achteren houd?'

Het bleef stil in de kamer terwijl de fotograaf aan het werk was. Zoë meed Bens blik en vermoedde dat hij ook niet haar kant uit keek. Geen van hen had op weg hierheen iets gezegd, maar ze was er zeker van dat ook zijn gedachten draaiden om de vragen die haar bezighielden – wat zich onder dat zeil bevond, bijvoorbeeld. De patholoog leek martelend lang bezig te blijven met de fotograaf en met het nemen van monsters van Lornes haar en nagels. Het duurde een eeuwigheid voor hij aan het zeil toe was.

'Oké?' vroeg hij met een blik op de gezichten van Zoë en Ben. 'Klaar?'

Ze knikten.

Hij trok het zeil langzaam weg en duwde het in de zak die de lijkbezorger openhield. Zoë en Ben bleven roerloos staan kijken naar wat er voor hen op de tafel lag en namen alles in zich op.

Ze was gekleed in het grijze Banksy t-shirt. Maar daaronder was ze volledig naakt. Haar benen waren in een kikkerhouding gelegd, met de knieën opzij en de voetzolen tegen elkaar. Aanvankelijk dacht Zoë dat haar buik en bovenbenen vol rode snijwonden zaten. Toen zag ze dat het strepen waren van een wasachtige, roodoranje substantie. 'Wat is dat? Lipstick?'

'Dat zou je denken, nietwaar?' De patholoog duwde zijn bril hoger op zijn neus en boog zich met een frons over het lijk heen. 'Er staat iets. Misschien moeten jullie... hè?'

'*All like her...*' Ben hield zijn hoofd schuin om de letters te lezen die op de binnenkant van haar bovenbeen stonden. '*All like her*? Staat dat er?'

'En dit?' De patholoog wees op haar buik. Er stonden letters over haar ribben, om haar navel heen. 'Dit lijkt me heel duidelijk.'

'*No one*?' mompelde Zoë. 'Niemand.' Ze keek vragend op naar Ben. Hij schudde zijn hoofd en haalde zijn schouders op.

'Het volgende wat me op de plaats delict opviel, was dit.' De patholoog bukte en keek onder Lornes billen. 'Hij heeft al haar kleren opgerold, haar spijkerbroek, haar sokken en haar ondergoed, en ze daaronder gelegd. En als ik me niet vergis, zijn ze niet gescheurd of kapot.'

'Ze liet toe dat hij ze uittrok?'

'Dat hangt ervan af wat je bedoelt met "toelaten". Misschien had ze geen keus. Misschien kon ze op dat moment al geen weerstand meer bieden.'

'Je bedoelt dat hij haar heeft verkracht toen ze...'

'Toen ze bewusteloos was,' zei Ben zachtjes. 'Dat hij haar knock-out heeft geslagen en toen zijn gang is gegaan. Daarom heeft niemand aan het kanaal iets gehoord.'

'Ik zeg helemaal niets. Wat ik doe, is wijzen op belangwekkende dingen waaraan we tijdens deze sectie aandacht kunnen besteden. En dat...' Hij duwde zijn bril weer omhoog en draaide de lamp bij, zodat het licht recht op Lornes gezicht viel. '... gaat een hele tijd duren. Ik hoop dat jullie geen plannen hebben voor het diner.'

7

Sally stond in David Goldrabs wasruimte, het strijkijzer werkeloos in haar hand, en hoorde steeds weer wat hij gezegd had. *Twintig pond per uur, zwart. Geen belasting. Zes uur per week.* Honderdtwintig pond per week die ze zomaar in haar zak kon steken? Op dat moment konden zij en Millie zich net redden als het eten, de nutsbedrijven, de gemeentelijke belastingen en de rente waren betaald. Vierhonderdtachtig pond per maand extra; daarmee zou ze een begin kunnen maken met het aflossen van de leningen. Ze zou een nieuwe schooljurk en een nieuwe spijkerbroek voor Millie kunnen kopen. Maar werken voor David Goldrab? Hier in haar eentje, met al zijn grofheid en grootspraak? Ze wist het niet.

Sinds Julian bij haar weg was, leek er elke dag een nieuwe hindernis te worden opgeworpen, een nieuwe lastige situatie te ontstaan. En er was nooit tijd om er eens goed over na te denken. In de tijd voordat Sally en Zoë uit elkaar waren gehaald en naar verschillende internaten waren gestuurd, keek mam op zaterdag altijd naar oude films op de tv. In een van haar favoriete films kwam een personage voor dat steeds zei: 'Principes? Die kunnen we ons niet veroorloven.' Zo was dat als je onder aan de maatschappelijke ladder stond: je idealen, niet het werk van een ander inpikken bijvoorbeeld, kwamen onder aan de lijst te staan, ergens onder de elektriciteitsrekening en het schooluniform. Je leerde dingen in te slikken die je dolgraag had willen zeggen.

Ze zette het strijkijzer in de plastic opbergdoos, deed de doos dicht en ging naar de keuken. David stond in de ontbijtkamer op zijn borst te krabben en langs de kanalen op het grote tv-scherm aan de muur te zappen. Danuta zat met haar rug naar hen toe op haar hurken bij het aanrecht tussen de schoonmaakspullen te zoeken. Toen Sally binnenkwam, trok David zijn wenkbrauwen op, alsof het hem verbaasde haar daar te zien. 'Alles goed, Sally?'

Ze knikte.

'Wat kan ik voor je doen, schatje?'

Ze trok een gezicht en knikte heftig naar Danuta, die nog steeds in het kastje zat te rommelen.

'Sorry?' zei David beleefd, met een niet-begrijpende blik op Danuta's rug. 'Neem me niet kwalijk?'

Sally slikte moeizaam. 'Meneer Goldrab, hebt u even? Ik moet u iets vragen.'

David glimlachte kort. Hij wendde zich van haar af en begon weer te zappen. Sally wachtte af. Ze keek toe terwijl hij rustig langs de nieuwszenders ging, langs een zender waarop iedereen zich onder water of op een bergrichel leek te bevinden en een waarop een vrouw met niets dan een feloranje broek en cheerleadersokken aan met een vinger in haar mond op een bed naar de camera lag te kijken. Toen hij alle kanalen gehad had, klikte hij weer helemaal terug naar het eerste. Toen draaide hij zich om naar Sally. Ook ditmaal leek het hem te verbazen dat ze er nog stond.

'Oké, oké,' zei hij ongeduldig. 'Ga naar het kantoor, ik kom zo. Nou niet moeilijk doen, hoor.'

Het kantoor was op de benedenverdieping en stond vol computers, planken vol opnameapparatuur en kasten met golftrofeeën. Aan de muren hingen ingelijste foto's van een trotse David met paarden, David met zijn arm om meisjes in bikini en David met een strikje om naast een verscheidenheid aan beroemdheden die Sally herkende van programma's als *The X Factor*. Ze ging zitten en wachtte. Na vijf minuten kwam hij binnen, deed de deur dicht en nam tegenover haar plaats. 'Sally. Wat kan ik voor je doen? Is er iets?'

'Het schoonmaakbedrijf zal het vreemd vinden als ik opeens twee middagen minder beschikbaar ben en u de overeenkomst met ons alle drie tegelijk opzegt. Op zulke dingen wordt gelet.'

Hij lachte. Ze rook de alcohol in zijn adem. 'Zie je wel? Wat zei ik je? Ik zei toch dat je slim bent. Dat komt wel goed. Ik bel het bedrijf en zeg dat ik het aantal uren wil beperken, dat jij en de Poolse hoertjes niet zo vaak hoeven te komen. Zeg, elke tien dagen. Dat laten we een paar maanden zo doorgaan en dan zeg ik het contract op. Dat is een win-winsituatie voor jou, schatje. En hoe dan ook...' Hij glimlachte en boog zich naar haar toe. Even dacht ze dat hij zijn vinger onder haar kin zou leggen en haar gezicht zou optillen. '... het is niet alsof ik je vraag iemand te wurgen. Of wel soms?'

Ze glimlachte niet.

'Dus? Overmorgen, prinses?'

'Nog één ding.'

Hij trok een wenkbrauw op. 'Een verzoek? Leuk.'

'Ja. Alstublieft... ik wil niet dat u me een hoer noemt.'

Hij leunde achterover, legde zijn handen achter zijn hoofd en grinnikte. 'Weet je wat, meid? Ik zal je een speciaal kennismakings-aanbod doen: ik noem je geen hoer en ik noem je ook geen slet. Oké? Ik noem je geen slet. Tenzij je je ernaar gedraagt, natuur-lijk.'

8

Veel politiemensen hadden een hekel aan secties. Anderen vonden ze fascinerend en konden er uren over praten en de technische ter-men opdreunen alsof ze zelf dokter waren. Als je jezelf er eenmaal toe gebracht had het lichaam als een stuk vlees te zien, was het meest indrukwekkende aan een sectie dat het soms zo ontzettend saai was, vond Zoë. Er werd een enorme hoeveelheid details vastgelegd, er werden foto's genomen en zelfs de kleinste organen en de meest onbetekenende klieren werden gewogen. En een dood menselijk lichaam was niet roze en rood, maar geel. Of grijs. Ze had alleen moeite met de eerste snee, de Y-incisie van hals tot buik. De rits, noemden ze die bij de politie. Veel mensen bleven weg van de tafel als de rits geopend werd, vanwege de ontsnappende gassen. Omdat ze zo'n hekel had aan dat onderdeel en omdat Zoë iemand was die zichzelf voortdurend tot het uiterste dreef, stond ze op dat moment altijd het dichtst bij de tafel. Zonder monddoekje of sterk geurende zalf in haar neusgaten. Ze stond zichzelf niet meer toe dan een kneepje in de neus en het half dichtknijpen van haar ogen. Toen Lornes lichaam werd opengemaakt, stond Zoë naast haar en ze had bijna de neiging om haar hand vast te houden en erin te knijpen, zodat het niet zo'n pijn zou doen. Stom, dacht ze toen de lijkbezorger zwijgend de instrumenten klaarlegde, ribspreiders en een serie snoerloze Stryker-zagen. Alsof ze iets aan deze toestand kon veranderen.

Pathologen hadden er een enorme hekel aan om met conclusies te moeten komen voordat de sectie voltooid was. Echt een enorme hekel. Maar het hoorde bij hun werk om daar weerstand tegen te bieden en bij dat van de politie om erop aan te dringen, dus vuurden Ben en Zoë van tijd tot tijd een vraag af waarop de patholoog reageerde met een afkeurend klikje van zijn tong tegen zijn verhemelte en een paar zure, gemompelde opmerkingen over het inherente en onwetenschappelijke ongeduld van de politie en waarom mensen niet konden wachten op een behoorlijk rapport in plaats van zijn woorden uit hun context te halen en ze op een presenteerblaadje aan een gretige advocaat aan te bieden. Maar naarmate de middag vorderde, begon hij langzaam en onwillig wat details vrij te geven. Er zaten scheurtjes in Lornes vagina en anus, merkte hij op, maar de wondjes hadden niet gebloed. Bewijs dat de verkrachting net voor of net na haar dood had plaatsgevonden. Hij nam monsters, maar hij zag niet direct sperma, dus misschien was er een condoom gebruikt. Of anders was ze met een voorwerp verkracht. Er zat een verwonding op haar achterhoofd, waarschijnlijk het resultaat van een val. Hij vermoedde dat ze van voren was aangevallen, wat klopte met de schade aan haar gezicht. En ze had een stomp in haar buik gehad – of een schop, misschien – die een interne bloeding had veroorzaakt.

'Is ze daaraan gestorven?'

Hij schudde zijn hoofd terwijl hij bedachtzaam de maagwand bekeek. 'Nee,' zei hij na een tijdje. 'Ze zou er uiteindelijk wel aan zijn doodgegaan. Maar...' Hij duwde een vinger in de dikke bloedklont rond haar milt. 'Nee. Er is niet zoveel bloed als je zou verwachten bij een gescheurde ader naar de milt, zoals hier. Ze moet kort na de verwonding gestorven zijn.'

'Hoe dan?'

Hij keek op naar Ben en hield zijn blik vast. Toen wees hij strak naar de zilverkleurige tape en de tennisbal, die nu verwijderd was en in een verzegelde zak op het werkblad lag. 'Dit is geen officiële uitspraak en ik moet eerst naar de hersenen kijken, maar als jouw neus er zo uitzag en er was een bal in je mond geperst, hoe denk je dan dat je lucht zou krijgen?'

'Dus ze is gestikt?' vroeg Zoë.

'Ik verwacht dat dat in mijn rapport komt.' Hij klikte de zaklamp uit en draaide zich naar hen om. 'En? Willen jullie weten hoe het is gebeurd? Hij heeft haar geslagen, hier tegen de jukboog.' De patholoog hief een hand en deed in slow motion alsof hij met een vuist in zijn eigen gezicht sloeg. 'Eenmaal. Haar jukbeen is gebroken, haar neus is gebroken, ze is achterovergevallen. En toen ze helemaal versuft op de grond lag, heeft hij de tennisbal naar binnen geduwd en de tape over haar mond geplakt. Het bloed in haar neus begon toen te stollen en voor je het weet waren beide luchtwegen geblokkeerd.' Met de achterkant van zijn pols duwde hij zijn bril omhoog. 'Niet erg aangenaam.'

'Je wilt toch niet zeggen dat haar dood een ongeluk was?' vroeg Ben.

De patholoog fronste. 'Wat wil je daarmee zeggen?'

'Het is belangrijk. Die vent zou kunnen beweren dat het niet zijn bedoeling was om haar te vermoorden. Dat hij haar alleen stil wilde houden. Ze zullen beweren dat het doodslag is in plaats van moord.'

'Hij had de tape kunnen verwijderen. Zelfs als ze al bewusteloos was, zou ze automatisch weer zijn gaan ademen als hij de tape had weggehaald en haar door elkaar had geschud. Hij had haar kunnen redden.'

Zoë stond zwijgend op Lorne neer te kijken. Nu de tape was verwijderd, hing haar mond wijd open. Haar tong lag gezwollen en grijs tussen het witte glazuur van haar tanden. Toen ze eerder op de dag over het jaagpad hadden gelopen, was Zoë opgewonden en gemotiveerd geweest en had ze een enorme energie gehad. Maar nu niet meer. Ze keek op, zag Ben naar haar kijken en wendde zich snel af. Ze haalde haar telefoon voor de dag en deed alsof daar iets belangrijks op te zien was. Ze wilde niet dat iemand dacht dat ze de zaak niet aankon. Vooral Ben niet.

Peppercorn Cottage lag erg afgelegen. Heel eenzaam. Het was een van de dingen die Sally er zo fijn aan vond, dat ze geen buren had die haar aanstaarden en veroordeelden, niemand die kon zeggen: 'Moet je nou eens kijken. Moet je eens zien hoe diep Sally Cassidy gezonken is. Kijk hoe ze het huis laat verslonzen.' Het was een klein, stenen optrekje dat helemaal alleen te midden van praktisch, nuchter boerenland stond, op nog geen anderhalve kilometer van Isabelles huis. Er was een grillige tuin bij, het had een eindeloos uitzicht en het heette Peppercorn omdat er jaren geleden een *peppercorn rent* oftewel een huur van niets voor was gevraagd. Het was het meest rommelige huisje dat Sally ooit had gezien; alles ging hier met horten en stoten – de vloeren, het dak, zelfs de bakstenen waren krom. Er was geen rechte lijn te zien. De laatste anderhalf jaar hadden zij en Millie het volgestouwd met de knutselwerkjes die ze in hun vrije tijd maakten. De keuken stond vol spulletjes: de eierdopjes die ze hadden geglazuurd en volgeplakt met nepedelstenen, de schots en scheef opgehangen portretjes van de huisdieren die ze in de loop der jaren hadden gehad, de kerststerren van harde zuurtjes die nog steeds voor de ramen hingen en als gebrandschilderd glas kleurige vlekken zonlicht over het interieur wierpen. Zo anders dan het huis op Sion Road, waar ze met Julian hadden gewoond.

De woonkamer was aan de achterkant en bood uitzicht over vlakke velden. Tot zover het oog kon zien was er geen ander gebouw te bekennen. Die avond liet Sally de gordijnen open toen het donker werd en zat ze met opgetrokken benen samen met Steve op de bank wijn te drinken en vol ongeloof naar de tv te kijken. De dood van Lorne Wood werd vermeld in het nationale journaal en was het belangrijkste item in het plaatselijke nieuws.

'Het is niet te geloven,' mompelde Sally met haar lippen tegen de rand van haar glas. 'Lorne. Kijk haar nou – ze kan niet dood zijn. Ze was zo mooi.'

'Ze ziet er goed uit,' zei Steve. 'Anders had de zaak ook niet zoveel aandacht gekregen.'

'Alle jongens waren gek op haar. Stapelgek. En op het jaagpad nog wel. Millie en ik kwamen daar vroeger zo vaak.'

'Het is nog steeds een jaagpad. Je kunt er nog steeds naartoe.'

Sally huiverde. Ze wreef met haar handen over het kippenvel op haar armen en kroop dichter tegen Steve aan om iets van zijn lichaamswarmte over te nemen. Op avonden als deze, als Millie bij Julian was, ging Sally naar Steve of kwam hij naar het huisje, beladen met lekkernijen, dozen wijn en heerlijke kaasjes uit de delicatessenwinkeltjes in het centrum. Maar vanavond had ze liever gehad dat Millie bij hen was in plaats van op Sion Road. Toen ze zich na een tijdje nog niet kon ontspannen en maar bleef rillen, zwaaide ze haar benen van de bank, zocht haar telefoon op en belde Millies mobieltje. Na twee keer rinkelen werd er opgenomen.

'Mam.' Ze klonk bang en opgewonden tegelijk. 'Heb je het gezien? Op het nieuws? Ze hebben haar vermóórd.'

'Daarom bel ik. Is alles goed met je?'

'Ze hebben Lorne vermoord. Mij niet.'

Sally zweeg, een beetje van haar stuk gebracht door Millies afwijzende toon. 'Neem me niet kwalijk. Maar ik dacht, omdat je zo goed bevriend was met Lorne, dacht ik dat je...'

'We waren niet goed bevriend, mam.'

'Ze trok altijd met jullie op.'

'Nee, dat denk je maar. Ze had eigenlijk meer op met haar vriendinnen van Faulkener's. Hoe dan ook, ik heb meer met Sophie.'

'Maar het zal je toch wel van streek hebben gemaakt.'

'Nee... echt, ik bedoel, ik ben geschokt, maar ik zit hier geen tranen met tuiten te huilen. Het is al een eeuwigheid geleden. Ik heb haar al tijden niet gezien.'

Sally keek naar het raam, naar de eenzame maan die zich van de horizon hees. Opgezwollen en rood. Millie was een echte tiener. Voor haar was een jaar een eeuwigheid. 'Oké,' zei ze na een tijdje. 'Nog één ding; als je vanavond nog uit wilt, wil je me dan eerst bellen? Om te laten weten waar je naartoe gaat?'

'Ik ga niet uit. Ik blijf hier. Bij hén.' Ze bedoelde Julian en zijn tweede vrouw, Melissa. 'Wat een pech. En er is vanavond nog wel een Glasto-bespreking.'

'Een Glasto-bespreking?'

'Daar heb ik je over verteld, mam. Peter en Nial gaan overmorgen de busjes ophalen. Vanavond komen ze bij elkaar om erover te praten. Heeft Isabelle dat niet gezegd?'

Sally beet op de zijkant van haar duimnagel. Ze was vergeten dat het al zo snel was. De jongens gingen naar Glastonbury met Peters oudere broer en zijn vrienden. Peter en Nial hadden hun rijbewijs gehaald en hadden maandenlang als slaven gewerkt om genoeg geld bij elkaar te krijgen voor twee oude, gehavende vw-busjes die hadden staan rotten bij een boerderij in Yate. Hun ouders, die onder de indruk waren van hun vastberadenheid, hadden het tekort aangevuld en de verzekeringspremie betaald. Millie had een hele tijd gezeurd dat ze ook naar het festival wilde, maar de kaartjes waren bijna tweehonderd pond. Het ging echt niet. Met geen mogelijkheid.

'Mam? Heeft Isabelle dat niet gezegd?'

'Nee. En bovendien denk ik niet dat er vanavond besprekingen zullen zijn. Niet na dit nieuws.'

'Jawel, hoor. Het gaat gewoon door. Ik heb het aan Nial gevraagd.'

'Nou, het heeft geen zin om naar een bespreking te gaan als je toch niet naar Glastonbury kunt, of wel soms? Het spijt me, maar we hebben het hier al eerder over gehad.'

Er viel een lange stilte aan de andere kant van de lijn.

'Millie? Heeft het enige zin dat je ernaartoe gaat?'

Ze slaakte een diepe, aanstellerige zucht. 'Dat zal wel niet.'

'Oké. Nou, ga maar vroeg naar bed. Morgen moet je weer naar school.'

'Doe ik.' Sally hing op en bleef even met de telefoon op haar schoot zitten.

Steve boog zich over de bank en legde een hand op haar schouder. 'Alles goed?'

'Ja.'

'Zei ze iets wat je niet aanstond?'

Ze gaf geen antwoord. Op de televisie was de berichtgeving over Lorne afgelopen en de nieuwslezer had het over verdere bezuinigingen. Fabrieken die dichtgingen. Het land dat naar de verdommenis ging. Banen die met de seconde verdwenen.

'Sally? Het is heel normaal om van streek te zijn. Het komt zo dichtbij.'

Ze keek weer op naar de maan en voelde een knagend verlangen. Het zou heerlijk zijn om hem de waarheid te kunnen vertellen; dat het niet alleen om Lorne ging, en ook niet alleen om Millie. Het was alles bij elkaar. David Goldrab die zei *ik beloof dat ik je geen slet zal noemen*, het rieten dak dat inzakte, de vlek op het plafond in de keuken en Isabelles geschokte blik toen Sally had gezegd dat ze de tarotkaarten wilde verkopen. Dat ze niemand had om steun bij te zoeken. De werkelijkheid, in wezen. Ze wilde dat ze hem dat kon vertellen.

9

Bath lag net als Rome knus tussen zeven heuvels. Diep onder de grond bevonden zich warme bronnen die de oude kuuroorden van water voorzagen, de mensen warm hielden en voorkwamen dat er sneeuw in de straten bleef liggen. De Romeinen waren de eersten die op deze plek bouwden, maar volgende generaties waren eveneens vastberaden geweest om op deze warme plek te blijven wonen – hele steden waren vervallen en herbouwd. Het verleden bleef bestaan in de veelkleurige aardlagen onder de voeten van de huidige bewoners van Bath, alsof ze op een taart met laagjes liepen. Elke voetstap overbrugde hele levens.

Zoë was in de stad opgegroeid. Hoewel zij en Sally als kinderen naar verschillende internaten waren gestuurd en haar ouders lang geleden naar Spanje waren verhuisd, voelde ze zich nog steeds thuis in Bath. Tegenwoordig woonde ze op een van de omringende heuvels, die in de achttiende en negentiende eeuw door de stad waren geannexeerd. Een victoriaans rijtjeshuis, helemaal voor haar alleen. Het had een piepklein achtertuintje met net genoeg ruimte voor een paar potplanten en een schuurtje, maar binnen was het heel ruim voor één persoon. Er waren drie grote slaapkamers met hoge plafonds op de eerste verdieping en op de begane grond bevond zich een enkele ruimte, die ze had gecreëerd door de binnenwanden te slopen. Hij mat tien meter van voor- naar achterdeur en was verdeeld in twee woongedeeltes, de eetkeuken aan de voorkant met de ruwhouten eettafel in de erker, en een televisiegedeelte aan de achterkant met banken en haar dvd's en cd's. In het midden, waar de scheidingswand had gestaan, stond Zoës motor.

Het was een klassieker, een zwarte Harley Superglide Shovelhead uit 1980, haar enige vriend in het jaar dat ze haar wereldreis had gemaakt. Hij had haar tweeënhalfduizend pond gekost en een paar lange, slapeloze nachten toen de aandrijfriem het begaf en de venturibuizen op een Aziatische bergketen verstopt raakten. Maar ze was nog steeds gek op het gevaarte en reed er af en toe mee naar het werk. Om halftwaalf die avond, toen de stad aan de andere kant van het erkerraam een deken van lichtjes vormde, stond de motor nog steeds met zachte tikjes af te koelen. Ben Parris wendde zich af van Zoës koelkast en ging er op zijn hurken voor zitten. Hij had een schoteltje melk bij zich, dat hij bij het voorwiel zette. 'Alsjeblieft, geliefd voorwerp.' Hij klopte even op de band. 'Drink je buik maar vol. En vergeet nooit hoeveel er van je gehouden wordt.'

'Die motor is heus geen obsessie voor me, hoor.' Zoë, die aan de tafel bij het raam zat, schonk de laatste wijn in haar glas. 'Ik kan hem nergens anders kwijt. Zo simpel is het.'

'Je hebt toch een achtertuin.'

'Maar daar kan ik niet komen, alleen door het huis. Ik zou de motor dan toch elke dag door de woonkamer moeten rijden, dus kan ik hem net zo goed hier parkeren.'

'En op de weg voor het huis?'

'O, hou toch op. Wat is dat nou voor idioot idee.'

'Het is leuk om te zien dat er zoveel van iets gehouden wordt.'

'Ik ben er zuinig op,' corrigeerde ze. 'Meer niet.'

Hij kwam overeind en liep naar de tafel. 'Nou ja...' Hij pakte zijn eigen glas en draaide zich om naar de kamer. '... het was al een hele openbaring om jou in een huis te zien. Voordat we een relatie kregen, dacht ik dat je in een jeep woonde of zoiets. Maar moet je dit eens zien.' Hij hief zijn open handen en draaide om zijn as alsof hij verbijsterd was. 'Je hebt gordijnen. En verwarming. En echte elektrische lampen.'

'Ja, ik weet het. Te gek, vind je niet?' Ze boog zich naar de muur en deed het keukenlicht uit en aan. 'Moet je nou eens kijken. Pure magie. Soms trek ik zelfs het toilet door. Gewoon voor de lol.'

Ben wandelde met zijn glas in de hand door de kamer, verzette wat potten en glazen en boeken en bekeek de fotocollage op de muur, die was begonnen met een paar foto's die ze daar tijdelijk had neergehangen om ze even kwijt te zijn en spontaan was uitgegroeid tot hij de hele muur bedekte. Over eerste indrukken gesproken; Amy had gelijk gehad in de woonboot, dacht Zoë. Ben zag er echt belachelijk goed uit. Het was bijna niet te geloven dat iemand zo knap kon zijn. En ze moest toegeven dat zijn uiterlijk te denken gaf. Ze werkte al jaren met hem en het was een hele schok voor haar geweest toen ze erachter kwam dat hij niet alleen heteroseksueel was, maar bovendien een zeer warmbloedige man. Toen hij haar voor het eerst gezoend had, op een parkeerterrein na het met veel drank overgoten pensioneringsfeestje van een collega, had ze uitgestoten: 'O Ben, doe toch niet zo raar. Wat gaan we doen als je met me mee naar huis gaat? Elkaar vertellen welke wax het lekkerst werkt?'

Hij deed verbaasd een stap achteruit. 'Wat?'

'O, kom op.' Ze gaf hem een speelse por tegen de borst. 'Je bent homofiel.'

'Dat ben ik niet.'

'Ik wed van wel.'

'Ik wed van niet.'

'Goed dan. Ik wed dat er op jouw lichaam geen haartje te zien is. Ik wed dat je elke week een volledige bodywax laat doen.'

'Bodywax?'

'Je rug, je ballen, je...' Ze maakte de zin niet af. 'Ben, kom op,' voegde ze er toen nogal sullig aan toe. 'Loop nou niet te klooien.'

'Wat? Je bent gek. Ik ben geen homo. Jezus.' Hij maakte zijn overhemd open en liet haar zijn borst zien. 'En ik heb wel degelijk borsthaar. Zie je wel?'

Zoë keek naar zijn borst en sloeg haar hand voor haar mond. 'Goeie god.'

'En hier beneden ook. Wacht maar.' Hij trok aan zijn rits. 'Ik zal het je laten zien.'

En zo was het begonnen tussen Zoë en Ben, met Bens vierentwintiguursmissie om te bewijzen dat hij bepaald geen homo was. Het was erop uitgelopen dat Zoë gillend en giechelend in haar blootje een soort regendansje had gedaan voor het open raam en een zegevierend gejuich over de stad had laten schallen. Dat was vijf maanden geleden en ze sliepen nog steeds met elkaar. Hij liet zich niet intimideren door haar lengte, haar ongeregelde bos rood haar of haar eindeloze benen, die het niet slecht hadden gedaan in een kickboksfilm. Het kon hem niet schelen dat ze dronk en driftig was en dat ze niet kon koken. Hij was helemaal aan haar verslingerd.

Tot voor kort, tenminste. De laatste tijd was het anders, vond ze. Er was een ernstige ondertoon in hun verhouding geslopen. De veerkrachtige, goedgehumeurde man die altijd meteen een weerwoord had was rustiger geworden. Ze kon niet goed de vinger leggen op de verandering, het was meer de lengte van de stilte tussen hun zinnen. En de manier waarop zijn blik soms midden in het gesprek afdwaalde.

Terwijl Zoë nog een fles uit het rek haalde en de kurkentrekker in de kurk draaide, ging Ben naar de kleine voorraadkast om een zak chips te pakken. Hij bleef even staan kijken naar wat er op de planken stond. 'Wat heb je hier een enorme voorraad.'

Ze keek niet op. 'Ja, voor het geval ik ziek word en de deur niet uit kan.'

'Kun je dan niet gewoon iemand vragen een paar boodschappen voor je te doen?'

Zoë staakte haar worsteling met de kurkentrekker en keek naar hem op. Iemand vrágen? Wie kon ze het in godsnaam vragen? Haar ouders waren er niet. Ze sprak ze soms via de telefoon en ging af en toe naar Spanje om ze op te zoeken, als ze vond dat het weer eens tijd werd, maar ze zaten duizenden kilometers van haar vandaan en om eerlijk te zijn was hun verhouding altijd gespannen geweest. Ze had Sally in geen achttien jaar gezien, in ieder geval niet echt, alleen maar op straat in het voorbijgaan, en verder had ze hier geen familie. En haar vrienden, nou ja, dat waren allemaal politiemensen en motorrijders. Niet bepaald geboren verplegers, dus.

'Ik bedoel, jij zou dat toch ook voor een ander doen als het nodig was?'

'Dat is het punt niet.'

'Wat is het punt dan?'

Ze ging weer aan de slag met de kurk. 'Voorbereid zijn op onverwachte dingen. Heb jij dat niet geleerd bij de opleiding? Ik weet zeker dat ik het me herinner.' Ze schonk haar glas bij en zette het weg. Toen haalde ze het dossier van Lorne uit de motortas. Ze spreidde de foto's van de sectie uit op de tafel. Ben deed de chips in een schaal, nam die mee en keek neer op de beelden.

'*All like her*?' Zoë ging met haar wijsvinger langs de woorden op Lornes been. 'Wat wil dat zeggen?'

'Ik weet het niet.'

'Er missen letters. Ervoor en erachter. Er zitten alleen nog vegen.'

'Dat is gewoon een deel van de boodschap. Ik denk dat het aan ons is om de rest in te vullen. Als het belangrijk is.'

Ze pakte de foto van Lornes buik. Met de woorden '*no one*'. 'Wat moet dat in godsnaam?' mompelde ze. 'Ik bedoel maar, hij is gek, toch? Waar heeft hij het over, *no one*?'

'Ik weet het niet.'

'Dat ze voor hem niemand is? Dat ze niets is, niets voorstelt? Of dat niemand hem begrijpt?'

Ben ging zitten. 'God mag het weten. Wat een nachtmerrie, hè? En ik moet steeds denken aan wat ze op het jaagpad zei: "Ik heb er zo genoeg van." Ik heb degene gesproken die haar vermissing behandeld heeft en volgens de vriendin aan de andere kant van de lijn was er niets ongewoons aan het gesprek.'

'Alice.'

'Alice. Dus wat bedoelde Lorne toen ze zei: "Ik heb er zo genoeg van"? En waarom heeft Alice er niets over gezegd?' Hij keek vermoeid in zijn glas en liet de wijn van de ene kant naar de andere klotsen. 'Morgenochtend moet er iemand met haar ouders gaan praten.'

'De familierechercheur blijft vannacht bij ze.'

'Ik wil er niet eens aan denken wat ze moeten doormaken.'

'Precies. Nog een goede reden om geen kinderen te willen. Iemand zou de mensen de waarschuwing op de verpakking eens moeten voorlezen voordat ze zich gaan voortplanten.'

Ben stopte met wat hij aan het doen was en keek haar aan. 'Nog een goede reden om geen kinderen te willen? Zei je dat?'

'Ja. Hoezo?'

'Het klinkt zo oneerbiedig.'

Ze haalde haar schouders op. 'Niet oneerbiedig, verstandig. Ik snap gewoon niet waarom mensen het doen. Als je om je heen kijkt en ziet hoe overbevolkt de wereld is, en als je dan ook nog mensen ziet die iets moeten doormaken zoals de Woods nu te verstouwen hebben, waarom zou je het dan doen, wil ik maar zeggen.'

'Maar je ziet niet af van kinderen omdat je bang bent ze te verliezen. Dat is idioot.'

Zoë staarde hem aan; er klopte iets in haar achterhoofd. Zijn commentaar ergerde haar vreemd genoeg. Het klonk medelijdend. Alsof er iets niet goed aan haar was omdat ze geen kinderen wilde. 'Idioot of niet, je zult mij nooit zien met een voetbal onder mijn trui.'

Ben bleef haar even verbaasd aankijken. Er ging een auto voorbij in de straat en er trok een wolk voor de maan. Na een tijdje stond hij op. Hij legde een hand op haar schouder. 'Ik geloof dat ik maar naar bed ga. Het wordt morgen een lange dag.'

Ze keek naar hem op, verbaasd om de klank in zijn stem. De hand op haar schouder was vriendelijk, maar niet de hand van een minnaar. 'Oké,' zei ze onzeker. 'Ik zal je niet wakker maken als ik bovenkom.'

Hij ging de trap op en ze bleef een hele tijd zitten kijken naar de plek waar zijn voeten uit het zicht waren verdwenen, terwijl ze zich afvroeg wat ze in godsnaam gezegd had. En of het vaste patroon in haar leven nooit zou veranderen, of ze altijd op het verkeerde moment de verkeerde dingen zou blijven zeggen.

Sally was altijd de baby in het gezin geweest. Het lieve poppetje. Grote blauwe ogen en blonde krulletjes. Ieders favoriet. En helemaal verloren nu het gezin niet meer bestond en er niemand meer was om voor haar te zorgen. Ze had altijd een hechte band gehad met haar ouders, maar na de scheiding was dat anders geworden.

Misschien schaamde ze zich, had ze diep vanbinnen het gevoel dat ze hen had teleurgesteld. Maar ze vond steeds nieuwe redenen om niet naar Spanje te gaan, en na verloop van maanden was hun contact langzaam afgenomen tot een wekelijks telefoontje. Soms nam Millie de telefoon op en hoorde Sally later pas dat ze gebeld hadden. En Zoë... nou ja, op Zoë kon ze niet rekenen. Ze was nu iets hoogs bij de politie en wilde niets te maken hebben met Sally, die verwende, leeghoofdige pop die met haar nietszeggende grijns in de hoek zat, altijd de verkeerde kant uit keek en alles miste wat belangrijk was in het leven.

Die dingen miste die vlak onder haar neus gebeurden, zoals Melissa.

Melissa met haar gebruinde huid, haar lange benen en haar enorme bos krullerig blond haar, de schouders van een tennisspeler en een luid Australisch accent. Ze was door de noodlottige hiaten in Sally's aandacht hun leven binnengekropen en voor iemand het in de gaten had, was ze de tweede mevrouw Julian Cassidy en was ze een hele nieuwe Cassidy-clan begonnen. Volgens Millie had Adelayde, hun baby, het hele huis op Sion Road overgenomen met haar box en loopstoel. Melissa had het grasveld omgespit en vervangen door perken vol gravel, enorme woestijnplanten en looppaden voor Adelayde. Maar dat vond Sally niet erg. Ze had besloten dat er maar één manier was om met de scheiding om te gaan – zo vriendelijk mogelijk. Om de situatie te aanvaarden en te zien als een nieuw begin. Ze miste Sion Road niet. In haar herinnering leek het huis somber en afstandelijk, altijd omgeven door wolken of oranje elektrisch licht. En Peppercorn Cottage was prachtig met zijn uitzicht en het heldere, natuurlijke licht dat gewoon uit de hemel viel en recht op het huis en de tuin scheen, hield ze zichzelf voor.

Peppercorn was van haar. Bij de scheiding was overeengekomen dat Julian Millies schoolgeld zou betalen tot ze achttien was en dat hij het huisje voor haar en Sally zou kopen. De advocaat had gezegd dat Sally meer had kunnen krijgen, maar ze had niet inhalig willen zijn. Het leek gewoon verkeerd. Julian had een bijzonder soort hy-

potheek op Peppercorn genomen. Het heette een krediethypo-
theek, had hij uitgelegd, en daarbij kon ze geld lenen met het huis
als onderpand als dat nodig mocht zijn. Sally had niet helemaal
begrepen hoe het in elkaar zat, maar ze had wel door dat ze Peppercorn als een soort buffer kon gebruiken. Zij en Millie waren in
een weekend in november van Sion Road vertrokken en hadden
hun koffers en dozen met knutselspullen door de bladerhopen Peppercorn in gedragen. Ze hadden de verwarming hoog gezet en in
de delicatessenzaak op George Street dozen met gebak gekocht
voor de verhuizers. Sally had geen seconde nagedacht over het extra geld dat ze steeds opnam. Tenminste, niet tot een jaar later,
toen de waarschuwende brieven van de bank op de deurmat begonnen te vallen.

'Waar heb je dat in godsnaam allemaal aan uitgegeven? Het feit
dat je extra geld kunt opnemen, betekent niet dat je dat ook moet
doen. Ze zetten je het huis uit als je niet oppast.'

Die winter hadden Julian en zij afgesproken in een café in
George Street. Het sneeuwde hevig en de vloer van het café was
doornat door alle mensen die naar binnen waren gekomen met
sneeuw aan hun schoenen en op hun kleren. Julian en Sally waren
achter in de zaak gaan zitten, zodat Melissa hen niet zou zien als
ze toevallig langskwam.

'Ik ken niemand die er in één jaar zoveel geld doorheen kan jagen. Werkelijk Sally, wat heb je in godsnaam uitgespookt?'

'Ik weet het niet,' zei ze suf; ze begreep er niets van. 'Ik weet
het echt niet.'

'Nou, het is vast niet in het onderhoud van het huis gegaan. Er
moet voor de volgende winter een nieuw rieten dak op. Je zult wel
weer allerlei dingen voor andere mensen hebben gekocht. Je bent
net een kind als het erom gaat cadeautjes uit te delen.'

Sally drukte haar vingers tegen haar slapen en probeerde uit alle
macht niet te huilen. Het zou wel waar zijn. Ze vond het niet leuk
om bij iemand langs te gaan zonder iets mee te nemen. Dat zou
wel uit de tijd stammen dat ze nog een klein meisje was. De tijd
waarin ze alles deed om Zoë te laten glimlachen. Wat dan ook. Ze

spaarde haar zakgeld op en in plaats van iets voor zichzelf te kopen, wachtte ze tot ze Zoë hoorde praten over iets wat ze graag wilde hebben en dan glipte ze het huis uit om het te kopen. Zoë leek nooit te weten wat ze met het geschenk aan moest. Dan stond ze ermee in haar hand en keek er ongemakkelijk naar, alsof ze bang was dat het zou exploderen. Alsof ze niet goed wist wat voor gezicht ze moest trekken. Sally wilde dat ze nu met haar zus kon praten. Ze wilde dat er niet zo'n verschrikkelijke, kille afstand tussen hen bestond.

'Ik heb nooit over geld hoeven nadenken,' zei ze tegen Julian. 'Daar zorgde jij altijd voor. Ik weet dat het geen excuus is. En je hebt gelijk, er zit een gat in het riet. Het heeft iets te maken met hoe het is vastgemaakt. Er zitten eekhoorns en ratten in die op zoek zijn naar eten. Iemand heeft me verteld dat nieuw riet tienduizend pond gaat kosten.'

Julian zuchtte. 'Ik kan je niet blijven helpen, Sally. Ik sta op het werk onder grote druk en thuis is de situatie ook gespannen nu de baby ieder moment kan komen. Melissa vindt het moeilijk om een beetje ontspannen met geld om te gaan. Ze zou er helemaal niet blij mee zijn als ze hoorde dat ik je nog steeds help.' Hij maakte een prop van zijn servet en zocht in zijn zak naar zijn portefeuille. Het was een nieuw leren geval met gouden initialen. Hij haalde er een chequeboekje uit. 'Tweeduizend pond.' Hij begon te schrijven. 'Daarna kan ik niets meer voor je doen. Je zult andere manieren moeten vinden om in je onderhoud te voorzien.'

Als een verandering in je leven gemarkeerd werd door een bepaald tijdstip, als een wegwijzer bij een kruising of een eiland dat een rivier in tweeën splitst, kon Sally als ze terugkeek op haar leven twee van zulke tijdstippen onderscheiden: het eerste was het moment waarop ze tijdens een kinderruzie met Zoë van het bed was gevallen en haar hand had bezeerd, een gebeurtenis die haar ouders onverwacht serieus hadden opgenomen, alsof er opeens een niet te benoemen schaduw over het gezin was gevallen, en het tweede was die dag met Julian, de dag waarop ze eindelijk volwassen was geworden. Toen ze daar zat met een beker warme chocolademelk voor zich, met koude natte voeten en een paraplu die een zielig plasje op de vloer lekte, zag ze de wereld opeens met onverbloemde helderheid. Ze zag dat het ernst was. Dit was de realiteit. De scheiding was echt en het geldtekort was echt. Er bestonden echt dingen als faillissementen, huizen die door de bank werden teruggenomen en kinderen die in achterbuurten woonden. Dat gebeurde allemaal niet ver van haar bed. Het gebeurde hier. In haar leven.

De zes maanden daarna behoorden tot de moeilijkste in Sally's leven. Ze ging werken, ze ruilde haar auto in voor een kleinere Ford Ka, ze leerde hoe ze rente moest berekenen en hoe ze brieven naar banken moest schrijven. De hele winter verwarmde ze alleen de keuken en Millies slaapkamer en ze gebruikte nooit de wasdroger. Er leek altijd vogelpoep op minstens één van Millies schoolshirts te zitten als ze van de lijn werden gehaald, en als het erg koud was, waren de kleren door de vorst zo stijf als een plank. Maar ze hield vol. Het was vechten tegen de bierkaai en ook nu nog was het alsof ze moest rennen om op hetzelfde punt te blijven. Ze vroeg haar ouders niet om hulp; ze zouden er kapot van zijn geweest als ze van haar situatie hoorden en bovendien zou het uiteindelijk Zoë ter ore komen. Zoë zou zich nooit zo in de problemen werken. Zoë was altijd de slimste van de twee geweest. Ze was een wonder. Ze zou nooit baantjes hoeven aannemen van mensen als David Goldrab. Ze schopte hem nog eerder over de dichtstbijzijnde heg.

Maar het moest, dacht ze toen ze de ochtend nadat Lorne was gevonden opstond en op haar blote voeten de keuken in liep om het ontbijt klaar te maken. Ze had niet veel keus in deze nieuwe wereld. Ze deed de waterkoker aan, zette een pannetje met melk op het fornuis en dekte de tafel met kopjes en bordjes. Steve sliep nog, dus ze liet de radio uit. Er zou toch alleen maar over Lorne Wood gepraat worden, en ze wilde niet weten of ze ertegen zou kunnen om daar nog meer over te horen. Ze legde wat croissants in de oven. De tarotkaarten lagen nog steeds in een slordige hoop op de tafel, waar ze ze de vorige dag had neergelegd. Ze bleef staan en bekeek die van Millie. Het was niet dat de verf was verbleekt, zag ze. Er was iets bijtends op het oppervlak gekomen waardoor

Millies gezicht was aangevreten. Opeens had ze het koud en ze keek op naar de velden die zich eindeloos uitstrekten tot aan de onderkant van de hemel. Het kanaal waar Lorne was gestorven was kilometers ver weg. Kilometers.

Je gelooft toch niet in zulke dingen?

Natuurlijk niet.

Ze draaide de kaart om en ging naar de waterkoker. Millie was veilig. Ze was vijftien. Ze kon op zichzelf passen. En hoe dan ook, vroeg of laat moest je leren loslaten.

10

Aan de andere kant van de stad stond Zoë met een kop koffie in de hand naar de foto's aan de muur van haar woonkamer te kijken. De meeste waren van de reis die ze achttien jaar eerder had gemaakt. Helemaal alleen op de motor. Ze was overal geweest. Mongolië, Australië, China, Egypte, Zuid-Amerika. Het geld voor het avontuur bij elkaar schrapen was een van de moeilijkste dingen geweest die ze ooit had gedaan – het had haar heel wat gekost. Het had haar naar plekken gevoerd en haar dingen laten doen waar ze het liefst nooit meer aan wilde terugdenken. Maar de reis zelf was de belangrijkste periode in haar leven gebleken. Ze had in die tijd alles geleerd wat ze wist over op zichzelf aangewezen zijn, overleven en vastberadenheid. En daardoor was ze ontsnapt uit de val waarin ze sinds haar kindertijd gevangen had gezeten.

Lorne Wood zou nooit de kans krijgen om zulke dingen te leren, dacht ze, terwijl de zon door de erkerramen de keuken in scheen. Het was een heel hoofdstuk in Lornes leven dat voor altijd gesloten zou blijven.

Ze zette de koffie neer, liep door de kamer en keek in kastjes en laden tot ze een blik Slazenger-tennisballen vond. Het lag er al twee of drie zomers, sinds ze zich had voorgenomen elke vrouw van de tennisvereniging van de politie in Portishead te verslaan. Het was haar binnen zes maanden gelukt. Daarna waren de mannen aan de beurt geweest. Maar geen van de mannen wilde daarna nog tegen haar spelen, dus was ze ermee gestopt omdat ze het niet meer leuk vond.

Ben lag nog te slapen. Zoë ging met haar rug naar de trap op de armleuning van de bank zitten en maakte het blik open. De ballen roken naar rubber en oud zomergras. Ze hield het blik schuin, zodat er een bal uit rolde, liet hem op de vloer stuiteren en blies toen de gravel en de losse pluisjes eraf. Ze wreef ermee over haar mouw, deed haar mond wijd open en duwde de bal er zo ver mogelijk in.

Hij ging verrassend gemakkelijk naar binnen en bleef op het breedste punt tussen haar tanden steken, half in en half buiten haar mond. Het droge oppervlak, waaraan een chemisch smaakje zat, duwde haar tong tot achter in haar mond, zodat ze bijna moest kokhalzen. Ze voelde de impuls om de bal eruit te trekken – ze geloofde echt dat ze het kraakbeen in haar kaak kapot kon horen springen – maar ze zette haar vingers schrap tegen de armleuning van de bank, deed haar ogen dicht, probeerde adem te blijven halen en stelde zich met enige moeite voor dat de bal zat vastgeplakt. Ze trilde, het zweet stond in haar oksels en ze zag zwarte en witte sterretjes achter haar gesloten oogleden. En toen ze dacht dat de huid in haar mondhoeken zou splijten, net als bij Lorne was gebeurd, trok ze de bal eruit en liet hem op de vloer vallen, met dikke slieten speeksel eraan.

Ze leunde huiverend tegen de rugleuning en haalde met diepe teugen adem, terwijl de bal over de vloer stuiterde. Hij raakte de gordijnen en kwam schokkerig tot stilstand.

11

'Ha, daar ben je.' Steve stond in zijn blootje in de deuropening van de keuken. Hij wreef in zijn ogen en rekte zijn armen uit tot ver boven zijn hoofd. 'God, wat heb ik lekker geslapen. Ik vind het hier heerlijk.'

'Ga zitten.' Sally haalde een elastiekje uit een la, maakte de kaart van Millie vast aan de buitenkant van het pak en duwde het achter in een van de laden. Toen draaide ze zich om naar de melk die op het fornuis stond. 'Ik moet weg. Ik moet om negen uur op mijn werk zijn.'

'Geen tijd om nog even te scharrelen, dus?'

'Ik moet naar mijn werk.'

Hij glimlachte en rekte zich nog eens uit. Zijn handen kwamen tot tegen het lage plafond en hij duwde zich ertegen af, zodat zijn knieën bogen, zijn lichaam zich strekte en de slaap uit zijn spieren verdween. Hij was in elk opzicht anders dan Julian, die een bleke huid, zachte armen en vrouwelijke heupen had gehad en geen lichaamshaar. Steve was groot en hij had donker haar en een stevige, zonverbrande nek. Zijn benen waren hard en harig als die van een centaur. Als hij zich zo uitrekte, was het alsof een van de anatomieschetsen van Leonardo da Vinci tot leven kwam.

Ze stond bij het fornuis de melk schuimig te kloppen en wierp steelse blikken op hem terwijl hij geeuwend rondliep en in de koelkast keek. Ze waren vier maanden bij elkaar en ze kon nog steeds niet geloven dat hij er was. Steve liet haar constant aan seks denken; als ze ook maar een halfuur vrij had tussen twee schoonmaakklussen, haastte ze zich naar zijn huis en belandden ze naakt op de keukenvloer. Of op de trap, halverwege de slaapkamer. Het was totaal anders dan het met Julian was geweest. Misschien had ze een midlifecrisis. Op haar vijfendertigste.

Steve zat in de bedrijfsspionage, zoals hij het noemde. Sally wist niet goed wat ze zich daarbij moest voorstellen, maar hij leek veel te maken te hebben met mensen die in verre en betoverende oorden woonden. Ze had een keer bij hem thuis zijn adresboek open zien liggen en het stond vol met adressen in landen als de Emiraten, Liberia en Zuid-Afrika, en hij had meer dan eens zijn wekker op een middernachtelijk uur moeten zetten om een teleconferentiegesprek te voeren met iemand in Peru of Bolivia. Als hij 's morgens het huis verliet, was hij in pak, maar in haar verbeelding droeg hij een zwarte polo en een spijkerbroek en had hij verborgen messen in zijn schoenzolen. Ze had geen idee waarom hij met iemand omging die zo dom was als zij. Misschien omdat ze zo gemakkelijk plat te krijgen was. Hij hoefde maar naar haar te kijken en ze rolde met een wezenloze, dankbare glimlach achterover op het bed en deed haar benen uit elkaar.

'Zo.' Hij strengelde zijn vingers in elkaar, liet de knokkels kraken en rolde met zijn hoofd. 'Waar moet je vandaag werken?'

'In het noorden.'

'Toch niet weer bij Goldrab?'

'Nee. Vandaag niet.' Ze schepte de schuimende melk in twee kopjes koffie, strooide er wat cacaopoeder uit een strooibus op en zette een van de kopjes voor hem neer. Toen liep ze terug naar de oven om de croissants op een blad te leggen. 'Hij heeft me gisteren ander werk aangeboden. Ik zou nog steeds moeten schoonmaken, maar ook de administratie voor zijn huis moeten doen.'

'Neem je het aan?'

'Het betaalt wel heel erg goed.'

Steve roerde in zijn koffie en dacht na. 'Hoor eens,' zei hij na een tijdje. 'Ik heb er nooit iets over gezegd, maar eigenlijk maak ik me een beetje zorgen over het feit dat je daar werkt.'

'Zorgen? Waarom?'

'Laat ik het zo zeggen; ik weet veel van hem af. Veel dat ik liever niet zou weten.'

Ze sloeg de ovendeur dicht, kwam overeind, draaide zich naar hem om en streek het haar van haar voorhoofd. 'Hoe ben je die dingen te weten gekomen?'

Hij lachte. 'Hoe lang woon jij al in Bath? Ken je die attractie in Disneyland, *It's a Small World*? Dat geldt ook voor Bath, dat het een heel klein wereldje is. Iedereen weet alles van iedereen.'

Ze haalde jam en boter uit de koelkast, pakte messen en servetten en dacht na over zijn woorden. Hij had gelijk. Iedereen kende elkaar zo'n beetje, of wist van elkaars bestaan. En de mensen praatten en roddelden, zodat je nooit het gevoel had dat je het contact met anderen verloor, ook al had je ze in geen jaren gezien. Op die manier bleef ze bijvoorbeeld op de hoogte van wat Zoë allemaal deed (dat durfde ze niet aan pa en ma te vragen – ze had tegen hen al jaren geen woord over Zoë gezegd, wetend welke spookbeelden ze zou oproepen als ze dat wel deed). Via het roddelcircuit was ze zich ook bewust geworden van het bestaan van Steve, op de vage, onduidelijke manier waarop je dingen te weten kwam over de andere ouders van school, ook al waren zijn twee kinderen veel ouder dan Millie en zaten ze al op de universiteit. Hij en zijn ex waren op dezelfde dag gescheiden als Sally en Julian. Steve had via het roddelcircuit vaag iets gehoord over haar scheiding en maanden later had hij haar in de file in de roze Smart van HomeMaids zien zitten. Hij had het nummer op de zijkant gebeld en de bedrijfsleider zover gekregen dat hij hem doorverbond. Zo ging dat in Bath. Het was eigenlijk niet meer dan een groot dorp. Soms was dat een beetje eng. Alsof je geen vinger kon uitsteken zonder dat iedereen het wist.

Maar toen ze Steve aankeek, geloofde ze toch niet helemaal dat het feit dat ze in een kleine stad woonden verklaarde waarom hij allerlei dingen over David wist.

'Hij is niet een van je...' Ze zocht naar het juiste woord. Hoe zou hij hem noemen? Een klant? Een cliënt? Ze wist zo weinig over zijn werk. 'Je werkt toch niet voor hem?'

'Nee.'

'Maar toch weet je veel van hem af?'

Steve fronste. 'Ja, nou...' zei hij vaag. 'Misschien is dit niet het juiste moment om het erover te hebben. Zo vroeg op de morgen en zo.' Hij trok een krant naar zich toe en begon te lezen.

Maar Sally drong aan. 'Ik weet helemaal niets over wat je doet. Ik tast soms een beetje in het duister.'

Hij keek naar haar op. Hij had heel heldere, grijze ogen. 'Sally, dat is juist het vervelende. Als je ook maar iets weet van wat ik doe, weet je alles.'

'En dan zou je me moeten doden.'

'En dan zou ik je moeten doden.' Hij glimlachte verontschuldigend. 'Ik moet voorzichtig zijn, dat is alles.'

'Maar ik werk voor hem. En hij is een beetje... vreemd. Misschien weet jij iets wat ik ook zou moeten weten. Iets belangrijks.'

Hij tuitte zijn lippen en tikte bedachtzaam met een nagel tegen de rand van zijn kopje, alsof hij zich afvroeg hoeveel hij haar kon vertellen. Na een tijdje duwde hij het kopje weg. 'Oké, dit kan ik je wel vertellen. Goldrab betaalt mij niet, het is andersom. Ik word betaald om onderzoek naar hem te doen.'

'Onderzoek naar hem te doen? Waarom?'

'Daar houden de ontboezemingen op. Het spijt me. Als je voor hem moet werken, kan ik je niet tegenhouden. Ik vraag je alleen goed op te letten.'

'O.' Ze voelde zich een beetje naïef omdat ze dit niet eerder in de gaten had gehad. 'Hoe lang loopt dat onderzoek al?'

'Een tijdje. Maanden. Dat is vrij normaal; veel van mijn onderzoeken duren jaren. Maar om je de waarheid te zeggen, wordt de druk de laatste tijd hoger als het om Goldrab gaat. Mijn cliënten beginnen de laatste weken nogal aan te dringen.'

'Bedoel je Mooney?'

Steve zette zijn kopje neer en staarde haar aan. 'Waar heb je die naam vandaan?'

'Ik geloof dat ik je met hem heb horen telefoneren.'

'Vergeet hem dan meteen weer. Alsjeblieft. Vergeet hem.'

Ze stootte een nerveus lachje uit. 'Nu maak je me bang.'

'Nou, misschien moet je ook bang zijn. Of in ieder geval op je hoede. Goldrab is een akelig heerschap, Sally. Heel akelig. En het feit dat hij vrij rondloopt en niet voor de rest van zijn leven achter de tralies zit, is niet meer dan toeval. Echt, vergeet dat je die naam ooit gehoord hebt. Alsjeblieft. Voor ons allebei.'

12

'Er zitten katten bij de achterdeur.'

Zoë zat aan tafel de foto's van de sectie op Lorne te bekijken en wreef afwezig over haar pijnlijke kaken toen Ben volledig gekleed de woonkamer binnenkwam en zijn manchetknopen dichtdeed. Ze had hem niet horen opstaan en hem evenmin de trap af horen komen. Hij had nog geen vijf uur geslapen, maar zag er onberispelijk uit. Hij legde zijn voorhoofd tegen de glazen deur en keek neer op de katten. 'Ze zitten te eten.'

Zoë deed de foto's in haar koerierstas en zette die bij de voordeur. Toen klikte ze de waterkoker aan. 'Koffie?'

'Je geeft ze eten,' zei hij verbaasd. 'Er staan daar schoteltjes.'

'En wat dan nog?'

'Het is lief van je. Een geheime, lieve gewoonte.'

'Het is niet lief, Ben. Er is niets liefs aan. Ik geef ze eten om te voorkomen dat ze de hele buurt wakker maken. Ik hoef er geen lintje voor, hoor.'

Hij draaide zich om en bleef haar even staan aankijken. Alsof ze hem teleurgesteld had en er als enige verantwoordelijk voor was dat alle plezier en licht uit zijn leven waren verdwenen. Ze schudde haar hoofd, half boos op zichzelf. Toen ze gisteravond naar bed was gegaan, had hij al geslapen. Of hij deed of hij sliep, dat had ze niet kunnen bepalen. Maar hun gesprek over kinderen had iets kils en sluws uit het duister opgeroepen, dat zich stilletjes tussen hen had gewrongen. Zij wist het en hij wist het. Ze zette met veel kabaal koffie, door instantpoeder in de mokken te lepelen en er kokend water en een beetje melk bij te gieten. 'Hierzo,' zei ze toen ze hem een van de bekers gaf. 'Wil je nog iets anders?'

Ben bleef even zwijgen. Hij keek naar de beker en toen naar haar.

'Wat nou?' zei ze. 'Wat is er nou?'

'Zoë, ik heb eens lopen denken...'

Jezus. Ze ging aan tafel zitten en de moed zakte haar in de schoenen. *Daar zullen we het hebben.* 'Denken? Waarover?'

Er viel een stilte. Hij wilde iets zeggen, maar bedacht zich.

'Wat, Ben? Gooi het er maar uit. Waar heb je over lopen denken?'

Zijn ogen werden iets doffer. Hij haalde zijn schouders op en draaide zich half om naar het raam. 'Over dat telefoongesprek.'

'Dat telefoongesprek? Welk telefoongesprek?'

'Dat Lorne had met Alice. Daar is iets mee. Iets wat niet naar voren is gekomen toen Lorne nog vermist werd.'

Zoë bleef doodstil zitten. Hij had haar vraag ontweken. Hij had het niet willen zeggen, wat 'het' ook mocht zijn. Ze stond op, goot haar koffie in de gootsteen en pakte haar autosleutels uit haar zak. 'Ik ga vandaag met de auto,' zei ze. 'Wil je een lift of rijd je zelf?'

13

De hoofdinspecteur was achter in de vijftig. Hij had heel kort, krullerig blond haar en een huid die snel verbrandde. Hij was begonnen bij Vuurwapens, was daarna naar de recherche gekomen en had daar tot op de dag van vandaag spijt van. In zijn revers zat nog steeds een blauw met geel speldje van de National Rifle Association, zijn muur hing vol met foto's van hem op de schietbaan en hij leek elk lid van het team persoonlijk verantwoordelijk te houden voor zijn grote vergissing. Die morgen zag hij eruit alsof hij liever naar de club was gegaan om wat 'oprukkende moffen' af te schieten dan de leiding te nemen over de grootste moordzaak in jaren.

'Dit is een akelige misdaad. Heel ernstig. Dat hoef ik jullie niet te vertellen. Jullie hebben allemaal de foto's gezien, jullie weten wat er gaande is. Maar ik wil jullie eraan herinneren dat jullie het hoofd koel moeten houden. Concentreer je. Er is veel te doen. Het meeste weten jullie waarschijnlijk al, maar we gaan alles even na, zodat er niets over het hoofd wordt gezien.' Hij stak zijn koffiekop omhoog naar de punten die achter hem op het whiteboard stonden. 'Een korte samenvatting. Lorne – populair meisje, en heel knap, zoals jullie kunnen zien. Grote vriendenkring, maar tot dusver heeft niemand iets gezegd over een vast vriendje. Het eerste wat ik wil doornemen, is de lijst met voorwerpen voor onze zoekteams. Er zit van alles tussen, maar het zijn voor het merendeel persoonlijke bezittingen van Lorne die nog vermist worden.'

Hij wees naar de foto van Lornes bebloede linkeroor, die in het mortuarium was genomen. De moordenaar had haar oorring eruit getrokken, zodat de oorlel van halverwege tot onderaan doorgesneden was. Op een foto van haar andere oor was de overgebleven oorbel te zien. 'Nummer één, een oorbel. Een heel apart ontwerp. Blijkbaar door haar vader voor haar gekocht in Tangiers. Zie je dat opengewerkte motief? Dus...' Hij knikte in de richting van de rij rechercheurs die met de armen over elkaar achter in de kamer stonden. Ze waren gedeeltelijk afkomstig van het politiekorps van Bath en gedeeltelijk van de afdeling Zware Misdrijven. 'Een van jullie. Laat dat op de zoeklijst zetten.'

Zoë stond vooraan met haar handen in de zakken van haar zwarte spijkerbroek. Haar tong was dik van de wijn van de vorige avond en haar spieren trokken van de hoeveelheden koffie die ze die morgen had gedronken om de dag op gang te brengen. Haar kaken deden nog pijn van de tennisbal die ze in haar mond had geduwd. Ben leunde naast haar tegen een bureau, met zijn armen over elkaar. Onderweg naar het werk bleef ze meestal in de buurt van zijn auto rijden, als een soort maatje in het verkeer. Maar vandaag was ze een heel eind achter hem gebleven omdat ze het idee had dat ze opeens geen recht meer had op lol en spelletjes en geflirt.

'Haar telefoon wordt vermist. Hij staat uit. Maar het stelt me gerust om te weten dat de telefoonmaatschappij hem in de gaten houdt. Is dat juist?'

De brigadier die leidinggaf aan de afdeling Inlichtingen knikte. 'Vodafone is een prettig netwerk,' zei hij. 'Het enige in het Verenigd Koninkrijk dat echt kan kijken waar een telefoon zich bevindt. Zodra het toestel wordt aangezet, krijgen ze een signaal en horen we van ze.'

'Alleen is de kans dat dat gebeurt natuurlijk praktisch nihil,' zei de hoofdinspecteur. 'Hij heeft hem waarschijnlijk weggegooid, dus ik hoop dat hij op de lijst van het zoekteam staat. Het is een witte iPhone.'

Hij zette zijn kopje neer en pakte een zacht, roze vestje op. Met zijn vinger door het lusje in de hals liet hij het voor zijn agenten bungelen. 'De moeder weet zeker dat ze zoiets droeg toen ze van huis ging. Het bevond zich niet bij de spullen op de plaats delict, dus zet er een sterretje naast voor het zoekteam. En als laatste is er nog het zeil dat jullie op de foto's hebben gezien. We hebben bij alle booteigenaren daar in de buurt navraag gedaan en ze zeggen allemaal hetzelfde. Het is een standaardzeil om hout en kolen en wat al niet meer af te dekken, maar niemand mist er tot nu toe een. Er komen veel passanten in dat deel van het kanaal omdat je daar de eerste vierentwintig uur niet hoeft te betalen, dus houd dat in gedachten. Doe navraag bij alle botenhuizen en stuur iemand naar British Waterways om na te gaan wat de waterschout daar aangemeerd heeft zien liggen. Laat foto's van het zeil verspreiden, en van het vestje. Laat de afdeling Bewijsmateriaal een nieuwe foto van de oorbel maken of laat er een bewerken zodat je het dode oor niet kunt zien. Ga ermee naar de persafdeling – de media mag ze allebei hebben. Ben? Zoë? Kan ik het aan jullie overlaten om te bepalen hoe we dat het best kunnen aanpakken?'

Zoë knikte. Ben stak zijn duim op.

'Mooi. Nou...' De hoofdinspecteur wreef in zijn handen alsof hij op het punt stond een onverwachte verrassing aan te kondigen. 'Jullie kunnen wel zien dat we heel wat te verstouwen hebben en een hoop standaardprocedures moeten doorlopen, maar ik wil jullie nog iets anders meegeven. We hebben vandaag bezoek.'

Iedereen in de kamer keek automatisch naar de jonge vrouw die de hele bijeenkomst al geduldig in een hoek zat te wachten. Met haar lange, goed verzorgde donkere haar, haar witte blouse, strakke, flesgroene broek en de hoge sandalen die er net onderuit staken zag ze er keurig netjes en heel beheerst uit. Ze was een beetje bruin en haar nagels waren gelakt en goed verzorgd. Zoë had een heleboel mannen naar haar zien kijken.

'Dit is Debbie Harry. Geen familie van de andere Debbie Harry, heb ik uit betrouwbare bron vernomen.'

'Helaas niet.' Debbie schudde spijtig haar hoofd. 'Dat mocht ik willen.'

Een paar mannen lachten. Goodsy, die op de achterste rij stond, fluisterde iets in het oor van zijn buurman. Zoë kon wel raden wat het was.

'Nou, jij bent van Bristol University, staat hier, en je bent forensisch psychiater.'

'Psycholoog.'

'Psycholoog, neem me niet kwalijk. Zo iemand als Cracker?'

'Precies.'

'Gek.' De hoofdinspecteur hield zijn hand voor zijn mond en zei gespeeld fluisterend tegen het team: 'Volgens mij lijkt ze niet erg op Robbie Coltrane.'

Dit keer lachte bijna iedereen. Maar Zoë niet. Ze herinnerde zich heel duidelijk dat de hoofdinspecteur keer op keer had gezegd dat hij nooit ofte nimmer zo'n 'verdomde zielenknijper' binnen een straal van een kilometer van zijn recherchekamer zou toelaten. Dat het allemaal charlatans en slapjanussen waren, te stom om uit hun ogen te kijken. Hij had duidelijk nog nooit een zielenknijper ontmoet met zo'n uiterlijk. Als je haar zag, zou je denken dat de honing uit haar mond zou vloeien zodra die opening. De vrouw stond op, liep naar voren, leunde nonchalant tegen het bureau, alsof dit haar eigen collegezaal was, en sloeg het ene been half over het andere. Licht flirtend zonder echt uitdagend te zijn. Slimme meid, dacht Zoë. Ze wist wat voor effect dit zou hebben op een kamer vol mannen.

'Kijk,' zei Debbie met een montere, open uitdrukking op haar gezicht. 'Sommigen van jullie zullen vinden dat we ons op glad ijs begeven als ik vraag dit niet vanuit de bewijslast te bekijken, maar vanuit een psychoanalytisch perspectief, als ik jullie vraag naar het profiel van de dader te kijken. Het zal velen van jullie wel als voodoo in de oren klinken.' Ze glimlachte. 'Maar als jullie bereid zijn je op dat gladde ijs te begeven, kan ik jullie verzekeren dat jullie mij daar tegen zullen komen.'

Zoë slaakte een diepe, geduldige zucht. Ze had dit eerder meegemaakt, had psychologen hun riedel horen afsteken. Geklets over wat de woede van de dader opwekte, welke vorm van macht hem geruststelde, lange analyses die duidelijk moesten maken waarom de schoft had gedaan wat hij gedaan had, wat hij dacht toen hij het deed, wat voor kleur ogen hij had, wat voor onderbroek hij droeg, wat hij voor het ontbijt had gehad op de dag dat hij het deed. Naar haar mening waren ze voor het onderzoek niet veel waard en soms zelfs schadelijk. Maar sommige rechercheurs zwoeren erbij en ze zag aan de glans in de ogen van de hoofdinspecteur dat ook hij bekeerd was. Verbazingwekkend, wat een mooi stel benen en een glimlach voor elkaar konden krijgen.

'Het eerste punt,' zei Debbie met heldere stem, 'is de vraag waar iedereen wel het meest mee bezig zal zijn, de grootste vraag, namelijk wat die woorden allemaal betekenen.' Ze keek naar het whiteboard, waar vergrotingen van Lornes buik op waren vastgemaakt. Daarnaast waren in een rond, cursief handschrift de woorden uitgeschreven.

No one.

'Ik vraag me af...' zei Debbie peinzend. 'Ik vraag me af... Is dat een boodschap voor ons? Zou kunnen. Of voor Lorne? Of een verklaring over de moordenaar zelf? Laten we eens goed nadenken over die woorden. *Niemand.* Wil dat zeggen dat Lorne niets voor hem betekende? Of dat hij niets betekent? Dat het niemand iets kan schelen? *Niemand begrijpt me.* Ik ben geneigd te denken dat het zoiets is, en dat zou erop wijzen dat we te maken hebben met iemand die een heel lage dunk van zichzelf heeft. Hij zou het type kunnen zijn dat onnatuurlijk intense relaties aangaat met mensen, het soort dat gemakkelijk jaloers of gekwetst wordt. Nu hij Lorne vermoord heeft, kan hij een periode van zelfverwijt doormaken.

Misschien doet hij een poging tot zelfmoord. Dat zou zelfs al gebeurd kunnen zijn, dus ik stel voor dat jullie controleren of er sinds haar dood mensen zelfmoord hebben gepleegd of vanwege een poging daartoe zijn opgenomen.' Debbie draaide zich weer om naar het bord. Ze genoot hiervan. Als een kleuterjuf met een klas vol enthousiaste kinderen die geboeid naar haar opkeken. 'We gaan verder met de volgende zin. Hij heeft iets op het bovenbeen geschreven wat eruitziet als *all like her*. Heeft iemand daar een idee over?' Ze krabde op haar hoofd, een subtiele suggestie aan het team dat ze met haar meedachten, dat ze hen niet gewoon haar theorieën door de strot duwde. 'Iemand?'

De mannen haalden hun schouders op en wachtten tot zij het antwoord zou geven.

'Oké.' Ze sloeg haar handen om een knie en hield wat verlegen haar hoofd schuin. 'Ik ga een grote sprong wagen. Ik wil jullie bij de hand nemen en jullie iets voorleggen dat heel vergezocht lijkt. Ik zeg dat Lorne haar moordenaar kende.'

Er leek een gespannen rimpeling door de kamer te gaan. De mensen mompelden tegen elkaar. Zoë keek naar Ben om te zien hoe hij reageerde. Hij stond met gebogen hoofd aantekeningen te maken op zijn gebruikelijke gele notitieblok, waarschijnlijk om te voorkomen dat hij hardop ging lachen.

Debbie stak haar hand op om een eind te maken aan het gemompel. 'Ik weet het, heel vergezocht, maar laten we er even op doorgaan. Wat weten we over Lorne?'

'Dat ze populair was,' zei de brigadier. 'Ze had een heleboel vrienden, en bosjes aanbidders. Dus de zin zou misschien kunnen betekenen dat iedereen van haar hield.'

'Precies,' zei Debbie triomfantelijk, en ze wierp hem een stralende glimlach toe. 'Precies. Dit is een rechtstreeks commentaar op Lorne. En voor het geval jullie denken dat ik elke strohalm aangrijp om een wankele theorie te ondersteunen, wil ik nog iets anders zeggen. Ik heb Lornes verwondingen geanalyseerd en die bevestigen mijn conclusies over degene die haar die avond heeft aangevallen. Hij is haar beslist van voren genaderd. De patholoog zegt dat ze buiten gevecht is gesteld met een enkele klap, die de bloedneus veroorzaakte. Er zijn geen tekenen dat ze geprobeerd heeft weg te komen, er is geen gegil gehoord. De dader was haar heel dicht genaderd, stond vlak voor haar, en zij stond dat toe. Zou ze dat gedaan hebben als ze hem niet kende? Het antwoord is nee. Dat zou ze niet gedaan hebben.' Ze deed alsof ze een koorddanser was en stak haar armen uit om haar evenwicht te bewaren. 'Nu ga ik me echt op glad ijs begeven – voorzichtig! Ik kan dit net zo goed tot het einde doorzetten en zeggen dat ik niet zou willen uitsluiten dat de dader een verhouding met Lorne heeft gehad of in ieder geval geloofde dat hij die had. Ik denk ook dat hij in leeftijd niet veel van Lorne verschilt. Met hoogstens een jaar speling, en waarschijnlijk heeft hij dezelfde etnische en sociale achtergrond. Het kan best een medescholier zijn.'

De hoofdinspecteur stak zijn hand op. 'Een vraag.'

O, alsjeblieft, dacht Zoë, vraag waarom ze zulke onzin uitslaat. Vooruit dan, vraag het haar.

'Jij zegt dat hij van haar leeftijd is?'

'Hij zal niet meer dan een jaar of zo met haar schelen, ja.'

'En waarom denk je dat ze hem kende?'

'Ze was in het gezicht geslagen. Dat is een klassiek teken. Depersonalisatie, noemen wij dat. Voordat ik verderga...' Debbie lachte weer stralend, waarbij ze een heleboel duur tandartswerk liet zien. '... zal ik van het gladde ijs komen. Zien jullie wel? Ik bevind me nu weer veilig op vaste grond en ik wil één ding heel duidelijk maken. Oké?'

'Oké,' zeiden een of twee stemmen.

'Ik wil duidelijk maken dat mijn opmerkingen alleen bedoeld zijn om jullie wat richtlijnen te geven. Het zijn maar richtlijnen en het is slechts mijn mening. Jullie zijn allemaal volwassen en ik wil niet neerbuigend doen, maar jullie moeten te allen tijde alle mogelijkheden open blijven houden. Alsjeblieft.' Ze zuchtte alsof dit het enige nadeel was van haar werk; dat iedereen haar woord als wet beschouwde. 'Ik herhaal: houd alle mogelijkheden open.'

'Godverdegodver.' Na de bespreking beende Zoë zonder te kloppen Bens kantoor binnen. Ze was de enige in het gebouw die dat kon doen. Ze liet zich in een stoel vallen, sloeg haar armen over elkaar en zette met gestrekte benen haar hakken in het vloerkleed. 'Dit is toch verdomme niet te geloven? De hoofdinspecteur denkt met zijn pik. Ze kende de dader? Dezelfde leeftijd? En dat allemaal aan de hand van haar verwondingen? "Deze klap in haar gezicht is een klassiek teken van depersonalisatie"? Ik wil maar zeggen, verdorie, Ben, dezelfde verwonding zie je bij zo'n beetje tachtig procent van de overvallen en de meeste van die slachtoffers hadden de dader nooit eerder gezien. Herinner je je die foto's van depersonalisatie die ze ons bij die cursus hebben laten zien? Dat was verdomme nog eens echt depersonalisatie. Uitgestoken ogen. In het voorhoofd gegrifte tekens. Afgesneden neuzen. Zevenentwintig verwondingen in het gezicht. En dan zegt Debbie "maar niet dé Debbie" Harry dat een enkele klap in het...' Ze maakte haar zin niet af. Ben zat niet afkeurend met zijn hoofd te schudden, maar zwijgend te luisteren en keek haar zonder enige uitdrukking op zijn gezicht aan.

'Wat is er?' vroeg ze. 'Waarom kijk je zo? Je bent het toch niet met haar eens of zo?'

'Natuurlijk niet. Ze behandelde ons alsof we twee waren.'

'Maar?'

'Wat ze over de woorden zei, was niet helemaal uit de lucht gegrepen. Sommige dingen hadden wel enige waarde.'

'Enige waarde?' Zoë staarde hem met open mond aan. Dit was niet te geloven, dit was echt niet te geloven. 'Nee. Je zegt dit alleen maar uit nijd om wat ik gisteravond ook mag hebben gezegd dat je niet aanstond.'

'Ik zeg het omdat het geloofwaardig klinkt.'

'Geloofwaardig? Probeer het eens met onverantwoordelijk. Heb je eraan gedacht hoe gevaarlijk het is om ons onderzoek te beperken tot tieners? Al die neanderthalers in de recherchekamer, met hun tong op de schoenen bij de aanblik van een meisje in een strakke broek dat grote woorden kan gebruiken, zullen uitgaan van zo'n beperkte groep mogelijke daders dat ze de echte moordenaar laten lopen omdat hij niet de blanke schooljongen uit de middenklasse is die Debbie zegt dat hij moet zijn. Het is in zoveel verschillende opzichten verkeerd. En het vóélt niet eens goed. Ik heb niet het gevoel dat zo'n jong iemand het zelfvertrouwen zou hebben om te doen wat Lornes moordenaar heeft gedaan.'

'Dat ben ik niet met je eens.'

'We leven in een vrij land, Ben. En het is goed dat we het niet eens zijn. Zolang je er maar aan denkt alle mogelijkheden open te houden. Dat heeft zelfs juffrouw Glimlach gezegd.'

'Natuurlijk. Natuurlijk doe ik dat.' Hij duwde zijn onberispelijke manchet omhoog en keek op zijn horloge. 'Nou, het is negen uur. Wat ga jij doen?'

'Ik ga geen schooljongens ondervragen, dat kan ik je wel vertellen. Misschien probeer ik iets heel radicaals, zoals een onderzoek opstarten op basis van de bewijzen. Je weet wel, waar we voor zijn opgeleid. Misschien ga ik proberen erachter te komen van welke boot dat zeil afkomstig is.' Ze duwde haar stoel achteruit en kwam overeind. 'Of nog beter, ik ga praten met de familierechercheur. En met de familie Wood. En jij?'

'Alice Morecombe, de vriendin die ze aan de telefoon had. Ik moet alles te weten zien te komen over dat laatste gesprek. En dan...'

Ze trok haar wenkbrauwen op. 'En dan?'

'Dan ga ik met een paar mannen van Zware Misdrijven naar Faulkener's. Ik wil alle mannelijke jaargenoten van Lorne spreken, en alle jongens in de klas boven die van haar.'

Ze schudde gelaten het hoofd. 'Is het nu oorlog tussen ons?'

'Doe niet zo raar. We zijn volwassen. Of niet soms?'

Ze keek hem recht aan. 'Ik hoop van wel, Ben. Ik hoop het echt.' Ze bleef hem nog even aankijken en wierp toen een blik op haar horloge. 'Zullen we vanavond iets gaan drinken? Afhankelijk van hoe de dag verloopt?'

'Prima.' Hij glimlachte kort en toen draaide hij zijn computerscherm naar zich toe en begon zijn wachtwoord in te voeren.

'Dan zie ik je later, oké?' Ze keek naar zijn vingers op de toetsen.
'Om een uur of zeven?'
'Zeven uur.' Hij keek niet op van het beeldscherm. 'Klinkt perfect.'

14

Zoë ging het liefst overal op de Harley heen, maar de hoofdinspecteur vond het niets als ze in haar leren motorpak mensen ging verhoren, dus gebruikte ze voor politiezaken de auto, een oude Mondeo die ze goedkoop had kunnen krijgen toen het korps een deel van het wagenpark had afgedankt. De Woods woonden in de richting van Batheaston en om daar te komen moest ze langs de exclusieve Faulkener's School, waar Ben zijn team naartoe had gestuurd om de scholieren te ondervragen. Ze ging langzamer rijden, keek langs de met rododendrons omzoomde oprit en zag alle officiële politiewagens en de burgerauto's daar staan. Hele rijen. Ze wist al welke kant deze zaak uitging: de hoofdinspecteur ging alle mankracht inzetten om de theorieën van Debbie Harry te bewijzen. Zoë zag dat ze voorlopig een hele tijd tegen de stroom in zou moeten zwemmen.

Ze trapte het gaspedaal in, passeerde de school en remde bijna meteen weer af. Zo'n honderd meter verderop stond een paarse Mitsubishi Shogun-jeep langs de stoeprand. Het was een opzichtig geval, een echte pooierbak met treeplanken, halogeen koplampen en een snorkel. Er zat een berucht stuk plaatselijk tuig in: Jake Drago, om redenen die haar niet bekend waren ook wel Jake the Peg genoemd. De magere en altijd onrustige Jake the Peg had bijna de helft van zijn volwassen leven in de bak doorgebracht, meestal wegens domme vechtpartijen en dealen. Maar men zei dat hij de laatste twee jaar verstandiger geworden was en een manier had gevonden om op het rechte pad te blijven. Zoë betwijfelde het.

Ze parkeerde de auto, stapte uit en stopte haar shirt in haar spijkerbroek terwijl ze over de stoep naar hem terugliep.

'Hallo.' Jake stapte uit zijn auto toen ze naderde. Hij sloeg het portier dicht, leunde ertegenaan, sloeg zijn armen over elkaar en bekeek haar van top tot teen, van de hooggehakte cowboylaarzen naar het zwarte shirt met de opgerolde mouwen.

'Hallo, Jake.' Ze bleef op een pas afstand staan en glimlachte vriendelijk. Het was waar wat ze zeiden; hij zag er anders uit. Hij was dikker geworden, had spieren gekregen en een verzorgd uiterlijk. Hij droeg een strak wit hemd waar zijn opgezwollen buikspieren tegenaan drukten. Zijn donkere haar was aan de zijkanten kortgeknipt en bovenop met gel rechtop gezet. Hij was glanzend bruin en zag er in haar ogen uit alsof hij naar de disco ging. 'Ik zie dat je in de loop der jaren niet veel geleerd hebt. Als je in Amerika uit zo'n auto stapt wanneer er een agent langskomt, maak je een grote kans neergeschoten te worden. Hier loop je alleen kans dat ik me afvraag of je soms iets te verbergen hebt. En dan moet ik je auto doorzoeken of een blaastest afnemen, en op dat moment wordt het allemaal pas echt vervelend.'

'Hoe moet ik weten dat je van de politie bent?'

'O, alsjeblieft.' Ze stootte een lachje uit – een zacht, geforceerd lachje – en keek om zich heen of er misschien iemand was die met haar mee zou kunnen lachen. 'Alsjeblieft. Laten we daar niet op ingaan. Laten we ons daar niet toe verlagen.'

'Wat wil je?'

'Wat ik wil? Ik wil eens naar je gespierde autootje kijken.' Ze legde een hand op de motorkap. 'Het ziet er piekfijn uit, Peg. Past bij je.'

'Ik heb haast.'

'Dat zag ik. Ik zag je in het ochtendzonnetje zitten. Het was zo te zien dat je haast had.'

Hij trok een lelijk gezicht. 'Ik begin nijdig te worden.'

Ze keek naar de ingang van de school, het monumentale hek en de burgerauto's. 'Wat doe je bij een school? Waarom sta je juist hier?'

Hij wierp haar een gespannen, ontwijkende blik toe. Toen glimlachte hij en er glinsterde een diamant in zijn voortand. 'Ik ben een pedofiel. Wist je dat niet? Ik zit te kijken naar al die meisjes in hun korte rokjes.' Hij wreef over zijn bovenbenen. 'Verdomme, wat word ik daar heet van. Ze doen me denken aan dingen waar ik volgens mijn reclasseringsambtenaar niet aan hoor te denken.'

'Ja, ja. Je ziet me na al die jaren zeker nog steeds voor een idioot aan. Jij bent geen pedo, Peggers. Je bent een akelig stuk stront dat de rechtschapen burgers van Bath hopelijk op een dag voor altijd van hun schoenzolen zullen schrapen, maar je bent geen pedo. Dus wat doe je hier? Drugs verkopen aan de verwende meisjes en jongetjes daarbinnen?'

'Ik zeg toch dat ik even zat uit te rusten. Even met mijn ogen dicht.'

'Heb je van die moord gehoord? Dat soort dingen doet altijd snel de ronde.'

'Natuurlijk heb ik daarvan gehoord.'

'Weet je wanneer het gebeurd is?'

'Ja. Eergisteravond.'

'En weet je ook waar?'

'Daarzo.' Hij knikte in de richting van het kanaal. 'Ze hebben haar daar gevonden, toch?'

'En jij hebt niets gezien?'

'Wie? Ik? Niets. Ik heb helemaal niets gezien.'

'Weet je het zeker? Ik bedoel maar, ik zou eens in die walgelijke opgepimpte stronthoop kunnen kijken waarin je rondrijdt, akelige schoft, en je arresteren. Weet je het nog steeds zeker?'

'Ik weet het zeker.' Hij stak zijn handen onder zijn oksels en richtte zijn blik op haar kin. 'Honderd procent.'

'Tja, ik ben nu eenmaal een vrouw, weet je, dus ik heb een geheugen als een olifant. Die lei kan ik nooit schoonvegen. Snap je wat ik wil zeggen? Wat ik nooit over jou vergeten zal, Peggie, is dat je liegt tegen de politie. Elke keer als je wordt opgepakt, vertel je leugens. Zeg nog eens. Heb je iets gezien?'

Hij knipperde met zijn ogen. Er was een lijntje zweet op zijn bovenlip verschenen. Hij boog zijn hoofd en schopte een beetje tegen de grond. 'Ik weet niet. Misschien wel. Misschien heb ik haar met een van de jongens gezien. Daarbeneden bij het kanaal.'

'Een van de jongens? Wat bedoel je, een van de jongens?'

'Een scholier. Ze gingen daar dat bos in.'

Even wist Zoë niet wat ze moest zeggen. Ze staarde naar zijn kruin, die glom van de gel, en bedacht dat Debbie Harry het prachtig zou hebben gevonden om dat uit zijn mond te horen. Een bevestiging van haar theorie. Maar toen verschoof Jake onrustig, hij schopte nog wat tegen de grond, zijn gezicht vertrok en hij meed haar blik, en opeens snapte ze het. Hij had Lorne niet gezien, hij had helemaal niets gezien. Hij zat hier de hele dag om drugs te verkopen aan de leerlingen van Faulkener's en waarschijnlijk hadden een paar van hen hem al verteld dat de politie alle jongens ondervroeg. Hij wilde haar kwijt, dus zei hij gewoon wat hij dacht dat ze wilde horen.

Ze zuchtte en liet haar sleutels ronddraaien om haar wijsvinger. Er was net nog een burgerauto de oprit van de school op gereden. Ze zwom tegen de stroming in.

'Hoe leuk het ook altijd is om een praatje met je aan te knopen, Peggie,' zei ze vriendelijk, 'ik laat je nu maar weer aan het werk. Ik bedoel, je zult het geld wel nodig hebben, want die knipperlichten aan de achterkant zijn illegaal en als ik je hier nog eens zie rondhangen, schrijf ik een heleboel boetes uit.'

15

Het huis van de familie Wood stond in een onregelmatig gevormde tuin van bijna een halve hectare aan het jaagpad. De smalle oprit leidde tussen imposante sequoia's door, met goed verzorgde grasvelden aan weerszijden, en daarna tussen bijgebouwen en kassen door. Er stond een zitmaaier in de zon en een kruiwagen vol dode woekerplanten was op de parkeerplaats achtergelaten. Het huis zelf was naar verhouding vrij klein en onbeduidend; een nette en goed onderhouden, maar fantasieloze, met grindpleister afgewerkte doos. Aan de achterkant was een serre van pvc aangebouwd, waarin gebloemde leunstoelen en een eettafel met een wit linnen tafelkleed erop stonden.

Zoë parkeerde de auto en liep langs de zijkant van het huis. De familierechercheur die aan het gezin was toegewezen, had de Woods op de hoogte gesteld van Zoës komst. Hij had erbij gezegd dat ze geen nieuws had en alleen maar vragen kwam stellen, zodat ze haar niet allemaal verwachtingsvol zouden aankijken. Lornes vader bevond zich in de tuin en keek niet eens op toen ze langskwam. Hij droeg een marskramershoedje, compleet met bungelende kurken, een t-shirt met het logo van Singha-bier en een korte broek. Hij stond met een kettingzaag een omgehakte berk in blokken te zagen, en hoewel hij haar gezien moest hebben, bleef hij met zijn rug naar het huis staan. Volgens de papieren was hij projectmanager bij een aannemer. Zoë vermoedde dat hij niet tot de juiste sociale klasse behoorde om in de kroeg mensen te ronselen die hem wilden helpen degene die zijn dochter had vermoord te lynchen. Maar hij zou erover denken. Hij zou een intellectuele tweestrijd voeren, een enorm gevecht tussen gevoel en rede, over de rol en de logica van het gerechtelijke systeem. Over vergeving en menselijkheid. Hij zou het hout in stukken zagen en zich voorstellen dat hij de zaag in Lornes moordenaar zette.

Op een bank op de patio zat een lange, triest ogende jongen naar haar te kijken. Hij zat met zijn ellebogen op zijn knieën en schommelde een beetje, alsof hij ieder moment op kon springen. Hij had een wilde bos roodblond haar en de broek en trui die hij droeg, zagen eruit alsof hij erin geslapen had. Dit moest Lornes broer zijn, die meteen van de universiteit in Durham was gekomen. Hij knikte onhandig, gebaarde naar de voordeur en ging toen weer zitten schommelen.

De deur stond op een kier. Zoë duwde hem verder open en kwam in een gang vol ingelijste foto's, allemaal met paarden: beelden van behendigheidswedstrijden, pony's die over hindernissen sprongen – driedubbele oxers en aarden muren. Een jonge Lorne lachte haar van onder een cap toe, met haar armen rond de hals van een zwarte pony met rozetten in zijn hoofdband.

'Hallo?'

'We zijn hier,' klonk een stem aan het eind van de gang. Zoë liep door en trof in de keuken de familierechercheur achter een computer en mevrouw Wood aan het aanrecht, waar ze driftig in een opschrijfboekje stond te krassen. Ze was gekleed in een corduroy broek en een polo van Joules Elephant, en haar bos krullen was naar achteren gebonden. Op het moment dat ze zich omdraaide, vielen Zoë twee dingen op. Het eerste was dat mevrouw Philippa Wood vroeger juffrouw Philippa Snow was geweest en twintig jaar eerder op hetzelfde internaat had gezeten als Zoë. Het tweede was dat mevrouw Wood nog niet echt had aanvaard dat haar dochter dood was. Ze glimlachte grimmig en keek nogal vastberaden, alsof ze vastbesloten was dit politiebezoek zo snel mogelijk af te handelen.

'Pippa Wood.' Ze gaf Zoë een ferme handdruk. Als ze haar herkende, zei ze er niets over. 'Koffie? Ik heb het zo klaar.'

Zoë wisselde een blik met de familierechercheur, die langzaam knikte, alsof hij wilde zeggen: 'Ik zei het toch. Het is nog niet tot haar doorgedrongen.'

'Graag. Zwart, twee klontjes.' Ze sloeg haar armen over elkaar, leunde tegen het aanrecht en zag hoe Pippa de waterkoker aanzette en mokken uit de kast haalde. 'Ik weet dat u gisteren met de politie hebt gesproken, mevrouw Wood, en ook de dag daarvoor, toen Lorne vermist werd. Ik wil niet dat u denkt dat we u lastigvallen. Maar ik wilde even navragen of er sinds gisteren nog iets bij u is opgekomen. Of u zich nog iets herinnert of misschien nog iets wilt veranderen of toevoegen aan uw verklaring.'

'Niet echt.' Ze hield Zoë een open koekblik voor met brownies en lange vingers. Zoë had in geen jaren lange vingers gegeten. Ze nam er een. Pippa deed het deksel weer op het blik. 'Ze is om één uur thuisgekomen, ze hebben op zaterdag maar een halve schooldag. Ze heeft zich omgekleed en is de stad in gegaan. Allemaal heel normaal.'

'Deed ze dat vaak?'

'Ja. Ze vond het leuk om te winkelen. Sommige winkels in het centrum blijven tot zes uur of nog langer open.'

'En ze heeft niet gezegd of ze met iemand had afgesproken?'

'Nee.' Ze haalde melk uit de koelkast. 'Ze was graag alleen.'

'Wat wilde ze kopen?'

'Kleren, zoals meestal. Eigenlijk ging ze alleen etalages kijken, want ik geef haar niet zomaar geld mee. Ze dacht dat ze model kon worden in Londen. Als ik haar geld had gegeven, zou ze het aan die mooie droom hebben verspild. We proberen haar de waarde van geld te leren, wat een verstandige aankoop is en wat niet, maar bij Lorne is het het ene oor in en het andere oor uit. Heel anders dan haar broer...' Ze schudde haar hoofd, alsof ze niets van het leven begreep. 'Is het niet gek dat twee kinderen met dezelfde genen zo van elkaar kunnen verschillen?'

'Wat is een verstandige uitgave?'

Pippa keek Zoë aan alsof ze zich afvroeg of dit een strikvraag was. 'Nou, kleren niet, uiteraard. Tenminste, niet het soort kleren waar zij van houdt. Iets praktisch, misschien.' Ze schudde even aan haar eigen broekspijp om haar punt duidelijk te maken. 'Maar niet de dingen waar zij verzot op is, met al die glitters erop. Die vallen na één keer wassen uit elkaar.'

Zoë en Pippa hadden op school niet bij elkaar in de klas gezeten, maar Zoë herinnerde zich inmiddels iets van haar reputatie. Supersportief, aanvoerster van het hockeyteam, gek op paarden. En bikkelhard.

'Had ze een paard?'

'Niet meer. Ze had er wel een, maar ze zorgde er niet voor. Ik had hem willen houden, maar ik had hem zelf afgericht in plaats van het door een ander te laten doen, dus hij zou nooit op zijn gemak zijn geweest met mij in het zadel, en bovendien was hij te klein. Nu hebben we alleen nog de merrie en de vijfjarige.'

Zoë knabbelde bedachtzaam aan de lange vinger, met haar hand eronder om te voorkomen dat ze suiker op de keukenvloer morste. Jaren geleden had ze eens een routineonderzoek gedaan naar een twaalfjarig meisje dat door haar paard was afgeworpen en getrapt en dat in coma lag. De moeder was tijdens het gesprek in tranen uitgebarsten. Maar ze huilde om wat er met het paard zou kunnen gebeuren, niet om haar dochter. Alles wat ze kon zeggen was: 'Het was niet zijn schuld. Hij is geschrokken. Ze had hem niet over de weg moeten laten gaan. Het was niet zijn schuld.'

Zoë likte zorgvuldig haar vingers af, boog zich naar de deuropening en keek naar de trap. 'Is haar kamer boven?'

'Er zijn al mensen in geweest. Ze hebben haar computer meegenomen. Ze zijn ongeveer een uur geleden weggegaan.'

'Mag ik even kijken?'

'Natuurlijk mag dat. U neemt me zeker niet kwalijk dat ik niet mee naar boven ga?'

Zoë nam haar koffie mee naar de gang en liep langzaam de trap op, langs alle paardenfoto's. Die zin bleef door haar hoofd malen: *als ik haar geld had gegeven, zou ze het aan die mooie droom hebben verspild.* Het was jaren geleden dat ze thuis bij haar ouders had gewoond en al die pijn had gevoeld, maar de herinnering kwam zo scherp als koude lucht naar boven. Om nooit helemaal goed genoeg te zijn. Om niets liever te willen dan weggaan.

Lornes kamer – met een poster van de Sugababes Blu op de deur – was tegenover de trap, naast de badkamer. Het aanhoudende gejank van meneer Woods kettingzaag klonk hier gedempter. Zoë duwde de deur open, ging naar binnen en bleef even staan rondkijken.

Lorne was een bevoorrecht kind geweest. Faulkener's had de ouders waarschijnlijk twaalf- tot vijftienduizend pond per jaar gekost en er waren dingen die wezen op een iets hogere levensstandaard dan normaal: een ingelijste foto van Lorne voor het operagebouw in Sydney, nog een van haar op ongeveer dertienjarige leeftijd in een strapless baljurk en met een debutantenglimlach op haar gezicht. Verder was het feit dat de kamer zo normaal was nog het verdrietigste. Het was precies het soort tienerkamer dat je in honderden andere huizen in Bath zou kunnen vinden. Geen foto's van paarden, maar posters van meisjesbands met een soort lingerie als kleding. Aan de muur naast het raam hing een prikbord vol foto's: Lorne op een klimmuur, met uitgestoken tong naar de camera en een verrukte grijns op haar gezicht, Lorne in een witte jurk met wijde rok en een bloemenkransje om haar enkel, Lorne in een zwempak met aardbeien erop, de droom van elke tienerjongen. Haar haar was ook op iedere foto anders, van helblond met een pony tot gotisch zwart, compleet met magenta streep. Zoë vroeg zich af hoe ze dat op Faulkener's hadden gevonden. Op haar internaat kon je weggestuurd worden als je je haar had geverfd, maar die school was dan ook gespecialiseerd in het afleveren van doodnuchtere meisjes. Zoals zij. En Pippa Wood beneden.

Ze zette haar kopje neer, haalde een paar handschoenen uit haar zak, trok ze aan en trok een la open. Ondergoed, op een hoopje, misschien omdat Lorne zelf zo slordig was, of anders omdat het politieteam dat was geweest. Slipjes aan de ene kant, beha's aan de andere. In een andere la zaten schoolsokken en panty's, weer een andere zat barstensvol met haaraccessoires. Ze ging naar een veelkleurig kledingkastje en keek in de bovenste la. Nog meer ondergoed. Een stapel rode rozetten van paardenwedstrijden. Misschien had Lorne ze niet weg mogen gooien, dus had ze ze maar goed uit het zicht gehouden.

Uit het zicht...

Ze kwam overeind en keek de kamer door. Toen Lorne vermist werd, was hier iemand geweest om aanknopingspunten te zoeken. Dat had Zoë gelezen in de aantekeningen, maar er was niet veel gevonden. Bij een meisje als Lorne? Dat een gespannen verhouding had met haar moeder? Er moest iets zijn wat het team gemist had. Ze ging op het bed zitten, legde haar handen in haar schoot en concentreerde zich op het gevoel dat eerder bij haar naar boven was gekomen. De plotselinge, huiveringwekkende herinnering aan haar eigen tienerjaren. Als dit haar kamer was geweest, waar zou zij dan dingen verstopt hebben?

Op het internaat hadden ze kleine slaapzalen gehad voor vier personen. Eén hele wand werd in beslag genomen door een kast en elk meisje had daar een deel van toegewezen gekregen voor haar kleren. Ze hadden ook allemaal een nachtkastje gehad. Niet veel ruimte om dingen te verstoppen waarvan je niet wilde dat anderen ze zagen. Maar Zoë had er iets op gevonden. Haar blik ging naar het tafeltje naast Lornes bed, dat vol lag met tijdschriften. Ze duwde zich van het bed, ging op de grond liggen en streek met haar hand langs de onderkant van het tafelblad. Ze voelde alleen maar glad hout. Ze stond op, ging naar het bureau en deed hetzelfde. Niets. Toen probeerde ze de kast. Dit keer kwamen haar vingers in aanraking met een solide, blokvormig voorwerp in een plastic zak, dat met tape aan de onderkant was vastgemaakt.

Ze trok de tape los, verwijderde het pakje en ging ermee op het bed zitten. In de plastic zak trof ze een boekje aan, compleet met slot in de vorm van een hart, met de sleutel erin. Op de voorkant was geschreven: 'Mam, als je dit hebt gevonden, kan ik je er niet van weerhouden het te lezen. Maar vergeet niet dat je mijn vertrouwen dan hebt beschaamd.' Zoë glimlachte om deze menselijke kant van Lorne. Menselijker dan Pippa beneden, die zich er nog steeds druk om maakte dat haar dochter absoluut geen belangstelling had voor paarden.

Zoë maakte het boek open en sloeg de bladzijden om. Lorne had er uit papier geknipte bloemen in geplakt en stickertjes in de vorm van ogen die knipperden en bewogen als je het bewoog. Er waren niet veel aantekeningen voor eerdere data, maar de laatste tijd was Lorne blijkbaar een verwoed schrijfster geworden. Elke bladzijde was tot en met de randen gevuld met notities in een piepklein, amper leesbaar schrift. Zoë haalde haar leesbril uit de borstzak van haar shirt, nam het boek mee naar het raam, waar ze meer licht had, en begon te lezen.

Het meeste ging over de voorspelbare zorgen van een tiener. Lorne had elke dag haar gewicht en de hoeveelheid calorieën die ze had gebruikt genoteerd, gevolgd door een lang en soms wanhopig relaas over haar afschuwelijke haar en hoe dik ze werd. Ze plande hoeveel ze in het weekend zou eten. Zoë had onderzoeken gelezen waarin stond dat minstens zeventig procent van alle tienermeisjes voortdurend op dieet was. Ze had in haar eigen tienerjaren geworsteld met de beledigingen die haar slungelige lichaam haar hadden opgeleverd, maar om je altijd zorgen te moeten maken over wat je in je mond stopte, wat moest dat niet voor hel zijn?

Meer dan eens kwam ze de initialen 'RH' tegen.

14 april. RH gezien. Hij ziet er geweldig uit met die stropdas. Christina zegt dat hij me leuk vindt. Ik weet niet. Ik had mijn blauwe Hard Candy-oogschaduw op. Helemaal te gek!

RH stond te praten met dat meisje uit de zesde dat een flat zou hebben in New York. Nela zegt dat ze Mathilda heet en ik dacht Tillie, maar dat zou een afkorting kunnen zijn. Best knap met dat blonde haar, maar ze heeft echt dikke kuiten. Ze zou geen legging moeten dragen. Jakkes.

Ben na school naar Katinka geweest. En ik heb haarverf gehaald. Ik ga het doen als Alice komt in het weekend. Mam wordt helemaal gek!!! Ieieiekkk!!!

Las over een meisje dat met haar familie op vakantie was op Goa. Ze zat gewoon op het strand en toen werd ze gespot door een scout van Storm in Londen. Voor haar eerste klus kreeg ze duizend pond en de hoofdredacteur van Vogue zag haar en zette haar op de omslag. Nu woont ze in New York. New York!!! En ze komt verdomme uit Weston super Mare! Als ik haar zo eens bekijk, denk ik: als jij het kunt...

De volgende pagina was helemaal vol getekend met de initialen LW, verstrengeld met RH. Op de bladzijde daarna, van 20 april, stond:

Ik heb hem gezoend!!! Nu ben ik officieel verliefd!!! Kan het aan niemand vertellen. Hij zegt dat zijn moeder hem vermoordt als

*ze erachter komt. Die is volslagen gek. Hij zegt dat hij zich wil
inschrijven bij University College en bij Imperial, dus als ik mijn
helemaal te gekke flat in Chelsea heb (haha!) kan hij me komen
opzoeken wanneer we maar willen en kan die gekke heks van een
moeder van hem ons niet meer betrappen.*

Zoë draaide de bladzijde om. Als Debbie Harry het commentaar
over zijn dominante moeder las, hing ze RH aan de hoogste boom.
Wie hij ook mocht zijn.

*Ik heb een afspraak bij Zeb Juice! Ik kan het gewoon niet
geloven. Het heeft me een geweldige oppepper gegeven. Ik ga ook
een paar van de andere bureaus bellen. Ik doe mijn roze hoge
hakken en mijn blauwe spijkerbroek aan. Boodschappenlijstje:
Noodlehead Curl Boost, St. Tropez Bronzing Mist – volgens de
Marie Claire is die fantastisch. Dertig pond. Jezus, waar ga ik
dat geld vandaan halen. Zelfs als ik elke dag naar huis loop en al
mijn busgeld en mijn lunchgeld opspaar, heb ik nog niet genoeg...*

Daarna waren er een paar bladzijden onbeschreven. In plaats daarvan waren ze vol getekend met bloemen en hartjes en schetsen van
een meisje – waarschijnlijk Lorne zelf – in een bikini en op hoge
hakken. Zoë bladerde de resterende bladzijden door. Er stond niets
van enig belang in. Ze deed het dagboek dicht, en terwijl ze dat
deed, zag ze een vakje op de achterkant. Toen ze haar vinger erin
stak, voelde ze een klein voorwerp. Een geheugenkaart van acht
gigabyte.

Ze zocht op het bureau tot ze de bijpassende camera gevonden
had, deed de kaart erin en begon de foto's te bekijken. Het waren
foto's van Lorne, in deze slaapkamer. Aan haar onhandige houding
te zien had ze ze zelf gemaakt met een timer. Op de eerste drie foto's had ze een bikini aan en stond ze rechtop. Maar bij de vierde
en volgende opnamen liet Zoë zich ontdaan op het bed zakken.
Lorne in jarretels, kousen en een keurslijfje, koket op de vloer met
gekruiste benen. In de laatste twee had ze het keurslijfje uitgedaan

en keek ze uitdagend in de camera, met haar tong licht tegen haar gestifte lippen.

Zoë bekeek alle foto's tweemaal en werd overspoeld door verdriet. Waarom zou een net meisje uit de middenklasse zoiets doen? Redenen genoeg, natuurlijk. Misschien was ze gewoon een makkelijk te beïnvloeden schoolmeisje dat haar eigen seksualiteit verkende. Of misschien wilde ze indruk maken op een vriendje. Maar het kon ook om iets veel akeligers gaan. Er kwamen oude schrikbeelden bij Zoë op, die om de hoeken van haar gedachten slopen; ze bedacht dat de foto's erop konden wijzen dat Lorne al vroeg had geleerd een hekel aan zichzelf te hebben. Toen ze besefte dat haar broer de oogappel van hun moeder was, had ze misschien een manier gezocht om te ontsnappen. Zoë wist hoe dat voelde. Misschien had ze daarom die foto's gemaakt.

Buiten sneed het gejank van meneer Woods kettingzaag door de stilte. Ze haalde de geheugenkaart uit de camera, hield hem in haar handpalm en probeerde uit te maken of de foto's belangrijk waren – een blik op een heel andere kant van Lorne waar niemand het over gehad had. Misschien hadden ze te maken met haar droom om model te worden en met haar wanhopige verlangen om die droom uit te zien komen. Nee, hield ze zichzelf voor, er waren waarschijnlijk talloze tienermeisjes die dergelijke foto's van zichzelf hadden, verstopt voor ma en pa. Het zou beter zijn om de kaart gewoon in het dagboek te laten zitten, op een geheime plek waar hij nooit meer gevonden zouden worden. Of om de geheugenkaart te vernietigen.

Of om dit te gebruiken voor het onderzoek.

Ze keek op naar het raam en zag de geveerde bladeren van een zilverberk zachtjes bewegen tegen de blauwe hemel. Er verstreek enige tijd. Dertig seconden. Een minuut. Toen kwam ze overeind en schoof het geheugenkaartje in de achterzak van haar spijkerbroek. 'Sorry, Lorne,' mompelde ze. 'Maar ik weet het niet. Nog niet.'

16

Beneden zat Pippa met de familierechercheur in de serre. Ze had
een agenda open op haar schoot liggen en leek haar plannen voor
de komende maand door te nemen. Misschien hadden ze het over
de begrafenis en persconferenties. Buiten ging meneer Wood nog
steeds de boom te lijf. Toen Pippa Zoë beneden hoorde komen,
viel ze stil. Ze deed de agenda dicht en kwam de gang in. 'Klaar?'

'Nog een óf twee vragen.'

'Dat is oké. Ik wil helpen.'

'Had Lorne een grote vriendenkring?'

'Een grote vriendenkring? O god, ja. Ik kon het gewoon niet
bijhouden. Vanaf het moment dat ze vijftien was en ik haar een telefoon en een huissleutel had gegeven, zag ik haar alleen nog als
ze mensen mee naar huis bracht. Ze zijn een nachtmerrie, tieners,
een absolute nachtmerrie. Soms zou je ze het liefst...' Haar stem
stierf weg. Alsof nu pas tot haar doordrong dat ze nooit meer last
zou hebben van welke tiener dan ook. 'Ja, nou...' Ze wreef heftig
over haar armen en keek om naar de keuken. 'Ja. Hoe dan ook, wil
je nog koffie?'

'Nee, dank u,' zei Zoë vriendelijk. 'Ik sta al stijf van de cafeïne.
Maar mag ik u nog iets vragen over haar vrienden? Waren het
vooral kinderen van haar school?'

'Nee.' Pippa schudde haar hoofd. 'Nee, niet echt. Ze kwamen
overal vandaan. Ze raakte altijd met mensen in gesprek. En zoals
zij eruitzag... Er waren een heleboel jongens die haar kenden. Ik
weet niet waar ze dat van heeft. Niet van mij, dat staat wel vast.'

'Maar er was geen speciaal vriendje?'

'Nee.'

'Mag ik u de grote vraag stellen?'

'Wat? Of ze maagd was. Is dat de vraag?'

'Iemand zal het op een gegeven moment moeten vragen. Het is
niet de bedoeling haar in het beklaagdenbankje te zetten. Maar we
moeten een beter beeld van haar krijgen.'

'Ja, dat weet ik. Dat is me al verteld door de...' Ze keek om naar de familierechercheur, die op zijn laptop zat te kijken. 'Ik weet dat het een belangrijke vraag is. Hij zei dat het relevant kon zijn.' Ze legde een vinger tegen haar voorhoofd en hield hem daar alsof ze zich sterk op iets concentreerde. Haar evenwicht bewaren, bijvoorbeeld. 'Ik weet het niet, als ik heel eerlijk moet zijn. Als ik er iets om moest verwedden, zou ik zeggen van niet. Maar vertel dat alsjeblieft niet door. Ik wil niet dat erover geroddeld gaat worden.'

'Herinnert u zich soms iemand met de initialen "RH"?'

'Nee, die doen bij mij geen belletje rinkelen. Hoezo?'

'Ik vroeg het me gewoon af. En de naam Zeb Juice? Betekent die iets voor u?'

Pippa slaakte een geërgerde zucht. 'Ja, ik vrees van wel. Zebedee Juice. Dat is een agentschap in George Street.'

'Een agentschap?'

'Voor modellen. Ik heb je toch verteld dat Lorne in de waan verkeerde dat ze de volgende Kate Moss zou zijn? Dus toen ze langs mocht komen, maakte ik me zorgen, grote zorgen. Zoals je je zult kunnen voorstellen.'

'Wat voor soort modellenwerk bieden ze?'

'Wat voor soort? Nou, dat weet ik niet. Het gebruikelijke, neem ik aan. Mode. De catwalk.'

Dus niet zoals op de foto's. Zoë voelde zich beter nu ze dat hoorde. 'Wat is er gebeurd – toen ze naar dat agentschap ging?'

'Ze zeiden dat ze niet lang genoeg was. Ze hadden geen belangstelling, godzijdank.'

'Daar was u blij mee?'

'Natuurlijk was ik blij.' Pippa klonk een beetje geërgerd. 'Welke moeder zou daar niet blij mee zijn? Het was een belachelijk idee.'

Daar gaf Zoë geen antwoord op. Buiten hopten vier eksters over het gazon, die schijnaanvallen op elkaar uitvoerden. *Een voor zorgen, twee voor vreugde. Drie voor een meisje, vier voor een jongen,* zoals het oude Britse rijmpje luidde. Ze zag nog steeds de grote broer op het bankje hangen. De broer die in de ogen van zijn moeder alles goed deed.

'Is dat alles? Alles wat je moet weten?'

'Voorlopig wel, ja. Dank u.'

Ze zocht in haar zak naar haar autosleutels en was al bijna de deur door toen Pippa opeens zei: 'Ik heb met jou op school gezeten, toch?'

Zoë draaide zich langzaam om. 'Ik wilde er zelf niet over beginnen.'

'Je was goed in sport en slim. Echt slim. Je won altijd alle prijsvragen. Heb je gestudeerd? Iedereen zei dat je naar de universiteit zou gaan.'

'De universiteit? Nee, ik ben gestopt met school. Ik heb een wereldreis gemaakt en ben daarna weer hier beland. Het was een rib uit zijn lijf voor mijn vader om mij en mijn zus naar goede scholen te sturen, en kijk hoe ik hem heb terugbetaald.' Ze glimlachte spijtig. 'Ik ben bij de politie beland.'

'Ik wist niet dat je een zus had.'

'Nee,' zei ze langzaam. 'Zij zat op een andere school, minder streng dan die waar wij op zaten. Het soort school dat goede echtgenotes oplevert.'

'Waarom gingen jullie naar verschillende scholen?'

'Ach, u weet hoe dat gaat,' zei ze ontwijkend. 'We konden niet erg met elkaar opschieten. Zoals u al zei; wonderlijk dat je met dezelfde genen toch twee totaal andere mensen kunt krijgen.'

'En jij?' zei Pippa. 'Hoe is het verder met jou? Heb je kinderen?'

'Nee.'

Pippa haalde even adem voor ze weer wat zei, en in die seconde, in die korte pauze, zag Zoë de barsten. Het menselijke wezen daarbinnen. Alsof de doodsbange Pippa Wood, de Pippa Wood die geen idee had wat ze aan moest met deze verschrikking, hoe ze erop moest reageren, door die ogen naar buiten keek. Het was maar een flits, een fractie van een seconde, een gillend, paniekerig Picassogezicht, de angst dat Zoë zou zeggen: *o, ja. Ik heb een prachtige dochter. Net als Lorne. Maar die van mij leeft nog.* Het was je reinste menselijke jaloezie, de jaloezie die zieke, rouwende en oude mensen voelen ten opzichte van iedereen die jong en gezond is. En die leeft. Toen was het weer weg en was het kalme masker terug.

'Dag,' zei ze, en ze draaide zich abrupt om en deed de deur dicht.

Zoë stond in het zonlicht met het geluid van meneer Woods zaag en het trage tsjoeken van een vrachtschip op het kanaal op de achtergrond.

17

Op het werk werd de hele dag over Lorne Wood gepraat. Overal waar Sally kwam schoonmaken, begon er wel iemand over en zei hoofdschuddend hoe verschrikkelijk het was, alsof ze een van hun eigen kinderen was geweest. Sally wilde er eigenlijk niet over praten, ze wilde er niet aan denken hoe gemakkelijk het Millie geweest had kunnen zijn. Die morgen had ze de verknoeide tarotkaart uit het pak gehaald en in een la verstopt. De andere zaten in een doek in haar tas omdat ze die dag vlak bij de hippiezaak werkte en misschien de gelegenheid zou hebben erheen te gaan en de kaarten aan de eigenaar te laten zien. Maar uiteindelijk had ze de moed niet. Dus legde ze ze in de kofferbak van haar auto en probeerde ze er verder niet meer aan te denken.

Het was de dag waarop ze Millie wel eens van school haalde in plaats van haar de bus te laten nemen. Ze parkeerde in een tegenover de school gelegen straat waar alle andere moeders ook stonden, met hun raampjes open om het hek te kunnen zien. Nial en Peter liepen voorbij en staken hun hand op om haar te begroeten, en na een korte tussenpoos kwam Sophie in haar eentje naar buiten. Zodra ze Sally zag, haastte ze zich naar de auto. 'Mevrouw Benedict, Millie zit nog in de klas. Ze wil dat u haar komt halen.'

'Waarom?'

'Ik weet het niet. Ze is overstuur.'

Sally sloot de auto af, ging snel naar binnen en haastte zich door de gangen met de gewelfde plafonds. De klas was aan de andere kant van de school, een heel ouderwetse ruimte met planken vol boeken en leermiddelen. Het licht viel door de hoge ramen met de kleine ruitjes. Aan een van de bureautjes tegenover de ramen zat Millie, met gebogen hoofd. Toen ze de deur open hoorde gaan, draaide ze zich om. Haar gezicht stond gespannen en haar hoofd bewoog alsof een hand het daar van achteren toe dwong.

'Mam.'

Ze ging naast het bureautje staan. 'Is alles goed met je? Sophie kwam naar me toe.'

'Ik voel me niet zo goed, mam. Kun je de auto door het achterhek rijden en me bij de sportzaal oppikken?'

'Wat is er? Je had moeten bellen.'

'Niets. Ik bedoel... last van mijn maag. Het is gewoon een beetje...'

'Je maag?'

'Ik heb een beetje kramp.'

'Ben je ongesteld?'

'Nee, het is alleen... Ik weet het niet. Hij is een beetje van streek, geloof ik.'

Sally bestudeerde Millies gezicht. Ze had nooit goed kunnen beoordelen of haar dochter loog. Maar wat er op dat moment ook mis was met Millie, ze vermoedde dat het niets te maken had met haar maag. Ze keek alsof ze iets verzweeg. 'Heb je het tegen de directrice gezegd?'

Ze schudde haar hoofd en meed Sally's argwanende blik door uit het raam te kijken. 'Mam, kun je alsjeblieft gewoon de auto halen?'

'Gaat het om Lorne? Ben je van streek?'

'Nee.'

'Is het dan om Glastonbury? Want ik moet echt bij mijn beslissing blijven, schat.'

'Nee. Daar gaat het niet om. Ik voel me gewoon ziek. Ik zweer het.'

Sally zuchtte. 'Oké. Ik ben over vijf minuten aan de zijkant.'

Ze haalde de auto op en reed ermee naar de binnenplaats bij de nieuwe, moderne sportzaal. Millie kwam met gebogen hoofd en haar schoolblazer over haar schouders naar buiten en stapte snel in. 'Kunnen we meteen naar huis gaan?'

'Je moet me vertellen wat er aan de hand is.'

'Alsjeblieft.' Ze dook ineen op de stoel en trok haar knieën op. 'Alsjeblieft, mam.'

'Of je vertelt me wat er aan de hand is, of we gaan naar de dokter.'

'Nee, mam. Ik voel me al beter. Ik wil gewoon naar huis.'

Sally schakelde, reed naar het eind van de geasfalteerde oprit en stopte bij de weg. Ze zette de linker richtingaanwijzer uit. Millie ging met een ruk opzij en haar hand schoot uit naar het stuur. 'Nee! Wacht. Wacht, mam, wacht nou even. Niet doen.'

'Wat is er?'

Millie zat te trillen. Haar gezicht was bleek, maar Sally wist dat ze geen pijn had. Als ze er de vinger op zou moeten leggen, zou ze zeggen dat ze bang was. 'Millie?'

'Ga rechtsaf. Rechtsaf.'

'Maar als we naar huis willen, moeten we linksaf.'

'We kunnen achterom gaan. Al mijn vrienden staan daar. Ze maken vast een L op hun voorhoofd als ze zien dat ik door mama word opgehaald. De L van loser.'

'Er is niemand. Iedereen is al weg.'

'Kunnen we achterom gaan, mam? Ga alsjeblieft rechtsaf.'

Sally zette de auto in zijn vrij. 'Het spijt me, Millie, maar ik ga linksaf. Tenzij je vertelt wat er aan de hand is.'

'O gód!' Ze balde haar vuisten. 'Oké, oké. Laat me even... Geef me een paar tellen om...' Ze schoof onderuit tot ze op de vloer hurkte.

'Wat doe je nou?'

'Er is daar iemand. In een paarse jeep. Hij mag me niet zien.'

'Wie dan?'

'Gewoon iemand.'

Millie was spierwit en haar pupillen waren vergroot. Ze was niet gewoon bang, ze was doodsbenauwd. Alsof er een monster liep op straat. Sally keek naar de telefoon in het houdertje op het dashboard en vroeg zich af wie ze kon bellen. Isabelle? Steve?

'Alsjeblieft, mam! Kunnen we nu gaan?'

Sally slikte en zette de auto in de eerste versnelling. Ze reed langzaam de weg op en keek in beide richtingen. Haar handen lagen zwetend om het vinyl stuur. Het was nu rustiger op straat – de scholieren waren weg – maar aan het eind, met de neus naar het schoolhek, stond een eigenaardige paarse terreinwagen. Hij had een bullbar en een snorkel en er leken wel messen in de wielen te zitten.

Sally reed de Ka de weg op.

'Staat hij daar?' Millie trok de blazer over zich heen en kromp met haar handen over haar hoofd nog verder in elkaar. 'Is hij daar? O mijn god, ik ben er geweest.'

Sally stopte naast de paarse auto. Ze bleef midden op de weg staan en draaide zich met een effen gezicht om naar de man die erin zat. Het was iemand van gemengd bloed, met een smal snorretje en haar dat glom van de gel. Hij droeg een strak, wit hemd en had een dikke gouden ketting om. Aanvankelijk zag hij haar niet eens. Hij hield het hek van de school in de gaten. Toen voelde hij haar kijken. Hij draaide zich om, keek haar aan en glimlachte traag, zodat de diamant in zijn voortand zichtbaar werd. Zijn mond vormde de woorden: wat mot je?

Ze trapte op het gaspedaal en het autootje schoot met gillende banden de heuvel af, zodat de voetgangers bleven staan om te kijken.

'Mám? Wat gebeurt er? Was hij er?'

Onder aan de heuvel keek ze in haar achteruitkijkspiegel en zag dat hij geen poging deed haar te volgen. Ze ging linksaf langs de grote, negentiende-eeuwse kerk, daarna naar rechts en toen weer naar links om zo ver mogelijk bij die man uit de buurt te komen. Ze stopte pas toen ze bij Peppercorn waren, op het verlaten platteland. Ze stapte uit en bleef op het grasveld staan om de zwavelige geur van de motor en de organische lucht van koeienmest en gras in te ademen terwijl ze uitkeek over het dal, waar de forenzen in een traag bewegende file naar de snelweg reden. Toen ze er zeker van was dat niemand hen gevolgd was, ging ze weer naar de auto en deed het portier open. Millie kwam voorzichtig onder de blazer uit. Haar haar stond alle kanten op en er lag een doffe, verloren trek op haar gezicht. Ze stapte slap, uitgeput en met hangend hoofd uit.

'Kunnen we nu naar binnen gaan?'

Sally droeg haar schoonmaakspullen naar binnen en zette alles bij elkaar in een hoek. Toen ging ze de slaapkamer in. Millie volgde haar. Sally schopte haar schoenen uit en trok het dekbed omlaag.

'Wat is er?'

'Erin.'

'Maar het is pas vijf...'

'Alsjeblieft.'

Millie schopte gehoorzaam haar eigen schoenen uit en kroop op het bed. Sally controleerde of de gordijnen goed dichtzaten, deed het licht aan, ging naast haar dochter in bed liggen en omhelsde haar van achteren, met haar hoofd op Millies rug. Ze zei niets. Ze bleef stil liggen luisteren naar Millies ademhaling, haar blik gericht op de dunne streep licht tussen de gordijnen. Ze telde langzaam en ritmisch, maar in stilte de minuten af.

Het duurde bijna een kwartier voordat Millie iets zei. 'Het spijt me.'

Sally knikte. Ze was er zeker van dat dat waar was.

'Hij verkoopt drugs.'

'O god,' zei ze vermoeid. 'O god.'

'Hij verkoopt drugs bij de school, en ook bij Faulkener's. Hij rijdt tussen de twee scholen heen en weer. Ik gebruik ze niet, mam. Echt niet. Ik heb het een keer geprobeerd met Nial en Sophie. Vertel het alsjeblieft niet aan Isabel. We vonden het verschrikkelijk. Mijn hart ging als een razende tekeer en ik dacht dat ik dood zou gaan, maar iedereen op school heeft het geprobeerd, echt. Je zou zo geschokt zijn, mam, als je wist wie allemaal. De oudere leerlingen die toezicht moeten houden, en sommige leden van de hockeyteams. Ze doen het voor een wedstrijd. Alsof het volkomen normaal is.'

Sally drukte haar hoofd vaster tegen de rug van haar dochter. Hiervoor had de tarotkaart haar willen waarschuwen, dat dit achter haar rug gebeurde. God, ze was inderdaad zo dom als Julian altijd had gezegd. 'Is dat de reden waarom je hem uit de weg gaat, die man? Vanwege de drugs?'

'Nee. Ik gebruik geen drugs, mam. Ik zweer het je. Waar je ook maar op wilt.'

'Heeft het iets te maken met Lorne Wood? Met wat er met haar gebeurd is?'

Millie draaide zich om en keek haar moeder vreemd aan. 'Nee. Natuurlijk niet. Waarom denk je dat het daar iets mee te maken heeft?'

'Waar gaat het dan om?'

'Geld.'

'Wat voor geld?'

'Hij heeft me geld geleend.' Ze haalde beverig adem en begon stilletjes te huilen. 'O mam, ik dacht echt dat het oké was, echt waar. Ik had nooit gedacht dat het zó zou gaan.'

Sally knipperde met haar droge ogen. Millie die geld leende? Van zo iemand? Dat kon niet waar zijn. 'Het kan niet veel zijn.' Ze zweeg even en voegde er toen voorzichtig aan toe: 'Toch?'

Millie kromp met schokkende schouders in elkaar en zei steeds weer: 'Verdomme, verdomme, o verdomme. Mam, als jij en pa niet uit elkaar waren gegaan, was het nooit gebeurd. Als jullie nog bij elkaar zouden zijn, had ik het geld wel gekregen.'

'Gaat het om Glastonbury?'

'Nee, om Malta. Als jij en pa nog samen waren geweest, had ik gewoon mee kunnen gaan met dat schoolreisje naar Malta.'

'Maar je bént toch naar Malta geweest.'

'Ja, maar dan had ik kunnen gaan zonder...' Ze begon luid te snikken. 'Het is zo'n puinhoop. Wat ben ik toch een idioot.'

Sally hief haar hoofd. 'Papa heeft dat reisje naar Malta betaald.'

'Nee, niet waar. Melissa zei dat het niet kon. Ik kon het je niet vertellen. Ik dacht dat ik dan niet zou mogen.'

'Maar hoe heb je dan in godsnaam... O, Millie. Je wilt zeggen dat je het geld van hém hebt geleend. Van die man. Maar het moet veel geld zijn geweest. Heel veel.'

'Zoals jij het zegt klinkt het zo akelig. Je begrijpt het niet. Je hebt geen idee hoe het is. Niemand anders heeft ouders die uit elkaar zijn. De hele klas gaat skiën in de herfst, behalve Thomas, maar hij telt niet mee, en Selma gaat in de vakantie naar New York. Ze krijgt waarschijnlijk massa's nieuwe kleren en dan heb ik het nog niet eens over wie er allemaal naar Glasto gaat. Het is afschuwelijk om mij te zijn, mam. Je hebt er geen idee van. Het is afschuwelijk.'

'Hoeveel ben je hem schuldig?'

'Hij zegt dat hij rente moet rekenen omdat ik het niet op tijd heb terugbetaald.'

'Dat is volkomen tegen de wet. We moeten naar de politie. We gaan er nu meteen naartoe.'

'Nee. Nee, mam. Dat kan niet.' Millie draaide zich weer half om en keek over haar schouder naar haar moeder. 'Je kunt niet naar de politie, dan kan gewoon niet. Dan word ik geschorst en dan komt iedereen erachter, en dan mag ik van de ouders met niemand meer omgaan. Pa komt erachter, en Peter en Nial en Sophie. En de volgende keer doet hij me pijn. Echt. Als hij erachter komt dat ik naar de politie ben gegaan, ben ik zo goed als dood, mam. Alsjeblieft, alsjeblieft. Ik wil alles doen. Ik ga wel van school, ik ga wel naar een openbare school, dan kan pa het geld dat hij voor Kingsmead betaalt aan mij geven. Ik wil alles doen. Maar ga alsjeblieft niet naar de politie. Ik wil echt niet dat iedereen het te weten komt.'

'Hoeveel moet je hem betalen, Millie?'

Millie werd heel stil, alsof ze zich in zichzelf terugtrok en een plekje zocht waar ze veilig zou zijn. 'Vierduizend...' fluisterde ze na een tijdje. 'Hij bleef maar rente berekenen, mam, en het werd steeds meer.'

Sally sloot haar ogen en legde haar voorhoofd tegen Millies warme rug. Ze dacht aan Isabelles keuken vol dure etenswaren en drankjes, ze zag Melissa exotische struiken in de tuin op Sion Road planten, ze zag David Goldrab in zijn enorme auto stappen. Ze zag alle moeders en vaders bij Kingsmead staan en wist dat ze een blik wierp in een andere wereld. Dat zij en Millie in de anderhalf jaar na de scheiding geruisloos en zonder klagen over een onzichtbare barrière waren geglipt en nooit meer terug konden. Allemaal vanwege het geld.

18

Die avond bij de teamvergadering zag Ben er voor het eerst sinds Zoë hem kende niet helemaal perfect uit. De wijn van de vorige avond en het gebrek aan slaap waren hem aan te zien. Hij had een waas van donkere stoppels op zijn kaken en de rug van zijn overhemd was gekreukt. Tot haar ergernis vond ze dat gekreukte overhemd een beetje vertederend.

'Het is allemaal wat teleurstellend,' zei hij tegen de verzamelde teamleden. 'Ik moet erkennen dat dit geen goede dag is geweest. Om te beginnen hebben we nog niemand gevonden die het slachtoffer gezien heeft. Het is niet te geloven, dat weet ik, zeker omdat er bij een zaak met zoveel media-aandacht normaal gesproken tientallen mensen naar voren komen die iets gezien menen te hebben. Lorne was een opvallend meisje dat veel mensen kenden, en ze liep helemaal naar huis, schijnbaar zonder dat ook maar iemand haar gezien heeft. Ze komt ook niet voor op de videobeelden van de winkels en geen van de winkelbedienden herinnert zich haar, maar volgens haar familie had ze de gewoonte om rond te kijken zonder iets te kopen. Dus daar is niet veel bemoedigends uit gekomen.'

Hij rolde zijn mouwen op. Het was die dag warm geweest. Warm genoeg om die kreukels te veroorzaken, zo warm dat het al zomer

97

leek. In de straten lagen de amandelbloesems in hoopjes in de goten, uit de tuinen en de parken daarheen gewaaid. Zoë had niets tegen Ben gezegd over het geheugenkaartje. Ze wist niet goed wanneer ze dat zou doen. Of ze het wel zou doen. De kaart zat nog steeds in haar achterzak.

'Onze getuige aan het kanaal deed melding van een gesprek van Lorne dat niet helemaal overeen leek te komen met het gesprek dat ze vlak voor haar vermissing gevoerd zou hebben. Dus heb ik een uur lang met Alice gepraat, de vriendin die Lorne aan de telefoon had, en hoewel ze toegaf dat Lorne erger van streek was dan ze oorspronkelijk had verklaard, werd ze vaag toen ik verder inging op de reden waarom ze van streek was.' Hij nam een slok koffie en zette het kopje voorzichtig neer. 'Dus wil ik hier een opmerking maken die me door mijn intuïtie wordt ingegeven. Ze beschermde iemand.'

De hoofdinspecteur, die met zijn armen over elkaar achter in de kamer stond te wachten op iets wat indruk op hem zou maken, leunde nu naar voren. 'Beschermde ze iemand?'

'Ja. Alice was Lornes beste vriendin, en dan bedoel ik een echte hartsvriendin. Ze waren onafscheidelijk. En nu verzwijgt ze iets, ook al is Lorne dood. Iets belangrijks.'

Debbie Harry, die zwijgend in de hoek had gezeten, stond op en kwam naar voren. Ze ging schouder aan schouder met Ben staan en sprak het team toe alsof ze samen de leiding hadden over dit onderzoek. 'Dat klopt. Hieruit en uit opmerkingen van een paar van haar schoolvrienden kunnen we met vrij grote zekerheid concluderen dat ze een vriend had. En dat Lorne dat geheim wilde houden.'

Zoë staarde naar haar. Kunnen *we* met vrij grote zekerheid concluderen? Wie dacht ze verdomme wel dat ze was? Een rechercheur? Bens partner? Ze was psychologe. Waarom hing ze hier eigenlijk nog rond? Voor zover Zoë wist, werden deze mensen per uur betaald; dat had Debbie duidelijk nog niet begrepen. Ze dacht zeker dat ze deel uitmaakte van het team. En Zoë kon aan de gezichten van de teamleden zien dat ze stuk voor stuk vielen voor al die psychologie voor dummy's omdat het uit de mond kwam van een knap meisje met wat letters voor haar naam.

'Ja. Er is bijna zeker een vriendje. Dat verklaart de ontwijkende reactie van Alice. We denken dat Lorne het een tijdje geheim heeft gehouden, en nu is hij natuurlijk bang om zich te melden. Waarom weten we niet, maar hij bestaat. Of hij nu verantwoordelijk was voor haar dood of niet... nou, dat blijft onbekend. Maar die uitspraak, "ik heb er zo genoeg van..."' Debbie trok weer die neerbuigende glimlach, de glimlach waarmee ze wilde zeggen: *kom op, ik wil weten wat jullie denken. Laten we dit samen doen.* '... klinkt dat niet alsof zij en het geheime vriendje problemen hadden?'

'RH,' zei Zoë. Iedereen keek haar verrast aan. 'Zijn initialen zullen "RH" zijn.'

'Hoe kom je tot die conclusie?' vroeg de hoofdinspecteur.

Ze wierp hem een vernietigende blik toe. 'Ik heb me de hand laten lezen. Vanmorgen. Die helderzienden zijn fantastisch met zulke dingen, politieonderzoeken en zo. Ze zeiden dat er iemand met de initialen "RH" in mijn leven zou komen.'

Er viel een korte, ongemakkelijke stilte bij deze opzettelijke sneer aan Debbies adres. Ben fronste. Toen deed Debbie haar mond open. 'Neem me niet kwalijk,' zei ze schalks. 'Wat wil je nu eigenlijk zeggen?'

'Lorne heeft het in haar dagboek over RH. Ik heb er de hele middag achteraan gezeten. Tot dusver zonder resultaat. Als je een geheim vriendje zoekt, kijk dan uit naar iemand met die initialen.'

Er viel een lange stilte. Debbie ademde uit en glimlachte. Het was een verwelkomende glimlach, alsof ze wilde zeggen: *ik ben zo blij dat je het eindelijk met ons eens bent. Welkom aan boord van het schip Debbie Harry. We weten zeker dat je zult genieten van je verblijf hier.* 'Dank je, rechercheur Benedict. Dank je. Het is fantastisch dat we nu eindelijk verder komen. En ik denk dat jullie het allemaal met me eens zijn dat het vinden van "RH" absoluut essentieel is voor het oplossen van deze zaak.' Ze spreidde haar handen, verrukt over de wending die de zaken hadden genomen.

19

Veel mensen in Bath geven de voorkeur aan victoriaanse huizen boven die uit de Georgiaanse tijd. Victoriaanse huizen hebben over het algemeen meer kamers per verdieping en minder trappen om kinderen en huisdieren over achterna te hoeven zitten. Ze zijn gemakkelijker te verwarmen en gemakkelijker te verbouwen omdat het merendeel ervan niet op de monumentenlijst staat. Het huis waarin Sally met Julian had gewoond was een vrijstaande victoriaanse villa met een uitbouw en een serre aan de achterkant, dat een heel eind van de weg stond in een grote tuin waar Millie altijd graag had rondgerend. Maar nu waren er paden waar nooit paden geweest waren en was de tuin verdeeld middels een ingewikkeld systeem van lage, in strenge vierkanten geknipte lavendelstruiken. Millies boomhut was voor kleine Adelayde, de nieuwe Cassidy, beschilderd met paarse krokodillen en olifanten.

Millie haatte Melissa. Ze werd hier maar één keer per week geduld, als ze haar vader kwam opzoeken. Toen Sally voor het huis stopte, weigerde ze mee naar binnen te gaan of zelfs maar te laten merken dat ze er was. Ze bleef met haar neus tegen het autoraampje zitten kijken toen Sally het pad op liep, verlicht door tuinlampen op zonne-energie, die op vaste afstanden in de grond waren gestoken.

Ze had niet gebeld dat ze zou komen – Julian zou een manier hebben verzonnen om haar niet te hoeven spreken – en ze liep rechtstreeks naar de voordeur en klopte er luid op. Binnen riep een stem, die van Melissa: 'Julian. Er is iemand aan de deur.' Een paar tellen later deed hij open met een wijnglas in zijn hand.

'O.' Zijn gezicht betrok toen hij haar zag. 'Sally.'

'Mag ik binnenkomen?'

Hij keek nerveus over zijn schouder. Ze zag een dure kinderwagen staan met een spanner met rammelaartjes erop. 'Waar gaat het over?'

'Millie.'

'Julian?' riep Melissa vanuit de kamer. 'Wie is het, schat?'

'Het is... Sally.'

Er viel een stilte. Toen ging de deur van de woonkamer open en kwam Melissa voor de dag. Ze was hovenier van beroep en toen Sally haar voor het eerst had ontmoet, was ze gekleed alsof ze naar een rodeo moest: een suède cowboyhoed, wandelschoenen met dikke sokken, die over de bovenkant van de schoenen waren gevouwen, en een korte broek in altijd dezelfde kleur tweed. Ze lachte als een paard en het koord van haar hoed wiebelde heen en weer onder haar kin. Bij koud weer vormde zich soms een heldere druppel aan het eind van Melissa's neus, die daar lange minuten onopgemerkt bleef hangen terwijl ze praatte. Ze was de laatste voor wie Sally had verwacht dat Julian zou vallen. Vandaag droeg ze haar gebruikelijke korte broek, maar daaroverheen had ze een wijde havermoutkleurige trui aan. Adelayde zat in een vuurrode babydraagdoek tegen haar borst geklemd. Ze wiegde automatisch heen en weer om te zorgen dat de baby bleef slapen terwijl ze haar blik over de ex-vrouw van haar man liet glijden.

'Sally!' zei ze na een paar tellen. 'Je ziet er fantastisch uit. Kom binnen.' Ze deed een stap achteruit om haar de woonkamer in te laten en lachte breed. 'Leuk om je te zien.'

Sally ging naar binnen en bleef zwijgend staan. De kamer was onherkenbaar veranderd. Hij was opnieuw ingericht met diepe, primaire kleuren en hoekige, oncomfortabel ogende meubels. Een zwart met wit zijden gordijn was half voor de erkerramen getrokken, en daarvoor stond de box van de baby.

Melissa zette de televisie in de hoek uit, die zachtjes aan had gestaan, en ging op de rand van een grote bank zitten, waarbij ze de benen van de baby spreidde zodat ze aan weerszijden van haar buik lagen. Sally zocht naar de gemakkelijke oude leunstoel waarin ze Millie had gevoed toen die nog een baby was. In plaats daarvan zag ze een leren tweezitter met paarse en witte zeshoeken. Ze ging er onhandig op zitten.

'Hoe is het met Millie?' zei Melissa met een glimlach. 'Levendig als altijd?'

'Nee. Ze is er verschrikkelijk aan toe.'

Melissa's glimlach vervaagde. 'Echt? Vanwege dat meisje? Lorne Wood?'

'Dat doet haar ook geen goed.'

'Een van de jongens die stage bij me heeft gelopen, kende haar. Hij was verliefd op haar. Ik was nogal verbaasd. Ze leek me niet zijn type. Ze zag er verschrikkelijk... goedkoop uit, weet je.'

'Wat is er met Millie?' vroeg Julian. 'Laatst leek er nog niets aan de hand.'

'Het is lang geleden, maar ik denk dat ze nog steeds moeite heeft met de scheiding.'

'Sally,' mompelde Julian, 'als je over de scheiding wilt praten, is het misschien beter als...'

'Ze heeft het er moeilijk mee.' Haar stem klonk stelliger dan ze had verwacht. 'Ze is nog maar een klein meisje en ze vindt het niet gemakkelijk.'

Julian fronste. Zo kende hij Sally niet. Met een nerveus gezicht deed hij de deur dicht en liep de kamer door. Hij ging naast Melissa zitten en trok zijn broek wat omhoog, zodat er geen knieën in zouden komen. Nu Sally hem zo zag, vroeg ze zich af wat ze ooit in hem gezien had, behalve dat hij er alleen altijd geweest leek te zijn om dingen te betalen en vragen te beantwoorden, als een soort vader. Tot hij er niet meer was en hij het opeens allemaal voor Melissa deed. 'Oké. Ik hoor wat je zegt. Jij wilt praten. En wat verwacht je daarmee te bereiken? Wat wil je van ons, van mij en Melissa?'

Ze knipperde met haar ogen. 'Eh... geld.'

Melissa haalde diep adem. Ze leunde achterover, sloeg een lang, bruin been over het andere en keek naar het plafond. Julian sloot zijn ogen alsof hij opeens een pijnscheut voelde in zijn hoofd. Hij deed ze weer open, zette zijn ellebogen op zijn knieën en legde zijn handpalmen tegen elkaar. 'Mag ik even zeggen dat we het hier al eerder over gehad hebben? En zoals je je zult herinneren, heb ik toen gezegd...'

'Vierduizend pond.'

'Jezus!' siste Melissa. Ze wiegde Adelayde wat heftiger, nog steeds met haar blik op het plafond gericht. 'Jezus christus.'

Julian leunde achterover, sloeg zijn armen over elkaar en bekeek Sally zorgvuldig. Het was een blik die ze hem bij zakelijke gesprekken had zien gebruiken, als hij nadacht over een overeenkomst en probeerde te beoordelen of een cliënt te vertrouwen was. Hij bestudeerde haar alsof hij haar voor het eerst zag als leeftijdgenoot in plaats van als zijn mindere, zijn kindbruidje. 'Ik neem aan dat dit geen grap is.'

'Dat is het niet.'

'Waar is het geld voor?'

'Het reisje naar Malta. Je had gezegd dat jij dat zou betalen.'

'Oké. Als we agressief gaan worden, is dit misschien het moment om hier een eind aan te maken en voor te stellen eerst eens met de advocaten te praten en vervolgens...'

'Je hebt haar verteld dat ze op jouw kosten naar Malta kon gaan. Dat heb je haar beloofd, ik was erbij. De zaak zou anders hebben gelegen als je nee had gezegd, maar dat heb je niet gedaan. Je hebt haar iets beloofd en je hebt die belofte verbroken. Ze dacht dat jij voor haar zou betalen. Uiteindelijk heeft ze het geld moeten lenen.'

'Ik veronderstel,' zei Melissa effen, 'dat ze ook had kunnen afzeggen toen ze wist dat Julian en ik het ons echt niet konden veroorloven.'

'Al haar vrienden gingen.'

'Niemand heeft tegen mij iets gezegd over vierduizend pond,' zei Julian. 'Vierduizend pond! Welk reisje naar Malta kost nou vierduizend pond? Het zijn tieners, verdorie. Je verwacht dat ze op de vloer slapen in de trein, niet dat ze stoelen nemen in de Airbus A380.'

'Ik meen het. Millie heeft het geld nodig. Anders zou ik hier niet zijn.'

'Heeft Millie het nodig of heb jij het nodig?' vroeg Melissa. Toen deed ze haar ogen dicht. 'Sorry – dat meende ik niet. Let maar niet op mij.'

'Van wie heeft ze het geld geleend? Toch niet van Nials ouders, alsjeblieft. Ik sta al op hun zwarte lijst na wat jij allemaal hebt verteld over de scheiding.'

'Julian, hoor eens, ik kan je niet dwingen. Ik kan nergens recht op laten gelden, want bij de scheiding heb ik al mijn rechten opgegeven, en zelfs al kon ik een advocaat betalen, dan zou ik nog niet weten wat die zou zeggen. Ik kan je alleen beleefd vragen om haar te helpen. Ze zit in de problemen, Julian, zwaar in de problemen. Ze is pas vijftien en ik kan in deze situatie niets voor haar betekenen.'

Hij likte langs zijn lippen en wierp een blik op zijn vrouw. 'Melissa?'

Ze haalde haar schouders op. Ze had haar blik niet van het plafond afgewend en zat nog steeds de baby te wiegen. Ze keek als iemand die in zichzelf zit te neuriën en alles wat om hem heen gebeurt buitensluit. 'Je moet doen wat jij juist vindt.' Ze legde haar hand beschermend op het hoofdje van Adelayde, alsof zij en de baby opeens tegenover Sally en Julian stonden. 'Je moet doen wat je geweten je ingeeft.'

Julian hoestte fel. Hij keek van Sally naar Melissa en weer terug. Sally had hem nog nooit zo slecht op zijn gemak gezien. 'Het spijt me, Sally. Al het geld dat ik Millie zou geven, is in Peppercorn gaan zitten. Ik zal je honderd pond geven, maar meer zit er niet in.'

Melissa stootte een zacht, afkeurend keelgeluidje uit.

'Ben jij het daarmee eens, Melissa?'

'Prima,' zei ze met een hoge, gespannen stem. 'Helemaal prima.'

Hij stond op en liep de kamer uit, en even later hoorden ze hem in zijn kantoor aan het eind van de gang. Sally en Melissa bleven samen achter. Melissa ademde luid in en uit, alsof ze probeerde rustig te blijven. Maar uiteindelijk leek ze zich niet meer te kunnen inhouden. Ze keek met een ruk naar Sally.

'Je zei dat je nergens meer om zou vragen. Je zei tegen Julian dat je niet meer zou verlangen. Hij heeft je huis betaald en heeft een enorme hypotheek op dit pand moeten nemen om dat te kunnen doen, en hij heeft Millies school betaald voor de komende drie jaar. Drie jaar. Hij kon het zich niet veroorloven, maar hij heeft het toch gedaan.'

Sally zei niets. Toen ze over het pad liep, had ze verscheidene lege flessen Bollinger in de glasbak zien zitten. Toen zij en Julian nog samen waren, dronk hij Bollinger bij bijzondere gelegenheden, niet elke avond. En de havermoutkleurige trui die Melissa droeg, had driehonderd pond gekost. Ze had hem eerder die week in de etalage van Square zien hangen. Hij had nog steeds een appartement op Madeira, dat hij verhuurde, en een huisje in Devon.

'Ik wil maar zeggen, vindt ze het eigenlijk wel leuk op die school? Doet ze het goed? Dat hoop ik maar, want het is een boel geld als het niet zo is. Ik betwijfel ten zeerste of Julian twee kinderen naar een privéschool kan laten gaan. Adelayde heeft waarschijnlijk geen enkele kans met wat Millie allemaal kost.' Melissa keek alsof ze elk moment in tranen kon uitbarsten. 'Dus ik hoop voor Julian dat het kind in wie hij al het geld stopt het goed doet.'

Sally stond op en liep naar de deur.

'Je moet ons niet bedreigen, Sally.'

Ze draaide zich om. Melissa was overeind gekomen en keek haar met pure haat in haar ogen aan. 'Je moet niet vals gaan doen. Het is niet nodig om vals te worden, want hoe vals jij ook kunt zijn, ik ben nog valser.'

Sally deed haar mond open om iets te zeggen, maar sloot hem weer. Ze ging zonder een woord de gang in, deed de deur achter zich dicht en bleef naast de dure kinderwagen nerveus met haar autosleutels staan spelen. Even later kwam Julian uit zijn studeerkamer. Hij hield een cheque en een uitdraai in zijn hand. 'Er stond eenvoudig op: 'Hierbij verklaar ik dat ik de som van honderd pond heb ontvangen van meneer J. Cassidy.'

'Tekenen, alsjeblieft.'

Ze tekende zonder hem aan te kijken. 'Dank je,' zei ze zacht. Ze pakte de cheque, die in een witte envelop van goede kwaliteit zat, en draaide zich om naar de deur.

'Sally?'

Ze bleef even staan, met één hand aan de deurknop.

'Alsjeblieft...' Julian kwam vlak bij haar staan en fluisterde, zodat Melissa het niet zou horen: 'Wil je Millie alsjeblieft zeggen dat ik van haar houd? Wil je dat doen?'

20

Zoë zat in de achtertuin van haar rijtjeshuis met haar ene hand op haar knie en de andere uitgestoken naar de zwerfkatten, die schuw koekjes van haar aannamen. Binnen was het licht aan en de gordijnen waren open. Ze bedacht wat een trieste aanblik ze nu bood: 'De eenzame oude vrijster met haar katten. Het enige gezelschap dat ze heeft...' Toen ze na de vergadering naar het kantoor van Ben was gegaan, was hij druk bezig geweest met het uittikken van aantekeningen en had hij afwezig gereageerd. Ze had over de vergadering willen praten, hem misschien willen vertellen over de foto's. Maar ze was het zat om ruzie te maken, ze was het zat om als enige tegen de rest van het team in te gaan, dus had ze alleen maar gezegd: 'Ik dacht erover om maar eens naar huis te gaan. Zie ik je daar?'

Er was een korte stilte gevallen. Toen had hij een beetje vermoeid opgekeken. 'Het spijt me, Zoë. Ik moet hier echt mee verder.'

Naderhand vroeg ze zich af waarom ze zich er druk over maakte – het was niet zo dat ze elke nacht samen doorbrachten. Het kon haar niet schelen. Het kon haar echt niet schelen. Maar toen ze terugliep naar het lege huis, hoopte ze toch een beetje dat hij opeens op de stoep zou staan. Maar dat was niet zo. Ze sjokte het pad op en liet zichzelf binnen. Het schoteltje melk stond nog voor de motor.

Het was normaal dat ze alleen was, dacht ze terwijl ze nog wat kattenkoekjes in haar hand schudde. Het was niet erg. Sommige mensen hadden behoefte aan anderen om zich heen, en sommige niet. Ze dacht aan de woorden van Pippa Wood over kinderen uit hetzelfde nest die toch zo verschillend waren, over hoe teleurgesteld ze in Lorne was geweest, en opeens namen haar gedachten een onverwachte wending en keek ze door een deuropening een kamer in.

Het was de woonkamer uit haar kindertijd; de lampen waren aan en het vuur brandde speels in de open haard. De driejarige Sally zat op mama's schoot en mama glimlachte naar haar en streelde haar blonde haar. En in een schemerige hoek van de kamer zat de zwijgende Zoë met haar donkere ogen. Ze zat op de vloer met blokken te spelen en wierp af en toe een steelse blik op haar moeder om te zien of ze naar haar zou kijken en tegen haar zou glimlachen. Twee zulke verschillende kinderen, het ene een prachtig, blond en blozend droomkind, het andere een schurftige vos. Wrokkig en sluw en koppig.

Het 'ongeluk' met Sally's hand was eigenlijk helemaal geen ongeluk. In werkelijkheid had Zoë een woedeaanval gehad toen gevoelens die ze jaren had opgekropt door iets onbelangrijks tot een uitbarsting hadden geleid. Zoë was acht geweest, Sally zeven, en vanaf dat moment werden de zusjes door hun ouders uit elkaar gehouden en had Zoë eens en voor altijd geleerd wie ze was en aan welke kant ze stond. Ze had begrepen dat ze in staat was tot 'slechte dingen' en 'onaanvaardbare daden'. Het was een les die ze nooit meer had mogen vergeten.

Ze keek door de open achterdeur naar de foto's aan de muur van de verlichte kamer. Er waren foto's van haar tijdens de motortocht en van haar op het internaat, altijd breed lachend en veerkrachtig. Ze was goed geweest in sport en in wiskunde en had altijd problemen gehad met de leraren. Iedereen die haar kende, zelfs Ben, dacht dat het feit dat ze al op haar achtste op een internaat was geplaatst betekende dat ze bevoorrecht was. Buiten de familie Benedict wist niemand dat het niets te maken had met rijke ouders en paardenfeestjes, en alles met de noodzaak haar uit de buurt van Sally te houden. Die zo mooi en klein was en aanbeden werd door ma en pa. Zo lief dat ze haar moesten beschermen tegen haar wrede en onbeheerste zus.

Zoë had er in geen jaren aan gedacht. Het was door Lorne weer naar boven gekomen, Lorne met haar volmaakte broer en wat ze misschien allemaal had gedaan om haar gevoelens even te kunnen vergeten, net als Zoë zelf. De foto's. Daar was Zoë het meest van geschrokken. Omdat ook zij op die manier was ontsnapt. Achttien jaar geleden. Geen mens wist ervan, maar toen ze pas van het internaat was, had ze zes maanden in een nachtclub in Bristol gewerkt, een tiener die zich twaalf keer per dag voor de ogen van mannen had uitgekleed. In die tijd had ze opzettelijk niet te veel nagedacht over wat ze aan het doen was. Ze had erom gelachen, had volgehouden dat het enorm grappig was en had zich gericht op de motortocht die ze uiteindelijk zou kunnen maken. Maar als ze mensen wel eens hoorde praten over seksclubs en hoe die de meisjes in de uitverkoop gooiden, kwam er een barst in het dappere masker. Dan wendde ze zich af en dacht ze bij zichzelf dat die mensen niet doorhadden dat iets waarde moest hebben om in de uitverkoop te kunnen worden gegooid, dat je niet iets goedkoper kon maken dat toch al geen waarde had. En die waarde hadden zij en misschien ook Lorne allang verloren.

Misschien was het een natuurlijke gang van zaken dat een verwaarloosd kind op plekken als die nachtclub terechtkwam. Plekken waar de duisternis in henzelf werd opgeslokt door de duisternis in de mensen om hen heen.

Zoë had de katten de laatste koekjes gevoerd. Het begon te regenen en de druppels tikten op de hoes van de motor, die ze slordig tegen de tuinschuur had gegooid. Iets trok haar blik. Ze stond op en keek naar de hoes, naar het plasje dat zich erop vormde.

'Godallemachtig, krijg nou wat,' mompelde ze tegen de katten. 'Dat is wat ik gemist heb. Dat is het.'

Om halftien belde Sally Steve en nog geen twintig minuten later gleed het licht van koplampen door de keukenramen over de muur. Op de tafel voor haar lag een stapel papieren: hypotheekafrekeningen, de rekeningen van de nutsbedrijven, haar salarisstrookjes en de offertes voor het werk dat aan het huis gedaan moest worden. Ze zat er al een uur mee te worstelen om te kijken waar ze vierduizend pond extra vandaan zou kunnen halen. Nu schoof ze alles snel bij elkaar en legde de papieren achter een paar boeken voordat hij in de deuropening verscheen. Hij had een knielange broek aan, sandalen en een verbleekt t-shirt met een paar regenspatten op de schouders. Hij was ongeschoren en zag er moe uit.

'Hoi,' fluisterde hij toen hij de deur dichtdeed. 'Alles goed, schoonheid?'

Sally wenkte hem binnen te komen. 'Het is al goed – ze slaapt. Als ze eenmaal weggezakt is, kun je een kanon afschieten.'

Hij kwam binnen en gooide zijn sleutels op tafel. 'Nou, wat is er aan de hand?'

Ze liep naar de koelkast en haalde de fles wijn tevoorschijn die ze de avond tevoren hadden opengemaakt. 'Sorry, maar ik geloof dat ik wel een borrel kan gebruiken.' Ze schonk een glas voor hem en een voor zichzelf in, zette ze op tafel en ging met hangende schouders naar de wijn zitten kijken.

'Wat is er?'

'Niets. Ik moest alleen even een vriendelijk gezicht zien.'

'Dat is het niet alleen.'

Ze nam een grote slok wijn.

'Kom op. Wat zit je dwars?'

'Het spijt me, het is alleen... Het is een zware dag geweest. Met Millie en met het werk.' Ze schudde wanhopig haar hoofd. Waarom gebeurde dit steeds weer? Werd ze dan nooit verstandig? Hoe kon ze toch zo stom zijn? Steeds weer. Steeds weer. Het werd gewoon nooit beter. 'Het huis staat op instorten, Steve. De regenpijp aan de achterkant is eraf gevallen en overal zit vocht. Het riet is aan het rotten, er zitten ratten in het plafond en ze hebben zich door het pleisterwerk heen gevreten. Maandag vond ik eekhoornkeutels in het washok. Het kost me tienduizend pond om alles weer in orde te laten maken, en wat doe ik? Stomme, idiote ik? Ik weet niet eens of ik deze week de gemeentebelastingen kan betalen. En vandaag... vandaag...'

'Vandaag?'

Ze haalde haar handen weg voor haar gezicht en keek hem ernstig aan. 'Kun je een geheim bewaren?'

'Gek, dat heeft niemand me ooit gevraagd.'

Ze glimlachte dunnetjes. 'Serieus. Het gaat om Millie. Ik heb haar beloofd mijn mond te houden, maar ik kan het niet helpen. Het is allemaal zo bizar. Ik kan het niet geheimhouden. Ik moet er met iemand over praten.'

Hij trok een stoel bij en ging zitten. 'Ga verder. Ik luister.'

'Ze... ze had wat geld nodig. Ze wist dat ze niet bij mij hoefde aan te komen, dus ging ze naar iemand die ze het nooit had moeten vragen. En die wil het geld nu terug. En ik weet niet hoe ik met zo iemand om moet gaan; het is een drugsdealer.'

'Jezus.'

'Ik weet het. Ik ben ook zo stom.' Ze sloeg met haar knokkels tegen haar voorhoofd en wilde dat ze de suffe, slaperige massa daarbinnen wakker kon maken. 'Ik heb ook nooit iets door. Ik zag het helemaal niet aankomen, net zoals ik de scheiding niet zag aankomen, en nu heb ik alleen de kans een behoorlijk inkomen te verdienen als ik voor een crimineel ga werken, en hij is grof en jij zegt dat hij gevaarlijk is, maar ik heb geen keus omdat mijn dochter nog steeds denkt dat ze kan leven zoals al haar rijke vriendjes en dus stomme beslissingen zal nemen, en nu ben ik...'

'Nou nou.' Steve pakte haar hand vast. 'Hé. Rustig aan. We verzinnen wel iets. Ik bedoel... Wil je dat ik met die vent ga praten? Weet je hoe je contact met hem kunt opnemen?'

'Dat kun je niet doen. Als je dat doet, komt Millie erachter. Ik heb haar beloofd er niet over te praten. En hoe dan ook, god mag weten wat hij haar zal aandoen als hij denkt dat hij het geld niet terugkrijgt. Ik heb erover nagedacht. De enige oplossing is dat ik het geleende geld terugbetaal.'

'Dan zal ik je het geld lenen. Ik ben niet zo goed uit de scheiding gekomen, dat weet je, maar ik kan het geld wel bij elkaar krijgen. Dat is geen probleem.'

Ze beet op haar lip en keek naar hem op. In zijn open gezicht en oprechte glimlach zag ze een zachte en lonkende helling. Een helling waar ze gemakkelijk op kon stappen. Waar ze zich op kon laten vallen en waar ze zich zó vanaf kon laten glijden. Het zou zo gemakkelijk zijn; de angst zou verdwijnen. Maar het zou nergens toe leiden. Uiteindelijk zou ze weer in dezelfde dofheid vervallen als bij Julian.

'Nee,' zei ze met enige moeite. 'Nee. Dank je, maar nee. Ik moet dit zelf doen. David betaalt me vierhonderdtachtig pond extra per maand, dus het zal even duren, maar het lukt me wel. En ik heb een doe-het-zelfboek geleend in de bibliotheek. Misschien kan ik sommige klussen in huis zelf doen. Er staat nog wat gereedschap in de garage dat de vorige bewoners hebben achtergelaten, en ik kan ook wel wat van Isabelle lenen.'

'Oké.' Hij glimlachte. 'En wat je niet van haar kunt krijgen, leen ik je wel. Alles wat je nodig hebt.'

Ze glimlachte zwakjes terug. 'Dank je,' zei ze. 'Dank je.'

Steve stond op en pakte de wijnfles weer uit de koelkast, maar zij kon er niet zo gemakkelijk een streep onder zetten. Ze bleef met haar hoofd schuin haar glas rond zitten draaien en keek naar de steeds overlappende natte kringen.

'Steve?' zei ze toen hij weer was gaan zitten.

'Wat is er?'

'Weet je nog wat je vanmorgen zei, over David Goldrab?'

Zijn gezicht betrok. Hij wreef bedachtzaam met een knokkel over zijn kin. 'Ja,' zei hij. 'Dat weet ik nog.'

'Wat bedoelde je toen je zei dat het slechts toeval was dat hij nog vrij rondliep? Als hij in de gevangenis was beland, waar zou dat dan voor geweest zijn?'

'O, Sally. Weet je zeker dat je dat allemaal wilt weten?'

'Ja. Morgen is mijn eerste dag bij hem en eerlijk gezegd ben ik een beetje zenuwachtig. Ik kan niet langer met mijn hoofd in de wolken blijven rondlopen, nooit zien wat voor de hand ligt en altijd de laatste zijn die iets te weten komt. Alsjeblieft...'

Steve schudde zijn hoofd. 'Goed dan. Nou, het komt erop neer dat Goldrab in pornografie doet.'

'Pornografie? Wat wil je daarmee zeggen? Dat hij tijdschriften verkoopt?'

'Meest video's. En filmpjes die je van het internet kunt downloaden.'

'Pornografie? Weet je het zeker?'

'Ik ben bang van wel. Honderd procent zeker.'

Het verbaasde haar dat ze niet heel erg geschokt was. 'Goh, en ik maar denken dat hij een echte crimineel was.'

Steve stootte een droog lachje uit. 'Hij is ook een echte crimineel, een hele echte, levende crimineel. Een van de rijkste pornografen in dit land, en dat zegt heel wat, want we zijn een van de weinige landen op de wereld waar niet op grote schaal porno wordt geproduceerd. Hij verdient de kost door jonge vrouwen – en soms niet eens vrouwen, eerder meisjes – over te halen dingen te doen waar ze hun hele leven spijt van zullen hebben. Voor de opkomst van het internet heeft hij een hele tijd in Kosovo gezeten om illegale porno te maken en die hiernaartoe te smokkelen. En dan heb ik het over echt akelig spul, met dieren en sm. Wat je maar kunt bedenken. En dat is er niet zachtzinnig aan toegegaan, dat kan ik je wel vertellen. Ik ben heus geen heilige, ik ben verdomme een warmbloedige man en ik wil niet zeggen dat ik nooit naar porno heb gekeken, maar geloof me, een heleboel vrouwen die hij gebruikte had daar zelf geen keus in. Die vrijheid hadden ze niet. Vooral op de Balkan niet.'

Sally bleef hier even zwijgend over na zitten denken. Ze zag de werkelijkheid en alle subtiele optelsommetjes die daaruit voortkwamen. Als ze voor zo iemand ging werken, was ze in zeker opzicht net zo slecht als hij, medeplichtig zelfs. Maar hoe ze ook dacht, ze wist dat ze er niet van af zou zien. Ze had het geld nodig. 'Ik moet wel behoorlijk wanhopig zijn om voor hem te gaan werken.'

Steve stak zijn hand uit en streek een lok haar achter haar oor. 'Schat, we zijn allemaal wanhopig. We moeten allemaal dingen doen waar we niet trots op zijn. Zo gaat dat nou eenmaal op de wereld.'

22

Het regende, dus nam Zoë de Mondeo. Ze parkeerde bij het hek van Sydney Gardens en baande zich een weg door de bosjes. Het park was officieel gesloten, maar onofficieel werden er gewoon zaken gedaan. Overal waar ze keek zag ze jonge mensen nonchalant rondhangen of met hun handen in hun zakken tegen bomen leunen. Er zaten er zelfs een paar op de grond, alsof het een dag in augustus was in plaats van een regenachtige avond. De meesten verdwenen in de bosjes toen ze passeerde.

Het hek in de muur gaf toegang tot het kanaal, maar 's nachts kon je er niet door naar het park. De politie had er een bord naast gezet om de voorbijgangers te waarschuwen dat het jaagpad in oostelijke richting was afgesloten vanwege een politieonderzoek en hun te adviseren een andere route te nemen. Zoë deed haar zaklantaarn aan en liet het licht op de grond vallen. Het regende niet meer zo hard, maar eerder was er genoeg gevallen om de voetafdrukken in de modder tot aan de rand te vullen. De plasjes glinsterden haar tegemoet. Ze liep voorzichtig om de modder heen, wrong zich door de bosjes en deed het hek open. Aan de andere kant van de muur wierp een enkele straatlantaarn in victoriaanse stijl een gele lichtvlek op het grind en het kanaalwater. Zoë scheen met de zaklantaarn over de grond en vond een meter of drie verderop wat ze verwacht had te vinden.

Er zat een ondiepe kuil over de hele breedte van het pad. Misschien lag er een buis onder waardoor de grond was verzakt of zat er een onregelmatigheid in de ondergrond. Wat de oorzaak ook was, er was maar heel weinig regen nodig geweest om van de afzonderlijke plassen één grote plas te maken. Je kon er niet omheen. Je moest erdoorheen soppen of eroverheen springen. En toen ze achteromkeek naar het hek, dacht ze dat je waarschijnlijk de kans zou grijpen om je schoenen een beetje af te spoelen als je net door dat hek was gekomen en modder aan je voeten had gekregen.

Als Lorne hier op het jaagpad was gekomen, had ze haar schoenen kunnen schoonmaken, maar er had nog modder op gezeten toen ze stierf. Misschien was er nog een andere toegang tot het kanaal, een andere plek, dichter bij de plaats delict, waar ze in de modder kon zijn gaan staan. Zoë liep met haar capuchon over haar hoofd het pad af en scheen met de zaklamp heen en weer over de grond. De temperatuur was scherp gedaald en uit een of twee van de woonboten kwam rook; de bewoners hadden de deuren gesloten en de houtkachels aangestoken. Door de ramen kwam het gekwebbel en het flikkerende blauwe licht van tv's.

Ze was ongeveer driehonderd meter gevorderd toen ze bleef staan bij een kleine opening tussen de begroeiing aan haar linkerkant. Het was maar een smalle spleet, niet meer dan een dassenpad. Het liep omhoog, weg van het jaagpad, en verdween aan de andere kant in de duisternis. Ze duwde de doornstruiken en boompjes weg die in de opening waren gegroeid en liet het licht op de grond vallen. Ze glimlachte. Modder. Met twee duidelijke schoenafdrukken erin. Zo op het eerste gezicht leken ze precies te passen bij Lornes modderige ballerina's.

'O, Lorne,' mompelde ze. 'Je bent zaterdag helemaal niet gaan winkelen. Je hebt tegen ons gelogen.'

23

De volgende morgen weigerde Millie halsstarrig om naar school te gaan. Ze zei dat het toch een gekkenhuis werd, dat iedereen het voortdurend over Lorne zou hebben en erop los zou speculeren, maar Sally wist dat het meer te maken had met die vent in de paarse jeep. Ze wilde haar niet dwingen, maar ze liet haar ook niet alleen in Peppercorn achter, niet na wat er de vorige dag gebeurd was. Ze belde Isabelle, maar die had de hele dag vergaderingen, dus had ze geen andere keus dan Julian te bellen. Ook hij moest de hele dag werken.

'Alsjeblieft, mam,' smeekte Millie. 'Alsjeblieft. Dwing me niet naar school te gaan.'

Ze bleef Millie een hele tijd aankijken. Dit was een onmogelijke keus. Of ze nam haar vijftienjarige dochter mee naar het huis van een pornograaf, of ze liet haar over aan de genade van een woekeraar en een drugsdealer. God, wat een puinhoop. Maar ze moest een besluit nemen.

'Dan moet je vier uur achter in de auto zitten.'

'Het kan me niet schelen. Ik neem wel een boek mee. Je zult geen last van me hebben.'

Sally slaakte een diepe zucht. 'Ga een boterham voor jezelf maken. En kleed je aan – en ik bedoel behoorlijk. Geen korte rokken en een fatsoenlijke blouse, geen strak t-shirtje. Iets verstandigs. En neem ook maar wat huiswerk voor Engels mee. Vier uur is een hele tijd.'

Het was weer een mooie dag, de zon stond al hoog aan de hemel en de regen van de afgelopen nacht was nog slechts een herinnering, maar Sally zat de hele weg naar Lightpil House te piekeren. Ze moest steeds denken aan wat Steve had gezegd – over de meisjes in Kosovo, die soms nog niet eens vrouw waren. Van de andere kant maakte ze zich er weer zorgen over dat David Millie niet zou willen laten blijven, dat ze meteen rechtsomkeert zou moeten maken en dat ze de extra vierhonderdtachtig pond per maand zou kwijtraken die ze in haar berekeningen had opgenomen.

Toen ze de parkeerplaats op reden, draaide Millie het raampje open, leunde naar buiten en keek knipperend tegen de zon op naar Lightpil House, alsof ze op een filmset was gearriveerd. David moest haar hebben staan opwachten, want voordat Sally de wagen kon parkeren, kwam hij het lange pad al af om haar te begroeten. Hij droeg zijn badjas en slippers en had een glas groene thee in zijn hand en een digitale hartslagmeter om zijn pols, alsof hij net van een van de loopbanden in de sportruimte op de eerste verdieping was gestapt. Sally trok de handrem aan en terwijl ze naar hem keek, vroeg ze zich af wat hij zou doen als hij Millie zag. En inderdaad fronste hij toen hij haar voor in de auto zag zitten. 'Wie is dat?'

'Millie.' Ze bereidde zich voor op tegenstand. 'Mijn dochter. Ze zal niet in de weg lopen.'

David bukte bij het raampje aan de chauffeurskant, met zijn handen op zijn bovenbenen, en keek Millie aandachtig aan. 'Dus je blijft een tijdje bij ons?'

'Ze blijft hier in de auto. We zullen geen last van haar hebben.'

'Houd je van fazanten, prinses?'

Millie keek even naar haar moeder.

'Het is goed,' zei David. 'Het is geen strikvraag. Je moet leren vragen eerlijk te beantwoorden. Als iemand je een strikvraag stelt, heeft hij alleen zichzelf daarmee. Dus, houd je van jonge fazanten of niet?'

'Ze blijft in de auto.'

'Sally, alsjeblieft. Ze is geen twee meer. Ze moet iets te doen hebben. Het kan geen kwaad, en het is beter dan opgesloten zitten in deze...' Hij keek zwijgend naar de kleine Ka en probeerde woorden te vinden voor de nietigheid van het karretje. 'Ja. Hoe dan ook, je kunt beter in de zonneschijn gaan rondlopen, prinses. Nou, beantwoord de vraag. Houd je van fazanten?'

'Ja, hoor.'

'Mooi. Dan zal ik je wijzen waar je die kunt zien.'

'Niet het terrein af,' zei Sally. 'En neem je telefoon mee.'

Millie rolde met haar ogen. 'Zo kan-ie wel weer,' siste ze. 'Oké?'

Sally haalde een paar keer diep adem. Ze maakte haar gordel los en stapte uit de auto. Millie kwam van de passagiersstoel, streek met haar handen haar blouse glad en keek om zich heen, duidelijk onder de indruk van wat ze zag en verrast dat haar moeder hier deel van uitmaakte, in welke hoedanigheid dan ook.

'Zie je dat pad, daar opzij van het huis?' David liep om de voorkant van de auto heen en wees naar de rand van het terrein. 'Als je dat volgt, kom je bij een hek. Er zit een hangslot op. De code is 1983. Mijn geboortejaar.' Hij lachte. Sally noch Millie lachte mee. 'Als je daardoorheen gaat, zie je een schuur. Die zit vol met die beesten. Als je uitgekeken bent, ga je maar op het terras zitten. Mama maakt wel een glas limonade voor je. Nietwaar, Sally?'

Millie wierp een blik op haar moeder. Sally aarzelde, ze had een ziek gevoel in haar maag. Maar ze gaf een rukje met haar hoofd om Millie duidelijk te maken dat ze kon gaan. Vooruit dan maar. 'Telefoon. Houd je telefoon aan.' Haar mond vormde geluidloos de woorden.

Met een laatste onzekere blik op David liep Millie het pad op. Hij sloeg zijn armen over elkaar en keek haar na. Ze was heel mager in haar spijkerbroek, die wijde pijpen had, maar strak om haar heupen zat, en haar haar wipte op en neer en glansde in het zonlicht. Sally zag hoe hij haar dochter nakeek. Ze sloeg het portier harder dicht dan noodzakelijk was en hij draaide zich met een trage glimlach naar haar om.

'Wat? O, Sally, je stelt me teleur. Je denkt dat ik haar wil versieren, hè? Waar zie je me voor aan?' Hij keek nog eens naar Millie, die net achter de bloemenborders verdween. 'Denk je soms dat ik een pervers kereltje ben? Een man van mijn leeftijd? Met een meisje van haar leeftijd? Ze is toch veel te oud voor me.'

Sally verstijfde en hij gaf haar brullend van het lachen een duw tegen haar arm. 'Ik maak een grapje, meid. Een grapje. Het was maar een grapje van me. Kom op, lach eens, ja? Jezus.' Hij zuchtte. 'Heb je extra moeten betalen om zo'n stijve hark te worden, of gaven de nonnen dat er gratis bij?'

Sally slikte. Ze had een droge mond. Maar ze liet het niet merken. Ze liep naar de kofferbak en begon haar schoonmaakspullen eruit te halen.

'Ik neem je maar een beetje in de maling, meid.'

Ze haalde het zwarte attachékoffertje waarin ze haar notitieblokken en potloden bewaarde uit de auto en liep meteen het pad over, gevolgd door David, die puffend en blazend duistere dingen mompelde over mensen zonder gevoel voor humor. In het huis rook het naar brood. Hij moest in de weer zijn geweest met de broodbakmachine van driehonderd pond die naast het koffiezetapparaat in de keuken stond. Sally snoof de lucht op, liet hem diep in haar longen doordringen en dwong zich tot kalmte. De geur van lekker eten kalmeerde haar altijd.

'Zal ik je eens wat zeggen, Sally?' zei David toen ze bij het kantoor waren. 'Niet om het een of ander, maar ik heb zo het idee dat Sally Benedict geen erg hoge dunk heeft van David Goldrab. Want zo gaat dat op de wereld, nietwaar? Jij bent waarschijnlijk opgegroeid in een kast van een huis met torens en stallen. En ik? Nou, ook in mijn verleden komen torens en ophaalbruggen voor. Een torenflat met een verdomd dikke ijzeren veiligheidsdeur om te voorkomen dat de junks van het Isle of Dogs inbraken en de lift onderschreten. Hoewel die toch nooit werkte, of hij nu als toilet werd gebruikt of niet. Zeventiende verdieping, zonder warm water, zonder verwarming.'

Hij ging op zijn draaistoel zitten, haalde de hartslagmeter van zijn pols, stak het stekkertje in de achterkant van een witte Sony-laptop en begon de gegevens van zijn training in te lezen. Toen zette hij zich met zijn voeten af, zodat hij naar de andere kant van de kamer rolde, waar een grotere desktopcomputer stond, en zette hem aan.

'1957 – toen ben ik echt geboren, niet in 1983, voor het geval je daar in bent getrapt. De jongste van drie jongens. In die tijd deelde je met zijn tweeën een bed, een matras op de vloer, en mocht je je gelukkig prijzen als je een stukje muur met loslatend behang had om je posters op te plakken. Er zat altijd iemand aan je pik, je moest zo slapen.' Hij legde zijn handen over zijn geslachtsdelen en kroop in elkaar alsof hij een cricketbal in zijn kruis had gekregen. 'Mijn oudste broer was op zijn dertiende al aan de drank. Mam had het niet eens in de gaten, ze ging helemaal op in zichzelf en haar eigen ellende. Hij kwam stomdronken thuis en liet zich boven op ons vallen. Ik kan hem nog ruiken, die gore schoft. Op een ochtend word ik wakker en is het bed nat. Hij heeft verdomme in bed gepiest en zodra ik overeind ga zitten, zie ik hem daar liggen, helemaal onder de kots en het bloed en zijn eigen urine, maar hij ademt nog, en snurkt, en ik weet zeker dat ik daar weg moet zien te komen, dat ik mijn eigen ruimte, mijn *Lebensraum* moet zien te vinden, al kost het me mijn laatste beetje energie, mijn laatste druppel zweet, al moet ik stront eten, al moet ik er iemand voor vermoorden.'

Hij spreidde zijn handen om het terrein om het huis en de golvende heuvels aan te duiden. Behalve een paar telefoonpalen in de verte was er bijna niets te zien wat erop wees dat er nog andere mensen op de planeet leefden. Bij het hek waar Millie doorheen was gegaan stonden bomen die enorme schaduwen op het gras eronder wierpen. Ze was nergens te zien.

'*Lebensraum*,' herhaalde hij. 'Wat Hitler wilde. Soms vraag je je onwillekeurig af of Hitler geen punt had. Hier zit ik nou, met mijn joodse naam en een heleboel joods bloed in mijn lijf, hoewel het niet zo zuiver is als mijn klootzak van een vader graag had gewild, en ik vind dat Hitler een punt had! Voorouders, rust in vrede, stop je vingers in je oren, maar Hitler was tenslotte vegetariër. En hij hield van dieren. Maar hij hield nog het meeste van ruimte. Ruimte om te ademen, ruimte om te leven, ruimte om te slapen. Ruimte om niet betast en ondergepiest te worden door die hufter van een broer van je. En daarom ben jij hier, Sally, om mijn *Lebensraum* te beheren. En om het zo te houden. Rustig. Zonder lastige mensen.'

De gegevens van de hartslagmeter waren geladen. David bekeek ze even. Toen zette hij schijnbaar tevreden de computer uit.

'Natuurlijk,' zei hij met een zijdelingse blik op Sally, 'als het aan mij lag, zou ik een vrouw in mijn leven hebben, een klein ding met gouden haar en grote tieten, een goed hoofd voor cijfers en een probleem van nymfomanische aard. Maar ik ken de vrouwen – de meeste denken maar aan één ding, en dat begint niet met een s. Nou, Sally, kom hier zitten.' Hij trok een stoel voor de computer, naast die van hem. 'Kom hier, dan zal ik je laten zien wat je moet doen.'

Sally ging naast hem zitten. Hij rook vaag naar zweet en aftershave. Ze moest steeds denken aan de vrouwen op de Balkan, en of hij hun zijn levensverhaal had verteld.

'Nou...' Hij wuifde naar de rest van het kantoor, '... dit is Tracy Island, het zenuwcentrum van Goldrab Enterprises. We zitten in het persoonlijke deel. En dat daar is het deel waar het geld wordt verdiend.'

Hij wees naar een bureau met een andere computer, dat vol lag met mappen. Er stond een dossierkast naast het bureau en daarboven hing een enorm beeldscherm waarop de oprit voor het huis te zien was, gefilmd door de beveiligingscamera. Toen ze hier een keer had schoongemaakt, had ze een grote stapel papieren op die kast zien liggen. Ze had er niet echt in gekeken, maar ze herinnerde zich dat er rekeningen in een vreemde taal bij waren. Haar blik was op de naam Priština gevallen. Op dat moment had ze gedacht dat het de naam van een stad in Rusland was. Maar met wat Steve had gezegd in haar achterhoofd vermoedde ze inmiddels dat het in Kosovo moest zijn.

'Sally, ik wil niet dat je naar huis gaat met het idee dat ik je niet vertrouw, want dat doe ik natuurlijk wel. Maar je zult het wel niet erg vinden als ik je erop wijs dat mijn werk van vertrouwelijke aard is. En dat wil ik graag zo houden. Met andere woorden, als ik je erop betrap dat je daar rondneust, schiet ik je verdomme een kogel door je kop.' Hij trok een vette, geamuseerde glimlach toen hij haar reactie zag. 'Een grapje. Weer een grapje. Jezus, de fee van de humor is vanmorgen ook nergens te bekennen, hè? Nou, op déze computer staan alle gegevens van het huis. Zie je wel? Dus hier is jouw werkplek. Je voert hier de rekeningen in en de reçu's gaan daarheen. Het is geen hogere wiskunde. Je belt de mensen, laat offertes maken, organiseert het werk. Je probeert het zo te doen dat iedereen op dezelfde dag komt, zodat ik niet elke ochtend hoef te zorgen dat ik mijn broek aanheb omdat er een of andere sukkel van een loodgieter komt.'

'Oké,' zei ze rustig.

'En lach eens, in jezusnaam. Glimlach verdomme. Je kijkt verdorie alsof je een pak op je mieter hebt gehad...'

Hij zweeg en sprong overeind, kijkend naar het beeldscherm aan de muur. 'Jezus christus,' mompelde hij. 'Die smerige kleine kontkruiper.'

Voor het hek stond een kleine Japanse jeep in metallic paars, met glanzend chromen bullbar. Sally staarde ernaar. Die dealer van Kingsmead? Dat bestond niet. Hier bij David Goldrab? Had hij hen gevolgd of zo? Het raampje ging open en er kwam een arm naar buiten, die iets intypte op het toetsenbordje op het hek. Het was hem. Ze herkende het haar en de gebruinde huid. Ze draaide zich snel om en keek naar buiten. Millie was op het grasveld verschenen. Misschien had ze de fazanten al gezien, of misschien had ze er geen belangstelling voor, maar om een of andere reden lag ze op haar buik op het gras met haar telefoon in beide handen druk te sms'en of te browsen of haar Facebook-pagina bij te werken. Sally stond aarzelend op. Ze wist niet wat ze moest doen, of ze door de keuken moest rennen en moest roepen of haar moest bellen.

Op het scherm was de man nog steeds knopjes aan het indrukken, hoewel hij duidelijk de code niet wist, want het hek bleef resoluut dicht. David leek zich helemaal niet meer druk te maken. Hij leunde achterover in zijn stoel, met zijn handen achter zijn hoofd en een akelige glimlach op zijn gezicht. 'O, Jake,' zei hij tegen het beeldscherm. 'Jake the Peg. Je had niet terug moeten komen, jongen. Nee. Dat had je echt niet moeten doen.'

24

Afgietsels maken van voetafdrukken en die vergelijken met schoenen was een van de karweitjes waar de technische recherche meestal snel mee klaar was. Ze hoefden niet te wachten op langdurige laboratoriumproeven. Tegen elf uur die morgen waren de resultaten van het jaagpad bekend. De afdrukken die Zoë de vorige avond had gevonden, waren gemaakt door Lorne Wood. En toen de politie het spoor volgde dat begon bij het gat in de begroeiing, bleek dat ze maar één route kon hebben genomen om daar te komen. Vanaf het kanaal leidde het spoor door een stukje bos naar een ander pad dat tussen twee paardenweiden en onder een spoorwegbrug door liep en uitkwam bij een bushalte. Ver uit de buurt van de winkels. Lorne had haar moeder voorgelogen over waar ze die zaterdag naartoe zou gaan, en als iemand over zoiets kon liegen, kon hij in de ogen van Zoë overal om liegen – de leugens konden zich opstapelen en opstapelen tot aan de hemel.

Ze liet een van de rechercheurs gerechtelijke bevelen regelen voor de camerabeelden van de busmaatschappijen en zat toen een tijdje op kantoor naar alle buslijnen te kijken die langs de halte bij het kanaal kwamen. Ze liepen kilometerslang alle kanten uit – het was niet te zeggen uit welke richting ze was gekomen. Ze kon overal vandaan zijn gereisd, ze kon zijn overgestapt, ze kon zelfs helemaal naar Bristol zijn geweest in de tijd dat ze van huis was weg geweest. Zoë haalde de geheugenkaart voor de dag die ze in Lornes slaapkamer had gevonden en liet hem bedachtzaam op haar vinger balanceren. Ze was er al twee keer bijna mee naar het kantoor van Ben gegaan. Maar iedere keer had ze het toch maar niet gedaan. Ze wist niet goed wie ze beschermde door haar mond dicht te houden, Lorne of zichzelf. Uiteindelijk stond ze op en trok ze haar jasje aan. Ze moest meer weten voor ze iets deed.

Het agentschap was in het centrum van Bath. 'Milsom Street no. 1,' stond er op het bordje, en daaronder in hoge, magere letters: 'Agentschap Zebedee Juice'. Het was boven een boetiek en toen

Zoë de trap op ging, kwam ze in een grote kamer met een enorme glazen koepel in het plafond, waardoor het daglicht naar binnen stroomde. Er was geen receptie, alleen een verzameling rode banken vol kussens van namaakbont en zwarte laktafeltjes met stapels tijdschriften erop. Aan een wand hing een LCD-scherm zonder omlijsting waarop een video speelde zonder geluid – gezichten van jongens en meisjes die in elkaar overgingen.

De manager, een meisje in een poloshirt, een korte broek van spijkerstof en naaldhakken en met metallic oogschaduw op, sprong op en begroette Zoë met een neurotisch klinkend 'Hallo, hallo!' Ze trok met haar spieren, bleef over haar neus wrijven en slikte steeds, dus er was geen genie voor nodig om te zien dat ze hard aan haar volgende lijntje coke toe was. Maar ja, dacht Zoë, je werd ook niet zo broodmager zonder een beetje hulp.

Ze schonk twee hoge glazen limoensap met citroengras in en nam Zoë mee naar een bank bij het raam. In de straat onder hen liepen winkelende mensen en toeristen de winkels in en uit. De manager gaf toe dat ze al half had verwacht dat de politie zou komen. Ze voegde eraan toe dat ze misschien zelf had moeten bellen, want ze herinnerde zich Lorne heel goed. Ze was een maand eerder met haar moeder langs geweest. Een heel aardig uitziend meisje, maar wel een beetje klein en iets aan de zware kant voor de catwalk. En haar wenkbrauwen waren bijna helemaal weggeplukt. 'De meeste van onze modellen zouden u en ik niet echt knap noemen. Als we sommigen van hen op straat zouden tegenkomen, zouden we ze bijna lelijk vinden. Wat op dit moment een grote hit is, is een dierlijk uiterlijk. We willen de etniciteit van een model zien. Als er iemand de kamer in loopt en ik denk: "Ja, die heeft alle woede van zijn ras achter zich," dan weet ik dat ik een topmodel heb.'

'En zo was Lorne niet?'

'Nee. Ze had wel glamour, misschien, maar ze was niet geschikt voor de modeshows. Nooit.'

'Heb je haar dat verteld?'

'Ja.'

'En hoe reageerde ze daarop?'

'Ze was van streek. Maar dat gebeurt voortdurend; die meiden komen hier vol hoop binnen en voelen zich volledig afgewezen en ellendig als ze weer weggaan.'

'En mevrouw Wood? Wat was haar reactie?'

'O, opluchting. Dat zou u verbazen, maar die reactie krijg ik hier nog het meest. De moeders gaan mee om hun dochters een plezier te doen, maar ze zijn dolblij als iemand anders die meiden wijst op iets wat ze zelf allang weten, maar gewoon niet over hun lippen kunnen krijgen. Maar die meisjes...' Ze schudde even met haar hoofd. 'Ook al heb je het meerdere keren gezegd, sommigen willen gewoon niet luisteren. Het is een soort honger, het knaagt aan ze. Ze nemen geen genoegen met een afwijzing. Het enige wat ze willen, is zichzelf op de pagina's van een of andere glossy zien. Dat zijn de meisjes over wie ik me zorgen maak. Het zijn de meisjes die terechtkomen op plekken waar ze echt niet willen zijn.'

'Plekken waar ze echt niet willen zijn?'

De manager fronste haar wenkbrauwen. 'Ja... U weet wel wat ik bedoel.'

Zoë keek haar recht aan. Even dacht ze dat de nadruk in die zin op 'u' had gelegen. Zoals in: *u, inspecteur Benedict, weet precies waar ik het over heb. Doe maar niet alsof dat niet zo is.* Ze merkte dat ze een verklaring wilde, dat ze wilde zeggen: 'Wat bedoel je verdomme,' maar ze hield zich in. Dit kind was amper twintig. Het was absoluut onmogelijk dat ze iets wist over wat er al die jaren geleden was gebeurd.

'Dus,' zei ze effen, 'wat doe je als je zo'n meisje treft dat geen nee wil horen?'

De manager pakte een plastic houdertje met een stapeltje visitekaartjes van een van de tafeltjes. Ze haalde er een uit en gaf het aan Zoë. 'We zeggen dat ze beter glamourfoto's kunnen gaan doen en geven ze een van deze kaartjes. Wilt u er ook een?'

Zoë pakte het kaartje aan en bekeek het. Het had de vorm van een stel lippen. Er stond op: 'Holden's Agency. Waar dromen uitkomen.'

'Heb je er een aan Lorne gegeven?'

De manager ging met een vinger langs de binnenkant van haar polokraag en dacht even na. 'Ik weet het niet,' zei ze na een tijdje. 'Waarschijnlijk niet, omdat haar moeder erbij was. Ik kan het me niet precies herinneren.'

'Ze heeft er niet zelf een meegenomen?'

'Misschien. Dat zou ik echt niet kunnen zeggen.'

Zoë stak het kaartje in haar portefeuille. Ze nam peinzend een slokje van haar limoensap, met haar blik op de etalage van de winkel aan de overkant. Er knaagde iets aan haar, iets wat ze had gezien of iets wat de manager in de laatste tien minuten had gezegd. Ze kon er de vinger niet op leggen en zette haar glas op tafel. 'Heeft Lorne het soms over een vriend gehad? Heeft ze namen genoemd toen ze hier was?'

'Nee, niet dat ik me kan herinneren.'

'Heb je een catalogus? Van de modellen?'

'Natuurlijk.' Ze deed een la open, waarin Zoë een stapel roze boekjes en een doos roze geheugensticks zag. Allemaal met de naam 'Zebedee Juice' in felgroene letters. 'Een papieren exemplaar of een stick?'

'Doe maar een van deze.' Ze pakte een boekje op. 'Ik wil kijken of jullie modellen hebben met de initialen RH.'

'RH?' Terwijl Zoë de catalogus doorbladerde, zat de manager met haar duim in haar mond en haar blik op het plafond de lijst cliënten af te gaan. Tegen de tijd dat Zoë het boekje doorgenomen had, zat ze haar hoofd te schudden. 'Nee. Zelfs niet met hun echte namen.'

'En het personeel?'

'Nee. Ik ben de enige hier, en Moonshine, die 's middags komt. Haar echte naam is Sarah Brown.'

'Is je misschien nog iets anders bijgebleven van Lorne? Iets wat belangrijk zou kunnen zijn? Iemand over wie ze het gehad heeft?'

'Nee. Ik heb erover zitten nadenken. Sinds ik het nieuws heb gehoord en erachter was dat het hetzelfde meisje is dat hier is geweest, ben ik alles steeds weer nagegaan. En ik kan echt niets bedenken dat vreemd was aan die ontmoeting.'

'Oké. Mag ik dit boekje houden?'

'Natuurlijk. Neemt u het gerust mee.'

'Nog één ding, en dan ben ik weg. Wat dacht je van Lorne? Denk je dat ze een van die meisjes was die uiteindelijk op die plekken terechtkomen waar je het net over had? Had zij die honger?'

De manager lachte kort. 'Had zij die honger? Mijn god. Ik geloof niet dat er de laatste twee jaar een meisje door die deur is gekomen dat het zwaarder te pakken had.'

25

David Goldrab sprak in de intercom, maakte het hek open en zei tegen Jake dat hij voor het huis moest parkeren, door de voordeur, die open was, binnen moest komen en in de hal moest wachten. Toen verdween hij naar boven om zich in zijn slaapkamer aan te kleden. Zodra hij het kantoor uit was, toetste Sally met trillende vingers Millies nummer in. Ze ging voor het raam staan toen de telefoon overging en zag Millie op het grasveld fronsend naar haar toestelletje kijken. Ze leek erover te denken niet op te nemen. Maar na een paar tellen veranderde ze van gedachte en bracht ze het naar haar oor.

'Ja, wat is er?'

'Hij is ons hierheen gevolgd. Hij is hier.'

'Wie?'

'Die vent in die jeep. Jake. Zo heet hij. Jake.'

Daar schrok Millie van. Ze kwam overeind en bleef even verstijfd staan, niet wetend waar ze heen moest.

'Het is goed.' Sally sloop naar de deur en keek door de kier de gang in. Ze kon net de hal zien, een enorm atrium met galerijen en een centrale trap in graniet en marmer, met zwarte en witte tegels op de vloer. Jake stond bij de voordeur. Zijn gitzwarte haar was met gel puntig omhooggezet en zijn gehavende spijkerbroek en T-shirt lieten zijn spieren en de platte lijn van zijn buik goed uitkomen.

'Hij is in het huis,' fluisterde ze in de telefoon. 'Maak je geen zorgen – hij staat in de hal aan de voorkant. Hij kan je niet zien.' Ze hield de telefoon tegen haar borst en leunde voorzichtig nog iets verder naar de deur om naar hem te kijken. Hij leek kleiner en veel minder zelfverzekerd nu hij niet in zijn auto zat. Hij boog steeds een beetje naar voren om de trap op te kijken en te zien waar David naartoe was gegaan.

Sally ging weer achteruit. 'Ik weet niet goed wat hij komt doen,' siste ze. 'Het is heel raar. Misschien komt hij gewoon voor David. Ga je ergens verstoppen, ergens tussen de bomen waar hij je niet kan zien vanaf de achterkant van het huis. Ik bel je zodra ik meer weet.'

Het geluid van een dichtslaande deur weergalmde over de trap. Sally beëindigde het gesprek en keek weer door de kier. Jake stond nog in de hal; hij trok zijn riem strakker en zijn schouders naar achteren toen hij David over de overloop zag komen.

'Jake! Jake the Peg!' David glimlachte breed toen hij boven aan de trap stond. Hij droeg een goed gesneden wit overhemd op een spijkerbroek. Op blote voeten kwam hij naar beneden, zijn armen gespreid alsof hij een lang verloren vriend verwelkomde. Een paar treden van onderen bleef hij staan en ging zitten, zodat Jake naar hem op moest kijken. 'Dat is lang geleden. Hoe staat het leven? Hoe is het met de extra poot, makker?' Hij hield zijn handen bij zijn kruis en deed alsof hij een enorme fallus had. 'Kom je nog steeds overal? Om nieuwe vrienden te maken?'

'Ja, ja.' Jake knikte nerveus. Hij sloeg zijn armen strak over zijn borst en stak zijn handen in zijn oksels. 'Alles gaat helemaal te gek. Gesmeerd. Ik kreeg een zakelijk aanbod en ik dacht dat ik maar eens... je weet wel, langs moest komen. Om er met je over te praten.'

'Ja, ik zag je "langskomen". Ik zal eerlijk zijn; ik was wel een beetje geschokt toen je dacht dat ik na zes maanden nog steeds dezelfde toegangscode zou hebben. Dat vond ik van wat weinig respect getuigen, maar... je weet hoe ik ben. Ik blijf nooit lang boos. Ik bedacht dat je je hier wel heel erg thuis moest voelen om de code van het hek in te toetsen nadat je me al zo lang niet gezien had. Je bent bij mij vast volkomen op je gemak.' Hij pakte een tandenstoker uit zijn zak en begon zorgvuldig zijn tanden schoon te maken, met zijn hand voor zijn mond en zijn blik op Jake gericht.

'Dus, Jakey, Jakey, Jakey, mijn makker met de extra poot, Jake. Wat heb je allemaal uitgespookt, jongen? Je hoort van tijd tot tijd wel eens domme geruchten. Het laatste wat ik heb gehoord, was dat je wat aan het rommelen was met de bekende verboden middelen. Dat je het verkocht aan rijke kinderen en rondhing bij dure scholen, als een eenzame drol in een meer, tenminste, dat heb ik gehoord. Ik luister natuurlijk nooit naar dat soort onzin, want ik weet zeker dat het niet waar is.'

'Nee...' Jake schoof ongemakkelijk heen en weer. 'Nee, natuurlijk niet.'

'Dus hoe krijg jij tegenwoordig brood op de plank, jochie? Nu je geen winstgevende beelden meer voor mij verzorgt?'

'O, je weet wel. Ik doe mijn ding. Ik hou het hoofd boven water.'

Er kwam een geluidje uit Davids keel alsof hij deze opmerking ongelooflijk grappig vond. Hij moest een vinger tegen zijn hoofd duwen en een beetje vooroverbuigen om te voorkomen dat hij in lachen uitbarstte.

'Wat nou?'

'Niets. Het is alleen...' Hij veegde met de rug van zijn hand zijn ogen af en kreeg weer de slappe lach. Hij wist zich te beheersen en ging met nog natrekkend gezicht rechtop zitten. 'Dat "het hoofd boven water houden". Het beeld dat ik daarbij krijg, maat. Het hoofd...' Hij kon de woorden er niet uit krijgen. Weer boog hij voorover om in stilte te kronkelen.

Jake keek met een als uit steen gehouwen gezicht toe, maar de dikke spieren in zijn armen trokken een beetje. 'Zo te horen is het nogal grappig. Dat beeld.'

'Inderdaad,' zei David strak, alsof hij op het randje van een hysterische aanval stond. 'Heel grappig. Het zijn beelden van flikkers. De ene flikker die het hoofd van de ander boven water houdt. Om het dan meteen in het gat van de andere flikker te begraven. Daar deed het me aan denken.' David veegde nogmaals langs zijn ogen en wist zijn zelfbeheersing terug te krijgen. 'Mijn moeder is een relatief intelligente vrouw. Ik bedoel, behalve de drie keer dat ze haar benen van elkaar deed voor mijn vader, is ze niet echt dom. Weet je wat ze altijd tegen me zei toen ik nog een jochie was? Ze zei altijd: "Er zijn een paar mensen die je nooit moet vertrouwen, jongen. Je moet nooit een politieman vertrouwen, je moet nooit een magere kok vertrouwen en je moet nooit een dikke bedelaar vertrouwen. Ook geen Arabier of een man bij wie de wenkbrauwen in het midden doorlopen. Vertrouw nooit een man met zwarte schoenen en witte sokken en vertrouw nooit een zwarte man met een fez op." Maar weet je wie boven aan het lijstje van onbetrouwbare personen stond? Wie het neusje van de zalm was als het om onbetrouwbaarheid ging?'
'Nee.' Jake zei het bijna geluidloos.
'Flikkers. De verdomde mietjes.'
'Waar heb je het over?'
Er verscheen langzaam een glimlach op Davids gezicht. 'Jij bent een homo, Jake. Een kontneuker, een smerige nicht. Ik wil niet zeggen dat het je eigen schuld is. De deskundigen zeggen tegenwoordig, ik weet niet of je dat gehoord hebt, maar ze zeggen tegenwoordig dat je er niets aan kunt doen. Het zit blijkbaar in je biologische opmaak. Je draagt er geen schuld aan, het zit in je genen.' Hij stak vol verbazing zijn handen uit, alsof hij wilde zeggen: 'Heb je ooit zoiets vreemds gehoord?'
'Ja, volgens de gekke professors heeft het niets te maken met het feit dat jullie een stelletje perverse kerels zijn, maar komt het allemaal door een foutje in de chromosomen. Dus ik kan je het simpele feit dat je een keutelkietelaar bent niet verwijten, Jake, wat je met je kont doet, moet je zelf weten, maar wat ik je wel kan verwijten, en daar begin ik me wat prikkelbaar om te voelen, zeg maar,

wat ik je wel kan verwijten...' Hij boog wat naar voren. '... is dat je verdomme niet de beleefdheid hebt gehad om het tegen me te zeggen. Jake the Peg met zijn extra poot, en dan blijkt die poot niet bestemd voor de natte scheur op het bed. Hij verlangt misschien wel naar een van de leden van het team. Of, God vergeve me dat ik het zeg, misschien zelfs naar mij. En hij zegt er nooit iets over. Dát, begrijp je,' zei hij met een vinger in de lucht, 'dát noem ik nou onwetendheid.'

David liet zijn hand zakken en legde hem op de trapleuning. Even zag het ernaar uit dat hij zijn benen omhoog zou zwaaien en Jake tegen zijn kin zou schoppen. Maar dat deed hij niet. Hij trok zich eenvoudig overeind.

Jake slikte. Hij stapte niet achteruit, maar deed zijn handen uitdagend in de zakken van zijn spijkerbroek. 'Ik ben geen flikker.'

'Leugenaar.' Davids gezicht vertrok niet. 'Dat ben je wel.'

'Oké, stel dat het zo is? Dat betekent toch nog niets, of wel soms? We zitten niet meer in het stenen tijdperk, we hebben tegenwoordig mensenrechten. Je kunt me niet zomaar een flikker noemen.'

David maakte een tuttend geluid. Hij schudde afkeurend zijn hoofd. 'Gaan we nou roepen dat we gediscrimineerd worden? Dat is tegen de regels, jongen. Net als wanneer nikkers dat roepen.' Hij liet zijn hoofd opzij zakken en zette een opgewekt stemmetje op. 'Het spijt ons, uw discriminatiepas wordt geweigerd. Wij stellen u ervan op de hoogte dat uw discriminatierekening opgeheven is. Deze beslissing is gebaseerd op uw voorgeschiedenis van overmatige overschrijding van de kredietlimiet. Wees alstublieft zo goed uw pas onmiddellijk te vernietigen, want u kunt er niet langer mee betalen. Nou, zie je die kruisboog aan de muur? Daarboven.'

Jake keek omhoog. Sally kon de overloop niet zien, maar ze wist dat hij daar hing. Een kruisboog in een kastje, met een spotje erboven. Achter in het kastje hing een ingelijste foto van een ondergaande zon boven het Afrikaanse oerwoud.

'Daar heb ik verdomme een nijlpaard mee geschoten. In de dagen dat blanke, oppassende burgers die hard werkten nog rechten hadden, voordat iemand hun die rechten afnam en ze aan dieren en zwarten en flikkers gaf. En het kan me niet schelen hoe politiek incorrect je me vindt, jij, mijn jongen, bent hier niet welkom. Nou...' Hij gaf een dwingend rukje met zijn hoofd naar de deur. '... haal die pooierbak van mijn grind voordat ik mijn vriend daarboven uit zijn kastje haal en je in je strakke flikkerderrière schiet.'

Jake stond nog steeds met zijn kin omhoog naar de kruisboog te staren. Er viel een lange stilte. Sally zag zijn adamsappel op- en neergaan, alsof hij iets wilde zeggen. Toen leek hij zich te bedenken. Hij liet zijn kin zakken, draaide zich om zonder nog iets te zeggen en zonder David nog één keer aan te kijken en verliet het huis. Zijn voeten knarsten in het grind, de afstandsbediening van zijn wagen piepte en het portier sloeg dicht. Toen reed de auto langzaam weg.

Sally stapte beverig weg van de muur en toetste Millies nummer in.

26

Het incident bleef Sally de hele dag bij. Ook toen Jake weg was, ze Millie had gesproken en wist dat ze veilig in de tuin was, bleef ze onrustig, zelfs nadat ze drie uur had geworsteld met de database, alles in Lightpil House weer rustig was geworden en David met een glas champagne in de hand onophoudelijk had lopen mopperen over klasse en het immorele van homoseksualiteit. Ze twijfelde er al niet meer aan dat Steve gelijk had, dat er diepe afgronden onder het oppervlak van David Goldrabs leven scholen. Ze had het gevoel dat dat oppervlak elk moment open kon barsten.

Op de terugweg gaf ze Millie in de auto een stevige preek. 'Dit is een serieus probleem. Die Jake is geen goede kerel. Je hebt je ingelaten met heel onaangename mensen.'

'Nou, jij bent degene die voor een van hen werkt,' gaf Millie stuurs terug, en daar kon Sally natuurlijk niets tegen inbrengen. Toen Julian er niet meer was om hen te beschermen, hadden zij en Millie een grens overschreden en ze begon in te zien hoe anders alles aan deze kant van die scheidslijn was.

'Ik moet een oplossing bedenken. Ik verzin wel iets.'

'O, ja?' Millie keek met een verveelde, ongelovige uitdrukking op haar gezicht naar buiten. 'Is dat zo?'

Toen ze de oprit van Peppercorn op reden, was Sally uitgeput en was bezoek wel het laatste waar ze zin in had. Maar er stonden twee busjes in de tuin en Isabelle en de tieners stonden hen op te wachten. Ze trok de handrem aan. Ze was helemaal vergeten dat Peter en Nial vandaag de busjes zouden gaan ophalen waar ze zo hard voor gespaard hadden. Twee oude roestbakken met modder en mest tot aan de bovenkant van de wielkasten. Ze trok een geforceerde glimlach voordat ze uitstapte. Maar ook de anderen bleken niet bepaald in feeststemming. Ze deden misschien alsof ze het feit vierden dat ze de busjes in bezit hadden, maar onderhuids was de spanning te voelen. Er waarde een geest tussen hen waarover niemand sprak. Lorne Wood. Gestorven op haar zestiende.

'De eerste les in sterfelijkheid,' zei Isabelle toen zij en Sally eindelijk alleen waren. Ze hadden elk een glas van de mooie wijn die Peter altijd meebracht in de hand en waren naar de woonkamer gegaan. 'Het is heel wat voor ze. Ze hebben het er niet gemakkelijk mee.'

'Millie wilde vandaag niet naar school. Ze zei dat het was omdat de politie er misschien zou zijn. Was dat ook zo?'

'Nee. Maar wel op Faulkener's, al voor de tweede dag. Sophie heeft een sms gekregen van een van de meisjes daar. De boel ligt daar blijkbaar helemaal plat. De politie denkt dat een van de jongens het heeft gedaan.'

'Een van de jongens?' Sally keek naar Isabelles gezicht, de grijze lokken in haar haar en de heldere blauwe ogen. 'Meen je dat?'

'De kinderen mogen van de politie hun telefoon niet meer gebruiken. Ze hebben ze de hele dag in de school gehouden. Het lijkt wel een heksenjacht. Sommige ouders hebben hun beklag gedaan bij de directeur.'

De twee vrouwen stonden bij de openslaande ramen naar de kinderen en de busjes te kijken. Sally had elk van de kinderen verscheidene malen geschilderd. Ze had er veel plezier in gehad; het was alsof ze hun ontluikende persoonlijkheden en een klein stukje van hun vluchtige zielen ergens op vastlegde, al was het maar met olieverf op doek. Want van één ding was ze zeker, dacht ze nu, de dingen veranderden snel voor hen. Sneller dan iemand had kunnen voorspellen.

'Nial zegt dat de meisjes bang zijn.' Isabelle glimlachte droevig. Buiten stond Nial met een Magic Marker een patroon op zijn busje te tekenen, dat hij erop wilde schilderen. 'Hij heeft een beetje het idee dat hij de ridder op het witte paard zal kunnen spelen, net zoals jij hem geschilderd hebt op die kaarten. Dat hij ze allemaal zal kunnen beschermen. Alsof dat gaat gebeuren met Peter in de buurt.'

Dat zou wel kunnen kloppen, dacht Sally. Die lieve kleine Nial, die ze heimelijk de leukste van de jongens vond. Te klein, te verlegen, volledig overschaduwd door Peter. Hij was knap, maar dat zou pas echt te zien zijn als hij in de dertig was. Als mooie jongens als Peter te zwaar werden en kaal begonnen te worden, werd bij iemand als Nial pas echt duidelijk hoe goed ze eruitzagen. Maar nu was hij nog te klein en te vrouwelijk om aandacht te krijgen van de meisjes. Op haar favoriete tarotkaart stond hij afgebeeld als de Zwaarden Ridder, aan de ene kant boos en soms wraakzuchtig, aan de andere kant gereserveerd en enorm intelligent. Het soort man dat opstanden kon leiden met zijn inzichten en zijn ideeën. Ze had hem gekleed in een mantel van fluweel en brokaat, blauw om zijn ogen goed te laten uitkomen.

'Denk je dat ze er reden toe hebben?' vroeg ze. 'Om bang te zijn, bedoel ik. Denk jij dat het een van de andere scholieren geweest is?'

'God, ik weet het niet. Maar ik kan je één ding zeggen.' Ze knikte naar de tieners. 'Er is iets wat ze ons niet vertellen.'

'Hoe bedoel je?'

'Ik weet het niet, maar ik ken mijn zoon. En er is iets wat hij voor me verzwijgt. Iets wat hij eigenlijk wel wil, maar niet kan vertellen. Hij en Peter zijn op het moment heel gesloten.' Ze duwde met haar teen de glazen deur een stukje verder open. Het geluid van fluitende vogels kwam erdoor naar binnen, het geblaat van schapen en het verre gezoem van verkeer op de snelweg. Ze zweeg even. Toen zei ze: 'Peter was verliefd op Lorne, wist je dat?'

'Ja, ik bedoel, ik geloof dat iedereen dat eigenlijk wel was.'

'Volgens mij had ze geen belangstelling voor hem, maar hij hield van haar. Net als Nial, denk ik zo. Maar...' ze ging wat zachter praten, '... ik geloof dat die verliefdheid van Peter echt het einde betekende van Millies vriendschap met Lorne.'

Sally keek haar even aan. 'Millies vriendschap?'

'Bedoel je dat je het niet weet?'

'Wat weet?'

'Kijk ze nou, Sally. Kijk nou eens echt naar ze.'

Dat deed Sally. Millie had zich van de groep afgezonderd en zat drie meter verderop onder een boom op de schommel, met één teen op het gras. Ze liet hem rond- en ronddraaien, zodat haar schaduw over de grond zwierde. En toen Millie een norse blik op de anderen wierp, volgde Sally die blik en zag ze Peter naast het busje hurken en de band inspecteren. Ze keek weer naar Millie en zag de uitdrukking op haar gezicht. Het trof haar als een donderslag bij heldere hemel. Dat was wat Isabelle bedoelde. Millie was verliefd. Verliefd op Peter. De knappe, brutale, zelfverzekerde Peter, die helemaal in zichzelf opging en zich totaal niet bewust was van Millie.

'Is dat...' Ze zweeg even en voelde zich weer heel dom. 'Is dat de reden waarom Millie niet meer met Lorne omging? Omdat hij verliefd op haar was?'

'Wist je dat echt niet?'

'Eh,' zei ze suf. Ze wreef over haar armen. 'Ja. Ik bedoel, ik geloof van wel.'

De twee vrouwen stonden even zwijgend naar de kinderen te

kijken. Er klopte iets in Sally's buik, iets verdrietigs en eenzaams en bekends. Het zieke geklop van de mislukkeling. Zo moest Millie zich voelen als het om Peter ging. Zo was het ook voor haar geweest op het internaat, waar ze al vroeg geleerd had dat ze helemaal onder aan de ladder stond. Terwijl Zoë op die andere school natuurlijk precies had geweten hoe het was om aan de top te staan.

'O, Isabelle,' mompelde ze triest. 'Ze worden groot. Vlak voor onze neus.'

27

Sally had het eten in de oven gezet en maakte chocoladefudge om aan Isabelle mee te geven. Ze sneed de fudge in vierkanten en zette die op vetvrij papier. Isabelle kwam puffend en blazend en schoppend om de losse grassprieten die aan haar blote voeten kleefden kwijt te raken naar binnen. Sally glimlachte tegen haar, maar Isabelle hield een vinger tegen haar lippen en schudde ernstig haar hoofd.

'Wat is er?'

Ze draaide zich om naar Nial en Millie, die met schaapachtige gezichten achter haar in de deuropening stonden. Sally legde het mes weg, veegde haar handen af aan haar schort en dwong zichzelf naar hen te glimlachen. Ze dacht aan hun eerdere gesprek, waarin Isabelle had volgehouden dat de tieners een geheim hadden. 'Millie?' zei ze op haar hoede. 'Wat is er?'

'Hoor eens, Sally.' Isabelle deed de deur achter de tieners dicht en liep naar de tafel, terwijl ze Sally ernstig bleef aankijken. 'We hebben een probleem.'

'Gaat het over Lorne?'

'Nee. Godzijdank, nee.' Ze trok haar wenkbrauwen op tegen haar zoon, die nog bij de deur stond. 'Nial? Kom op, leg het eens uit.'

Nial kwam naar voren, ging zitten en wierp een aarzelende blik op Sally. Millie volgde haastig, trok een stoel naast die van hem en ging zitten, met haar schouder tegen de zijne, haar handen tussen haar knieën en neergeslagen blik. Ze mocht dan verliefd zijn op Peter, maar Isabelle had gelijk: als er behoefte was aan ridders op witte paarden, was Nial altijd paraat, hopend dat alle meisjes zich achter hem zouden willen verschuilen. Hij zou zich natuurlijk zo breed mogelijk maken en ze zouden hem straal voorbijlopen, met hun armen gespreid om ze om Peters hals te slaan.

'Het zit zo,' zei Isabelle. 'Ze hebben hun kaartjes voor Glastonbury een paar maanden geleden al gekocht. Dat wist je toch? Samen met de oudere broer van Peter?'

'Natuurlijk. Daarom gaan jullie de busjes toch schilderen? Hoezo? Wat is het probleem?'

Isabelle drukte haar vinger op de houtnerf in de tafel en wierp Millie een ongemakkelijke zijdelingse blik toe. 'Millie heeft nog niet voor haar kaartje betaald.'

'Haar kaartje?' Sally keek naar Millie. 'Welk kaartje? Millie, we hebben het hierover gehad. Je zou helemaal geen kaartje nemen, je gaat niet mee.'

'Mam, alsjeblieft. Ga nou niet meteen zo tekeer.' Ze keek alsof ze zou gaan huilen. 'Peter heeft ze via het internet besteld. Nu moet ik hem mijn deel van het geld geven.'

'Maar...' Sally ging hoofdschuddend zitten. 'Schat, ik heb je duizend keer gezegd dat ik het me gewoon niet kan veroorloven om je naar Glastonbury te laten gaan. We hebben er uitgebreid over gepraat.'

'Alle andere ouders betalen wel.'

'Ja, maar alle andere ouders...' Ze onderbrak zichzelf. Ze had bijna gezegd: 'Alle andere ouders weten wat ze doen.'

Isabelle legde haar hand op Sally's arm. 'Nial en ik willen het betalen. Daarom zijn we gekomen. Echt, ik doe het met liefde. Als jij haar wilt laten gaan, wil ik het graag betalen.'

'Dat kan ik niet aannemen.'

'Waarom niet?'

'Ik kan het gewoon niet. Je hebt me al veel meer geholpen dan ik verdien.'

'Maar denk eens aan alles wat jij in de loop der jaren voor mij hebt gedaan. Je hebt me geholpen, je hebt me zoveel gegeven. Ik ben de tel kwijtgeraakt van het aantal cadeautjes dat je me hebt gegeven en alle schilderijen die je voor ons gemaakt hebt. Je moet me laten helpen.'

Sally slaakte een diepe zucht. Ze beet op haar lip en keek naar buiten. Dit was de tweede keer in vierentwintig uur dat ze hier zat en volhield dat ze het alleen kon. Ze draaide zich weer om naar Isabelle en Nial, die haar met verwachtingsvolle blik aankeken. 'Ik kan jullie geld niet aannemen,' zei ze. 'Bedankt voor het aanbod, maar ik kan het echt niet doen. Millie zal een manier moeten vinden om het te verdienen. Of ze moet het kaartje terugsturen.'

'Mám! Jij bent af en toe gewoon niet te geloven.'

Millie duwde haar stoel naar achteren, rende het huisje uit en sloeg de deur dicht. Isabelle en Nial bleven zwijgend en met neergeslagen blik zitten.

'Sally,' zei Isabelle uiteindelijk. 'Weet je zeker dat we niet kunnen helpen?'

'Absoluut. Ik moet hier mijn eigen weg in zoeken.'

Ze stond op, en nam de glazen mee naar het aanrecht, haar schouders gebogen van vermoeidheid. God, dacht ze bitter, het begint zelfs mij te vervelen om dat steeds weer te moeten zeggen.

28

Een van de katten bij Zoës achterdeur was gewond aan zijn poot. Ze zag het toen ze later die avond na het werk aan een verlate rum met gemberbier stond te nippen en naar de katten stond te kijken die zich om haar verdrongen, verlangend naar het eten dat ze elke nacht voor hen klaarzette. Het kleine beestje hield zich wat achteraf en wierp haar nerveuze blikken toe. Het zag er mager uit, alsof het niet genoeg te eten kreeg.

Ze dronk haar rum op, ging naar binnen voor nog wat katten-koekjes en lokte hem uit de schaduw. Ze wist hem te vangen en nam hem mee naar binnen om hem in het licht te onderzoeken. Het dier had elastiek om zijn achterpoten. Geen wonder dat het niet kon lopen. Het elastiek had over zijn huid gewreven, maar die was nog niet kapot. Ze knipte het voorzichtig los en trok het weg. Daarna hield ze haar handen onder de voorpoten van de kat en trok hem omhoog zodat ze hem helemaal kon bekijken. Hij keek naar haar op en liet zijn poten sullig hangen.

'Kijk me niet zo aan,' zei ze, en ze zette hem weer op de vloer. Ze haalde een kattenbak en wat kattenbakstrooisel uit de schuur en plaatste die met een kom eten en wat water op de vloer van het toilet op de begane grond. Toen bracht ze de kat erheen en zette hem naast het eten. 'Eén nachtje maar, tot je beter bent. Wen er maar niet aan, dit is geen hotel.'

De kat begon hongerig te eten. Zoë kwam overeind en toen ze wilde weggaan, viel haar blik op de spiegel boven het wasbakje. Ze bleef naar zichzelf staan kijken. Een woeste bos rood haar. Hoge jukbeenderen en een door de zon beschadigde huid. Ze leek wel een halve wilde. Achttien jaar geleden had ze voor haar werk in de club haar haar kort laten knippen en witblond laten verven. Er was maar één man die haar echte naam had gekend, de manager van de club, die lang geleden naar het buitenland was verhuisd. Nie-mand zou in inspecteur Benedict het meisje herkennen dat al die jaren geleden op het podium had gestaan. Ze was een meester in vermommingen. Ze kon alles verbergen wat ze maar wilde.

Ze duwde haar mouw omhoog en keek naar de striemen en lit-tekens. Ongelijkmatig gevormde wondjes, gemaakt door haar ei-gen nagels. Nog iets wat ze goed wist te verbergen. Al die tijd dat ze samen waren geweest, had Ben er nooit iets van gezien. Ze had ze verdoezeld met make-up en ervoor gezorgd dat hij de ergste lit-tekens nooit goed te zien kreeg. Dit waren de sporen van een truc die ze in haar eerste semester op het internaat had geleerd: steeds als ze aan ma en pa en Sally moest denken en hoe ze tevreden en met de armen om elkaar heen rond het vuur zouden zitten, huilde ze zachtjes in haar kussen. Ze was er langzaam achter gekomen dat ze die afschuwelijke rauwe plek in haar hart alleen kon vergeten door een ander deel van haar lichaam pijn te doen. Ze deed het waar de directrice het niet zou zien: op haar bovenbenen en haar buik. Soms zat er 's morgens bloed op haar pyjama, en dan verzon ze een excuus om naar de douche te gaan, waar ze rillend de sporen met zeep wegwerkte. Ze had de gewoonte nooit kunnen kwijtraken.

Hou op, dacht ze terwijl ze de mouw naar beneden trok. *Stom, stom, stom.* Hou ermee op. Dit was zij niet. Zij was het meisje dat het internaat had overleefd, dat hele continenten had bereisd en dat zich omhoog had gewerkt in een mannenwereld. Het maakte niet uit dat dit de tweede achtereenvolgende nacht was dat Ben het opeens 'te druk' had om naar haar toe te komen. Hij was niet haar bezit. Het maakte echt niet uit. En niets in haar verleden zou terugkomen door die foto's van Lorne.

Ze deed het licht uit, duwde de deur van het toilet dicht, waste haar bord en de pannen af en ging naar bed. Daar bleef ze lang in het donker liggen vechten tegen de aandrang om haar armen aan te raken. Toen ze eindelijk in slaap viel, was het een onrustige, onderbroken slaap vol dromen en ongemak.

Ze droomde van wolken en bergen en snelstromende rivieren. Ze droomde van instortende gebouwen en van een boot die op zijn kant lag en volliep met water. En toen de zon opkwam en haar slaapkamer vulde met licht, droomde ze van een soort victoriaanse kinderkamer met kaarten met nummers en letters aan de muren en een hobbelpaard in de hoek. Buiten wierp een ouderwetse straatlantaarn een gele gloed op de sneeuw die door de wind werd voortgedreven, zodat de vlokken horizontaal langs de ruiten joegen. Hoewel de omgeving niets bekends had, wist ze dat dit de kinderkamer was die ze had gedeeld met Sally. En ze wist ook, met absolute zekerheid, dat dit de dag van het 'ongeluk' was. De dag waarop ze boven was gekomen en tot haar woede had gemerkt dat haar bed, haar speelgoed en al haar andere bezittingen door Sally waren beschilderd met idiote gele bloemen. Een 'verrassing'. Om haar een plezier te doen.

Maar in de droom voelde Zoë geen woede. In plaats daarvan voelde ze angst. Een enorme angst. Iets aan de sneeuw en de kinderkamer en de getallen aan de muur beklemde haar, probeerde haar in te sluiten. En achter haar gilde een kind. Ze draaide zich om en zag dat het Sally was, haar gezicht vertrokken tot een masker van angst. Er lekte iets roods van haar hand. Met de andere hand wees ze dringend naar de getallen aan de muur, alsof het van essentieel belang was dat Zoë die zag. 'Kijk,' gilde ze. 'Kijk naar de getallen. Eén, twee, drie.'

Zoë keek nog eens naar de kaart met de getallen en zag dat die veranderd waren. Het waren nu geen getallen meer die de kinderen moesten leren, het was het bord aan de gevel van Zebedee Juice Agency, Milsom Street no. 1.

No. 1... No. 1.

Ze schoot overeind, happend naar adem en met bonzend hart. Het duurde even voor ze besefte waar ze was – thuis in haar eigen bed.

Het was licht buiten en er dansten vlekken zonlicht op het plafond. No. 1. *Nummer een.* Nu snapte ze het. Er had iets aan haar geknaagd toen ze bij Zebedee Juice was en nu begreep ze wat. Het was wat de moordenaar op Lornes buik had geschreven. Ze pakte snel haar telefoon. Op het schermpje stond dat het tien voor acht was. Ze had zeven uur geslapen. Over veertig minuten was er een teamvergadering. Maar dit keer zou het niet Debbie Harry zijn die voor in de kamer stond en het team toesprak, maar Zoë.

Ze sprong snel onder de douche, sloeg twee koppen koffie achterover, liet de kat naar buiten, joeg hem weg toen hij zijn neus tegen haar enkel drukte en was precies om halfnegen op het werk, maar toch was de vergadering al begonnen. Iemand had een serie foto's uitvergroot – allemaal van plegers van seksuele delicten van onder de vijfentwintig die in het gebied woonden – en had ze aan de muur geprikt. Een van de brigadiers nam de voorgeschiedenis van de criminelen door. Toen Zoë haastig binnenkwam, haar haar nog nat van de douche en met haar motorhelm in de hand, hield de brigadier op met praten en keek haar zwijgend aan.

'Sorry, jongens.' Ze legde haar helm en haar sleutels op een stoel en ging naar voren. 'Ik heb iets te zeggen. Voordat jullie hiermee verdergaan.' Ze trok de dop van een stift en tekende een cirkel op het whiteboard. 'We bekijken het helemaal verkeerd.'

In de cirkel schreef ze zorgvuldig: *No. One.*

Toen pakte ze een van de foto's van de sectie op Lorne – die met de woorden op haar buik – en prikte die naast de woorden op het bord. 'Kijk naar de foto,' zei ze. 'Kijk naar haar navel. Hier, na dat "No".'

Het team stond naar het whiteboard te gapen, maar op hun gezicht was geen doorbrekend begrip te zien.

'Het betekent niet dat niemand hem begrijpt. Het betekent niet dat Lorne niets voor hem is. Hij vertelt ons dat zij nummer een is. Een van velen. Hij bedoelt dat er meer zullen volgen. Een nummer twee. Een nummer drie.'

Er viel een lange, verbijsterde stilte. Toen schraapte de hoofdinspecteur, die bij de muur stond, zijn keel. 'Prachtig, dank je, Zoë. Iedereen, hou dat in gedachten, oké? Horen jullie me? Nou.' Hij knikte naar de brigadier. 'Was je klaar, jongen? Want ik wil verder gaan met British Waterways. Ik wil een complete lijst van iedereen die op zaterdag in het kanaal heeft afgemeerd, zodat we...'

'Ho even, ho even.' Zoë stak haar hand op. 'Ik ben er nog, hoor. Ik ben de kamer nog niet uit.'

'Neem me niet kwalijk?'

'Ik ben er nog. Of gaan jullie wat ik net heb gezegd gewoon negeren?'

'Ik negeer het niet. Ik heb iedereen gezegd om het in gedachten te houden.'

'En wilt u soms ook dat ik mijn verhaal afmaak? Of zal ik maar geen moeite doen?'

De hoofdinspecteur keek haar met een onheilspellende glans in zijn ogen aan. Maar hij kende Zoë al een hele tijd en hij wist dat het soms gemakkelijker was om haar haar zin te geven, dus uiteindelijk deed hij een stap achteruit en stak zijn handen op als teken dat hij zich gewonnen gaf.

'Oké.' Ze wendde zich weer tot het team. Ze wist dat ze rood was geworden en dat Ben vanuit de hoek strak naar haar keek. 'We moeten dit serieus nemen, want je weet het nooit, misschien heb ik wel gelijk. Hij kan van plan zijn dit nog eens te doen. Dat kan zelfs al zijn gebeurd. Is er iemand naar Inlichtingen geweest om na te vragen of andere korpsen vergelijkbare zaken hebben?'

'Dat zouden we weten,' zei de hoofdinspecteur.

'O, ja? En als het lichaam niet gevonden is?'

'Dan zou er iemand vermist worden.'

'Nee, dat is onzin. Hoeveel jonge vrouwen worden er per maand niet als vermist opgegeven?'

'Ja, maar dan heb je het niet over meisjes als Lorne.'

Zoë keek hem effen aan. Ze wist wat hij bedoelde, dat de meisjes die vermist werden zonder alle krantenkoppen te halen de prostituees waren, de drugsverslaafden, de weglopertjes, de strippers, het uitschot van de maatschappij. Ze zou haar punt kunnen maken als ze hun de foto's van Lorne liet zien. Maar dat kon ze niet. Ze kon het gewoon niet.

'Wil je soms zeggen,' zei de hoofdinspecteur, die haar over zijn bril heen aankeek, 'dat er ergens een hele berg lijken ligt? En dat niemand dat in de gaten heeft?'

'Nee. Ik zeg dat we op dit moment zoeken naar iemand die ze kent, een tiener. Ik vraag jullie dat standpunt te herzien. Ik vraag jullie buiten dat hokje te denken. En liefst een beetje snel, want ik denk oprecht dat dit een waarschuwing zou kunnen zijn.'

Er kwam een kort, tactvol kuchje van Debbie Harry, die achter in de kamer had gezeten. Ze zag er heel jong, fris en knap uit in haar witte kanten blouse en met haar haar naar achteren gebonden. 'Het is een goede zaak om proefballonnetjes op te laten, maar meer is het ook niet. Een proefballonnetje.'

'En de uitspraak dat *all like her* betekent dat iedereen zoals zij wil zijn, is geen proefballonnetje? Stel dat het betekent dat hij iedereen wil vermoorden die op Lorne lijkt?'

'Nou,' zei Debbie, die plots een sussende toon aansloeg, 'ik heb in dit gezelschap steeds heel duidelijk gezegd dat mijn mening slechts een richtlijn is. Dat jullie allemaal toch echt jullie eigen conclusies moeten trekken. En dat jullie altijd voor alles open moeten blijven staan.'

'Ja, dat heb ik je horen zeggen. Maar ik ben waarschijnlijk de enige die het ook gedaan heeft, want als ik hier zo rondkijk, zie ik een hele kamer vol rechercheurs die zich maar al te graag een beetje door jou laten leiden, omdat ze dan zelf niet hoeven nadenken. Sorry, jongens, het is waar. Jullie hebben haar parameters aanvaard, dus als we deze zaak echt willen aanpakken als een psychologisch vraagstuk, laten we het dan goed doen. Laten we allemaal duizend interpretaties van deze zinnen opschrijven. Dan houden we daarna een seance om te bepalen welke de juiste is.'

'Ho ho, wacht nou eens even.' De hoofdinspecteur stak zijn hand op. 'Ik proef hier wat wrok. Dat is wel het laatste wat we nodig hebben.'

'Wrok?'

Debbie knikte spijtig. Alsof het haar pijn deed aangevallen te worden, maar zij als volwassene bereid was daar verstandig mee om te gaan. Ze glimlachte meelevend naar Zoë. 'Nou, ik wilde het zelf niet zeggen, maar ik heb me wel afgevraagd of ik soms dingen bij je omhooghaal, rechercheur Benedict. Ik heb zomaar het gevoel dat iets aan mij een heel pijnlijke snaar bij jou raakt.'

Zoë deed haar mond open om iets terug te zeggen, maar zag dat iedereen naar haar keek. Ze snapte het al. Ze dachten allemaal dat ze jaloers was. Jaloers op deze stompzinnige, omhooggevallen psychologiestudente met haar bloesjes die net een maat te klein waren en haar zachte haar. Ze wierp een blik op Ben, half verwachtend of hopend dat hij iets zou zeggen om haar te verdedigen, maar hij keek de andere kant uit. Hij bleef naar de foto's van de seksdelinquenten op het bord kijken alsof die veel interessanter voor hem waren.

'Jezus.' Ze griste geïrriteerd haar sleutels en haar helm van de stoel. 'Welkom in een nieuw tijdperk in het politiewerk. Iedereen hier die ook maar iets geeft om gerechtigheid, kan maar beter een schietgebedje doen.' Ze salueerde tegen de hoofdinspecteur, klikte haar hakken tegen elkaar, verliet de kamer en sloeg de deur achter zich dicht, nagestaard door het hele team alsof ze totaal krankzinnig was geworden.

29

Sally had besloten dat Millie hoe dan ook naar school moest. Ze had die ochtend wat ruimte in haar werkschema, dus ze had haar met de auto naar Kingsmead gebracht en beloofd haar als de school uitging weer op te halen bij de sporthal. De paarse jeep van Jake the Peg was nergens te zien. Toch bleef ze Millie nakijken tot ze in het gebouw verdwenen was.

Ze werkte die ochtend net om de hoek van de school, in een van de duurste straten van de stad. De meeste huizen aan deze straat waren elegante vrijstaande villa's uit de victoriaanse tijd. Ook hier was het een rage geworden om alles te schilderen met de verf van Farrow and Ball, en alle deuren waren dofgrijs of vaalgroen. Langs de nette grindpaden stonden laurierboompjes in imitatie loden potten en verder waren de voortuinen vol gezet met potten houtige lavendel en rozemarijn. Het huis van Steve stond aan het andere uiteinde van de straat en zodoende was het een gewoonte geworden dat ze op woensdag na het werk naar hem toe ging. Soms konden ze samen lunchen. Maar het gebeurde vaker dat ze in bed belandden.

Zijn huis was wat kleiner dan de andere in de straat, maar verder leek het erg op de rest; een trap met flagstones, een ouderwetse trekker met een ijzerdraad die binnen een heuse bel luidde. Om één uur stond ze buiten naar die bel te luisteren en te denken aan David en wat er met Jake was gebeurd. Ze wilde Steve er alles over vertellen. Maar zodra hij de voordeur opendeed, zag ze dat hij er helemaal niet voor in de stemming was.

'Hallo, schoonheid.' Hij gaf haar een korte, afwezige zoen. Niet meer dan een vluchtig kusje op haar wang. Toen draaide hij zich weer om en liep door de gang naar de keuken.

Ze volgde hem bedachtzaam en keek naar zijn rug. Hij had een korte broek aan en een T-shirt vol verfvlekken met de woorden 'Queensland: beautiful one day, perfect the next' op de rug. Het leek of er iets zwaars op zijn schouders rustte, en dat was niet goed.

'Alles oké?' zei ze toen ze in de keuken waren.

'Hmmm?'

'Ik vroeg of alles oké was.'

'Ja, hoor. Ik wilde de lunch klaarmaken, er staat tonijn in de koelkast, maar ik was even bezig het gereedschap bij elkaar te zoeken dat je voor het huis nodig hebt. En terwijl ik dat aan het doen was, werd ik gestoken.' Hij sloeg tegen zijn nek alsof daar een mug was geland. 'Precies hier, door de timmermansgeest.' Hij gebaarde naar de naastgelegen woonkamer, waar stoflakens vol houtkrullen op de vloer lagen. Op een Black & Decker Workmate lag een spijkerpistool en eronder stond een gereedschapskist. 'Ik probeerde dat kozijn te repareren, maar ik maak er een puinhoop van.'

'Ik maak het eten wel klaar.' Sally maakte haar HomeMaidsschort los. 'Ga jij maar verder.'

'Sally, ik...'

'Wat?'

Hij schudde zijn hoofd en wendde zich af. 'Niets. Er is eh...' Hij maakte een vaag gebaar naar de kastjes. '... sesamolie in het kastje aan het eind, als je het nodig hebt.'

Hij ging terug naar de woonkamer. Sally vouwde de schort op en legde hem op het aanrecht, terwijl ze Steve nauwkeurig in het oog hield. Hij bleef in de deuropening staan en gespte een professionele gereedschapriem vol beitels en hamers om zijn middel. Toen pakte hij het spijkerpistool, zette het aan en begon spijkers in het kozijn te schieten. Hij draaide zich niet één keer naar haar om. In de loop der maanden was ze erachter gekomen dat Steve af en toe van die buien had als hem iets dwarszat. Na sommige besprekingen was hij dagenlang stil en in zichzelf gekeerd, alsof hij een kijkje had genomen in een wereld waarvan hij liever niets had geweten. Misschien dacht hij eraan dat hij zaterdag op reis moest – naar een cliënt in Seattle die hij moest opzoeken. Of misschien was het de vergadering die hij de vorige dag in Londen had gehad: hij had zich er zorgen over gemaakt voordat hij wegging, voordat Millie uit bed kwam. Hij had in het midden gelaten met wie hij daar ging praten – misschien was het Mooney geweest. De man wiens naam ze moest vergeten.

Ze draaide zich om naar de koelkast. Op de middelste plank lagen tonijnsteaks door hun verpakking van vetvrij papier te lekken. Er stond een pot basilicum die eruitzag alsof hij van een boerenmarkt kwam, er waren nog wat augurken en toen ze goed zocht, kwam ze nog een oud potje kappertjes tegen. Ze zou een *salsa verde* maken. Ze haalde de ingrediënten uit de koelkast en begon te snijden, maar af en toe ging haar blik naar de kamer waar Steve bezig was. Iedere keer dat hij een spijker in het kozijn schoot, schrok ze.

Ze was klaar met de saus en stond met haar rug naar de kamer olie in een pan te verhitten toen de knal van een afgeschoten spijker werd gevolgd door een luid gekletter. Ze zette de pan neer en draaide zich om. Hij stond met zijn schouder naar haar toe, zijn linkerhand hoog tegen het kozijn en de andere tegen de muur. Het spijkerpistool lag op de grond en draaide langzaam om zijn as. Zijn hoofd hing naar beneden en hij stond heel stil, op zijn linkerbeen na, dat schokkerig heen en weer bewoog, alsof hij zichzelf schopte. Hij keek haar van opzij aan en zijn van pijn vertrokken gezicht zag grauw.

'Mijn hand is naar de klote, Sally, als je het niet erg vindt dat ik het zeg.' Hij klemde zijn tanden op elkaar en gaf een rukje met zijn hoofd in de richting van zijn linkerhand, zonder ernaar te kijken. 'De spijker kwam op een knoest en schoot weg. Volgens mij heb ik het echt verknald. Wil je even kijken?'

Ze zette het gas uit en haastte zich naar hem toe. Op het eerste gezicht zag de hand er heel normaal uit en lag hij gewoon tegen de muur, met de vingers naar het plafond, maar toen ze dichterbij kwam, zag ze wat er gebeurd was. Steve had zichzelf aan de muur vastgespijkerd. Ze ging op haar tenen staan om het beter te kunnen zien.

'En?' zei hij strak. 'Wat zie je?'

Ze zag de metalige glans van een spijkerkop uit het vlezige deel onder zijn duim steken. En ze zag een enkele, olieachtige streep bloed van de wond naar zijn pols lopen, waar hij zich vertakte en in meerdere stroompjes tussen de haren op zijn arm door liep. De rest kon ze zich wel indenken – ze dacht aan de spieren en de botten in de hand, want die had ze bijna dertig jaar geleden na het ongeluk met Zoë op de röntgenfoto van haar eigen hand gezien. Ze sloot even haar ogen en probeerde dat beeld van zich af te zetten. Het gaf haar onveranderlijk een heel triest gevoel. 'Ik weet het niet zeker,' zei ze. 'Van zulke dingen weet ik niets af.'

'Oké.' Hij streek met zijn vrije hand langs zijn gezicht. 'Zie je die zaag?'

Ze bukte en zocht in de gereedschapskist. 'Deze?'

'Nee. Die andere.'

'En nu?' Ze pakte hem onzeker op. 'Wat moet ik doen?'

'Zaag de spijker door. Tussen mijn hand en de muur.'

'Doorzagen?'

'Ja. Alsjeblieft, Sally, doe het nou maar gewoon. Ik vraag je niet mijn hand eraf te zagen.'

'Oké, oké.' Ze ging snel naar het kastje onder de gootsteen en haalde er twee rollen keukenpapier uit. Toen pakte ze een stoel, sleepte hem naar de plek waar hij stond en ging erop staan om de wond te inspecteren. Met haar tong tussen haar tanden drukte ze op het vlees eromheen. Steve vertrok zijn gezicht, ademde scherp in en liet zijn hoofd een paar keer van de ene kant naar de andere rollen alsof hij een stijve nek had. De huid van zijn duim was opzij getrokken; de spijker was vlak langs de spier gegaan. Het was niet zo erg als ze had gedacht.

'Oké.' Haar hart bonsde. 'Ik geloof niet dat het al te ernstig is.'

'Doe het nou maar.'

Haar handen waren glad van het zweet, maar ze wurmde haar vingers tussen de muur en zijn hand en duwde het vlees voorzichtig over de spijker weg van de muur, tot er ongeveer een centimeter staal zichtbaar was tussen de huid en de muur.

'Jezus.' Hij liet met opeengeklemde kaken zijn hoofd zakken en schopte nog harder met zijn voet. 'Jezus christus.'

Ze hief aarzelend de zaag en liet het blad in de ruimte tussen de muur en de hand glijden tot het de spijker raakte. Steve hield op met praten en zweeg. Zijn blik was gevestigd op haar gezicht. Ze bewoog de zaag voorzichtig een paar keer op en neer. Hij werd akelig stil. Ze verplaatste het blad iets, voelde de tanden over de spijker glijden, wist dat ze goed zat en begon te zagen.

'Sally,' fluisterde hij opeens terwijl ze bezig was, 'ik kan echt niet zonder je.'

Ze wierp een snelle blik op zijn ogen en zag daar iets wat ze nooit eerder had gezien, iets van weerloosheid en angst. Toen hij had gezegd dat hij niet zonder haar kon, bedoelde hij niet alleen om hem los te maken van de muur. Het was meer dan dat. Ze deed haar mond open om antwoord te geven, maar voordat ze dat kon doen, gleed de zaag door het metaal en was de spijker doormidden. Steves hand viel omlaag en de kop van de spijker viel eruit. Hij deed een paar stappen achteruit en zij sprong van de stoel, ving hem op, tilde de hand op en drukte er proppen keukenpapier tegen om het bloeden te stelpen. Ze zorgde dat hij ging zitten, met zijn hand op zijn schouder.

'Diep ademhalen.'

Hij schudde zijn hoofd. Er zaten donkere zweetkringen in de hals en onder de armen van zijn t-shirt. Op de vloer waren wat fijne bloedspetters terechtgekomen en het gereedschap lag overal verspreid. Het duurde een paar minuten voor hij iets zei. 'Het was gisteren een verdomd akelige dag, Sally.'

'Ja.' Ze ging op haar hurken zitten en keek omhoog naar zijn grauwe gezicht. 'Er is iets gebeurd, hè?'

Hij keek naar het plafond alsof hij een vaste plek nodig had om rust te vinden en de boel bij elkaar te houden. 'Het is het werk. Schijtzooi.'

'Amerika?'

'Nee. God, nee, dat is een makkie. Het was die vergadering. In Londen. Met... Je weet met wie.'

Mooney, dacht ze. Ik had gelijk. 'Wat is er gebeurd?'

Er viel een lange stilte. Toen richtte hij zijn grijze ogen weer op haar en keek haar ernstig aan. 'Ik heb een nieuwe manier aangeboden gekregen om dertigduizend pond te verdienen. Belastingvrij. Het zou al jouw problemen in een oogwenk oplossen.'

'Hoe dan?'

'Door David Goldrab te vermoorden.'

Ze hield haar hoofd schuin en glimlachte even. 'Ja,' zei ze. 'Goed. Ik vermoord hem en jij steelt zijn champagne.'

Steve lachte niet en bleef haar strak aankijken.

'Wat nou? Je kijkt zo vreemd, Steve. Maak me niet bang.'

'Ik meen het. Dat aanbod hebben ze me gisteren bij de vergadering gedaan. Ik zat in het Wolseley op Piccadilly champagne te drinken van tweehonderd pond per fles en kreeg dertigduizend pond aangeboden om David Goldrab van kant te maken. Ik had je toch gezegd dat het een duister zaakje was.'

Ze staarden elkaar met strakke, geschokte gezichten aan.

Na een paar tellen schudde hij zijn hoofd. 'Nee, vergeet het maar. Ik heb niets gezegd.'

'Ja, dat heb je wel.' Ze kwam overeind en tastte blindelings naar de bank achter haar. Ze ging met een plof op de armleuning zitten. 'Het is niet waar, toch?'

Zijn blik ging snel over haar gezicht. 'Goeie god, Sally. Waar ben ik in godsnaam in verzeild geraakt?' Zijn schouders zakten vermoeid omlaag. 'Het lijkt verdomme wel een film van Tarantino.'

'Meen je het? Meen je het echt?'

'Verdomme, ja. Ja.'

'Doen mensen dat soort dingen echt? Werkelijk?'

Hij haalde zijn schouders op, net zo verbijsterd als zij. 'Blijkbaar. Ik bedoel, jezus, ik heb altijd geweten dat mensen met mijn werk hier soms mee te maken krijgen. Je hoort erover, over een corrupte privédetective die een of ander ex-IRA-lid tienduizend pond geeft om met een Range Rover iemands vrouw te overrijden. Net zoals ik altijd heb geweten dat er echt akelige dingen gebeuren in het leven. Dat er echt allerlei schoften zomaar over straat kunnen blijven lopen. Niemand kan iets tegen ze beginnen omdat ze pakken van Armani dragen, rondrijden in dure Audi's en "sir" genoemd worden, maar het zijn evengoed psychopaten, meedogenloze schoften die heel wat doden op hun geweten hebben. Dat wist ik allemaal, dat er onder de laklaag levens kapot werden gemaakt. Ik wist dat openlijke hebzucht echt bestond. En ergens wist ik ook dat dit soort dingen moesten gebeuren. Dat er mensen vermoord werden – tegen een bepaalde prijs.' Hij leunde achterover en greep zijn hand vast. 'Ik had alleen nooit gedacht dat ik ermee te maken zou krijgen.'

Sally ademde diep uit. Ze keek naar het plafond en nam de tijd om dit op een rijtje te zetten. Toen ze er na een tijdje nog steeds roerloos bij zaten, zei ze: 'Steve?'

'Wat is er?'

'Die mensen. Werden ze niet nerveus toen je nee zei?'

Het bleef even stil. Toen liet hij zijn hand los en bekeek de wond. Hij likte aan zijn vinger en veegde er wat bloed mee weg.

Ze keek hem aan. 'Steve?'

'Wat?'

'Je hebt nee gezegd. Toch?'

'Natuurlijk.' Hij meed haar blik. 'Wat denk je dan?'

30

Zoë liep door de gang en zag vijf norse tieners voor haar kantoor staan. De drie jongens hadden rechtopstaande haarpieken en droegen hun schoolbroek met de riem onder hun magere billen. De

meisjes kwamen recht uit St. Trinian's met aan de bovenkant opgerolde schoolrokken om hun benen te laten zien en in hun middel
vastgeknoopte overhemden zoals Daisy Duke.

'Tante Zoë?' zei het kleinste van de twee meisjes. 'Neem me niet
kwalijk dat we u storen.'

Dat bracht Zoë abrupt tot stilstand. Ze boog zich wat dichter
naar het meisje toe en keek haar eens goed aan. 'Millie? Jezus. Ik
had je niet herkend.'

'Wat is er dan verkeerd aan me?' Millie bracht beide handen
naar haar haar, alsof ze wilde controleren of het er nog zat. 'Nou?'

'Niets. Het is alleen...' Ze had Millie alleen gezien op foto's die
pa en ma hadden gestuurd en twee keer op straat in het voorbijgaan. Maar ze was knap, echt knap. Zoë had een paar tellen nodig
om bij te komen. 'Wat doe je hier? Hoor je niet op school te zitten?'

'De directeur heeft ons hierheen gestuurd. We wilden u graag
spreken. Alleen u, kan dat?'

'Ja, natuurlijk. Kom binnen, kom binnen.' Ze haalde de deur
van het slot, schopte hem open en keek snel rond of er soms iets
lag wat de kinderen niet mochten zien – foto's van de sectie of aantekeningen over de zaak. 'Er zijn geen stoelen. Sorry.'

'Dat geeft niet,' zei de langste jongen. 'We zijn zo weer weg.'

Zoë deed de deur dicht. Toen ging ze op het bureau zitten en
bekeek de tieners eens goed. Ze moest haar best doen niet naar
Millie te staren, hoewel ze haar vanuit haar ooghoek in de gaten
hield. Verbeeldde ze het zich, of leek Millie meer op haar, op Zoë,
dan op Sally? 'Wat kan ik voor jullie doen?'

'We kunnen wel wat hulp gebruiken,' zei de lange jongen. Hij
was blond en knap. Je kon aan de lichaamstaal van de rest van de
groep zien dat hij het alfamannetje was. Dat hij zich liet gelden en
meestal kreeg wat hij wilde. 'Het gaat over Lorne Wood.'

'Oké.' Zoë keek oplettend van het ene gezicht naar het andere.
'Goed. Als ik jullie zo zie staan, en gezien het feit dat jullie mij benaderd hebben, neem ik aan dat jullie voorlopig gewoon een privé-
gesprek willen voeren?'

'Voorlopig wel.'

'Prima. Maar voor we beginnen, wil ik wel jullie namen weten. Ik geef jullie mijn woord dat ik ze niet verder zal vertellen. Hier.' Ze haalde een aantekenboek met spiraalrug voor de dag en stak de langste jongen een pen toe. Hij bleef er onzeker naar staan kijken. Zoë knikte. 'Jullie hebben mijn woord,' herhaalde ze. 'Echt.'

Hij nam aarzelend de pen aan, boog zich over het bureau en schreef *Peter Cyrus*. Daarna gaf hij de pen aan Millie, die een blik op Zoë wierp, om zich heen keek alsof ze iets wilde zeggen, maar toen vooroverboog en *Millie Benedict* schreef. Benedict, merkte Zoë op, niet Cassidy. Dus het was waar wat ze gehoord had; Sally was echt van Julian gescheiden. En Millie gebruikte Sally's naam in plaats van die van haar vader. Wat zei dat over die scheiding?

De andere tieners kwamen naar voren en schreven om de beurt in het notitieboek.

Nial Sweetman, Sophie Sweetman, Ralph Hernandez.

Ralph Hernandez.

Zoë keek naar de naam en bewoog haar kaak van de ene kant naar de andere. Ze trok een rustige glimlach en keek naar hem op. Tot dusver had ze niet veel notitie van hem genomen. Hij was een tengere jongen van gemiddelde lengte met stug donker haar en een olijfkleurige huid. Op zijn das na, die zoals ze tegenwoordig allemaal deden heel breed en dik gestrikt was, als de das van een rechercheur in een politieserie uit de jaren zeventig, was hij conventioneler gekleed dan de anderen, in zoverre dat zijn broek tenminste leek te passen en de haarpunten niet overdreven lang waren. Zijn felle bruine ogen waren bloeddoorlopen.

'Zo.' Ze spande zich in om haar stem nonchalant te laten klinken. 'Wat kan ik voor jullie doen?'

Er viel een korte stilte. Toen gaf de jongen die Nial heette de knul die Peter heette een por. Sophie en Millie keken zwijgend naar de vloer. Ralph ging nerveus met zijn mouw over zijn voorhoofd.

'Het zit zo,' zei Peter. 'Ralph is bang.'

'Bezorgd,' corrigeerde Ralph. 'Een beetje bezorgd. Meer niet.'

'Aha. En waarom ben je bezorgd?'

'Ik was...' Hij krabde over zijn armen. 'Ik was...'

'Hij was bij Lorne op de avond dat ze vermoord is,' zei Peter.

Zoë vatte haar kin tussen haar vingers. Ze keek de tieners peinzend aan. In haar borst klopte haar hart als een tamtam. Hier was de 'moordenaar' van Debbie en Ben. Nog geen één meter tachtig lang. En als zij gelijk had over die woorden op Lornes buik en benen liep de echte moordenaar intussen ergens anders rond en dacht misschien aan nummer twee. 'Oké,' zei ze rustig. 'En er is duidelijk een reden waarom je hier niet eerder mee naar buiten bent gekomen.'

'Ik heb mijn ouders nooit verteld dat ik een vriendin had. En Lorne heeft ook nooit iemand over mij verteld. Het moest een geheim blijven.'

'Zijn ouders zijn katholiek. Ze vinden dat soort dingen een beetje – u weet wel.'

'Kunt u hem helpen?' vroeg Nial. 'Hij weet niet wat hij moet doen.'

'Helpen? Dat weet ik eigenlijk niet. Dit is een ernstige zaak. Ik weet dat je dat begrijpt, je bent niet stom. Maar we zullen niet te hard van stapel lopen. Ralph, Lorne was je vriendin. Hoe lang was dat al zo?'

'Pas een paar weken. Maar ik hield van haar. Dat meen ik. Zij was het voor mij.' Er klonk iets straks door in zijn stem, wat erop duidde dat hij het meende. 'Alstublieft,' zei hij, en nu klonk hij opeens als een klein kind. Een kind dat buiten in de regen staat en smeekt te worden binnengelaten. 'Alstublieft, ik weet gewoon niet wat ik moet doen.' Hij ging tegen de muur staan, legde zijn hoofd tegen het pleisterwerk en schudde het. 'Eerlijk, ik geloof dat ik beter dood kan zijn.'

'Kom op.' Ze boog zich naar hem toe. 'Even diep ademhalen, oké?' Officieel moest ze de kinderbescherming erbij halen als een minderjarige zei dat hij liever dood was, maar als ze dat deed, kreeg ze nooit het hele verhaal te horen. 'Oké? Gaat het weer een beetje?'

Na een paar tellen likte hij langs zijn lippen en mompelde: 'Ja.'

'En nu ga je me rustig, heel rustig vertellen wat er die avond is gebeurd, want we weten hoe verschrikkelijk je dit allemaal vindt en hoe graag je ons wilt helpen degene die dit Lorne heeft aangedaan te pakken.'

Het werd stil in de kamer. Alle andere tieners hadden hun aandacht op Ralph gevestigd. Hij keek naar zijn handen, die tot strakke vuisten gebald waren. 'Ze had tegen haar moeder gezegd dat ze ging winkelen, maar eigenlijk had ze met mij afgesproken. Bij Beckford's Tower. Daar zagen we elkaar altijd.'

Beckford's Tower. Het grote, victoriaanse monument dat dronken boeren gebruikt zouden hebben om 's avonds de weg naar huis te vinden, met zijn neoklassieke belvédère en zijn vergulde koepeltje op het dak. De toren stond op een begraafplaats boven op Lansdown Hill en was vanuit de hele stad zichtbaar. Hij lag ook aan een van de buslijnen die langs de halte bij het kanaal liepen. Zoë zuchtte. Lorne moest met de bus zijn gekomen, want ze was met Ralph bij Beckford's geweest. 'En hoe laat was dat?'

'Om een uur of halfzes, volgens mij.'

'Hoe lang zijn jullie daar gebleven?'

'Dat weet ik niet goed. Het kan een uur zijn geweest. Of anderhalf uur.'

'Weet je dat niet?'

'Ik heb niet op mijn horloge gekeken. Zo is het gewoon. Anders zou ik het u wel vertellen.'

Dus maximaal anderhalf uur. Voeg daar de tien minuten bij voor de busrit naar het centrum van de stad en dan was het nog steeds mogelijk dat Lorne nadat ze afscheid had genomen van Ralph en voordat ze naar het kanaal was gegaan ergens anders naartoe was geweest.

'En toen?'

'Toen is ze weggegaan. En ik ben naar de stad gelopen. Daar kwam ik eh...' Hij wreef weer over zijn armen. '... Peter en Nial tegen.'

'We zijn een biertje gaan drinken,' zei Nial snel. 'Het schoolteam had de dag ervoor een cricketwedstrijd gewonnen, dus we vonden dat we iets te vieren hadden.'

'Met zijn drieën?'

'Dat klopt.'

'Zijn jullie wel oud genoeg om in de plaatselijke pubs te zitten?'

'Nou, nee. Niet echt. We hebben een soort valse identiteitsbewijzen gebruikt.'

'Een soort?'

'Ja. Hoezo? Krijgen we daar een preek voor?'

Zoë trok haar wenkbrauwen op, onder de indruk van zijn lef. 'Nee,' zei ze. 'Natuurlijk niet. Het is in deze context niet bepaald de misdaad van de eeuw. En hoe laat was die illegale pret afgelopen?'

Nial wierp een blik op Peter. Peter krabde op zijn hoofd. 'Hoe laat was dat? Middernacht, ongeveer?'

'Ja, zoiets.'

'Waar ben je toen naartoe gegaan, Ralph?'

'Naar huis. In Weston.'

'Hoe ben je daar gekomen?'

'Lopend.'

'Is er onderweg nog iets ongewoons gebeurd? Heb je iemand gezien die je kende?'

'Nee.'

'We gaan even terug. Je had een afspraak met Lorne. Wat is er gebeurd toen jullie samen waren?'

Er viel een stilte. Ralph hield zijn hoofd heel stil, maar zijn handen niet. Ze trilden een beetje. Ook zijn schouders schokten. Hij schudde smekend zijn hoofd, alsof hij niets kon zeggen zonder in tranen uit te barsten.

Zoë keek Peter aan. Ze wees met haar duim naar de deur. 'Geef ons even?' Haar mond vormde de woorden. 'Een beetje privacy.'

De andere twee jongens en de twee meisjes wisselden blikken. Toen liepen ze achter elkaar naar buiten alsof ze een enkel organisme waren en woordeloos een besluit konden nemen.

Ze gingen in de gang staan met hun handen in hun zakken en

stuk voor stuk met een voet tegen de muur. Als een albumomslag van de Ramones. Mager en nors, dat raakte nooit uit.

Zoë schopte de deur dicht, pakte een handvol tissues uit het doosje op de vensterbank en wendde zich weer tot Ralph. Hij was langs de muur omlaag gegleden en zat op zijn hurken met zijn handen voor zijn gezicht. 'Oké, oké.' Ze hurkte naast hem, legde een hand op zijn schouder en voelde de warmte van zijn huid door het dunne shirt. De trilling waarmee hij ademde. 'Hoor nou eens, het was goed van je om naar mij toe te komen.' Ze gaf hem een tissue. Hij nam hem aan en drukte hem tegen zijn gezicht. 'Daar kun je trots op zijn.'

Hij knikte en veegde zijn neus af. Zijn ademhaling was zwaar en nasaal.

'Maar ik moet dit allemaal helder in beeld krijgen, Ralph. Ik heb je gevraagd of er iets bijzonders is gebeurd bij Beckford's Tower en dat heeft je blijkbaar van streek gemaakt.'

Hij knikte verdrietig. 'We hadden ruzie. Ze wilde iedereen over ons vertellen en ik...' Hij moest een paar keer diep ademhalen om weer rustig te worden. 'We hebben het uitgemaakt. We hebben het uitgemaakt en ze zei dat ze me nooit meer wilde zien en... En... En dat is er gebeurd. En het is allemaal mijn stomme schuld. Allemaal omdat ik verdomme bang ben voor mijn ouders.'

'Het is niet jouw schuld, Ralph. Het is echt niet jouw schuld.'

'Wat gaat er nu gebeuren? Moet ik voor de rechter komen? Krijgen mijn ouders er alles over te horen? Mijn vader zal razend zijn. Hij vindt dat liegen eigenlijk een doodzonde zou moeten zijn.'

Ze legde haar arm om zijn schouders. Hij was eigenlijk nog maar een klein jochie. Ze zag zijn hoofdhuid wit doorschemeren bij de nette scheiding in zijn zwarte haar. 'Ik denk dat de meeste ouders alleen belangstelling zouden hebben voor hoe het met jou is, Ralph. En voor het feit dat je de moed had om de waarheid te vertellen.'

'Jezus.' Hij had alle tissues opgebruikt, dus veegde hij zijn neus af aan de schouder van zijn shirt. 'Ik wou dat u mijn moeder was.'

'Nee, helemaal niet. Ik zou een verschrikkelijke moeder zijn.

Neem dat maar van mij aan. Nou, het was een hele beslissing voor je om hierheen te komen, maar het was wel de juiste. Deze informatie is echt heel belangrijk. We kunnen nu een beeld krijgen van wat er allemaal met Lorne is gebeurd. Maar ik kan niet veel doen met de informatie als ik die niet kan delen met mijn collega's. Als ik je garandeer dat er niets tegen je ouders gezegd zal worden tot jij daar akkoord mee gaat, wil je dit dan aan de rest van het team vertellen? Degenen die het verschil kunnen maken? Jij kunt voorkomen dat dit nog eens gebeurt. Met iemand anders.'

Er viel een stilte. Het duurde even voor ze doorhad dat hij zat te knikken.

31

De politiewet van 1984 schreef voor dat het verhoor van verdachten altijd plaats moest vinden in een speciaal daarvoor ingerichte kamer, goed verlicht, goed geventileerd, geluiddicht, beschikkend over vaste opnameapparatuur en met toegang tot een neutrale 'afkoelruimte' voor als de verhoorde mocht besluiten dat de richting die het verhoor uit ging hem of haar niet aanstond. Alle gemeenten in het land hadden diep in de buidel moeten tasten om dergelijke kamers in te richten, en het politiebureau van Bath beschikte over twee van die ruimtes.

Zoë zat aan haar bureau met de deur open, zodat ze de gang in het oog kon houden. Haar kantoor bevond zich bij de gang die naar de verhoorkamers leidde. Als Ralph van het kamertje bij de vergaderkamer, waar Ben met hem zat te praten, naar elders werd overgebracht, waren ze tegen haar instinct en al haar aanbevelingen ingegaan en verhoorden ze hem als een mogelijke verdachte. Maar het bleef lang stil in het bureau. Uren. God mocht weten wat ze met hem aan het doen waren.

Ze probeerde zich op andere dingen te concentreren. Ze stelde een verzoek op om informatie over vermiste vrouwen tussen de zestien en de eenentwintig. Toen ze Debbie had gezegd dat *all like her* betekende dat de moordenaar het op meisjes als Lorne had voorzien, was dat op dat moment pas bij haar opgekomen. Maar stel dat ze er niet zo ver naast zat? Het was de moeite waard om erover na te denken. Maar toen ze naar het scherm keek, bleek dat niet gemakkelijk; de resultaten van haar zoektocht naar informatie waren angstaanjagend. De ene naam na de andere. Natuurlijk wist ze wel dat de meeste meisjes op de lijst het waarschijnlijk uitstekend maakten en alleen geen contact meer met de familie hadden of wilden hebben. Een goed deel zou zijn teruggekomen zonder dat de politie daarvan op de hoogte was gesteld. Maar het waren er toch honderden. Ze kon die namen niet allemaal in haar eentje natrekken. Ze leunde achterover en sloeg haar armen over elkaar. Verdomme. Als een van die meisjes het slachtoffer was van Lornes moordenaar en het lichaam nooit gevonden was, zou de politie dat nooit in de gaten krijgen.

Om kwart voor tien kwam Ben snel langslopen met een stapel dossiers. Hij lette niet op haar en ging zijn eigen kamer binnen. Ze hoorde de deur dichtslaan. Ze wachtte een paar tellen en toen stond ze op, liep de gang door en klopte op de deur.

'Wie is daar?'

'Ik ben het. Zoë.'

Een stilte. Een aarzeling? Toen: 'Kom binnen.'

Ze duwde de deur open. Hij zat aan zijn bureau, met zijn ellebogen aan weerszijden van een stapel papierwerk. Hij keek naar haar op, maar ze merkte dat hij haar niet recht in de ogen keek. Op zijn gezicht lag een nietszeggende, beleefde glimlach. 'Wat gebeurt er allemaal?' vroeg ze.

'Waarmee?'

'Je weet waarmee. Met Ralph. Zijn jullie hem nog steeds aan het verhoren? Is er iemand van de sociale dienst bij gehaald?'

'Dat is niet nodig. Hij is zeventien.'

'Ik heb hem beloofd dat zijn ouders niet op de hoogte gesteld zouden worden. Tenzij hij ermee instemt.'

'Ja. En daar zijn we mee bezig. Hem zover krijgen dat hij ermee instemt. Ze komen er uiteindelijk toch wel achter.'

Zoë ademde diep uit. Ze ging op de stoel tegenover hem zitten. Ben keek haar aan met één licht opgetrokken wenkbrauw, alsof het hem niet aanstond dat ze het zich gemakkelijk maakte. 'Hij is het niet,' zei ze. 'Hij is gewoon niet de dader. Hij is te jong. Weet je nog dat we bij al die cursussen hebben gehoord dat dit soort misdaden tijd nodig heeft om zich te ontwikkelen? Hij is nog maar een kind. Hij past keurig in het profiel dat jullie is voorgetoverd, maar het profiel klopt niet. Ik hoop dat je dat inziet. Het klopt niet.'

Ben glimlachte rustig. 'Ik hoop dat ik professioneel genoeg ben om me niet te laten hinderen door een psychologisch profiel, of het nu klopt of niet. Het zou een grote fout zijn. Weet je nog wat ze bij de opleiding altijd zeiden? "Je bent een rund als je niet twijfelen kunt."'

Zoë zuchtte. 'Kom op, Ben. Ik ken je te goed.'

Hij tikte met zijn pen op het bureau. 'Ralph Hernandez is iemand voor wie wij belangstelling hebben. Meer kan ik op dit moment niet zeggen.'

'Iemand voor wie wij belangstelling hebben? O, in godsnaam, wat een gezeik. Het is gewoon niet te geloven.'

'Is dat zo, Zoë? Heb jij dan betere aanwijzingen?'

'Ik heb jullie deze "aanwijzing" gegeven. Ik heb hem op een presenteerblaadje aangereikt en ik dacht echt dat jullie er fatsoenlijk mee zouden omgaan. Zo zie je maar weer hoe weinig ik weet van de wereld, hè?'

Op dat moment ging de deur open. Zoë draaide zich om. Debbie stond in de deuropening, sereen in haar kleren met wit kant. Ze wilde iets zeggen, maar toen ze Zoë zag, veranderde de uitdrukking op haar gezicht. 'O jee,' zei ze verontschuldigend. 'Sorry.' Ze stak een hand op en deed een stap achteruit. 'Slechte timing. Niet mijn sterke punt.'

Ze deed de deur dicht. Er viel een korte stilte. Toen draaide Zoë zich weer om naar Ben. Ze schudde haar hoofd en stootte een vreugdeloos lachje uit. 'Gek,' zei ze. 'Vroeger mocht er nooit iemand zonder kloppen bij je binnenkomen. Tenzij ze... je weet wel...' Haar handen vormden een kommetje op het bureau. 'Tenzij ze tot je vertrouwde kringetje behoorden. Hoort zij daar inmiddels bij?'

Ben keek haar uitdrukkingsloos aan. 'Heb je nog betere aanwijzingen dan Ralph Hernandez?'

'Dus jij gelooft alles wat ze zegt? En daarop veroordeel je dat kind?'

'Wat is het alternatief? Gewoon iemand kiezen, een spoor, een aanwijzing, wat dan ook, omdat het níet past in het profiel dat zij heeft opgesteld? Ik houd in de gaten waar je mee bezig bent, Zoë, en het komt erop neer dat je liever de moordenaar vrij rond laat lopen dan Debbie gelijk te geven. Wie is er dan erger? Jij of ik?'

Zoës wangen brandden. 'Het komt allemaal door wat ik laatst ook gezegd mag hebben, ja toch?'

'Ik weet niet wat je bedoelt.'

'Ach, Ben, laten we eerlijk zijn. Het ene moment ging alles prima tussen ons. En het volgende was alles weg. Gewoon, zomaar.' Ze hield haar hand vlak en deed alsof het een vliegtuigje was. 'Helemaal weg. En nu doe je vijandig en afstandelijk. Om eerlijk te zijn, gedraag je je als een klootzak.'

Ben keek haar kil aan. 'Wij hebben geen toekomst, Zoë.'

'Waarom niet? Omdat ik niet doe alsof ik iets geef om mensen om wie ik absoluut niets geef? Omdat ik verdomme weiger me zorgzaam en meelevend voor te doen? Is dat mijn zonde?'

'Waarom laat je je altijd van je slechtste kant zien?'

'Een andere is er niet.'

'Waarom doe je alsof je nergens om geeft?'

'Omdat ik dat ook doe. Omdat ik nergens om geef en van niemand iets nodig heb.'

'Nou,' zei hij rustig, 'val me niet al te hard als ik dit zeg, maar Zoë, sommige mensen willen graag nodig zijn.'

'Willen graag nodig zijn? Nou, dat is niets voor mij.'

'Gelul.'

'Dat is verdomme geen gelul.' Ze schoof haar stoel naar achteren, boog zich over het bureau en bracht haar gezicht vlak bij het zijne. 'Ik ben in mijn eentje de wereld over gereden. Ik heb jou niet nodig, ik heb niemand nodig. Daarom ben ik betrouwbaar en efficiënt. En trouwens...' Ze haalde diep adem en probeerde haar schouders breder en krachtiger te maken. 'Het maakt niet uit, want voor we het weten, lig jij tussen de lakens met juffertje Kant daarbuiten.'

Hij keek haar recht aan. Hij had stille, heldergroene ogen. 'In feite,' zei hij, 'heb ik daar al gelegen.'

Zoë staarde hem aan. Er viel iets weg binnen in haar. Het viel en viel tot het de bodem bereikte. 'Wát?' fluisterde ze. 'Wat zei je?'

'Het spijt me,' zei hij. 'Maar het is waar.'

Ze bleef roerloos staan en kon geen woord uitbrengen. De littekens op haar armen deden pijn en ze verlangde ernaar haar mouwen omhoog te schuiven, maar ze hield zich in. Ze zou hem niet laten merken dat ze tot in haar ziel getroffen was.

'Oké,' wist ze uit te brengen. 'Dan geloof ik dat ik beter kan gaan.'

Hij knikte. De beleefdheid, de openheid van dat knikje was nog het ergste. Dit deed hem helemaal geen pijn.

'Maar ik heb gelijk over Ralph,' zei ze. 'Voor honderd procent gelijk. Hij heeft Lorne niet vermoord.'

'Natuurlijk, Zoë.' Hij draaide zijn beeldscherm naar zich toe en zette zijn bril op. 'Jij hebt altijd gelijk.'

32

Sally belde de doktersdienst. De vrouw die ze aan de telefoon kreeg, zei dat Steve naar zijn huisarts moest gaan, maar Steve had de wond eens goed bekeken en volgens hem was dat overdreven, was het eigenlijk maar een gat in zijn huid, meer niet. Samen desinfecteerden en verbonden ze de wond, veegden het bloed weg en legden het spijkerpistool, de beitels en de zaag in de kofferbak van haar auto, klaar voor het werk aan haar huis. Daarna gingen ze lunchen en ze aten de tonijn en een kom vol mango- en frambozensorbetijs en dronken koffie, waarna ze schouder aan schouder de vaatwasser vol zetten, alles zonder nog één woord vuil te maken aan hun gesprek over David Goldrab. Alsof ze op een eigenaardige, telepathische manier hadden besloten te doen alsof het niet was gebeurd. Het was ook niet zo dat er een plechtige stemming heerste – ze waren juist nogal vrolijk en maakten er grapjes over dat Steve gangreen zou krijgen. Hoe het zou zijn als hij zijn arm kwijtraakte en de rest van zijn leven zou moeten rondlopen als Nelson. Sally vroeg zich af of ze alles gedroomd had. Bestonden er echt zulke duistere, harde zaken als huurmoorden, of had ze Steve op de een of andere manier verkeerd begrepen?

Ze kreeg een sms van Millie met de boodschap dat ze met Nial in het busje mee naar huis kon rijden, dat ze niet naar school hoefde te komen en dat ze elkaar in Peppercorn wel zouden zien. Het bericht leek blij, niet nerveus. Toch zorgde Sally ervoor dat ze om halfvijf thuis was en ze stond op tijd bij het raam om Nials halfgeschilderde busje over de oprit aan te zien komen. Peter zat op de achterbank met zijn zonnebril op en een arm nonchalant om Sophies schouders. Ze droegen allemaal hun zomeruniform en hun haar was met gel omhooggezet en zo ver versierd als op Kingsmead nog toelaatbaar werd geacht. Het busje stopte en Millie stapte zonder iets tegen de anderen te zeggen uit. Ze sloeg het portier dicht en kwam met een gezicht als een donderwolk het pad op lopen.

'Wat is er aan de hand?'

Ze liep Sally straal voorbij, de gang door naar haar slaapkamer en de deur ging met een knal dicht. Toen Sally zachtjes achter haar aan liep en aan de deur luisterde, hoorde ze gedempt snikken in de kamer. Alsof Millie in haar kussen lag te huilen. Ze deed de deur open, liep op haar tenen naar binnen, ging op het voeteneind van het bed zitten en legde haar hand op Millies enkel. 'Millie?'

Aanvankelijk dacht Sally dat ze het niet gehoord had. Toen kwam Millie overeind, wierp zich op haar moeder en klampte zich met haar armen om haar hals en haar hoofd tegen haar borst aan Sally vast alsof ze zou verdrinken. Ze snikte alsof haar hart brak.

'Wat is er in vredesnaam gebeurd?' Sally duwde haar naar achteren om haar gezicht te kunnen zien. 'Gaat het om hem? Om Jake? Heb je hem gezien?'

'Nee,' snikte ze. 'Nee, mam. Ik kan er niet meer tegen. Nu is hij met Sophie. Sophie nog wel. Die is niet eens knap.'

'Wie is niet eens...' Ze dacht aan Sophie, die met een dromerig gezicht achter in het busje had gezeten, met Peters arm om zich heen. Ze herinnerde zich dat Isabelle had gezegd dat Peter verliefd was geweest op Lorne en dat Millie daar helemaal door van streek was geraakt. Het ging allemaal om hem. Aan de ene kant stond ze er verbaasd over dat haar dochter niet verder kon kijken dan Peters blonde haar en lengte, dat ze niet in de toekomst kon kijken en het rode biergezicht, het gezette lichaam en de avonden bij de rugbyclub kon zien als hij veertig zou zijn. Aan de andere kant was ze opgelucht dat dit niets te maken had met Jake. Of met Lorne.

'Hé.' Ze gaf Millie een zoen op haar hoofd en streek haar haar glad. 'Je weet wat ik altijd tegen je gezegd heb. Het gaat niet om de buitenkant, maar om de binnenkant.'

'Doe niet zo stom. Dat is gelul. Niemand kijkt naar de binnenkant. Je zegt dat alleen omdat je oud bent.'

'Oké, oké.' Ze legde haar kin op Millies hoofd en keek naar de velden en de bomen en de wolken die kastelen vormden in de lucht, en ze probeerde in gedachten de kloof tussen vijftien en vijfendertig te overbruggen. Het leek niet zo'n eeuwigheid. Maar toen ze zichzelf in Millies plaats stelde en eraan dacht hoe haar eigen moeder vijftien jaar geleden was geweest, zag ze hoe eerlijk en helder die opmerking was. Ze liet Millie huilen en de voorkant van haar blouse raakte doorweekt.

Uiteindelijk bedaarde het snikken tot af en toe een hikje en kwam Millie met vooruitgestoken onderlip overeind. Ze veegde met haar mouw haar neus af. 'Ik ben niet echt verliefd op hem. Eerlijk. Echt niet.'

'Ben je daardoor zo van streek? Is dat alles?'

'Alles?' herhaalde Millie. 'Alles? Is het dan niet genoeg?'

'Ik bedoelde niet dat het niets voorstelde. Ik zat alleen te denken. Je bent zo ongelukkig. Zo onrustig.'

Millie huiverde. 'Ja, het is ook zo'n afschuwelijke rotdag geweest. Alles gaat verkeerd. Klerezooi.'

'Alles?'

Ze knikte triest.

'Wat dan allemaal?'

'Ik geloof niet dat jij dat wilt weten.'

'Toch wel.'

Millie slaakte een diepe, gelaten zucht, trok de manchetten van haar blouse over haar knokkels, bracht haar benen naar haar borst en sloeg haar armen eromheen. 'Oké, maar ik heb je gewaarschuwd.'

'Wat is er dan?'

'Ik heb tante Zoë gezien.'

Sally had haar mond al opengedaan voordat de woorden van Millie echt tot haar doordrongen. Toen dat gebeurde, sloot ze hem weer. Het was wel het laatste wat ze verwacht had. Zoës naam was in geen jaren genoemd in dit huis. In geen jaren. In Millies hele leven waren ze haar twee keer tegengekomen. Een keer in de hoofdstraat, toen Millie een jaar of vijf was geweest. Die keer was Zoë blijven staan en had met een glimlach tegen Millie gezegd: 'Jij moet Millie zijn.' Vervolgens had ze op haar horloge gekeken en eraan toegevoegd: 'Nou, ik moet gaan.' De tweede keer, twee jaar later, hadden de twee vrouwen elkaar met een simpel knikje gegroet en waren ze ieder huns weegs gegaan. Daarna was Sally urenlang heel stil geweest. De laatste tijd droomde ze soms over Zoë en vroeg ze zich af hoe het zou zijn om haar weer te zien. Nu streek ze zachtjes het haar uit Millies gezicht. Ze wist niet eens dat Millie Zoës naam kende. 'Bedoel je dat je haar eh... op straat hebt gezien? Of dat je haar gesproken hebt?'

'We zijn haar gaan opzoeken op het politiebureau. De directeur zei dat we er de ochtend vrij voor konden nemen. Nial en Peter en Ralph moesten haar iets vertellen.'

'Ralph? Die Spaanse jongen?'

'Hij is hálf Spaans. En hij had verkering met Lorne.'

'Verkering?'

'Ja, en hij wilde het geheimhouden. Maar nu weten ze het en het is niet zo belangrijk. Ik bedoel, hij had verkering met haar, maar hij heeft haar niet vermoord, mam. Hij had er niets mee te maken.'

Dus Isabelle had gelijk gehad, dacht Sally. Over de geheimen. Het gefluister. Ze vroeg zich af hoe het mogelijk was dat de kinderen die ze hadden gebaard van kleuters met krulharen die lief op hun schoot zaten veranderd waren in complete mensen met geheimen en regels en plannen.

'Hij is op het bureau gebleven. Bij tante Zoë. Ze was zo leuk tegen hem, zo aardig, zeg maar.'

Sally hoorde de bewondering in haar stem. Onmiskenbaar. Ze wist hoe het voelde om Zoë te bewonderen. 'Hoe is het met haar? Met Zoë, bedoel ik.'

'Prima.' Millie snoof. 'Prima.'

'Prima?'

'Dat zei ze.'

'Hoe zag ze eruit?'

'Hoe bedoel je?'

'Ik weet niet.' Sally aarzelde. 'Is ze lang? Vroeger leek ze me altijd heel lang.'

'Ja,' zei Millie. 'Dat is ze ook. Lang. Echt heel lang. Zo zou ik ook willen zijn.'

'En hoe ziet haar haar eruit? Ze had altijd prachtig haar.'

'Nog steeds. Een beetje zoals dat van mij, roodachtig. Een beetje wild, eigenlijk, en het leek nat. Hoezo?'

'Ik weet het niet. Ik vroeg het me alleen maar af.' Ze glimlachte spijtig en toen zei ze: 'Ze zal het wel goed doen in haar werk. Ze is echt heel slim, moet je weten. Je zou nooit zeggen dat we familie waren.'

'Ze heeft haar eigen kamer en zo. Maar ze lijkt niet het type om op kantoor te zitten.'

'Waarom niet?'

'O, ik weet niet. Ze is...' Millie zocht naar het juiste woord, maar kon het niet vinden. 'Ze is gewoon veel te cool om bij de politie te zijn. Dat is alles. Ze is gewoon te cool.'

33

Het rustigste damestoilet in het politiebureau van Bath was dat op de begane grond, net voorbij de balie. Zoë liep met gebogen hoofd door de hal voor het geval iemand haar zou zien en duwde de deur open. De toiletruimte was leeg. Alleen de geur van bleek en het vage getinkel van een lekkende stortbak in een van de hokjes. Ze keek met opzet niet in de spiegel, maar liep recht langs de rij deuren en koos de laatste, het verst van de deur naar de gang. Ze ging naar binnen, deed het deksel van de toiletbril naar beneden en de deur op slot, trok haar jasje uit en liet het op de grond vallen. Toen ging ze zitten, met haar ellebogen op haar knieën en haar hoofd in haar handen.

In feite heb ik daar al gelegen...

Het ging haar niets aan met wie Ben naar bed ging. Er waren nooit beloften over dat soort zaken gedaan. Het had nooit een rol gespeeld in hun verhouding. Maar hij hoorde ook niet opeens te bevriezen. Ze kende hem al jaren. Jaren waarin ze hadden samengewerkt, voordat ze een verhouding hadden gekregen. Hij zou haar inmiddels vanbinnen en vanbuiten moeten kennen. Wat was er dan veranderd? Het kon niet zo zijn dat hij opeens iets van haar binnenkant had gezien, iets van dat akelige, nare wezen dat ze met zoveel moeite in bedwang hield. Nee, dat kon niet. Ze was er zeker van dat hij dat niet kon zien. Wat was het dan?

Ze trok haar mouw omhoog en rolde hem strak om haar biceps, zoals een junk zou doen. Ze vond een blote vierkante centimeter huid en pakte met de nagels van haar duim en wijsvinger een halvemaanvormig stukje vast. Toen sloot ze haar ogen en zette haar nagels erin. Harder en harder. De pijn was als een zoete zwarte draad die door haar lichaam ging. Als een drug. Ze bracht haar hoofd naar achteren en ademde langzaam terwijl die draad naar haar borst kronkelde, zich om longen en hart wikkelde en alles donker en stil maakte. Het bloed welde op in de kapotgeknepen huid, gleed koud langs haar arm en spatte op de witte tegels. Ze liet niet los. Ze hield vast. Een hele tijd.

Toen ze er zeker van was dat de kreet was bedwongen, liet ze haar hand zakken. Ze deed haar ogen open en knipperde tegen het witte licht, het bloed op haar nagels, de koude kunststof van de toiletdeur.

Ben was niets. Hij was niet belangrijk. Het zou een zware strijd worden, maar die ging voorbij. Ze was uitgeput, de zaak eiste zoveel van haar, ze had een adempauze nodig. Ze nam een tijdje vrij – ze had genoeg dagen te goed. Ze ging er een tijdje vandoor op de Shovelhead. Buiten slapen en Guinness drinken uit een blikje. Om de zaak te vergeten, zodat het haar niet meer kon schelen wie Lorne vermoord had, om de herinnering aan die nachtclub in Bristol uit haar hoofd te laten jagen door de rijwind op de snelweg.

Ze trok wat toiletpapier van de rol en begon de boel schoon te maken. Ze boog voorover om het bloed van de vloer te vegen en zag dat haar portefeuille uit haar jasje was gevallen. Ze bleef even stilzitten, met de prop toiletpapier op de vloer. Uit een van de vakjes stak de bovenkant van een roze schijfje: het visitekaartje dat ze bij Zebedee Juice had gekregen.

'Verdomme.' Ze ging weer rechtop zitten en leunde tegen de stortblak. Het bebloede toiletpapier hing slap in haar hand en haar hoofd tolde. De tl-buizen knipperden aan het plafond boven haar. 'Oké, Lorne,' mompelde ze. 'Oké. Ik geef je nog één dag. Twaalf uur. En dan ben ik weg, het spijt me.'

34

Toen Sally Millies kamer verliet, kwam ze tot haar verbazing Nial tegen in de keuken, waar hij slecht op zijn gemak, met over elkaar geslagen armen en gebogen hoofd, bij de tafel stond. 'Ik dacht dat je al weg was.'

'Ja, ik... ik moest er even uit.' Hij gebaarde naar het raam en de plek waar het busje stond. 'Ze hadden wat tijd nodig, snapt u. Voordat ik Peter thuis afzet.'

Ze keek en zag Peter en Sophie hevig zoenend op de achterbank zitten. Peter moest staan, want hij leek veel groter en langer dan Sophie en boog zich over haar heen, zodat hij haar met zijn mond op de bank drukte. Sophie stribbelde niet tegen. Integendeel. Ze hing om zijn nek alsof ze bang was dat hij zou verdwijnen. Er viel een ongemakkelijke stilte. Toen schraapte Nial zijn keel en zei met een klein stemmetje: 'Ze is verliefd op hem, hè?'

'Zo te zien wel.'

'Ik heb het niet over Sophie, ik heb het over Millie. Millie is verliefd op Peter.'

Ze draaide zich stijf naar hem om en kon amper geloven wat ze dacht te horen. 'Nial?' zei ze nieuwsgierig. 'Je bedoelt toch niet dat jij...'

Er verscheen een zwakke, gegeneerde glimlach op zijn gezicht. 'Ja, nou... ik kan er niet veel aan doen, toch?'

Ze staarde hem aan. Goeie god, wat een puinhoop. Al die onbeantwoorde liefde. Sophie verliefd op Peter, Millie verliefd op Peter, en Nial verliefd op Millie. Arme kleine Nial. Het was alsof ze naar olifanten in het circus stond te kijken, elk met zijn slurf om de staart van het dier voor hem, voortsjokkend zonder te zien hoe zinloos het allemaal was. Echt, het leven was niet eerlijk.

Ze zuchtte. 'O god, ik denk dat je gelijk hebt. Op dit moment. Wacht maar. Wacht maar af.'

'Wat?'

'Op een dag zal Millie je in een ander licht zien, Nial, dat verzeker ik je.'

Hij knipperde met zijn ogen. 'O, ja?'
'Ja. O, ja.' En terwijl ze het zei, bad ze met alle hoop van de wereld dat ze gelijk had.

35

Zoë had de vorige avond een slaappil genomen – ze moest iets hebben om aan de aanhoudende stem in haar hoofd te ontsnappen. Aanvankelijk was het heerlijk geweest en was ze over de rand van de vergetelheid gezakt. Maar vijf uur later, toen het eerste licht van de dageraad door het raam kwam, was ze met een schok wakker geworden en had ze weer de scheurende pijn in haar borst gevoeld waarmee ze was gaan slapen. Ze keek niet in de spiegel toen ze zich aankleedde. Zittend op het bed wond ze zorgvuldig een stuk verband om de wond op haar arm, met het uiteinde tussen haar tanden. Ze koos een zwarte blouse van zwaar katoen, met mouwen die veilig aan de polsen konden worden dichtgeknoopt. Ze duwde haar arm er behoedzaam doorheen, want ze wilde niet dat de wond weer ging bloeden. Ze had hier veel ervaring mee.

Ze reed door de stad met de radio aan en probeerde de moed erin te houden, maar toen ze het gehavende bord bij de deuropening van Holden's Agency zag en de trap ernaartoe, vol kauwgom en god mocht weten wat voor vlekken, nam haar veerkracht voor die dag weer wat af. Ze aarzelde – opeens had ze niet zoveel zin om naar binnen te gaan. Maar het was al te laat. De man had haar door het draadglas heen gezien. Hij kwam naar de deur en deed hem met een zwaai open. Hij was zongebruind en in de zestig en hij droeg een goedkoop krijtstreeppak en een keurig wit overhemd, beide een maat te klein. Hij probeerde duidelijk te stoppen met roken, want in zijn borstzakje zat een Nicorette-inhalator en er hing een vage geur van tabaksrook om hem heen.

'Hallo.' Hij stak zijn hand uit. Die was groot en vlezig en hij trok de brede grijns van een autoverkoper uit Texas. Ze verwachtte bijna dat hij zou zeggen: 'Waar kan ik u mee helpen, mevrouw?'

'Zoë,' zei ze.

'Mike. Mike Holden. Wat kan ik voor je doen? Je bent toch niet op zoek naar de reformwinkel? Die is om de hoek.'

'Nee, ik...' Ze tastte naar haar identiteitskaart en liet hem er een vluchtige blik op werpen. 'Ik ben van de politie. Van Bath.'

Holden schrok toen hij de kaart zag. 'Wendy? Gaat het om Wendy? Is er iets met haar gebeurd? Zeg het maar gewoon als het zo is. Ik ben erop voorbereid.'

'Wendy? Nee, het gaat om een onderzoek. Naar iets wat in Bath is gebeurd. Ik kom geen slecht nieuws brengen.'

Hij deed een stap achteruit en haalde langzaam en diep adem om rustig te worden. 'Dat is mooi. Mooi.' Zijn blik ging langs haar lichaam – hij leek haar nu pas echt te zien. 'Sorry, wat een manieren. Je kunt maar beter binnenkomen.'

Het kantoor was schoon en minder deprimerend dan de voorgevel. Het rook naar een keukenshowroom, er lag bruin projecttapijt en de paar meubelstukken zagen er een beetje verloren uit in de grote ruimte. Aan een van de wanden hing een rij ingelijste zwart-witfoto's. Meisjes in bikini, meisjes in badpak. Niet één topless.

'U hebt een modellenbureau.'

Holden knikte. Hij ging aan zijn bureau zitten, gebaarde dat ze een stoel moest nemen en schoof haar een boek toe. 'Onze portfolio.'

Ze bladerde hem door en zag wat de manager van Zebedee Juice had bedoeld. Dit had niets van de woeste, uitdagende wezens op het steeds veranderende beeldscherm. Dit waren knappe, sexy en goed gevoede meisjes. Lorne zou er goed bij passen. 'Sommigen zijn topless.'

Hij knikte. 'Dat is wat we doen. Alles van badpakken en lingerie tot topless. Dit jaar stonden twee van onze meisjes op de Pirellikalender en hebben ze achttien keer topless geposeerd. Het zuidwesten produceert de knapste meisjes van het land. Dat komt door de warmte en de regen.' Hij knipoogde. 'En de slagroom. Al dat vet, weet je.'

'Deze meisjes, deze modellen, gaan die ook verder dan topless?'

'Natuurlijk. Het menselijk lichaam is een prachtig middel voor artistieke expressie. Als een meisje zich vrij voelt, op haar gemak is als ze naakt is, dan kan ze veel bevrediging krijgen uit dit soort werk. De meesten vinden het geweldig, echt geweldig.'

'Gelooft u dat echt? Of verwacht u dat ik het geloof? Ik wil maar zeggen, ze doen het toch uitsluitend voor het geld.'

Hij zweeg. Alleen aan zijn kaak was te zien dat hij geagiteerd was; die ging iets op en neer, alsof hij een restje eten tussen zijn tanden vandaan probeerde te krijgen. Uiteindelijk stak hij zijn handen op. 'Je bent niet dom en ik ook niet. Natuurlijk niet. Ze doen het voor het geld. En meestal niet omdat ze móéten. Het is niet omdat ze door vrouwenhandelaars verkocht zijn of omdat ze eten op de plank moeten zien te krijgen voor hun gehandicapte baby of hun stervende moeder of zo. Zelfs niet om aan drugs te komen, want de meesten zijn clean. Nee – mijn ervaring is dat ze het doen omdat het gemakkelijker is dan acht uur per dag achter de toonbank staan. Sneller en gemakkelijker, en eerlijk gezegd krijg je meer respect van de fotograaf dan van de gemiddelde klant in een winkel. En ik neem mijn petje voor ze af. Niet dat ik in de tien jaar dat ik in het vak zit ooit een meisje iets verstandigs met het geld heb zien doen. Investeren of zoiets. Ze geven het uit aan kleren en, om er maar geen doekjes om te winden, aan borstvergrotingen. Zodat ze... wat eigenlijk? Model kunnen blijven. Een beetje een zinloos cirkeltje, als je erover nadenkt. Mannen krijgen wat ze denken te willen van vrouwen, en vrouwen krijgen wat ze denken te willen van mannen.'

Ze geven hun geld heus niet allemaal uit aan kleren en borst-vergrotingen, meneer Holden, dacht Zoë. Sommigen gebruiken het om ergens aan te ontsnappen. Om hun vrijheid te kopen. 'Hebt u het nieuws in de gaten gehouden? Het plaatselijke nieuws? Er is onlangs een moord gepleegd in Bath.'

'Dat weet ik. Een jong meisje. Knap ding. Lorraine, nietwaar? Lorraine en nog iets.'

'Lorne. Lorne Wood. Doet de naam geen belletje rinkelen?'

Hij fronste. 'Dat geloof ik niet.'

'U herinnert zich niet dat ze bij u geweest is?'

'Ik dacht dat het een scholiere was.'

'Ja, maar ze wilde model worden. En het zou kunnen dat ze niet haar echte naam heeft opgegeven.'

Ze haalde een gelamineerd velletje met foto's uit haar tas, dat de reprografische afdeling had verzorgd. Een setje foto's van Lorne. De miljarden die waren gestopt in de ontwikkeling van gezichtsherkenningssoftware hadden niet veel meer bereikt dan het opwerpen van een heel belangrijke kwestie: het menselijke gezicht heeft zoveel facetten dat het er door de kleinste verandering in hoek en belichting al heel anders kan uitzien. De commissaris had dat opgepikt en tegenwoordig gebruikten ze in het korps meestal een hele selectie foto's om mensen te identificeren. Op dit vel waren veel van de foto's die bij Lorne aan de muur hadden gehangen bij elkaar gezet. Zoë boog half uit haar stoel en legde het vel onder Holdens neus.

Hij bekeek ze. Fronste. Schudde langzaam zijn hoofd. 'Ik geloof van niet. Ik krijg tientallen foto's van meisjes die denken dat ze topless kunnen poseren of op de omslag van *FHM* kunnen staan. Ik moet bekennen dat de gezichten na een tijdje moeilijk uit elkaar te houden zijn, maar ik geloof niet dat ik haar eerder heb gezien.'

Ze pakte het vel terug en bleef even naar Lornes Hollywood-glimlach zitten kijken. Geen van deze opnamen leek ook maar enigszins op de foto's op de geheugenkaart. Die hadden een heel andere lading. Ze haalde haar iPhone uit haar zak, waar ze alle foto's van Lornes geheugenkaart op had gezet, en toverde er een van Lorne in ondergoed op het bed op het schermpje. Niet de topless-foto. Dat wilde ze Lorne besparen. 'En zo?'

Dit keer vertrok Holdens gezicht. 'Oké,' zei hij zachtjes. 'Dat verandert de zaak. Nu herken ik haar.' Hij ging naar een dossier-kast, haalde er een map uit en bladerde door de foto's en papieren die erin zaten. 'Ik zou haar van die andere foto's nooit herkend hebben, maar nu ik deze zie, weet ik het weer.' Hij haalde een foto voor de dag en hield hem omhoog. Het was een uitdraai van een van de toplessopnamen op de geheugenkaart. 'Deze heeft ze me via e-mail toegestuurd, maar niet onder die naam. Ze noemde zichzelf...' Hij keek op de achterkant. '... Cherie. Cherie Garnett.'

Zoë was moe tot in haar tenen. Ze was niet blij dat ze gelijk had, alleen enorm gedeprimeerd. 'En? Wat hebt u tegen haar gezegd?'

'Nee. Ik vond de hele zaak iets verdachts hebben, om eerlijk te zijn. Ik dacht meteen al dat ze jonger was dan ze beweerde.'

'En dat hield u tegen?'

Hij trok zijn wenkbrauwen op. 'Het is een ernstig misdrijf. Ik kan niet voorzichtig genoeg zijn. Ik heb gezegd dat ik haar in de map zou houden.'

'Dus u hebt nee gezegd. Weet u dat zeker?'

'Ik weet het zeker.'

Ze keek naar hem en probeerde hem te peilen. Ze dacht dat hij de waarheid vertelde. 'Denkt u dat ze ergens anders heen kan zijn gegaan nadat u haar had afgewezen?'

Hij bleef even stil. Toen stond hij op en deed een dossierkast open. Hij haalde er een geschreven lijst uit en gaf die aan haar. 'Luister,' zei hij ernstig. 'Ik ken je niet en je bent me niets verschuldigd. Maar als je een van deze mensen vertelt wie je op hun spoor heeft gezet... Nou ja, ik zeg het maar.'

Zoë keek op het vel papier. Er stonden ongeveer vijftig namen met contactinformatie op. Er leken een heleboel agentschappen in het zuidwesten bij te zijn, maar ook een paar erotische clubs. 'Hebt u haar deze lijst gegeven?'

'Ik niet. Daar geef ik je mijn woord op. Maar ik ben niet de enige in de stad. Misschien heeft iemand anders het wel gedaan.'

Ze vouwde het vel met adressen op, stak het in haar zak en stond op. 'Nog één vraag,' zei ze.

'Ja?'

'Als u hier nog meer over te vertellen hebt, bel dan niet naar het politiebureau. Geen van de anderen is met deze kant van de

zaak bezig, dus u moet rechtstreeks met mij spreken.' Ze haalde
een visitekaartje uit haar zak en legde het op het bureau. 'En laat
geen berichten achter, behalve op mijn persoonlijke voicemail. Als
u dat voor me doet...'

'Ja?'

'Dan zal uw naam tegen niemand van deze lijst genoemd worden.'

36

Sally merkte dat ze steeds naar David Goldrab keek toen ze die
dag zijn huis schoonmaakte. Ze bleef maar steelse blikken op hem
werpen terwijl hij rondliep na zijn bezoek aan de stallen, een fles
champagne opentrok en met zijn zweep tegen zijn kuit sloeg alsof
hij het ritme aangaf van een liedje dat hij neuriede. Ze stond tegenover hem met rubber handschoenen aan steeds maar weer over
het aanrecht te vegen, maar in plaats van naar het werkblad keek
ze naar hem, naar zijn huid, zijn handen en zijn armen. Alles wat
bewoog en hem tot een levend wezen maakte. Iemand wilde hem
dood hebben. Echt dood. Niet in gedachten. Echt.

Toen ze klaar was met het schoonmaakwerk, ging ze naar het
kantoor om de huishoudelijke uitgaven in de database te zetten.
Ze was een minuut of tien bezig toen ze hem naar boven hoorde
gaan, naar de sportruimte die uitzicht bood over de voorkant van
het huis. Al snel hoorde ze het vertrouwde gezoem van de loopband
en vervolgens het gestamp van zijn rennende voeten. Haar blik
ging naar de computer op het andere bureau. Zijn 'zakelijke' afdeling. Ze dacht aan wat Steve had gezegd. Porno. Van het akelige
soort. Duister en overweldigend. Ze beet op haar lip en probeerde
zich te concentreren op de rij getallen. Eerder had ze een lampje
zien branden op de andere computer. Het betekende dat hij op
stand-by stond en niet echt was uitgezet.

Na een tijdje kon ze haar aandacht niet meer bij haar werk houden. Ze stond op, boog zich met haar tong tussen haar tanden over het andere bureau en verschoof de muis. De computer zoemde en kwam tot leven. Opeens was ze bang en ze kwam overeind, ging naar de open deur en keek naar het plafond. Stamp-stamp-stamp, klonk het op de loopband.

Ze ging snel het kantoor weer in en naar de computer. David had niet uitgelogd – ze kon duidelijk zien wat er op het beeldscherm stond. De wallpaper op de desktop was een ingescande krantenpagina. Er stond een man op van in de veertig, gekleed in een pak, met een onderkin en dunner wordend haar. De foto leek ergens op straat te zijn genomen; hij hief zijn hand naar de camera alsof hij door de fotografen was overvallen. De kop luidde: 'Topambtenaar Defensie Mooney leidt Kosovaarse sekseenheid'. Het leek een artikel uit de *Sun* of de *Mirror* of een andere sensatiekrant. Ze keek snel het artikel door – iets over een eenheid van de Verenigde Naties, die een eind moest maken aan de aanvoer van vrouwen als prostituees voor de vredesmacht. Toen bestudeerde ze het gezicht van de man. Mooney. De cliënt van Steve. Betekende het feit dat hij op deze computer stond dat David wist dat Mooney hem in de gaten hield?

Ze beet op haar lip en keek op naar de deur. Over de foto op het scherm stonden tien icoontjes, elk met 'mov' erachter. Video's. David liep nog steeds op de loopband te stampen. Ze ging met de muis over de icoontjes. Het was belachelijk, als ze er goed over nadacht, maar ze was vijfendertig en kon zich niet herinneren dat ze ooit een pornofilm van begin tot einde had gezien. Ze moest er wel ergens stukjes van hebben opgevangen, want als ze er echt over nadacht, had ze wel een idee wat ze kon verwachten; heel bruine vrouwen met blond haar, wippende borsten en felrood geverfde lippen. Ze dacht aan gezichten, verwrongen van extase. Wat ze niet verwacht had, was wat ze zag toen ze genoeg moed had gevat om op het eerste icoontje te klikken.

Iets wat eruitzag als een grote stal met witgekalkte betonnen muren en een raster van schijnwerpers aan het plafond. Aanvankelijk zag Sally alleen de ruggen van mensen, die daar stonden alsof ze naar iets keken wat zich op de vloer midden in de stal bevond. Het waren allemaal mannen en vanaf de hals waren ze allemaal heel gewoon gekleed in spijkerbroeken, overhemden en truien. Hun gezichten waren bedekt – sommigen droegen sjaals die alleen hun ogen vrijlieten, anderen hadden skimutsen of bivakmutsen op. Een paar droegen rubber feestmaskers: Osama bin Laden, Michael Jackson, Elvis Presley, Barack Obama. Het was bizar en zelfs komisch geweest als de mannen niet allemaal hun gulp open hadden gehad en openlijk hadden gemasturbeerd.

De camera zoomde in, het beeld werd duidelijker en Sally verstarde. Midden in de kring lag iemand naakt op een gehavende matras – een meisje, hoewel haar sekse aanvankelijk moeilijk te bepalen was, zo mager was ze. Haar dunne enkeltjes waren aan de vloer vastgemaakt, met de benen uit elkaar. Haar gezicht was niet te zien, maar Sally wist dat ze jong was. Heel jong. Misschien niet veel ouder dan Millie.

Een man met een zonnebril en een diep over zijn ogen getrokken honkbalpet op baande zich een weg door de groep. Hij droeg een spijkerbroek en een strak T-shirt en hoewel zijn gezicht half bedekt was, herkende ze Jake meteen. Het kwam door die bruine en gespierde armen. Hij ging naar het meisje toe en zette zijn voeten aan weerskanten van haar schouders, zodat hij neerkeek op haar hoofd. Hij begon zijn gulp open te ritsen – en terwijl hij dat deed, besefte Sally dat ze de loopband niet meer hoorde.

Ze klikte de video weg en ging haastig met de muis naar de afmeldknop. Maar opeens dacht ze eraan dat de computer op stand-by had gestaan, niet uit. Snel veranderde ze van gedachte en koos voor stand-by. Ze sprong van de stoel en ging aan het andere bureau zitten, met haar rug naar de computer, wensend dat die sneller zou afsluiten, wensend dat ze gewoon de stekker eruit had getrokken. Maar toen verscheen David in de deuropening van het kantoor, met zijn joggingbroek en sportschoenen aan. De postbode was zeker geweest, want hij had een glas roze champagne in de ene hand en een stapel brieven in de andere. Onder zijn kin staken nog meer enveloppen. Hij nam ze door en mompelde binnensmonds: 'Rekening, bedelbrief, reclame reclame reclame, troep van dat verdomde creditcardbedrijf.'

Toen zag hij zijn computer aanstaan en Sally als uit steen gehouwen en met een rood gezicht op haar stoel zitten, haar blik strak op de database gericht.

Langzaam liet hij de handvol brieven zakken. 'Eh, neem me niet kwalijk dat ik het zeg, maar iemand heeft aan mijn computer gezeten.' Hij ging ervoor staan en zag fronsend hoe het beeldscherm zwart werd. Er viel een lange stilte, waarin Sally alleen maar kon denken aan haar bonzende hart. Toen draaide David zich om.

'Sally?'

Ze zei niets.

'Sally? Ik praat tegen je. Kijk me aan.' Hij pakte haar bij de schouder en trok eraan. Ze draaide zich onwillig om. Hij maakte een hoorn van zijn pink en zijn duim en wees ermee naar zijn ogen. 'Kijk me aan en vertel me waarom je dat hebt gedaan.' Er klopte een adertje op zijn voorhoofd. 'Nou? Ik heb je nog zo gezegd weg te blijven van die kant van de kamer.'

Ze gaf geen antwoord. Ze kon het niet. Ze was bang dat ze elk moment kon gaan overgeven.

'Kijk niet zo neerbuigend. Ik ben niet de stront aan je schoenen, Sally, het is andersom. Is het je soms ontgaan dat jíj voor míj werkt? Alleen omdat je praat alsof je recht van zo'n chique school voor jongedames komt, waar je geleerd wordt uit een Ferrari te stappen zonder je poes te laten zien, ben je nog niet beter dan ik; je moet nog steeds doen alsof je me mag. Want jij bent wanhopig en je...'

Hij brak zijn zin af. Iets anders had zijn aandacht getrokken. Het beeldscherm aan de muur. Hij hief zijn hoofd en keek er met open mond naar. Sally volgde beverig zijn blik en zag op het scherm de bekende metallic paarse jeep achter het elektronische hek staan. Jake leunde uit het raampje en drukte op de zoemer.

'Dat is helemaal lekker.' Hij smeet de post op het bureau. 'Nou kan mijn dag helemaal niet meer stuk.' Hij griste de rijzweep mee die tegen de muur stond en liep de gang in, waarbij hij elke drie stappen bukte om woedend met de zweep op de vloer te slaan. De zoemer weerklonk door de gang. David ging niet naar boven om de kruisboog te halen. Hij liep recht naar de deur en drukte op de knop om het hek open te maken. Sally zag haar kans, pakte snel haar tas en jas en sloop door de gang. Toen ze in de keuken kwam, hoorde ze de jeep de oprit op rijden. Ze greep haar schoonmaak-spullen van het aanrecht, ging snel naar de deur naar het terras en legde haar hand op de knop in de verwachting dat hij open zou gaan.

Dat gebeurde niet. Hij was op slot.

Ze draaide aan de knop en trok, maar ze vergiste zich niet; de deur was echt op slot. Ze keek om zich heen naar de sleutel en pakte potten en vazen op om eronder te kijken. De wasruimte. Ze wist zeker dat die deur openstond – dat was altijd zo. Maar voordat ze bij de keukendeur was, sloeg de voordeur dicht en stonden de twee mannen in de hal. Ze bleef verstijfd en met bonzend hart staan. Er was geen ontsnapping mogelijk. Ze kon niet terug naar het kantoor zonder langs de hal te komen. En ze kon ook niet naar de wasruimte. Ze zat in de val.

Ze glipte snel het enorme glazen atrium in dat aan de achterkant van het huis was aangebouwd. De deuren naar buiten, vijf meter verderop, waren dicht, maar ze kon niet door het atrium lopen om te controleren of ze op slot waren omdat de mannen al bijna in de keuken waren en haar ongetwijfeld zouden zien. Er stond een chaise longue tegen de muur, net buiten het zicht van de keuken. Daar kon ze zich voorlopig verdekt opstellen. Ze ging stilletjes zitten. De mannen kwamen de keuken in en tegelijkertijd schoof er een lange streep licht over de ramen van het atrium. Een weerspiegeling. Ze kwam tot de ontdekking dat ze alle vertrouwde dingen in de keuken en de hal kon zien, weerspiegeld in de ruiten. Als de mannen op de juiste plek gingen staan en de goede kant uit keken, zouden ze haar weerspiegeling zien, maar het was te laat om ergens anders heen te gaan. Ze trok haar voeten dichter naar zich toe, klemde haar koffertje en tas tegen haar buik en hield zich zo stil mogelijk.

'Jake.' David stond een paar passen van de deur, wijdbeens en met zijn armen over elkaar, een silhouet in het zonlicht. Sally kon Jakes gezicht niet duidelijk onderscheiden, maar ze voelde aan hoe ernstig het stond. Hij droeg een leren jasje en handschoenen en had een grote tas bij zich. Hij hield zijn kin iets naar beneden. Ze dacht eraan hoe hij boven dat meisje in de video was gaan staan en kon niet uit haar hoofd krijgen hoe mager het kind was geweest.

'David.'

'Wat moet je?'

'Ik wil met je praten.'

Er viel een lange stilte. Sally's aandacht bleef op de tas gericht. David had hem ook gezien. Hij knikte ernaar. 'Wat zit daarin, Jake? Heb je een cadeautje voor me meegebracht?'

'Zo zou je het kunnen zeggen. Mag ik gaan zitten?'

'Als je me vertelt waar je over wilt praten.'

'Hierover.' Hij hief de tas. 'Ik wil je iets laten zien.'

Het duurde een paar seconden voor David reageerde. Toen ging hij achteruit en stak zijn hand uit naar de tafel. 'Ik heb net een fles champagne opengemaakt. Je bent altijd gek geweest op champagne, Jakey jongen.'

De twee mannen gingen naar de tafel, hun spiegelbeelden een schouderbreedte van elkaar af. David trok een stoel achteruit en Jake ging zitten met de tas op zijn schoot. David haalde de champagnefles uit de koeler, trok de kurk eraf en schonk een hoge flûte vol. 'Eentje maar, hoor. Ik wil niet dat mijn Jakey dronken achter het stuur gaat zitten. Dat is niks. Al dat verspilde talent als je hersenen over de M4 uitgesmeerd worden.'

David maakte het zich gemakkelijk en hief zijn glas. Ook Jake stak zijn glas omhoog en nam een slok. Zelfs in de serre hoorde Sally het harde, metalige getinkel tegen zijn tanden. Hij was zenuwachtig. Hij wist niet dat zij er was – haar auto stond helemaal aan de rand van het terrein, buiten het zicht. Voor zover hij wist, was hij alleen met David.

'Mooi camerasysteem heb je daarbuiten. Neemt alles op, nietwaar?'

'O, ja. Neemt alles op.'

'Ik heb ook zo'n systeem. Na een week worden er nieuwe beelden over de oude opgenomen. Tenzij je de boel wist.'

'Ja,' zei David op redelijke toon. 'Maar om dat te doen, moet je een code kennen.'

'Ja. Een code.'

'Die de eigenaar van het systeem vast regelmatig verandert. Zoals hij ook de code van het hek verandert. Ik bedoel maar, stel dat er iemand was in wie die eigenaar op een gegeven moment vertrouwen had gehad. Zoveel vertrouwen dat hij hem – of haar – de beveiligingscode had gegeven. Maar stel vervolgens dat deze twee mensen onenigheid hadden gekregen, kleine irritaties die ze niet van zich af konden zetten. Nou, de eigenaar van het systeem zou dan wel heel erg stom zijn als hij de code niet veranderde, toch? Wat weerhoudt de man met de codes er anders van binnen te komen en zich in het huis te misdragen? Of zelfs, God verhoede, iets doms te ondernemen tegen de eigenaar?'

'Iets doms.'

'Iets doms.' Er viel nog een stilte, en toen vroeg hij: 'Wat zit er in die tas, Jake?'

Sally sloot haar ogen, legde haar hoofd naar achteren, ademde langzaam en zachtjes in en probeerde haar hart ervan te weerhouden zich tegen haar ribbenkast te gooien. Toen ze haar ogen weer opende, maakte Jake de tas open en had alles in het huis een vaag zilveren glans, alsof het ook zijn adem inhield. Zelfs de grote klok aan de muur van de serre leek te aarzelen, zijn wijzer tegen te houden om hem niet naar voren te laten klikken.

Toen haalde Jake een dvd uit de tas. Hij legde hem op de tafel. David keek ernaar zonder iets te zeggen. Na een paar tellen stak hij zijn hand uit.

'En de rest,' zei hij. 'Laat me zien wat er nog meer in zit. Ik ben niet bang voor jou.'

'Niets. Nog meer dvd's.'

David knikte. 'Ja, natuurlijk. Laat zien.'

Jake stak hem de tas toe. David pakte hem aan, schudde ermee en keek erin. Hij stak zijn handen erin en bewoog ze heen en weer. Toen wierp hij Jake een verbaasde blik toe, alsof hij nog steeds addertjes onder het gras verwachtte. Jake haalde zijn schouders op. 'Wat? Wat is er nou?'

David staarde hem argwanend aan, maar gaf de tas terug. Sally liet langzaam de lucht uit haar longen ontsnappen. Haar hart kaatste nog steeds als een rubberbal rond in haar borst.

'Dvd's? Wat staat erop?'

'Mijn laatste onderneming.' Jake, opeens enthousiast, schoof wat naar voren op zijn stoel. 'Jake the Peg heeft elke stad in het Verenigd Koninkrijk gehad. Ik kon het me niet veroorloven naar het buitenland te gaan, dus moest ik iets goedkopers bedenken en ik dacht: hé, ouwe jongen, wat dacht je ervan als Jake the Peg het alfabet gaat doen?'

'Het alfabet?'

'Meisjes met namen die beginnen met de letters van het alfabet. Ze draagt de letter hier op haar kleding.' Hij legde een hand op zijn buik. 'Ik heb zo'n korset gekocht en er de letter A op laten borduren. A voor Amber. B voor Brittany. C voor Cindi. We zijn gekomen tot de F voor Faith. Eigenlijk heette ze Veronica. Maar een tieten! Precies wat ze in Amerika leuk vinden.'

'Het geeft blijk van een roerend vertrouwen in je publiek om te veronderstellen dat ze het alfabet kennen, knul.'

'Als ik de letter op de rug zet, wordt het een set, een verzameling. Echte fans zullen ze allemaal op de plank willen hebben. Van A tot Z.'

David draaide een van de dvd's om en bekeek de achterkant. 'Heel creatief. Maar dat zeggen ze altijd over mensen zoals jij, hè? Goed met kleuren, behang, stoffen, dat soort dingen.'

'Ik heb wat startkapitaal nodig.'

'Van mij? Nou, ik zou het graag doen, makker, maar ze zeggen dat *bukkake* niet meer verkoopt. Wist je dat? Er kijken blijkbaar steeds meer vrouwen naar porno. En die vinden het kennelijk niet opwindend om te zien hoe een of andere meid door twintig mannen wordt besproeid. God mag weten waarom, het is mij een raadsel, maar je hoort het woord "vernederend" tegenwoordig vaak gebruiken.'

Sally masseerde haar slapen. Dus wat ze op de video had gezien, had een naam. Bukkake. Op de een of andere manier werd het erger door het feit dat er een woord voor bestond, echter. Ze kon nu niet meer doen alsof ze het gedroomd had.

'Maar je kunt het spul misschien aan de homo's kwijt, dat zou een nieuwe markt kunnen zijn. Ik wil maar zeggen, ik heb nooit begrepen waarom een gezonde kerel zou willen zien hoe een stel andere mannen zich aftrekt. Dat heeft toch niets met hetero's te maken?'

Jake deed alsof hij de sneer niet had gehoord. 'Ik dacht aan veertig-zestig. Jij zorgt voor het kopiëren, de marketing en de verpakking. Ik lever het product.'

David zweeg even. 'Veertig-zestig? En voor wie is de veertig?'

'Voor jou. We kunnen ze verkopen voor zes negenennegentig. Net als de laatste serie.'

David kwam overeind. Hij liep naar de koelkast en schonk zichzelf nog een glas champagne in. Toen hij de deur had dichtgedaan, bleef hij even met zijn rug naar Jake staan, alsof hij moest kalmeren. Toen kwam hij terug en ging zitten. 'Hoor eens, jochie, toen je hier laatst was, liep het op ruzie uit. Ik was grof, dat moet ik toegeven.'

'Ja, je was nijdig.'

'Nijdig. Dat klopt. En ik zei dat je je hier niet meer moest laten zien. Je koos ervoor dat toch te doen. Dus ik denk dat je jezelf eens moet afvragen waarom ik je vandaag in godsnaam binnen heb gelaten. Toch?'

'Ik weet het niet. Misschien.'

'Ik zal het uitleggen. Ik heb het hek alleen voor je opengedaan uit nieuwsgierigheid. Ik ben een nieuwsgierig man, weet je, altijd al geweest. Als kind vond ik het prachtig om naar de dierentuin te gaan. Een leuk familie-uitje, om te zien hoe de apen met hun lul spelen, snap je wat ik bedoel? Daar was ik nieuwsgierig naar en zo ben ik nu nog. Het intrigeert me bijvoorbeeld uitermate dat Kosovaarse hoeren voor een paar euro zo'n verbijsterende verscheidenheid aan voorwerpen in hun spleet duwen. Zulke dingen maken me altijd benieuwd, neem dat van mij aan. En Jake, mijn oude vriend, dat is ook de reden waarom ik je heb binnengelaten.'

'Omdat je nieuwsgierig bent?'

David lachte breed. Hij boog naar voren en gaf Jake een mep op zijn knie. 'O, hier geniet ik van, ik geniet van jouw gezicht. Je denkt dat ik je ga vragen je lul tevoorschijn te halen zoals die apen, hè? Of een ui in je achterste te steken? Maak je geen zorgen, dat ga ik je niet vragen, hoewel ik er zeker van ben dat je het zou doen, als kontneuker zijnde en zo. Nee, ik heb jouw legendarische pik vaak genoeg gezien om die nieuwsgierigheid te bevredigen, toch? Net als de helft van Groot-Brittannië. Jammer dat je eenhandige publiek niet kan applaudisseren, hè? Dan kreeg je misschien een beter gevoel over jezelf. Nee Jake, daar ben ik niet nieuwsgierig naar. En toch ben ik nog nieuwsgierig. Nog steeds nieuwsgierig...'

'Waarnaar?' stootte Jake uit.

'Naar wat jij verdomme in je hoofd haalt!' Hij stootte hard met een vinger tegen zijn slaap. Er schoot speeksel uit zijn mond. 'Ben je verdomme helemaal de weg kwijt in dat commandocentrum van jou, jongen, om terug te komen trippelen en te proberen me mijn eigen specialiteit te verkopen? Ik ben de koning van de bukkake, schijterige homo die je bent. Ik ben degene die jou heeft gelanceerd, Jake. Jij. Bent. Van. Mij.' Hij schudde triest zijn hoofd, zuchtte vermoeid en spreidde zijn handen als in wanhoop. 'Eerlijk, Jake. Als jij een extra stel hersenen had, zou het eenzaam zijn. Nou, maak dat je mijn huis uit komt. En kom deze keer niet meer terug.'

Jake staarde hem aan.

'Waar zit je verdomme naar te kijken? Ben je doof of zo?' David sloeg met zijn vuist op tafel, zodat de dvd's rammelden. Jake sprong overeind en veegde ze haastig in de tas, gooide hem over zijn schouder en liep achteruit, met zijn handen omhoog, naar de deur. David volgde hem tot de hal, draaide lenig om de trapleuning heen en ging de trap op, zodat Sally hem niet meer kon zien.

Hij ging de kruisboog halen. Dat moest wel.

Ze stond op en liep stilletjes naar de deur. Jake stond buiten op het grind zijn zakken te bekloppen, op zoek naar zijn sleutels, en keek bezorgd naar David, die weer beneden was gekomen en een eindje verderop in de zon stond, met zijn rug naar Sally toe en de kruisboog in de aanslag. Ze keek de keuken door naar de wasruimte; nog maar drie meter te gaan, dan was ze buiten. Ze wilde er net naartoe rennen toen er een luide knal klonk en er een pijl werd afgeschoten. Op de oprit sprong een fontein van grind omhoog bij de jeep, drie meter verderop. Jake stak verdedigend zijn handen in de lucht.

'Wat is er, jongen?' riep David minzaam. 'Probeer je nog steeds te achterhalen wat "sodemieter op" betekent?'

In een opwelling van woede bukte Jake zich, greep een handvol grind en gooide het naar David. Voordat David kon reageren zat Jake al in de jeep en scheurde de oprit af. Het automatische hek zwaaide open en liet hem door. De jeep hotste in een felle flits over het laantje dat naar de grote weg liep en Jake was verdwenen.

David sjokte het huis weer in en kreeg onmiddellijk Sally in het oog toen ze zich weer terug probeerde te trekken in het atrium.

'Waar sta jij naar te staren?' Hij keek over zijn schouder alsof er nog iemand anders in de hal was die haar aandacht kon hebben getrokken. 'Wat nou? Ik ging over de rooie. Niks om over te snotteren, prinses. Als jij je neus niet in mijn privézaken had gestoken, zou ik niet zo nijdig zijn geweest.'

Sally staarde hem woordeloos aan. Haar gezicht stond in vuur en vlam. Ze dacht aan het meisje in de video, vastgeketend aan de vloer.

'Wát nou?' Zijn kin stak agressief naar voren. 'Kijk verdomme niet zo uit de hoogte. Dat ben ik spuugzat. Jij durft me hier in mijn eigen huis te veroordelen? Nou, daar is een heel eenvoudige oplossing voor. Sodemieter op. Als het je niet aanstaat, sodemieter je maar op.'

Ze bleef nog even staan. Toen draaide ze zich abrupt om en liep naar de wasruimte. 'Schoft die je bent,' mompelde ze zachtjes.

'Neem me niet kwalijk?'

Ze schudde haar hoofd. Liep door.

'Daar bied je je excuses voor aan,' schreeuwde hij haar na. 'Daar bied je verdomme je excuses voor aan.'

Ze was bij de deur van de wasruimte. Gelukkig ging die soepel open en toen liep ze in de zon, met haar tas over haar schouder en haar jas over de schoonmaakspullen. Ze trilde, maar ze ging niet rennen. Ze liep gewoon met snelle en regelmatige pas en geheven hoofd verder en zocht met één hand in haar tas naar haar sleutels. Ze hoorde hem achter haar aan komen. Ook hij rende niet. Maar hij bleef wel bij.

'Je excuses, zei ik. Schiet op. Weet je wat, ik zal het gemakkelijk voor je maken, ik zal je de tekst voorzeggen. "Het spijt me echt dat ik je een schoft heb genoemd, David. Het spijt me." Zeg het, dan is dit uit de wereld.'

Toen ze bij het eind van het pad kwam en het hekje opendeed, leken de sleutels opeens in haar hand te springen. Dank je, dank je, dank je, dacht ze, terwijl ze ze uit haar tas haalde en ermee naar de auto wees. De centrale vergrendeling piepte en klikte geruststellend, de richtingaanwijzers flitsten. Het was maar een paar meter van het hek naar de parkeerplaats. Zodra ze in de auto zat, kon er niets meer gebeuren.

Maar David haalde haar in. 'Jij bent verdomme ook echt het toppunt, Sally.' Hij rende een eindje vooruit om voor haar te komen. Hij wilde dat ze hem aankeek. 'Ik heb nog nooit zo'n uitgestreken, stom mokkel meegemaakt.'

Ze ontweek hem, deed het portier open en gooide haar jasje en tas op de passagiersstoel. Toen liep ze om de achterkant van de auto heen, nog steeds zonder hem aan te kijken. Ze deed de kofferbak open en zette haar schoonmaakspullen erin. Toen ze overeind kwam, stond hij opeens achter haar en sloeg haar met zoveel kracht op haar achterhoofd dat ze naar voren schoot en haar wang de onderkant van het open kofferbakdeksel raakte. Toen ze terugveerde, kwam haar linkerelleboog met een klap tegen de binnenkant van de kofferbak, waardoor de beweging werd afgeremd. Ze ging met een ruk opzij in een niet erg waardige poging om rechtop te gaan staan. Voordat ze op adem kon komen en zich naar hem om kon draaien, leunde hij op haar rug, greep haar van achteren bij de keel en drukte haar gezicht in de kofferbak.

'Je maakt verdomme je excuses. Waar zie je me voor aan? Nou?' Hij schudde haar door elkaar. 'Je maakt je excuses. Nu.'

Ze greep naar zijn vingers, voelde de druk van heet, dik bloed dat naar haar hersenen werd geperst. Haar armen tintelden en er ruiste iets in haar oren. Dit was idioot. Dit kon niet echt waar zijn.

'Ik zou je hier en nu van kant moeten maken, teef dat je bent. Dat neemt verdomme mijn geld aan en veroordeelt me tegelijkertijd?' Hij schudde haar weer door elkaar, met zijn lichaam tegen haar rug. 'Ik zou je kop moeten afrukken en in je nek moeten schijten. Ik dacht dat Jake erg was.'

Ze kon niet slikken. Er zat bloed in haar mond, omdat ze op haar tong had gebeten. Het drupte van haar lippen en liep over haar kin. Alle voorwerpen in de kofferbak leken op haar af te komen, alsof ze ze zag door een visooglens. Toen besefte ze opeens wat ze zag. Iets wat glad en zwart was. Ze dacht aan Steve, hoe die bij de muur had gestaan en spijkers in het deurkozijn had geschoten. Het was het spijkerpistool, met een vaag rood lampje aan de onderkant. Steve had haar laten zien hoe ze ermee om moest gaan voordat hij het daar had neergelegd en hij had gezegd dat dat lampje alleen brandde als hij aanstond. Misschien had hij al die tijd aangestaan.

'Maak je excuses.'

'Nee.' Haar stem klonk onduidelijk door het bloed in haar mond. Ze klemde haar vingers om het pistool. Het voelde glad aan. Vreemd warm. 'Dat doe ik niet.'

Hij schopte tegen de auto, zodat die schudde. 'Ik laat niet met me spotten. Je bent nog erger dan Jake, je weet goddomme ook niet wanneer je in de problemen zit. Maak je excuses.'

Haar vinger vond de trekker. Ze wist wat ze moest doen. Je moest de veiligheidsgrendel naar achteren halen, zorgen dat de spijkers op hun plek zaten, de loop tegen het oppervlak drukken en de trekker overhalen. Ze moest een plek zien te vinden op Davids armen, of zijn benen. Ergens waar het pijn zou doen, maar waar ze hem niet ernstig zou verwonden. Hij moest alleen zo lang worden tegengehouden dat zij in de auto kon stappen.

'Weet je wat er gebeurt met trutten als jij die andere mensen uitlachen?' Hij schudde haar nog eens door elkaar. 'Zeg het,' siste hij in haar oor. Zijn adem was warm en zuur. 'Zeg het nu. Hoer.'

Sally haalde diep adem en wrong haar lichaam opzij, uit zijn greep. De veren van de auto kraakten, ze wankelde, kwam tegen de bumper terecht en zwaaide met het spijkerpistool naar David. Hij kwam weer op haar af en ze haalde blindelings uit – naar de eerste en gemakkelijkste plek die ze kon bereiken. Zijn been. Voor hij iets kon doen, klonk er een luid gesis en had ze een spijker in zijn bovenbeen geschoten. Hij kromp ineen van de pijn, draaide weg, deed een paar wankele stappen bij de auto vandaan en greep naar zijn been. Sally ging onvast een paar stappen opzij en staarde naar hem; ze kon amper geloven dat ze het gedaan had.

'Fuck. Waarom deed je dat, verdomme?' Hij zakte in elkaar, graaide naar zijn joggingbroek en trok paniekerig aan de spijker. Ze liet het spijkerpistool vallen en stond daar als een zombie, met haar mond open, wetend dat ze hem op een gevaarlijke plek had geraakt omdat het bloed al door zijn broek kwam. Het golfde in dikke, pulserende stralen over zijn handen. 'Je hebt je punt gemaakt, Sally. Je hebt je punt gemaakt.'

'Nee,' zei ze vol afschuw. 'Wat heb ik gedaan?'

'Dat weet ik toch verdomme niet? Haal dat vervloekte ding eruit.'

Ze ging op haar hurken zitten, tastte naar zijn been en probeerde te bepalen waar de wond precies zat, maar overal was bloed. Het kwam omhoog als uit een bron. Op woensdag, toen Steve zichzelf aan de muur had vastgespijkerd, was ze volkomen rustig gebleven. Nu verkrampte haar lichaam in paniek. Ze leek schokkerig en in slow motion te bewegen toen ze zich overeind duwde en naar de voorkant van de auto strompelde om haar jasje te pakken. Ze kwam terug, gooide het over de wond en probeerde het tevergeefs strak vast te binden.

'Bel een ambulance.'

Sally zag tot haar afschuw dat zijn lippen blauw waren geworden. Hij zwaaide wild om zich heen toen hij probeerde haar pols te pakken. Zijn handen gleden steeds weg in het bloed en verloren hun grip.

'Breng me naar het huis.'

'Lig stil,' hijgde ze. 'Lig stil.'

Hij bleef even liggen en ademde zwaar terwijl zij het jasje om zijn bovenbeen wikkelde. Maar nog voordat ze het kon vastbinden, zag ze dat het zinloos was. Het bloed was door de stof gedrongen en welde op door het visgraatweefsel alsof het door een raster werd geperst. En toen kwam die verschrikkelijke, pulserende rode fontein weer opzetten.

'God god god.' Ze wierp een paniekerige blik op het huis. Jake? Nee, die was allang weg. 'Wat moet ik doen? Zeg me wat ik moet doen!'

'Ik weet het niet.'

Ze sprong op, greep haar tas, hield hem ondersteboven en griste haar mobieltje van de grond. Ze begon met trillende vingers een nummer in te toetsen, maar voordat ze bij het tweede cijfer was, stootte David een vreemd gejank uit. Hij kwam half overeind en zijn mond ging open in een grimas, alsof hij haar wilde bijten. Zo bleef hij even zitten en toen viel hij schokkend en trekkend achterover, alsof er een elektrische stroom door zijn lichaam ging. Zijn benen schopten onwillekeurig, zodat hij ronddraaide als een kapot vuurwerkrad. Toen kromde zijn rug zich, zijn hoofd wrong pijnlijk opzij alsof hij over zijn schouder naar het wiel van de auto wilde kijken en daarna verslapte hij, liggend op zijn rug, één arm onder zijn lichaam en de andere opzij uitgestrekt.

Het was stil. Ze stond naar hem te staren, de telefoon vergeten in haar hand. Hij ademde niet. Bewoog niet. Er kwam een geur van urine en bloed van hem af.

'David?' fluisterde ze. 'David?'

Stilte.

Ze liet zich trillend op haar knieën in de uitdijende plas bloed zakken. Haar hart ging als een dolle tekeer. Zijn ogen waren open, en zijn mond ook, alsof hij iets riep. Het was alsof ze een werkend apparaat opeens had zien stoppen. Ze ging op haar hielen zitten. Verdoofd. Nee, dacht ze. Jezus, nee. Niet dit ook nog.

De avondzon scheen warm op haar achterhoofd en een plotselinge windvlaag blies wervelend wat bloesems over de grond, alsof dit een heel gewone avond in het late voorjaar was. Alsof er niets ongewoons aan de hand was, niets ongewoons aan een kleine vrouw van in de dertig die onbeschaamd in de buitenlucht een man vermoordde.

37

Zoë moest alles geven wat ze had om die werkdag door te komen. Ze moest naar plekken die ze jarenlang gehoopt had nooit meer te hoeven betreden. De club waar ze in de jaren negentig had gewerkt, was dicht – er was nu een bookmaker gevestigd – maar toen ze die dag door de straten van Bristol reed met de lijst die Holden haar had gegeven op het dashboard geplakt, kwam de pure ellende van dat wereldje terug als een klap in haar gezicht. De ene nachtclub na de andere, over de hele stad verspreid. De meeste gingen pas 's middags open en bij sommige kwamen de schoonmakers net naar buiten sjokken in de wetenschap dat het hun levenslot was om vloeren te schrobben waar elke soort lichaamsvloeistof op gemorst was. In de clubs rook het naar bleek, verschaalde parfum en maagzuur. De meeste meisjes waren afkomstig uit Oost-Europa. Ze waren over het algemeen open en aardig en werkten goed mee, maar geen van hen had Lorne Wood ooit eerder gezien, behalve op de voorpagina's van de kranten. Toen Zoë zei dat er een kans was dat Lorne topless model was geworden en misschien in de clubs verzeild was geraakt, keken de meisjes haar aan alsof ze wilden zeggen: was ze gek geworden? Iemand als Lorne op een plek als deze?

Toen ze tegen negen uur die avond bijna de hele lijst had afgewerkt, begon ze te denken dat de meisjes gelijk hadden, dat het spoor van Lorne echt ophield bij Holden's Agency. Het was het eind van de dag, het eind van haar belofte aan Lorne. Nog één adres en dan gaf ze het op. Dan ging ze naar huis om tv te kijken. Of ze ging naar de film. Belde een van de motorvrienden met wie ze soms iets ging drinken en ging in een bar een weekrit uitstippelen.

De laatste naam was Jacqui Sereno. Ze woonde in Frome en was genoemd bij een gesprek met de uitsmijter van een van de clubs. Zoë reed er met de oude Mondeo naartoe, beide handen aan het stuur en haar blik koppig op de weg gericht. Het adres was dat van een woonhuis, en ze dacht even dat ze verkeerd was. Maar ze keek op de lijst en het bleek juist te zijn. Jacqui zou een webcamdienst beheren; ze verhuurde kamers, computerapparatuur en bandbreedte vanuit dit kleine, doodgewone huis, dat zich alleen onderscheidde van de andere in de straat door zijn onverzorgde uiterlijk. Het deurtje van de gasmeter hing open aan kapotte scharnieren en op het pad stond een overvolle vuilnisbak. De ramen waren in geen jaren schoongemaakt. Met een diepe zucht zwaaide Zoë haar benen uit de auto en liep het pad op.

De vrouw die opendeed was in de vijftig, klein, mager en bitter. Ze was heel erg bruin en haar haar was op de ouderwetse wijze hoog opgetoupeerd en versierd met plastic bloemen. Ze droeg een strakke zwarte legging, een t-shirt en rode, hooggehakte muiltjes. Ze zoog aan een sigaret alsof ze zo'n behoefte had aan nicotine dat ze het ding het liefst in zijn geheel had doorgeslikt.

'Jacqui?'

'Ja? Wat moet je?'

'Politie.'

'O, ja?'

'Heb je even?'

'Vooruit dan maar.'

Jacqui schopte een donzige roze tochtrol opzij en deed de deur verder open. Zoë ging naar binnen. Het was er warm – de centrale verwarming stond hoog, ook al was het lente. Ze liep achter de vrouw aan naar de keuken aan de achterkant van het huis. Binnen was het netter dan buiten; er hingen vitrages met kant voor de ramen en op de koelkast bevonden zich een mokkenrek, bijpassende theedoeken en een hoge stapel koektrommels. Het enige wat er niet op zijn plaats leek, was een geel met zwarte afvalemmer voor injectienaalden op het aanrecht.

'Insuline,' zei Jacqui. 'Ik heb suikerziekte.'

'Werkelijk?'

'Werkelijk. Maak het je gemakkelijk, liefje, dan zet ik water op, want je zit hier wel een tijdje.'

'Hoe bedoel je?'

'Jij gaat me hier zitten bedreigen, liefje, en ik ga er keer op keer tegenin door uit te leggen dat ik geen bordeel heb. Dat wat ik hier doe, niet illegaal is. Dat jij moet bewijzen dat wat de meisjes doen obsceen is of aanstoot zou kunnen geven. Jij bent van de politie, maar je weet niet waar je aan begint.' Ze glimlachte, zette de waterkoker aan en gooide een paar theezakjes in mokken. 'Je moet het niet persoonlijk opvatten, schatje, maar sinds ze de gespecialiseerde prostitutieteams hebben afgeschaft, zijn jullie gewoon geen partij meer voor me. Jammer, ik had veel vrienden bij die eenheid.'

Zoë had geen zin diep in te gaan op de regelgeving voor prostitutie. Ze kende uit eigen ervaring de vroegere wetgeving – veel ervan was in steen in haar hart gegrift – maar later had ze het niet meer bijgehouden. Seksclubs werden over het algemeen gereguleerd door de gemeente en veel van wat zij ervan wist was achterhaald door een veelomvattende wet die in 2003 was aangenomen. Het enige artikel van de nieuwe wet dat ze met zekerheid kon citeren, was die over mishandeling door penetratie met een voorwerp, en die kende ze alleen door de discussies in de recherchekamer over welke strafbare feiten Lornes moordenaar had gepleegd. Ze was helemaal niet opgewassen tegen de door-gewinterde Jacqui.

'Ik heb dit al zo vaak verteld. Het punt is dat er in wezen geen seksuele bevrediging plaatsvindt in dit huis.' Ze zette een gerimpelde vinger op de tafel. 'Dat kan ik je verzekeren. Als er seksuele bevrediging plaatsvindt, is dat niet hier. Het gebeurt misschien in New York of Peru of Dunstable voor mijn part, maar ik weet er niets van.'

Zoë keek naar het plafond en stelde zich de wirwar van kamertjes daarboven voor. 'Hoe werkt het?'

'Het zijn chathostesses. Meer niet. Ze zitten voor een webcam en chatten – of wat ze verder ook maar willen doen, als je begrijpt wat ik bedoel. Dat doen ze voor de kritische heer die genoeg heeft van Aziatische meisjes. Een beetje prijzig, maar je krijgt waar je voor betaalt. Twee dollar per minuut. Niet dat ik daar een cent van zie. Want dit is geen bordeel. Mijn enige inkomsten krijg ik van de verhuur van de uitrusting en de bijbehorende bandbreedte. Wat ze ermee doen, is niet mijn zaak.' Ze zette een mok op tafel. 'Alsjeblieft, meid. Drink op. Je ziet eruit alsof je het nodig hebt.'

'Zijn er nu meisjes boven?'

'Maar één. Onze grootste klanten zitten in Zuid-Amerika en Japan.' Ze keek op haar horloge. 'Zuid-Amerika zit nu op kantoor en houdt er niet van om met zijn broek op zijn enkels betrapt te worden door zijn baas. En Japan? Daar worden ze nu net wakker. Die worden de eerste twaalf uur nog niet geil. Dus?' Ze glimlachte vriendelijk tegen Zoë. Er zat een veeg rode lipstick op haar voortanden. 'Welk onderdeel van de wet wil je bespreken? Zie je, ik persoonlijk...' Ze legde de hand met de smeulende sigaret tegen haar borst. '... hou wel van een goede discussie. Ik kan zo meedoen met televisiedebatten. Op een dag vragen ze me ervoor.'

'Inderdaad. Dat zullen ze zeker doen.' Zoë schraapte haar keel en stak voor de honderdste keer haar hand in haar tas. Ze haalde de foto's van Lorne tevoorschijn. 'Jacqui. Kijk, ik hou ook wel van een debat. Maar ik ben hier niet voor het zaakje dat jij hebt opgezet.'

'Het zaakje dat ik heb opgezet? Wees voorzichtig met wat je zegt.'

'De apparatuur die je verhuurt.' Ze wreef over haar voorhoofd. Ze voelde zich warm en plakkerig in dit shirt en de thee was niet te drinken. Ze wilde zo graag naar huis, dit alles vergeten. 'Wat ik echt wil weten, is of dit meisje ooit op je radar is verschenen.'

Ze legde het vel met foto's neer. Jacqui deed een lange haal aan haar sigaret, perste de rook in een dunne, rechte lijn uit haar mond, keek neer op de foto's en nam elk detail in zich op. Ze had dit eerder gedaan, dacht Zoë. Als ze al een tijdje in het vak zat, had ze het waarschijnlijk al talloze malen gedaan, met de politie praten over slachtoffers van verkrachting, mishandeling, huiselijk geweld. Prostitutie, lapdance, paaldansen. Naakt op een bed liggen voor een piepklein videocameraatje en een microfoon. Al die dingen bestonden in een randgebied van de wet, dat grensde aan het gevaarlijke en gewelddadige.

'Nee.' Ze leunde achterover, sloot haar ogen en nam nog een haal. 'Nooit gezien.'

'Oké.' Zoë deed de foto's in haar tas en wilde opstaan. Ze had gedaan wat ze kon.

'Maar...' zei Jacqui. 'Wacht even...'

'Maar?'

'Maar ik weet wie haar leuk zou vinden. Voor zijn video's. Hij heeft de markt voor jong en knap in handen, toch? Hij houdt ervan als ze eruitzien als tieners.'

'Over wie heb je het?'

'Ik weet zijn naam niet. Niet zijn echte naam. London Tarn noemden ze hem altijd. London Tarn.'

Zoë liet zich langzaam weer op haar stoel zakken. 'London Tarn?'

'Het is eigenlijk London Town,' legde Jacqui uit. 'Dat "Tarn" is gewoon het accent. Je weet wel, zoals in *EastEnders*, maar hij...' Ze onderbrak zichzelf en keek Zoë argwanend aan. 'Wat is er? Je ziet eruit alsof iemand het bloed uit je lijf heeft gezogen. Je hebt zeker al van hem gehoord?'

'Nee.' Ze drukte de tas tegen haar borst. Trok haar knieën bij elkaar. 'Nee. Ik heb nog nooit van hem gehoord.'

'Weet je het zeker?'

'Ik weet het zeker.'

'Ik dacht alleen even, toen ik zijn naam zei, keek je alsof...'

'Ik weet het zeker.' Ze begon geïrriteerd met haar voet te tikken. Ze was weer wakker. Klaarwakker. 'Vertel me over hem. London Tarn. Hij maakt video's?'

Jacqui zoog haar longen weer vol rook en bekeek haar eens goed. 'Ja, maar hij moet inmiddels al op leeftijd zijn, een jaar of zestig of zo. Toen hij begon, deed hij alleen in softporno. Hij had ook een club, in Bristol, een van die ouderwetse stripclubs. En toen die club dichtging, ging hij zich alleen nog met video's bezighouden. Hij had geen behoorlijke opnameapparatuur. De enige keer dat ik bij hem thuis ben geweest, zat hij in een flat in Fishponds met één videorecorder hier,' ze stak een hand uit, 'en één daar en wat snoeren ertussen, en zo kopieerde hij ze. Daarna verkocht hij ze op de markt. Je weet wel, de kraampjes bij St. Nicholas.'

'En daarna?'

'Daarna stapte hij over op gonzo.' ·

'Gonzo?'

'Ja. Hij maakte video's van zichzelf. Dat was in de jaren negentig, moet je weten.' Ze tikte as in de asbak en sloeg haar benen over elkaar om er eens lekker voor te gaan zitten. 'Ik kende hem toen niet, het was na mijn tijd, maar ik heb de films gezien. Van hem in zijn blootje met een arme meid die hij had overgehaald van alles te doen. Hij maakte zich nooit druk om belichting of zo, wat ik altijd onprofessioneel heb gevonden. Een beetje slordig, als je wilt weten hoe ik ertegenaan kijk. Maar ze zeggen dat sommige mensen dat juist leuk vinden, je weet wel, van die lui die elk wratje willen zien. Hoe dan ook, ze verkochten goed. En hij ging vervolgens vrij snel met het internet aan de gang. Dat moet ik hem nageven, daar is hij vroeg in gesprongen. En daarna kwam dat bukkake-gedoe.'

'Bukkake?'

Jacqui lachte. 'Weet je niet wat dat is?'

'Nee.'

'Het draait allemaal om het vernederen van de vrouw. Ze zeggen dat het een oude Japanse gewoonte is, wat ze deden met vrouwen die waren betrapt op overspel. De mannen van het dorp namen hen mee en begroeven ze tot aan hun hals. Maar in plaats van ze te stenigen...' Ze brak haar zin af. Glimlachte akelig. 'Nee, jij bent de rechercheur. Zoek het zelf maar uit. Hoe dan ook, daar heeft hij fortuin mee gemaakt. Bukkake, hoe smeriger hoe beter. Ik heb er wat van gezien. Het leek wel een soort snuffmovie, echt akelig. Sinister. Als je ernaar kijkt, denk je gewoon dat het meisje afgeslacht gaat worden. Maar ze gingen als warme broodjes over de toonbank, met stapels tegelijk. Dat geeft je wel een andere kijk op de menselijke aard, nietwaar?'

'Oké,' zei Zoë heel langzaam, 'wat doet hij tegenwoordig? Waar bevindt hij zich?'

'O, hij is groot. Heel groot.' Ze wuifde met haar hand alsof ze het over een ander universum had. 'Privévliegtuig, waarschijnlijk, en bedienden. De hele rimram. Hij heeft het gemaakt, liefje, en je kunt niets tegen hem beginnen.'

'In welk land?'

'Hier. In het Verenigd Koninkrijk.'

In het Verenigd Koninkrijk. Zoë schraapte haar keel. Ze zag ter plekke af van haar vrije week. 'In deze omgeving, bedoel je?'

'Dat geloof ik wel, ja. En geloof me, als hij een meisje zoals dat in het oog kreeg, verschenen er meteen dollartekens in. Hoezo? Wat is er met haar gebeurd? Is haar iets overkomen?'

'Je weet niet zijn echte naam? Van London Tarn?'

Jacqui stootte een zacht, keelachtig lachje uit. 'Nee. Als ik zijn echte naam kende, ging ik achter hem aan. Voor dat tientje dat hij in de jaren negentig van me geleend heeft.' Ze tikte nog een askegel van haar sigaret. 'Ik bedoel maar, vijftien jaar. Met de rente die hij me verschuldigd is, zou ik de hele wereld over kunnen vliegen. Dan zou ik mijn klanten in Zuid-Amerika gedag kunnen gaan zeggen.'

38

De zon had de noordelijke hellingen al verlaten. De tuin van Peppercorn Cottage zou in het donker liggen. Maar de velden rond Lightpil House lagen naar de zon toe gekeerd en kregen meer daglicht. Twee of drie minuten extra. De zon smolt over de heuvel, spreidde zich uit over het land en toen was hij weg, met achterlating van een paar plukjes grijze wolk in de amberkleurige hemel.

Sally kon David Goldrabs lichaam niet verslepen, dus had ze de auto achteruit in de toegang naar het parkeerterrein gezet, zodat niemand het kon zien. Niet dat hier ooit iemand kwam. Toen pakte ze een trui uit de Ka, trok hem aan en ging met opgetrokken knieën op de motorkap zitten. Ze vroeg zich af wat ze in godsnaam moest doen. De spieren in Davids gezicht waren verstrakt, waardoor zijn ogen steeds wijder open waren gegaan, alsof hij zich verbaasde over een rotsblok dat een eindje van zijn gezicht lag. Het was koud. Ze kon alles in de omgeving horen, alsof haar oren op steeltjes stonden – de heggen, de velden, het vage geruis van het briesje in het gras, het droge geritsel van een vogel tussen de takken.

Na een tijdje zag ze dat het bloed op haar handen was opgedroogd. Ze deed haar best er iets af te krabben. Ze veegde de telefoon ook schoon aan de mouwen van haar trui en toetste het nummer van Isabelle in. 'Met mij.'

'Hoi.' Een korte stilte. 'Sally? Is alles goed met je?'

'Ja. Ik bedoel, ik...' Ze duwde met haar vingers haar lippen even tegen elkaar. 'Prima.'

'Zo klink je niet.'

'Ik ben een beetje... Issie, heb je Millie van school gehaald, zoals je had beloofd?'

'Ja, met haar is alles goed.'

'Ze zijn niet uitgegaan?'

'Nee, ze zitten allemaal tv te kijken. Hoezo?'

'Kan ze vannacht bij jou blijven?'

'Natuurlijk. Sally? Kan ik iets doen? Je klinkt verschrikkelijk.'

'Nee, alles is oké. Ik kom haar morgenochtend wel halen. En...
Issie?'

'Ja?'

'Dank je, Issie. Voor alles wat je doet. Voor alles wat je bent.'

'Sally? Weet je zeker dat alles goed met je is?'

'Prima. Echt. Helemaal goed.'

Ze hing op. Haar handen trilden zo erg dat ze de telefoon op
de motorkap moest leggen om het volgende nummer in te toetsen.
Steve nam na drie keer rinkelen op en ze pakte het toestel snel
weer vast.

'Met mij.'

'Ja, dat weet ik.'

'Er is iets gebeurd. We moeten praten. Je moet naar me toe komen.'

'Oké...' zei hij behoedzaam. 'Waar ben je?'

'Nee. Ik kan niet... Ik bedoel, ik geloof niet dat ik dat over de
telefoon moet zeggen.'

Er viel een stilte terwijl Steve daar blijkbaar over nadacht. Toen
zei hij: 'Oké, doe dat dan niet. Denk goed na over elk woord. Ben
je in de buurt van je huis?'

'Verder weg.'

'Verder naar het zuiden? Verder naar het noorden?'

'Het noorden. Maar niet heel ver.'

'Dan ben je...' Zijn stem stierf weg. 'O,' zei hij dof. 'Je bedoelt
bij het huis van iemand over wie we het onlangs nog gehad hebben?'

'Ja. Er is een parkeerterrein. Ga naar rechts als je bij het huis
komt. Ga niet langs de voorkant, daar hangen camera's. Steve, kun
je... kun je een beetje opschieten?'

Ze hing op. Een geluid, heel ver in de avondlucht, van een ac-
celererende auto op de weg naar de renbaan. Toen schenen er koplampen tussen de bomen door. Ze boog angstig haar hoofd, ook
al zou het licht helemaal niet in de buurt van Lightpil komen. Er
werd geschakeld en de auto reed verder de heuvel op. Maar ze
drukte haar voorhoofd tegen de koude voorruit en probeerde te

verdwijnen, probeerde iets vredigs in haar hoofd te krijgen. Het gezicht van Millie, misschien.

Het lukte niet. Het enige wat haar voor de geest kwam, was een fel, zigzaggend licht, als het beeld van vuurwerk dat op je netvlies blijft hangen.

Een minuut of tien later zette een andere auto op de hoofdweg zijn linker richtingaanwijzer uit en nam de krappe bocht. Hij klom langzaam omhoog over de weg die rond Hanging Hill kronkelde. Ze zag de zwaaiende koplampen, liet zich van de motorkap glijden en ging ineengedoken achter de bosjes aan de rand van het parkeerterrein staan toen de lampen dichterbij kwamen. Ze draaiden het pad over, de banden ratelden over het veerooster en de auto kwam tot stilstand. Het was Steve.

Hij stapte uit, bleef even met de donker wordende hemel achter zich staan om een trui aan te trekken en keek om zich heen. Ze kwam uit de bosjes en bleef daar staan, haar trui dicht om zich heen getrokken om het bloed op haar kleren te bedekken.

'Wat is er?' fluisterde hij. 'Wat is er gebeurd?'

Ze gaf geen antwoord. Met gebogen hoofd en haar handen in haar oksels liep ze om haar auto heen en ging hem voor het parkeerterrein op. Hij volgde zonder nog iets te zeggen, krakend door het grind. Bij de achterkant van de Ford bleef Sally staan. Steve kwam naast haar staan en ze stonden een hele tijd zwijgend op het lichaam van David Goldrab neer te kijken. Zijn hardloopshirt was omhooggeschoven, zodat zijn gezette, gebruinde bovenlijf te zien was. Zijn haar zat vol bloed. Zijn gezicht leek versteend en zijn lippen waren weggetrokken van zijn tandvlees. Ze besefte dat ze hem nog steeds kon ruiken. Iets van zijn geur was in de grijze lucht blijven hangen.

Steve ging op zijn hurken naast het lichaam zitten. Hij zette zijn verbonden hand voorzichtig in het grind, leunde voorover en tuurde naar Davids gezicht. Toen ging hij op zijn hielen zitten en veegde zijn handen af. 'Jezus. Jezus.'

'We kregen ruzie. Hij volgde me naar de auto en gaf me een klap op mijn achterhoofd. Hij hield me in de kofferbak. Daar lag jouw spijkerpistool en ik moest...' Ze streek met haar handen langs haar gezicht, over de zere plek die ze had opgelopen toen hij haar tegen het kofferbakdeksel had geduwd. 'Mijn god, mijn god, Steve. Het was zo snel voorbij. Dit was niet mijn bedoeling.'

Steve ademde diep uit. Hij kwam naar haar toe en sloeg zijn armen om haar heen. Ze voelde zijn hart tekeergaan tegen het hare. Hoorde het afschuwelijke gekraak van Davids opgedroogde bloed op haar kleren.

'Het is gewoon gebeurd,' zei ze. 'Zomaar.'

'Het komt wel goed.'

'Niemand zal geloven dat het een ongeluk was.'

Toen huilde ze, met lange, snikkende uithalen. Steve zei niets. Hij hield alleen zijn handen op haar rug en wreef er troostend over. Toen ze eindelijk was uitgehuild, liet hij haar los en liep naar de ingang van het parkeerterrein. Daar bleef hij met zijn handen in zijn zakken naar het landschap staan kijken. Ze wist wat hij zag; de hele vallei die voor hem lag. De eerste wijken van de stad aan de horizon. Het land van haar kindertijd. De plekken waar ze gedroomd had, de plekken waar ze gehuild had en de plekken waar haar hoop en angst lagen. Al die dalen en beekjes en open plekken, al die plekken waar zij eens was geweest zonder ooit de toekomst te zien die achter de bomen voor haar op de loer lag.

Na een hele tijd draaide hij zich om en kwam de helling weer af. 'Wat heb je allemaal in de auto? Heb je je schoonmaakspullen bij je?'

'Ja.'

'Rubber handschoenen?'

'Ja.' Ze maakte de kofferbak open, zocht tussen haar schoonmaakspullen en stak hem een paar toe, nog in de verpakking. Steve nam ze aan. Zijn gezicht was bleek en beheerst. Hij scheurde het pak met zijn tanden open en begon de handschoenen aan te trekken.

'Steve? Wat doe je?'

'Ik heb om negen uur morgenochtend een vergadering. Dat betekent dat we dertien uur de tijd hebben.'

39

Steves plan was de best mogelijke oplossing, zei hij. Maar als ze het wilden uitvoeren, moesten ze snel zijn en ze hadden om te beginnen plastic nodig. Sally wist dat David een heleboel spullen in de garage bewaarde, maar die was aan de kant van het huis waar de camera hing, en ze was bang dat ze gefilmd zouden worden. Ze wilde op het beeldscherm binnen kijken wat daar allemaal op te zien was, dus gingen zij en Steve terug naar het huis. Zelfs overdag had David de gewoonte om lampen en tv's aan te laten, en nu het donker werd, leek het huis verlicht als een kerstboom. De halogeenlampen in het glazen atrium stonden voluit en wierpen de schaduwen van enorme potplanten in de tuin. De deur van de wasruimte stond open en binnen schalde een tv.

Steve wachtte op het terras en hield de weg in het oog terwijl zij in haar eentje naar binnen sloop. Het leek daar zo warm, zo benauwd, alsof de verwarming hoog was gezet. De lucht was roerloos als in het graf en zelfs in de bekende kamers en gangen schrok ze van elke schaduw, alsof Davids geest op de loer lag om haar te bespringen. Ze vroeg zich af of het altijd zo zou blijven, of ze gek zou worden van de schuldgevoelens. Dat hoorde je wel eens, dat mensen hun hele leven werden achtervolgd door de geest van de persoon die gestorven was.

Toen ze op het beeldscherm in het kantoor keek, zag ze dat een groot deel van de oprit buiten het zicht van de camera bleef en dat er ruimte genoeg was om de garage in te komen zonder gezien te worden, dus pakte ze een sleutelbos van een haakje in de keuken, waar David hem altijd bewaarde, en liep met Steve langs de zijkant van het huis.

'Tering!' mompelde hij toen ze op de afstandsbediening drukte, de deur openging en er een enorme, glanzende auto achter bleek te staan. 'Een Bentley maar liefst.'

'Zijn die zo goed?'

Hij glimlachte wrang. 'Kom op.'

Achter een rij blikken met motorolie vonden ze een rol plastic en wat oude ballastzakken, een rol tape en een stanleymes. Ze namen alles mee naar het parkeerterrein en spreidden het plastic naast het lijk uit op de grond.

'Pak zijn voeten.'

'O, god.' Ze stond op een meter afstand naar het lichaam te kijken. Haar tanden klapperden. 'Ik weet niet of ik dit wel kan.'

'Sally,' zei Steve vastberaden. 'Je kunt het. Ik weet dat je het kunt. Ik heb je gisteren met die zaag bezig gezien. Dit kun je ook.'

'Dus we gaan het echt doen? We gaan dit echt niet melden en gewoon het geld innen?'

Hij trok een wenkbrauw op. 'Zeg jij het maar. Je had de politie moeten bellen, maar dat heb je niet gedaan.'

Ze sloot haar ogen en legde haar vingers tegen haar slapen. Hij had natuurlijk gelijk. Ze had allang de politie kunnen bellen. Had ze toen onbewust al besloten dat ze het zo gingen doen?

'Maar...' Ze deed haar ogen open. 'Doen we er goed aan? Steve? Wat vind jij?'

'Wat is goed? Is het legaal? Nee. Maar is het het beste? Je krijgt dertigduizend pond voor het doden van die ouwe perverse kerel. Is dat het beste? Zeg jij het maar.'

Sally gaf geen antwoord. Ze bleef naar Davids gezicht kijken, dat nu bleek en stijf was. Er was iets veranderd aan zijn ogen. Ze glansden niet langer, zoals normale ogen. Ze waren troebel en vlakker, dacht ze, alsof ze wegzakten in zijn schedel. Eerder had ze een vlieg gezien die op het rechteroog wilde gaan zitten. Er kwam een beeld bij haar op. Een blauwe plek. Hij zat op het bovenbeen van het meisje dat op de vloer van de stal had gelegen. Een enkele blauwe plek, maar het was alsof ze een stomp in haar maag kreeg.

'Oké.' Ze kwam naar voren en rolde haar mouwen op. 'Wat moet ik doen?'

David was zwaar, maar hij werd nog niet zo stijf als ze gedacht had. Steve zei dat daar nog niet genoeg tijd voor was verstreken. Het lichaam bewoog alle kanten uit toen ze het probeerden te verplaatsen en zijn armen schoten heen en weer, maar uiteindelijk kregen ze hem op het stuk plastic. Ze vouwden het als een cocon om hem heen en tilden hem in de kofferbak van Steves Audi. Daarna zocht Steve in het schuurtje bij het zwembad twee emmers en de volgende twintig minuten liepen ze heen en weer van de buitenkraan naar waar het lichaam had gelegen en goten ze de ene emmer water na de andere over de grond, tot al het bloed en het haar en de urine waren weggespoeld.

Steve stapte in de Audi en stak de sleutel in het contact. 'Is er een achterafweggetje naar jouw huis? Zodat we niet over de hoofdwegen hoeven?'

'Ja. Rij maar achter mij aan.'

Ze stapte in de Ka en reed achteruit het pad naar de weg op. De koplampen van de Audi volgden haar. Het was nu pikkedonker op het platteland, want de maan ging schuil achter een lage wolk. Ze nam de smalle weggetjes die zigzaggend over het land liepen en ze kwamen bij Peppercorn Cottage zonder een andere auto te zien. Het licht bij de voordeur was aan – het zag er zo verwelkomend uit dat ze zichzelf eraan moest herinneren dat er niets warms op het fornuis stond en er geen kaarsen voor de ramen of vuren in de open haarden brandden. Dat zij en Steve niet gezellig samen gingen eten en de rest van de avond tv gingen kijken of gingen zitten praten met een glas wijn erbij. Ze zette de auto op de oprit, stapte uit en duwde de deuren van de enorme garage open, zodat Steve de Audi binnen kon zetten. Hij zette de motor af, stapte uit en trok zijn handschoenen uit.

'Ik heb deze garage nooit echt gezien.'

'Omdat ik hem nooit gebruik.' Ze deed het licht aan, een kale gloeilamp tussen de dakbalken, die alleen de spinnenwebben en versteende zwaluwnesten verlichtte. Er stond wat roestig gereedschap dat de vorige eigenaar had achtergelaten. Steve liep langs de rekken en bekeek alles. Hij bleef staan bij een kettingzaag, haalde hem van de haak en bestudeerde hem.

'Steve?'

Hij keek naar haar om. 'Haal iets te drinken voor ons.'

'Wat wil je hebben?'

'Iets sterks. Whisky. Geen cognac.'

In het huisje rook het naar kaarsenwas en de blauwe hyacinten die Millie in een pot had gezet. Ze stonden kwijnend op een van de vensterbanken. Sally bleef even met haar hoofd tegen het koele pleisterwerk van de muur naar de bloemen staan kijken. Na een tijdje deed ze haar schoenen uit, zette ze in de gang op een plastic zak, rolde haar jas op en duwde die in een vuilniszak. Ze liep op haar sokken met de zak naar haar slaapkamer, trok alles uit op haar ondergoed na en deed de bloeddoordrenkte kleren ook in de vuilniszak. Toen pakte ze een t-shirt en een skibroek die ze had gekocht voor een van Julians zakenreisjes naar Oostenrijk, trok ze aan, duwde haar voeten in een paar sportschoenen en deed haar haar in een paardenstaart terwijl ze de gang weer door liep. Ze haalde handdoeken uit de linnenkast en een stapel theedoeken uit het kastje onder het aanrecht. De whisky stond achter in de kast, achter Millies schoolboeken. Sally had de fles sinds hun verhuizing niet meer aangeraakt; ze had de whisky eigenlijk alleen voor bezoek in huis. Ze legde de fles op de handdoeken, deed er twee glazen en een plastic fles met mineraalwater bij en nam alles mee naar buiten.

De maan was achter de wolk vandaan gekomen en toen ze over het grasveld liep, werd ze geraakt door de ijskoude schoonheid van de tuin. Die had voor haar altijd warmte en gezondheid uitgestraald, zelfs midden in de winter, maar nu leek ze de zilverige weerspiegeling van iets ouds en ziekelijks. Ze bleef even staan en draaide haar gezicht naar het westen, met het gevoel dat ze iets zou opmerken dat naar haar keek. De velden aan de andere kant van de heg, die altijd zo vriendelijk hadden geleken, waren vanavond vol schaduwen die ze niet herkende.

Steve stond in de garage bij de open kofferbak. In het elektrische licht leek zijn gezicht geel en hol. Ze legde de handdoeken neer en schonk twee glazen whisky in – niet te vol – waarvan ze er een aan hem gaf. Ze stonden tegenover elkaar met geheven glas, alsof ze op iets wilden proosten, en dronken het leeg. Ze trok een gezicht bij de smaak en nam haastig een slokje water.

'We moeten hem buiten leggen. Op het gras.'

Sally liet de waterfles zakken. 'Waarom?'

'Help me nou maar. Pak het plastic.'

Ze zetten de fles en de lege glazen in de vensterbank en trokken hun rubber handschoenen aan. Samen gingen ze naar de kofferbak, pakten elk een eind van de plastic cocon en trokken eraan. Davids lichaam rolde naar voren met één hand omhoog, bijna alsof hij wist dat hij op de grond ging vallen. Steve ving het gewicht op, vertrok pijnlijk zijn gezicht toen het op zijn gewonde hand terechtkwam, en samen lieten ze het lichaam zakken. Davids gezicht was zichtbaar door het plastic, alsof hij het tegen een raam drukte.

'Jezus.' Steve veegde met de rug van zijn hand langs zijn voorhoofd. Hij zag eruit alsof hij misselijk was. 'Jezus.'

Sally staarde hem aan. Hij kon zich niet gewonnen geven. Niet nu, na wat ze al gedaan hadden. Er was geen weg terug.

'Steve?'

'Ja.' Hij veegde nogmaals langs zijn voorhoofd. Schudde zich even. 'Oké,' zei hij opeens scherp. 'Rol jouw uiteinde op.'

'Goed. Ja. Natuurlijk.'

Ze knoopten de uiteinden van het plastic dicht en sjouwden het lichaam tussen hen in van de garage naar de oprit. Ze liepen zijdelings de twee stenen treden naar het grasveld af, worstelend met het gewicht.

'Hier,' zei Steve, en ze lieten de bundel midden op het veld vallen.

Hij kwam overeind en keek om zich heen. Zover het oog kon zien, was er geen lichtpuntje te bespeuren, alleen de eerste sterren die in de hemel prikten. Hij voelde in zijn zak, haalde zijn telefoon voor de dag en zette hem met zijn duim aan. Hij liep om het lichaam heen en maakte met één hand foto's, waarbij hij ervoor zorgde dat hij het gezicht uit elke mogelijke hoek nam.

'Wat doe je?'

Hij glimlachte grimmig. 'Ik heb geen idee. Ik doe gewoon alsof ik meespeel in een film. Alsof ik De Niro ben. Of Scorsese. Ik doe wat hun huurmoordenaars zouden doen.'

'O.' Ze wreef over haar armen. 'God.'

Hij bukte en inspecteerde voorzichtig Davids rechterhand.

'Wat is er?'

'Zijn zegelring. Met vier diamanten en een smaragd. Daaraan kan hij geïdentificeerd worden.' Hij nam een paar foto's van de ring, trok hem van de vinger en liet hem in zijn zak glijden. Toen deed hij de camera weer weg en schuifelde een eindje naar boven. Hij haakte zijn wijsvinger achter Davids voortanden en duwde met de andere hand voorzichtig de onderkaak omlaag. Hij trok het gezicht opzij. Het lijk slaakte een diepe, zachte zucht.

Sally deinsde achteruit tot tegen de auto. Davids hoofd viel tegen de grond, met starende ogen.

'Het is oké,' fluisterde Steve. 'Echt, het is oké. Alleen lucht die uit zijn longen komt.'

Sally liet zich trillend op haar hurken zakken. Steve likte langs zijn lippen en ging verder met zijn inspectie van Davids mond. Hij trok de kin naar beneden, tuurde naar binnen en gromde goedkeurend.

'Zo is het wel goed.'

Hij zette zijn elleboog op het gras en ging bijna met zijn volle lengte naast David liggen, met zijn gezicht naar hem toe, alsof ze een lang en diepzinnig gesprek gingen voeren. Met zijn vrije hand haalde hij de telefoon weer tevoorschijn en besteedde bijna vijf minuten aan het fotograferen van het gezicht en de tanden. Toen hij klaar was, kwam hij overeind en keek naar Sally.

'Wat?' siste ze. 'Wat nu? Wat doen we nu?'

'Ik heb je al gezegd, ik heb dit ook nog nooit gedaan.'

Hij ging de garage weer in en haalde nog meer dingen van de planken. Ze zag hem in het schaarse licht benzine uit een plastic jerrycan in een stuk gereedschap gieten. De kettingzaag. Hij bracht hem mee naar buiten en ging voor het lijk staan.

'Nee,' fluisterde ze. 'Nee. Dat kunnen we niet doen.'

'We hebben geen keus. Nu niet meer.'

Ze sloot haar ogen en zoog haar longen vol. Iets probeerde door haar borstkas naar buiten te beuken. Diep ademend telde ze tot twintig, tot het statische geruis in haar hoofd minder werd en dat ding in haar borst ophield met bewegen.

Ze deed haar ogen weer open en zag dat Steve haar afwachtend stond aan te kijken.

'Oké,' mompelde ze. 'Oké. Waar beginnen we?'

'Met zijn gezicht,' zei hij strak. 'Dat is het moeilijkste deel. We beginnen met zijn gezicht.'

40

De whisky raakte snel uitgewerkt. Ze hielden het vol door een wekker op vijftien minuten te zetten. Ze dwongen zichzelf zo lang door te werken, maar zodra de wekker afging, rukten ze hun handschoenen af, lieten ze op het plastic naast de overblijfselen van David Goldrab vallen en gingen de garage weer in, waar ze met hun rug naar de troep in de tuin nog een whisky dronken en die wegspoelden met water. Ze zeiden niets en dronken in stilte, terwijl ze elkaar bleven aankijken alsof ze dringend een ander levend menselijk wezen moesten zien. Vlees en bloed met warmte en leven erin.

'We kunnen niet blijven drinken,' zei Steve. 'We moeten nog rijden.'

Sally liet haar blik afdwalen naar het stuk plastic en de glibberige paarse hompen die glansden in het maanlicht. Steve bleef maar zeggen dat hij goede redenen had om te weten hoe de politie te werk ging en dat ze niets kon beginnen als er geen lijk en geen motief waren. Hij zei dat menselijke resten gemakkelijker te verbergen waren dan je zou denken, dat de meeste misdadigers gewoon niet de tijd, de middelen en het lef hadden om hun slachtoffers behoorlijk weg te werken. Dat het niet moeilijk was zolang je de moed had om te zorgen dat niemand door zou hebben dat het de overblijfselen van een mens waren. Dan kon je ze vlak voor de ogen van de politie verbergen zonder dat die ze ooit zou zien. Sally dacht dat hij alleen deed alsof hij wist wat hij deed om haar gerust te stellen, maar ze zei niets. 'Van nu af zal het gemakkelijker zijn,' zei hij. 'Het ergste is voorbij. We kunnen ophouden met de whisky. En we zouden moeten proberen iets te eten.'

Ze schudde haar hoofd. 'Ik zal nooit meer kunnen eten.'

'Ik ook niet. Ik zeg alleen dat we het zouden moeten doen.'

Ze gingen weer naar buiten en maakten acht hopen van de stukken. Steve had een tang waarmee hij een paar tanden uit Davids gebroken onderkaak wrikte. Er was geen bankschroef in de garage, dus hij moest de kaak tussen zijn knieën klemmen om er voldoende grip op te hebben. Sally nam foto's met zijn camera. Ze hoorde het weefsel scheuren toen de tanden loskwamen uit de kaak en wist dat ze dat geluid nooit meer zou vergeten. Hij zette een spiraalvormig opzetstuk op de elektrische boor, dat bedoeld was voor het mengen van verf, en samen deden ze stukken bot en vlees in een emmer. Om de boor plakten ze nog meer plastic om te voorkomen dat de inhoud uit de emmer spatte en toen zette Steve de boor aan en ramde hem steeds weer omlaag om de stukken te verpulveren.

Tegen één uur in de ochtend baadde hij in het zweet, maar stonden er tien Lidl-tassen op het gras, gevuld met een onherkenbare rode pasta. Sally zei dat ze een gebed of zoiets zouden moeten zeggen. Of een gebaar moesten maken ter ere van de dode.

'Denk je dat er boven iemand is die zo'n gebed zou horen?'

'Ik weet het niet.' Ze stond op de oprit als gehypnotiseerd naar de tassen te staren. 'Misschien maakt het niet uit wat wij geloven, misschien is alleen belangrijk of hij geloofde. David.'

Steve schudde zijn hoofd. 'Neem me niet kwalijk, Sally, maar we hebben gewoon geen tijd voor moralistische overwegingen. Als daarboven een God bestaat, verspil zijn tijd dan niet door te bidden voor David Goldrabs ziel. Bid gewoon, zo hard je kunt.'

'Waarvoor?'

'Voor ons.'

41

De wolken dreven weg en de maan stond laag en fel boven het platteland van Somerset. Sally zette de pannen waarin ze jam maakte op het gras, vulde ze met een middel tegen kalkaanslag en maakte alles schoon wat ze gebruikt hadden: de boor, de kettingzaag, het stuk plastic, de plastic zakken. Toen sneed ze al het plastic in vierkantjes van postzegelformaat en deed ze in een afvalzak. Intussen legde Steve alle kleren die ze hadden gedragen samen met de schoenen en de handdoeken in een perk aan de westkant van het huis, goot er petroleum overheen en stak de brand erin. Toen het vuur was gedoofd en ze de as door de aarde hadden gewerkt, legden ze nog meer plastic in de kofferbak van de Audi en zetten daar de plastic tassen op. Een elfde tas met haar en grotere stukken bot die ze niet met de mixer hadden kunnen verpulveren ging in de ruimte onder de achterbank. De overblijfselen vulden de auto met een smerige geur van ingewanden en uitwerpselen. Sally en Steve hielden hun jas aan en zetten de verwarming hoog en de raampjes wijd open.

Steve was afkomstig van het platteland bij Taunton. Hij wandelde veel en bezat elke Ordnance Survey-kaart van de Britse Eilanden, die netjes op nummer op zijn boekenplanken stonden. Hij kende de grensgebieden tussen Somerset, Gloucestershire en Wiltshire beter dan Sally en hij had al een route in zijn hoofd. Die liep langs rivieren en kanalen en door bossen waar 's nachts dassen foerageerden. Hij deed de monding van de Severn aan – Steve waadde een heel eind door de modder in de enorme grijze schaduw van de afgedankte kerncentrale bij Berkeley. Ze stopten aan de rand van dorpen en lieten hoeveelheden pasta door de putdeksels in de riolering lopen, ze sjokten over velden in de Mendips om de inhoud van de laatste zak door de roosters te persen die in onbruik geraakte Romeinse mijnschachten afdekten. Steve stond in het stille donker met zijn oor bij het rooster en probeerde het zachte, natte geluid te horen waarmee het weefsel de zijkanten van de schacht raakte.

Van tijd tot tijd keek Sally naar zijn gezicht terwijl hij reed, verlicht door de gloed van het dashboard. Ze zag hoe zijn ogen op de weg gericht waren en er kwam een vreemde gedachte bij haar op; dat ze voor het eerst in haar leven samen met iemand iets gedaan had. Een lelijk, pervers, onvoorstelbaar iets, maar het was gedaan door gelijken. Hoe idioot die gedachte ook was, ze kwam tot de conclusie dat ze nog nooit zo nauw met iemand verbonden was geweest.

Hij draaide zijn hoofd en zag haar naar hem kijken. Hij keek haar recht in de ogen, heel even maar, en in die seconde gebeurde er iets tussen hen. Iets wat haar een vreemd gevoel in haar maag gaf, alsof daar een vreemde kracht opstond. Het was als de opwinding aan het begin van een vakantie, het verlangen om te schreeuwen en te dansen. Ze deed het raampje open, gooide een handvol stukjes plastic in de wind en keek ernaar in de zijspiegel. Het was net confetti in de rode gloed van de achterlichten. Zo mooi dat het iets feestelijks had. Gek, dacht ze, dat alles in het leven zo bedrieglijk was.

Deel twee

I

'Ik heb iets voor je.'

'Dat zal tijd worden.'

'Dit soort dingen kost nou eenmaal tijd. Zo werkt dat gewoon.'

De man aan de andere kant van de lijn, iemand van de soca, de Serious Organized Crime Agency, werd Zoë en haar gezeur om een antwoord een beetje zat. Het was maandag en de laatste vier dagen had ze minstens twee keer per dag gebeld om te vragen of haar verzoek om informatie over een pornograaf uit Londen met de bijnaam London Tarn al iets had opgeleverd.

'Tijd, ja, maar binnen het komende jaar is toch niet te veel gevraagd?'

'Je hoeft niet sarcastisch te worden.'

'Nou, als jullie niet zo vervloekte traag waren, zou dat inderdaad niet nodig zijn,' had ze het liefst willen zeggen, maar ze perste haar lippen op elkaar, tikte met haar vingers op het bureau en hield zich in. London Tarn was de manager geweest van de club in Bristol waar ze gewerkt had, de enige uit die tijd die haar echte naam had geweten. Ze had niet gedacht ooit nog iets van hem te horen, ze dacht dat hij naar het buitenland was vertrokken, maar nee. Blijkbaar had ze jaren op een tijdbom gezeten, want hij had al die tijd in het Verenigd Koninkrijk gewoond en nog wel ergens in deze streek. Als hij ooit ergens voor werd opgepakt en de naam Zoë Benedict hoorde met de titel 'inspecteur' ervoor, waren de rapen gaar. Zo ging dat met het verleden. Pas als het te laat was, merkte je hoeveel macht het had.

Ze draaide ongeduldig heen en weer op haar stoel. Eindelijk had ze weer energie. Deze zoektocht zou haar helpen niet aan Ben te denken. 'Oké,' zei ze. 'Dat is ook wel zo. Bedankt voor wat je gedaan hebt. Hoe krijg ik de informatie?'

'Per e-mail. Het zou nu in je inbox moeten zitten. Tenzij je webmaster een mierenneuker is.'

Ze tikte haar wachtwoord in en keek in haar inbox. Daar had je hem, een e-mail met een heleboel bijlagen. 'Ja, ik heb hem.'

'Er ontbreken wat stukken. Van mensen met een strafblad hebben we natuurlijk foto's, maar sommigen zijn nooit veroordeeld en we zijn bezig informatie over ze te vergaren, dus bij die lui kunnen de foto's ontbreken. Wil je dat ik met je doorneem wat we wel hebben?'

'Graag. Ik bedoel...' Ze begon met haar tong tussen haar tanden de lijst met bijlagen door te kijken. De SOCA verkreeg zijn gegevens van een hele serie eenheden: de oude prostitutieteams, afdelingen Zware Misdrijven in het hele land, de douane, het Trading Standards Institute en zelfs het ministerie van Sociale Zaken. Soms stuurden ze dossiers mee die eruitzagen als MS DOS-uitdraaien van oude computers. Ze zag een bijlage die er veelbelovend uitzag en klikte erop. Er verscheen een lijst namen op het scherm. 'Het lijken er wel verdomde veel. Zijn er echt zoveel pornografen in dit land?'

'Ik heb een zo goed mogelijke selectie voor je gemaakt. De naam London Town ben ik nergens tegengekomen.'

'Nee, dat was waarschijnlijk maar een bijnaam die hij hier heeft opgepikt.'

'Maar je wilde dat ik naar mensen uit Londen keek, toch?'

'En die in de jaren negentig naar het westen zijn gekomen.'

'Nou, zoals je kunt zien, waren dat er een heleboel. Er zijn er nog een paar waarvan ik dacht dat je er ook even naar moest kijken. Ene Franc Kaminski, bijvoorbeeld. Hij heeft een fortuin verdiend aan een online pornosite die Myrichdaddy heet. De politie zit al jaren achter hem aan – de website is gelinkt aan een nieuwsgroep die in wezen een site voor kinderporno is.'

'Franc Kaminski? Een Pool?'

'Misschien zijn ouders. Hij komt zelf uit Londen.'

'Kaminski?' Ze tikte peinzend met haar pen tegen haar tanden. 'Ik weet het niet. Wanneer is hij naar het westen gekomen?'

'In 1998.'

'Nee. Dan is het hem niet. De man die ik moet hebben, is in 1993 gearriveerd. En kinderporno klinkt ook niet goed.'

'Oké, schrap hem dan maar, en ook de volgende twee. Die houden zich beslist bezig met kinderporno. Kijk eens naar Mike Beckton. Hij was er ergens aan het begin van de jaren tachtig, maar het is moeilijk te bepalen wanneer precies. Op het moment zit hij in de bak. Er staat een foto bij.'

'Ja, dat zie ik. Het is hem niet. En die vent onder hem?' Ze keek naar een foto van een man uit het Midden-Oosten. 'Halim en nog wat, ik kan het niet uitspreken, dat is hem ook niet. Blanker als de man die ik zoek kom je ze niet vaak tegen. Hij zou eventueel joods kunnen zijn.'

'Oké, dan kunnen we een aantal van deze kerels afschrijven. Weet je wat, scrol nog even naar beneden. Onderaan staan er nog vier die uit Londen naar Bristol zijn gekomen. Geen foto's, maar ze staan allemaal als blank geregistreerd.'

'Aha. Ik zie ze. Jo Gordon-Catling? Dat klinkt niet juist, maar ik zou hem graag willen zien.'

'Er is net vanmorgen een foto van hem binnengekomen. Ik scan hem zodra we uitgepraat zijn en stuur hem je toe. De laatste drie foto's komen rechtstreeks van jullie eigen opsporingseenheid. De betreffende agent heeft je e-mailadres. Hij zal ze later opsturen.'

Ze legde haar vinger op het scherm en keek naar de laatste namen. 'Mark Rainer?'

'Ja. Ze hebben hem nog niet opgepakt, maar hij wordt gezocht wegens het importeren van porno die in strijd is met de Sexual Offences Act – sm en zo, en die wetten zijn natuurlijk aangescherpt. Richard Rose – dat is een klein boefje en hij is al in geen jaren actief geweest. We denken dat hij het rechte pad op is gegaan, maar het kan de moeite waard zijn even naar hem te kijken. De laatste is de grootste van het stel; hij heeft connecties in het buitenland. Militair. Aan het eind van de jaren negentig gebruikte hij mensen van het Special Boat Squadron om akelig spul het land in te smokkelen. Hij betaalde ze duizend pond per keer om met een sloep naar Poole te komen en maakte gebruik van een kade in een van die havens voor miljonairs op Sandbanks. De afdeling Georganiseerde Misdaad van de Londense politie is zeer in hem geïnteresseerd, om nog maar niet te spreken over de eenheid voor internetcriminaliteit. Zelfs de belastingdienst neemt hem flink onder de loep. Maar die vent is zo glad als een aal. Ze kunnen hem niets maken.'

'Oké. Hoe heet hij?'

'Goldrab.'

'Goldrab?'

'Dat klopt. David Adam Goldrab.'

2

Het was warm in het kantoor. De printer stond nog steeds te zoemen en warme vellen papier te produceren. Zoë staarde naar de namen en probeerde ze te dwingen iets te betekenen, haar iets te zeggen. Marc Rainer, Jo Gordon-Catling, Richard Rose, David Goldrab. 'Kom op. London Tarn,' mompelde ze. 'Wie ben je?'

Ze had niets aan de documentatie. Een gezicht, dat moest ze hebben. Maar het zou nog eeuwen duren voor de e-mails van de soca en het opsporingsteam doorkwamen. Ze duwde haar stoel naar achteren, wandelde naar het keukentje aan het eind van de gang en zette water op. Terwijl ze wachtte tot het zou koken, ging ze voor het raam naar het parkeerterrein staan kijken. Er reden politieauto's af en aan en voetgangers kwamen en gingen. Hoe zou het zijn om na al die jaren London Tarn te vinden? Ze wist niet goed wat ze ervan vond.

Ze wilde zich net afwenden toen ze een agent en een tiener in schooluniform over het voorplein zag lopen. Ze drukte haar voorhoofd tegen het raam. Die blonde bos haar kwam haar bekend voor. Het was Peter Cyrus, de vriend van Millie. Ze zette fronsend de waterkoker uit en liep de gang op. Agent Goods kwam uit de recherchekamer, zijn blik op een memo gericht.

'Goodsy?'

Hij keek op. 'Hmmm?'

'Een van de vrienden van Ralph Hernandez is in het gebouw, Peter Cyrus. Enig idee wat er aan de hand is?'

Hij hield zijn hoofd schuin. 'Weet je dat dan niet?'

'Weet ik wat dan niet?'

'Van de bewakingsvideo's?'

'Welke bewakingsvideo's?'

'Ik dacht dat iedereen het wist.'

'Nou, iedereen zal het ook wel weten. Alleen ik niet.' Ze tikte tegen haar voorhoofd. 'Ik heb hier een teken waarop staat: "Belangrijke informatie door te geven? Zorg er alsjeblieft voor dat ik de laatste ben die het weet." Snap je wel?'

Hij haalde verontschuldigend zijn schouders op. 'Ben heeft een team alle pubs laten afgaan. De pubs waar Hernandez iets zou hebben gedronken met zijn vriendjes.'

'Ja,' zei ze op haar hoede.

'Nou, hij was er niet. Geen van hen was er. We hebben de stamgasten en het personeel ondervraagd, we hebben de kassabonnetjes gecontroleerd en de bewakingsbeelden bekeken. Ze hebben allemaal gelogen.'

3

Zoë zag Peter Cyrus nergens, maar Nial Sweetman zat nors en in elkaar gedoken bij de receptie. Ze kreeg hem door de glazen deur in de gaten toen ze de gang door liep en zag aan zijn gezicht dat dit de laatste plek was waar hij wilde zijn. Hij keek op bij het geluid van de opengaande deur en toen hij zag dat zij het was, trok er een flauw straaltje hoop over zijn gezicht. Ze schudde haar hoofd. 'Nee.

Ik ben niet degene die je gaat verhoren. Het spijt me.'

Hij zakte weer in elkaar en ging met zijn ellebogen op zijn knieën naar de vloer zitten staren. Zoë wierp een blik op de baliemedewerker, die al telefonerend naar buiten stond te kijken en niet op hen lette. Ze ging vlak naast Nial staan, met haar armen over elkaar, hield de medewerker vanuit haar ooghoeken in de gaten en sprak de jongen fluisterend toe.

'Ik hoor niet met je te praten. Ik zou er grote problemen mee kunnen krijgen. Ze kunnen je beschuldigen van het belemmeren van de rechtsgang.'

'Dat weet ik,' mompelde hij. 'Dat zei mijn vader ook.'

'Waarom hebben jullie het in godsnaam gedaan?'

Nial haalde zijn schouders op. 'Omdat hij een vriend is? Omdat ik het een goed idee vond. Dat ga ik tegen ze zeggen. Dat het mijn idee was.'

'En, was dat ook zo?'

'Natuurlijk,' zei hij ontwijkend. 'En dat gaat Ralph ook zeggen. En Peter.'

'Je weet dat je tot je nek in de problemen zit.'

'Hij is een vriend,' zei hij fel, 'en vrienden dekken elkaar.'

Zoë schudde haar hoofd. Wanneer zouden de mensen het eens leren? De baliemedewerker stond te gapen en op zijn borst te krabben terwijl hij praatte. 'En, Nial,' fluisterde ze, 'wat ga je zeggen als ze vragen waar je die avond echt was?'

'Dat ik thuis was.'

'Met Ralph?'

'Nou...' Nial verschoof ongemakkelijk.

'Nou?'

Hij wreef over zijn neus en keek naar de open deur en het zonlicht dat naar binnen viel. Zijn blik was hongerig, alsof hij een pact met de duivel ging tekenen en wist dat dit het laatste daglicht was dat hij ooit nog zou zien.

'Nial?'

'Nee,' gaf hij toe. 'Niet met hem. Ik weet niet waar hij was. Maar één ding kan ik u wel zeggen.' Hij keek naar haar op. Er zaten rode vlekken in zijn gezicht. 'Ik weet zeker dat hij niet bezig was Lorne Wood iets aan te doen.'

4

Zoë ging terug naar haar kantoor, met zo hard op elkaar geklemde kaken dat het pijn deed. Ze kreeg het gezicht van Ralph niet uit haar hoofd, en hoe bang hij was geweest voor zijn ouders. En ze kreeg Nial ook niet uit haar hoofd. *Hij was niet bezig Lorne Wood iets aan te doen*. Nial wist wat zij slechts kon aanvoelen: dat Ralph geen moordenaar was.

De deur van de recherchekamer stond open. Het whiteboard was overdekt met krabbels en Ralphs foto hing erop. Ze liep erlangs, ging haar kamer binnen en staarde naar de stapels papier waar heel misschien de naam op zou staan van iemand die heel misschien iets zou weten dat heel misschien zou bewijzen dat ze het allemaal bij het verkeerde eind hadden. Iets wat Ralph vrij zou pleiten. Ze liet zich op haar stoel zakken, overvallen door een gevoel van verslagenheid. Een heleboel misschiens en niets concreets. Ralph had geen enkele kans. Geen enkele kans.

Ergens sloeg een deur. Ze stond niet op, maar trok haar eigen deur met haar teen een stukje open. Ben liep door de gang. Hij had een map onder zijn arm, zijn bril in de andere hand en een gespannen trek op zijn gezicht, alsof deze zaak hem echt te veel werd. Achter hem liep Nial ongemakkelijk te sloffen; hij probeerde nonchalant te doen, maar dat lukte hem zo slecht dat hij alleen maar een heel slinkse indruk maakte. De twee wisselden geen woord met elkaar.

Zoë wilde zich net terugtrekken toen de deur van Bens kamer openging en Debbie naar buiten kwam. Ze droeg een roomkleurige kanten jurk, vrouwelijk en onschuldig, en groene, hooggehakte sandalen aan haar gebruinde voeten. Ze wiegde een beetje met haar heupen, alsof ze genoot van het leven. Haar gezicht vertrok toen ze Nial zag. Ze bleef voor de deur staan, sloeg haar armen over elkaar en fronste tegen hem toen hij langsliep. Als een schooldirectrice die de grootste lastpak in de hele school tegenkwam. Hij keek nors naar haar op en Debbie schudde heel langzaam haar hoofd. Als het gebaar gepaard was gegaan met woorden, zou ze gezegd hebben: *dom, dwaas jongetje*. Toen draaide ze zich abrupt om en liep de andere kant uit alsof niets ter wereld haar meer kon teleurstellen dan Nial.

Voor iemand haar kon zien, schopte Zoë de deur dicht en draaide zich weer om naar de computer. Haar gezicht brandde. Ze rolde haar rechtermouw op en bekeek de huid. Die was overdekt met wondjes en korstjes. Ze vond een stukje dat nog ongerept was. Het zou zo gemakkelijk zijn om haar nagels erin te zetten, zo gemakkelijk. Ze sloot haar ogen. Dat hoef je niet te doen, Zoë. Doe het niet.

De computer piepte ten teken dat er een e-mail was binnengekomen. Ze deed haar ogen open en knipperde naar het scherm. De mail was van een brigadier van het opsporingsteam. Naast de onderwerpregel stond een paperclip. Ze rolde haar mouw naar beneden en klikte op de bijlage. Het was een pdf-bestand met drie foto's erin; van Marc Rainer, Richard Rose en David Goldrab.

Ze klikte eerst op die van Marc Rainer. Hij was gefotografeerd terwijl hij een café in een onopvallend straatje uit kwam, vergezeld van twee zwarte kerels in strakke broeken en met afrokapsels, alsof ze mee wilden spelen in een film over de exploitatie van zwarten. Rainer was een gezette man en droeg een mosterdkleurige coltrui onder een bruinleren jasje. Hij was niet London Tarn. De tweede was een politiefoto. Richard Rose. Een Engelse naam, maar hij kwam ergens uit het oosten, Turkije misschien, of Cyprus. Ze klikte op de derde. En bleef met ingehouden adem in de ogen van een man zitten staren.

London Tarn. Onmiskenbaar, London Tarn. Er waren vele jaren verstreken, maar ze herkende hem meteen.

Zijn naam was David Goldrab.

5

'Heb je ooit van David Goldrab gehoord?' De geüniformeerde inspecteur keek op van de overwerkformulieren die hij aan het tekenen was. Zoë stond met haar armen over elkaar in de deuropening. 'David Goldrab. Hij heeft blijkbaar connecties in jullie werkgebied.'

De inspecteur legde zijn pen neer en keek haar effen aan. 'Ja,' zei hij voorzichtig. 'Hoezo?'

'O, niets. Zijn naam is opgedoken. Ik kijk er even naar.' Ze zweeg. Het gezicht van de inspecteur vertrok ongemakkelijk. 'Wat is er?' vroeg ze. 'Wat heb ik gezegd?'

'Niets. Alleen...' Hij wierp een blik op de telefoon. 'David Goldrab?'

'Dat is hem.'

'Ik heb een uur geleden zijn broer nog aan de telefoon gehad. Lekkere vent is dat. Hij belde uit Londen en noemde me een verdomde kroeskop en nog wat dingen. Hij deed een paar uitspraken over mijn gevoelens voor schapen.'

'Zijn broer?'

'Ja. Er is al bijna vier dagen niets van Goldrab vernomen. Hij woont bij Hanging Hill en normaal gesproken belt hij elke dag met zijn moeder in Londen, 's ochtends en 's avonds. Maar hij neemt de telefoon niet op en nu heeft ze de ene aanval na de andere, de broer is helemaal over de rooie en wij worden blijkbaar geacht elke agent in Avon en Somerset achter die sukkel aan te sturen. Dus hij heeft een strafblad? Dat wist ik niet.'

'Dat heeft hij ook niet,' zei Zoë afwezig. Ze dacht aan Hanging Hill. Ten noorden van de stad. De heuvel lag op het noorden en bood uitzicht op de Caterpillar. Het was een vreemde plek, vochtig en nogal eenzaam. Er was wel een bushalte, aan dezelfde buslijn die langs Beckford's Tower kwam – waar Ralph beweerde met Lorne te hebben afgesproken op de avond van haar dood – en doorliep naar de halte aan het kanaal. 'Of liever, hij zou een strafblad moeten hebben, maar hij is altijd onder de radar gebleven. Slimme man. Heb je al iets in gang gezet?'

'Iemand van Inlichtingen zou naar zijn telefoongegevens kijken, en naar zijn bankrekening, maar hij behoort niet bepaald tot een kwetsbare groep. Een van de wagens gaat langs om even te kijken of alles in orde is.'

'Is die al weg?'

Hij stond op en strekte zijn hals om een blik op het parkeerterrein te werpen. 'Nee. De auto die ze zouden nemen, staat er nog.'

'Oké. Bel maar even. Zeg maar dat ze geen moeite hoeven te doen. Ik moet over een minuut of twintig toch naar Hanging Hill. Ik zal ze het ritje besparen.'

'Je wordt toch niet hulpvaardig, hè?'

'Hulpvaardig? Jezus, nee.' Ze klopte op haar zakken, op zoek naar haar sleutels. 'Zoals ik al zei, ik moet toevallig toch die kant uit.'

6

Het zuidwesten kreeg altijd als eerste te maken met het weer van de Atlantische Oceaan. Het kreeg de eerste wind en de eerste invloed van de Golfstroom. Het had tot taak het weer te temmen voor de rest van het land, om het te filteren voor het doorging naar de machtige steden in het oosten. Maar het westen was eraan gewend geraakt tot het laatst te moeten wachten op de zon. De dageraad talmde boven Rusland en boven het continent, kroop over Frankrijk en de veerboten en kleinere schepen in het Kanaal en trok vervolgens over Londen met zijn glazen torens en stalen gebouwen, die de onderkant van de hemel beroerden. Tegen de tijd dat het daglicht in Bath aankwam, was het het land zat en verlangde het naar het blauw van de Atlantische Oceaan. De avonden in Peppercorn Cottage waren feestelijk, vlammend en lang, maar de ochtenden leken vermoeid, halfslachtig en vlak, alsof het licht alleen maar kwam omdat het geen betere plek had om naartoe te gaan.

Die maandagmorgen was het mistig. Millie was naar school en Sally en Steve zaten te ontbijten aan de keukentafel, bij het raam. Naderhand bleven ze zonder iets te zeggen naar de tuin en de velden zitten staren. Op de tafel tussen hen in stonden een lege cafetière en een onberoerd bord met croissants. Ze hadden geen van beiden veel trek en sinds donderdag waren ze allebei moe, voortdurend moe. Sally had de vrijdag vrij genomen en Steve had zijn reis naar Seattle uitgesteld. Ze leken nergens energie voor te kunnen opbrengen.

Buiten dook een hert op dat onder aan de tuin de heg besnuffelde, zijn silhouet vaag en wazig in de ochtendmist. Sally noch Steve verroerde zich, maar misschien voelde het dier hun aanwezigheid, of misschien kon het David Goldrab ruiken, gereduceerd tot tien dichtgeknoopte, uitpuilende plastic tassen, want het schrok opeens op, keek recht naar het raam en sprong weg.

Sally kwam overeind en liep naar de grote keukenkast. Ze haalde een sleuteltje uit haar zak, maakte een laatje open en haalde er een blik uit, dat ze opendeed en meenam naar de tafel. Er zat een aantal voorwerpen in: wat foto's, de zegelring van David Goldrab met de vier diamanten en de smaragd – een diamant voor elk miljoen dat hij had verdiend, de smaragd voor de eerste vijf miljoen – een sleutelbos met de sleutels van zijn huis, een heleboel elektronische apparaatjes, twee massief gouden dobbelstenen aan een ring en vijf tanden. Steve had de exemplaren gekozen die het opvallendst waren en die zichtbaar geweest waren op de foto's: twee snijtanden, gevuld met wit composiet, en drie kiezen met gouden vullingen. De fijne, scherpe wortels waren dof en bruin van het bloed. 'Ik kan dit niet langer hier bewaren. Je weet het nooit met Millie in huis.'

'Ik vind wel een plek om ze te verstoppen. Een veilige plek.'

'Gaan we... ermee door? Je weet wel, met...' Ze beet op haar tong. Ze had bijna Mooney gezegd. 'Met de mensen in Londen.'

'Ik zie ze morgen. Dan wordt alles geregeld.' Hij keek naar de datum op zijn horloge. 'Ik zou vandaag uit Amerika zijn teruggekomen.'

'Ik weet het.'

'Ik zal toch nog moeten gaan. En snel ook. Ik heb het één keer uitgesteld, maar dat kan ik niet nog eens doen. Ik moet verder met mijn leven. Wij allebei. We moeten doen alsof er niets gebeurd is.'

'Ja.' Sally knikte. 'Dat weet ik ook. Het geeft niet.' Ze schoof haar stoel achteruit, kwam weer overeind en begon haar Home-Maids-schort aan te trekken. Toen David haar in dienst had genomen, had hij het bedrijf gevraagd haar en de Poolse meisjes op andere dagen te sturen. Vandaag was de dag die door de bedrijfsleiding was gekozen. Er was niets in het nieuws gekomen over David Goldrab, dus ze wist dat ze naar Lightpil House moest gaan alsof er niets gebeurd was. Als ze afzei of zich anders dan normaal gedroeg, zou ze zeker de aandacht van de politie trekken. De vage blauwe plek op haar wang, die ze had opgelopen toen David haar tegen het kofferbakdeksel had geduwd, was al verdwenen. Er was geen enkel excuus om niet te gaan. 'Ga jij maar naar Amerika. Ik red me wel.'

'Sally?'

Ze keek op. 'Wat is er?'

'Je weet dat alles goed komt, hè?' Steves gezicht was ouder in het ochtendlicht. De baardstoppels gaven de indruk dat hij vele jaren een hard leven had geleid. 'Toch?'

'Is dat zo?'

'Je hebt het beste gemaakt van een slechte situatie. En er komt geen goddelijke vergelding of zoiets. Je wordt niet gestraft. Geloof je dat?'

Ze sloot haar ogen. Deed ze langzaam weer open. 'Misschien,' zei ze. 'Misschien.'

7

Zodra Zoë het hoogste deel van de weg naar Lightpil House had bereikt, wist ze dat Jacqui gelijk had gehad en dat er op een gegeven moment iets grondig veranderd was voor de jongen uit Londen die in de jaren negentig naar het westen was gekomen. Het huis aan de andere kant van de muur leek nog het meest op een paleis aan de Middellandse Zee met zijn witte muren en zonovergoten terras met balustrade. David Goldrab moest iemand van Bouw- en Woningtoezicht op de mailinglijst voor zijn pornoproducties hebben aangetroffen om toestemming te hebben gekregen voor de bouw van Lightpil House. Het was afschuwelijk. Echt afschuwelijk.

Zo'n twintig meter van het hek remde ze en reed een parkeerhaventje op om zichzelf te bekijken in de spiegel op de zonneklep. Als hij thuis was, zou hij haar na al die jaren zeker niet herkennen. Maar hij zou zich de naam Zoë Benedict kunnen herinneren. In haar zak zat haar eigen identiteitskaart, maar ook nog een tweede met de naam Evie Nichols erop. Ze had hem jaren geleden bij een uitgelaten politiefeest onder een tafel gevonden. Ze had hem natuurlijk netjes terug kunnen geven, maar dat had ze niet gedaan; ze had hem al die jaren bewaard, omdat ze er zeker van was geweest dat hij op een dag van pas zou komen. Maar ze hield zichzelf voor dat ze hem vast en zeker niet nodig zou hebben. Als de telefoon niet werd opgenomen, was Goldrab waarschijnlijk niet thuis. Toch trilde ze toen ze de Mondeo voor het hek zette, zich naar buiten boog en op de zoemer drukte.

Er kwam geen enkele reactie. Ze wachtte twee minuten en belde nog eens. Toen er nog steeds niemand reageerde, parkeerde ze de auto in de berm en liep om het terrein heen tot ze een gat in een heg zag. Ze wrong zich erdoorheen en kwam in de tuin uit, waar ze op het grasveld haar kleren afklopte en opkeek naar het huis met zijn enorme ramen en glazen atrium. Lorne, dacht ze, heb jij ooit in deze tuin gestaan? Of op die patio? Of achter een van die ramen? Zou het niet vreemd zijn als jouw leven naast al het andere ook dit gemeen had met het mijne?

Ze liep stilletjes de trap naar het enorme zandstenen terras op en langs de achterkant van het huis, waar ze de twee verdiepingen hoge serre in keek met de hoge palmbomen en het rieten meubilair. Het zonlicht stroomde er naar binnen. Ze legde een hand boven haar ogen tegen de ruit en zag dat de halogeenlampen allemaal aan waren en dat er een krant op een van de kussens lag. Haar nieuwsgierigheid stak de kop op. Ze ging naar de glazen deur en duwde ertegen. Hij was niet op slot. Ze stak haar hoofd naar binnen, keek op naar het glazen dak en wachtte op het bekende gepiep van een alarmsysteem. Maar ze hoorde niets.

'Hallo?' riep ze. 'Iemand thuis?'

Stilte. Ze snoof. Het was bedompt en warm in huis, alsof de verwarming aan was gebleven. De dakplaten van het atrium waren beslagen. Vermist, hè? Vermist? Ze zocht in haar zakken naar een paar latex handschoenen. Ze trok ze aan, stapte naar binnen en keek de enorme ruimte rond. Verbazend, dacht ze. En dat allemaal omdat mensen het leuk vonden om te zien hoe andere mensen neukten. Ze ging de grote keuken in en keek naar al het verguldsel, het marmer en de indirecte verlichting. Er stonden twee glazen op de keukentafel, waarvan één halfvol champagne. Op een bord naast de koelkast lag een half opgegeten boterham, die hard en grijs was geworden. In de magnetron trof ze een bord pasta aan, ook opgedroogd en gestold. Ze deed de koelkast open en zag een fles champagne zonder kurk. Er stonden nog andere dingen in: flesjes met vitaminen, pakken sinaasappelsap, pakjes bacon en worstjes. Er stond een marmeren kaasplank met vier stukken kaas erop, afgedekt met plasticfolie. Ze pakte een zak met sla en keek naar de datum: 15 mei. Gisteren.

'Hallo?' Ze stond in de gang en riep naar boven. 'Meneer Goldrab?'

Geen antwoord. Ze liep de marmeren trap op, waarbij haar voetstappen weerklonken door de hal, en controleerde de hele eerste verdieping in beide vleugels van het huis door deuren open te doen en kamers in te kijken die eruitzagen alsof er sinds de dag dat het huis was opgeleverd niemand meer een voet in had gezet. Er was een sportzaal, een thuisbioscoop, een badkamer met een bad op klauwpoten en een kraan in de vorm van een zwaan, en in een van de kamers een hemelbed waarin wel tien mensen konden slapen. Geen David Goldrab. Eenmaal terug op de overloop zag ze een glazen kast openstaan, met op de achterwand een foto van een nachtelijke safari. In de foto waren twee aluminium haken aangebracht. Het was een vitrine. Leeg. Zoë deed de glazen deur open en dicht en keek naar het slot en naar de haken. Wat er ook in gehangen had, het was belangrijk.

Ze zocht de benedenverdieping af, maar ook daar was geen spoor van hem te vinden. Er was een kantoor met uitzicht op de achtertuin, vol computers en dvd-spelers – allemaal zwart en allemaal met rode knipperende lampjes. Een op maat gemaakte boekenkast van roodachtig hout, walnotenhout misschien, besloeg één hele wand en stond vol foto's. Er waren twee computers, elk met een brandend lampje. Toen ze de muis van de eerste verschoof, kwam het beeldscherm tot leven. Een spreadsheet met getallen in drie kolommen. De tweede computer ging ook aan na een duwtje tegen de muis. Op dit beeldscherm stond een rij video-icoontjes. Ze keek naar de titels: *Bukkake in Gateshead, Bukkake in Mayfair.* Bukkake, daar had Jacqui het over gehad. Jezus, dacht ze. Lorne, als ik jouw gezicht in een van die filmpjes tegenkom, beloof ik je dat ik een manier vind om dat geheim te houden.

Ze deed de jaloezieën dicht, ging op de draaistoel zitten, opende het ene bestand na het andere en bekeek ze met haar ellebogen op het bureau en samengeperste lippen. Jacqui had niets te veel gezegd; bukkake was een akelig iets. Er werden voor zover zij kon bedenken geen wetten overtreden, maar het was een walgelijk gedoe, en Zoë kon best wat hebben in dit opzicht. Ze hoopte oprecht dat ze Lorne niet vanaf de vloer van een van die stallen naar haar zou zien opkijken.

Ze concentreerde zich zo op de gezichten van de meisjes dat ze pas in de derde video de mannelijke hoofdrolspeler herkende. Jake the Peg. Jake the Peg! God, dacht ze, zij was soms ook zo stom als een zak vol hamers. Het hele bureau vroeg zich af hoe Jake de laatste tijd in zulke goede doen had weten te raken – iedereen wist dat hij meer in zijn schild moest voeren dan dealen aan de schoolkinderen. Maar een pornoster? Die ouwe Peggie? Dat had niemand achter hem gezocht. En niemand had ook geraden hoe hij aan zijn bijnaam kwam. Ze stootte een droog lachje uit. 'Zo, Peggie,' mompelde ze terwijl ze naar het scherm keek, 'dus dát is jouw geheim.' God, wat was de wereld toch een vreemde plek.

Zoë besteedde twee uur aan een nauwkeurige bestudering van de harde schijven en was er toen voor negenennegentig komma negen procent zeker van dat Lorne niet in een van de video's voorkwam. De gezichten van een of twee actrices die maar kort in beeld waren gekomen waren niet helemaal duidelijk. Ze schreef op op welke plek ze te zien waren. De meisjes waren niet blond, zoals Lorne, maar het kon zijn dat ze een pruik had gedragen. Als er iemand van het hoofdkwartier kwam om de computers op te pikken, zou Zoë vragen of die gezichten scherper in beeld konden worden gebracht. Ze duwde het toetsenbord van zich af en zette zich met haar voet af om de stoel te laten draaien. De boekenkasten schoten voorbij, toen het raam met uitzicht over het rasveld, het zwembad en de bomen. Daarna alle dvd's en de computers.

Ze bracht de stoel tot stilstand, sloeg haar armen over elkaar en bleef over de situatie zitten nadenken. Half opgegeten maaltijden? Een computer met zulk gevoelig materiaal op stand-by? Niet-afgesloten deuren? Alle lampen aan en een telefoon die niet werd opgenomen? Ze wist het niet, ze wist het gewoon niet; het was te mooi om waar te zijn, er waren gewoon geen woorden voor hoe goed dit uitkwam, maar anders zou de politievrouw in Zoë denken dat meneer Goldrab, de enige man die haar in verband kon brengen met die club in Bristol, niet langer in leven was.

8

Hoewel ze gekort waren op het aantal werkuren, waren de Poolse meisjes die ochtend in een goede stemming. Marysieńka ging de week daarop met haar vriend de buschauffeur op vakantie en Danuta had een aardige Engelsman ontmoet in Back to Mine, een nachtclub in het centrum van Bath. Hij was lang en hij had een heleboel... Ze wreef haar vingers over elkaar. 'Als je dat hebt,' zei ze tegen Sally, die op de achterbank zat, 'heb je dat niet nodig.' Ze hield haar handen ongeveer vijfentwintig centimeter uit elkaar en bracht de afstand toen terug tot een centimeter of vijf. 'Dan maakt het niet meer uit.' Marysieńka schaterde en sloeg met haar open hand op het stuur. 'Het maakt echt niet uit!' Ze lachte. 'Al heb je een cocktailworstje daar beneden.'

De zon stond hoog aan de hemel toen ze bij Lightpil House arriveerden. Ze zetten de kleine roze Smart op het parkeerterrein aan de rand van het landgoed. Sally kon haar blik niet van de grond afhouden. Maar er was geen bloed, geen vlek meer te zien. Niets. Ze stapte uit en keek naar het huis. Het leek veel stiller dan gewoonlijk, maar dat kwam natuurlijk door wat zij wist. Ze volgde de andere vrouwen het pad op. Danuta had haar hoge hakken uitgedaan en in haar bak met schoonmaakspullen gestopt, zodat ze op blote voeten kon lopen. Overal kwamen de bloemen uit, de donzige paarse ballen van de sierui en ook al wat gebroken hartjes met hun witte, hangende klokjes. Je zou nooit raden wat hier was gebeurd. Het zou wel het laatste zijn wat bij je zou opkomen.

De deur van de wasruimte stond open, zoals vaak het geval was. Ze liepen naar binnen en zetten hun schoonmaakspullen neer. Alles was nog precies zoals Sally het had achtergelaten. Misschien vormde zich al spinrag op de sierlijke wandlampen, misschien kwam er al een stoflaagje op de oppervlakken, de computers en de enorme tv's, maar het huis zag er nog precies zo uit als de laatste keer. De champagneglazen stonden nog op de tafel waaraan David en Jake hadden zitten drinken.

'Geen lijstje,' zei Danuta, die onder een paar kranten keek. 'Stomme dikzak, je hebt geen lijst klaargelegd.'

'Dum-de-dum-de-da,' neuriede Marysieńka. Ze ging naar de deur en riep: 'Meneer Goldrab?'

Stilte.

'Meneer Goldrab?' Ze liep naar de trap terwijl ze haar rubber handschoenen aantrok en keek op naar de overloop. 'Bent u boven?' Ze wachtte even. Toen er nog steeds geen antwoord kwam, liep ze schouderophalend terug naar de keuken. 'Hij is er niet.'

Ze deed het koffiezetapparaat aan, trok de koelkast open, haalde er wat melk uit en deed er wat van in de opschuimer terwijl Danuta mokken zocht. Sally zette haar spullen neer en haalde er dingen uit om zich voor te bereiden op werk dat niet gedaan zou worden. Ze concentreerde zich er zo sterk op om alles op een natuurlijke manier te doen dat het even duurde voor ze besefte dat de meisjes waren stilgevallen. Ze waren gestopt met wat ze aan het doen waren en stonden met de melkfles en de koffiemokken in hun handen naar de deur te kijken.

Toen ze zich omdraaide, zag ze waarom. Er stond een vrouw in de deuropening. Heel lang, gekleed in een spijkerbroek en met rood haar dat los over haar schouders viel, en met een politiekaart in haar uitgestoken hand. Sally staarde naar haar en haar hart leek opeens diep weg te tuimelen in haar borstkas.

Er viel een korte stilte. Toen liet de vrouw de kaart fronsend zakken. 'Sally?' zei ze. 'Sally?'

9

'Sally Cassidy.' Zoë schreef de naam op. Ze had de Poolse meisjes al verhoord en laten gaan. Nu zaten zij en Sally in het kantoor, met de deur dicht. 'Ik gebruik de naam van je man.'

'Ik ben niet meer getrouwd.'

'Nee.' Zoë stak haar hand op en keek naar haar zus. Sally zat aan de andere kant van het bureau, met haar handen in haar schoot. Ze had haar haar naar achteren gebonden en zich niet opgemaakt, en ze droeg een roze schortje met 'HomeMaids' erop geborduurd. Voor haar stond een flesje Lucozade dat een van de Poolse meisjes haar had gegeven tegen de schok, want de vermissing van Goldrab had haar nogal aangegrepen. Haar gezicht was bleek onder de sproeten en haar lippen hadden een blauwige tint. 'Maar ik gebruik hem toch maar. Ik mag je eigenlijk niet verhoren omdat je mijn zus bent.'

'Oké. Dat begrijp ik.'

Zoë zette een streep onder de naam. Toen nog een. Dit was vreemd. Heel vreemd. 'Sally,' zei ze, 'hoe lang is het al niet geleden?'

'Ik weet het niet.'

'Jaren. Dat moet wel.'

'Dat moet wel, ja.'

'Ja. Nou.' Ze tikte met haar pen op het bureau. 'We hoeven hier niet de hele dag over te doen. Ik stel je dezelfde vragen die ik Danuta en Marysieńka heb gesteld. Dan kun je gaan.'

'Mijn antwoorden zullen niet hetzelfde zijn.'

'Waarom niet?'

'Omdat ik ook nog apart voor David werkte. We hadden een afspraak.'

'Een afspraak?'

'Ik heb het niet aan de meisjes verteld en ook niets tegen het bedrijf gezegd, maar inderdaad, ik werkte voor hem en hij betaalde me rechtstreeks.'

'De meisjes zeiden dat ze onlangs waren gekort op hun uren en dat de dag was veranderd.'

'Ja, omdat ik voor hem was gaan werken.' Sally legde haar ineengeslagen handen op tafel. 'Hij had ze niet meer nodig.'

Zoës blik ging naar haar handen, naar de rechterpink, die krom was. Je moest het weten; het was maar een heel kleine kromming in het gewrichtje, waardoor de top iets naar binnen stond. Ze moest moeite doen haar blik af te wenden en zich te concentreren op haar aantekeningen. Het zou zo gemakkelijk zijn om terug te gaan naar die hand, terug naar het ongeluk en het moment dat haar leven op zijn kop was gezet. Ze tikte nog harder met de pen op het bureau. Een, twee, drie. Bracht haar aandacht scherp terug naar het verhoor. 'Je zegt dat je voor hem werkte. Wat deed je dan precies?'

'Hij noemde me de huishoudster. Ik maakte schoon, net als daarvoor, maar ik deed ook de administratie voor hem. Ik deed het nog maar heel kort.'

'Heel kort.'

'Ja.'

'Hoe lang?'

Sally aarzelde. 'Eén dag. Maar één.'

'Een dag. Daar lijk je niet helemaal zeker van.'

'Nee, ik ben er wel zeker van. Heel zeker.'

'Welke dag was dat?'

'Afgelopen dinsdag. Een week geleden.'

'Dinsdag. Je weet zeker dat het op dinsdag was?'

'Ja.'

'En je bent sinds die dag niet meer terug geweest?'

'Nee.'

'En je werkte voor zijn bedrijf?'

'Alleen voor het huis. Ik betaalde rekeningen en liet mensen komen om klusjes te doen.'

'Lightpil House is enorm groot. De tuin – daar zal hij toch wel iemand voor hebben gehad?'

'De tuinmannen komen één keer per week. De gebroeders Pultman. Ze komen uit Swindon.'

'Pultman.' Zoë schreef het zorgvuldig op. 'En de man voor het zwembad. Die kwam van een bedrijf in Keynsham. Nog iemand anders?'

'Ik kan niemand bedenken.'

'Praatte David veel met je?'

'Niet echt.'

'Niet echt? Wat bedoel je daarmee?'

Sally pulkte aan het etiket op het flesje. 'Gewoon, niet veel.'

Zoës aandacht dwaalde weer af naar Sally's handen. De iets vervormde vinger. God, het verleden kwam de laatste dagen in alles terug. Net als de sneeuw die ze in haar droom had zien vallen.

'Dus wanneer was je er vóór vandaag voor het laatst?'

'Afgelopen dinsdag. Zoals ik al zei.'

'Je hebt toen niets verdachts gezien?'

Sally pulkte nog wat aan het etiket. 'Nee. Niet echt.'

'En hij zei niet dat hij van plan was weg te gaan?'

Ze schudde haar hoofd.

'Zie je,' zei Zoë, 'alles in dat huis vertelt me dat er iets met meneer Goldrab is gebeurd. Om eerlijk te zijn, weet ik niet zo goed hoe ik nu verder moet. Als hem iets is overkomen, zit ik vast, omdat ik niet weet waar ik moet beginnen. Dus als je je iets herinnert, wat dan ook, het maakt niet uit hoe klein of onbetekenend, maar iets wat je hieraan kunt toevoegen, zeg het dan alsjeblieft, want ik...'

'Jake,' zei Sally abrupt. 'Jake.'

Zoë hield op met schrijven. 'Neem me niet kwalijk?'

'Hij kwam toen ik er was. David noemde hem Jake the Peg.'

'Hoe zag hij eruit?'

'Niet heel groot. Heel kort geknipt haar. Misschien van gemengd bloed, dat weet ik niet helemaal zeker.'

'Rijdt hij in een paarse Shogun-jeep?'

'Ja. Ken je hem?'

'Dat zou je kunnen zeggen.' Ze hield haar hoofd scheef. 'Dus, Sally. Toen Jake op kwam dagen, wat is er toen precies gebeurd?'

'Het liep uit de hand. Ze kregen ruzie. Toen ging hij weer weg.'

'Ruzie? Waarover?'

'Jake was er in geen maanden geweest, en toen kwam hij opeens aanrijden en probeerde hij de code van het hek in te tikken. Ik geloof dat het daarom ging. Ik was in het kantoor en zij waren in de hal, dus ik kon het niet allemaal horen. Ze stonden een tijdje tegen elkaar te schreeuwen, en toen ging Jake weer weg.'

'Hij zei niet dat hij later in de week terug zou komen? Geen kans dat hij op donderdag terug is gekomen om verder te ruziën?'

'Ik weet het niet. Ik heb hem er niets over horen zeggen.'

'We hebben een kruisboog aangetroffen in de wasruimte. Die heb je vanmorgen gezien, nietwaar, je hebt gezien waar we hem hebben gevonden?'

Sally knikte.

'Je weet zeker niet hoe hij daar kwam?' Ze lette op Sally's vingers. Ze scheurden nu aan het etiket. 'Het lijkt een vreemde plek om een kruisboog neer te leggen. En om vervolgens alle deuren open te laten en een eindje gaan rijden.'

'Hij hing altijd in de vitrine op de overloop. Die heb ik zo vaak schoongemaakt.'

'Je hebt nooit gezien dat hij hem gebruikte?'

'Nee.'

'En je bent sinds afgelopen dinsdag niet meer in Lightpil geweest? Je was er bijvoorbeeld niet op donderdag? Dat is de laatste keer dat iemand hem gesproken heeft.'

Ze schudde haar hoofd. Sloeg haar armen om zich heen alsof iemand opeens het raam open had gezet.

'Waarom ben je zo nerveus, Sally? Wat is er aan de hand?'

'Hoezo?'

'Je zit te trillen.'

'Nee hoor, helemaal niet.'

'Jawel. Je trilt als een espenblad. En je zit te schuiven op je stoel.'

'Het is de schok.'

'Dat Goldrab vermist wordt? Daar zou de Lucozade mee moeten helpen. Werkt het niet?'

'Ik had niet verwacht jou tegen te komen.' Ze huiverde, wendde haar blik weer af, sloeg haar armen nog steviger om haar bovenlichaam en wreef met haar handen langs haar armen. 'Dat is alles. Kan ik nu gaan?'

Het duurde een paar tellen voor Zoë antwoord gaf. Ze draaide peinzend met de pen. 'Ik heb gehoord van de scheiding,' zei ze uiteindelijk. 'Ma en pa hebben er niets van gezegd, maar je hoort dingen in deze stad, nietwaar? Het spijt me voor je.'

'Ja. Nou. Dat is nu allemaal al een tijd geleden.'

'Waarom ben je weggegaan, als ik mag vragen?'

'Ik ben niet weggegaan. Hij is bij mij weggegaan.'

Zoë hield op met haar pen te spelen. 'Hij is bij jou weggegaan?'

'Ja. Meer dan anderhalf jaar geleden.'

Ze wist niet wat ze moest zeggen. Ze bekeek haar zus, bekeek haar eens goed. Een aantrekkelijke vrouw die op de middelbare leeftijd afstevende, maar geen verblindende schoonheid. Haar haar was de pure, citroengele blonde strepen van haar kindertijd kwijtgeraakt en was nu ruwer. De kleren onder de schort waren van goede kwaliteit, maar veel gedragen en behoorlijk versleten. Ze werkte als schoonmaakster, schoonmaakster en huishoudster voor een pornograaf. Julian was bij haar weggegaan en ze bracht Millie in haar eentje groot. Uit het niets kwam er een enorme, verschrikkelijke golf in Zoë opzetten. Een overweldigende aandrang om op te staan en haar armen om haar zus heen te slaan.

Ze hoestte. Streek het haar uit haar ogen.

'Goed.' Ze gaf Sally de verklaring. 'Als je daar even tekent, kun je gaan. Ik zei toch dat het niet lang zou duren?'

10

Toen Sally was vertrokken, bleef Zoë voor zich uit zitten staren. Pas na tien minuten schudde ze haar hoofd en begon ze weer aan Lorne en Goldrab te denken.

Ze begon met wat taken te verdelen onder haar agenten. Toen nam ze de berichten door die voor haar waren achtergelaten, las haar e-mails en diende een verzoek in David Goldrab aan te merken als een vermiste persoon. Als hij echt dood was, bleef de vraag: waarom? Had hij de hand gehad in de dood van Lorne en was hij daarom vermoord? Uit wraak? Door Lornes vader, bijvoorbeeld?

Of had Goldrab geweten wie de moordenaar was en was hij gestorven omdat hij had gedreigd te vertellen wat hij wist? Of – en dat was een mogelijkheid waar ze moeite mee had – misschien was Lornes connectie met de porno-industrie echt opgehouden bij Holden's Agency en had de verdwijning van Goldrab er helemaal niets mee te maken. Hoe dan ook, ze had geen rust voor ze zeker wist dat hij dood was, tot zijn lichaam in het mortuarium lag en ze gezien had hoe het in tweeën werd gesneden, precies zoals dat van Lorne. Misschien zou dat stuiterende iets in haar dan wat kalmeren. Zich koest houden.

En Sally? En alles wat in het verleden was gebeurd? Wat was er nodig om die giftige doorn weg te halen? Een spijtbetuiging? Ze wreef over haar knokkels. Hoe kon je verdorie spijt betuigen voor zoiets?

Er kwam nog een bericht binnen, dit keer van de technische afdeling, die in nog geen twee uur het wachtwoord van de beveiligingscamera had gekraakt en de beelden van de voorkant van Lightpil House had geanalyseerd. Ze las de e-mail snel: het team had niets gezien wat erop wees dat Goldrab op donderdag het huis permanent had verlaten. Hij was 's morgens naar de stallen gegaan, was om tien uur teruggekomen en was sinds die tijd niet meer in beeld verschenen. Dat moest betekenen dat hij via de zijingang moest zijn vertrokken, die niet door de camera gedekt werd. Wat het team echter wel gevonden had, waren vijf minuten durende opnamen van een ernstig handgemeen dat om drie uur 's middags op dezelfde dag voor het huis had plaatsgevonden. Ze sloot de jaloezieën weer en keek naar de stukken video die als bijlage bij de e-mail zaten. Een zongebruinde jongeman naast een jeep, die pijlen uit een kruisboog ontweek. Jake the Peg die als een aap op hete kolen heen en weer sprong.

Jake, dacht ze, en ze tikte tegen het scherm. Jake the Peg. Sally had gelijk, ondeugd dat je bent.

11

Het huis van Jake the Peg stond aan de weg van Bath naar Bristol en zag er niet uit alsof het toebehoorde aan een pornoster. Behalve een kleine beveiligingscamera die op de buiten staande jeep stond afgesteld, was het een heel normaal jarendertighuis met in een metalen raamwerk gevatte ruitjes en een op de art deco geïnspireerde portiek, het soort optrekje dat de bombardementen in de oorlog had overleefd omdat het in een buitenwijk stond en te ver van de belangrijke delen van de stad lag om de belangstelling van de Duitsers te wekken. Zoë stopte er net na vier uur en zag dat de gordijnen nog dicht waren. Ze bleef even naar het huis zitten kijken. Het leek wel een beetje op haar ouderlijk huis. Mensen die in dergelijke huizen woonden, zouden eigenlijk niet in staat geacht worden twee kinderen naar een internaat te kunnen sturen. Niet als ze geen heel goede reden hadden om ze uit elkaar te halen. Een heel goede reden. Sally had er eerder die dag in het kantoor uitgezien alsof ze gebroken was. Echt gebroken. Julian was bij haar weggegaan. Niet andersom. Dat paste helemaal niet in het plaatje.

Zoë sloot de auto af, liep het pad op, belde aan en bleef op de stoep staan luisteren of er iets bewoog in het huis. Na drie of vier minuten belde ze nog eens. Dit keer klonk er een gedempte bons en toen riep iemand: 'Kom al, kom al.'

De jongen die opendeed, kon niet veel ouder zijn dan zeventien. Maar wat hij aan jaren tekortkwam, had hij te veel aan brutaliteit. Hij was matbruin – misschien kwam hij uit Vietnam of van de Filippijnen – en zijn haar was aan de zijkanten en in de nek weggeschoren, terwijl het boven op zijn hoofd hoog was opgekamd. Hij droeg een gouden ketting en op zijn bovenarm was met klittenband een houder voor een iPhone vastgemaakt. Verder was hij naakt op een strakke roze boxershort met 'Wow' op het kruis na. Toen hij Zoës identiteitskaart zag, legde hij een hand op zijn borst alsof hij wilde zeggen dat dit soort dingen hem niet elke dag overkwam –

had iemand er bezwaar tegen dat hij flauwviel?

'Is meneer Drago thuis?'

'Nee! Hem slaapt.' Hij keek zorgvuldig naar de kaart. 'Jij politie?'

'Dat klopt. Hoe heet jij?'

'Angel. Hoezo?'

'Oké, Angel. Ik geloof dat ik maar even binnenkom, als je het niet erg vindt.'

Hij klakte met zijn tong, maar draaide zich hooghartig om en verdween in het huis. Ze liep achter hem aan. Op de achterkant van zijn boxer stond 'Kitty', zag ze.

Hoewel het huis aan de buitenkant kenmerkend was voor de jaren dertig, zag het er binnen heel anders uit. De voorkamer, waar de meeste mensen een gashaard, een tv en een bank zouden hebben staan, was omgetoverd tot een sportzaal met een keur aan apparaten in zwart en chroom. Een muur was helemaal limoengroen geschilderd en op die achtergrond hing een zwart-witvergroting van een jongeman die koket over zijn schouder keek. De achterkamer, die aansloot op de keuken, was het woongedeelte, met geometrisch behang uit de jaren zestig, suède meubels en neonlampen in verschillende kleuren aan het plafond. Het was er erg koud, maar Angel leek het niet te merken. Hij schreeuwde naar het plafond: 'Jaaake! Jaaake! Komen nu. Belangrijk.' Toen ging hij naar het keukentje en begon thee te zetten, een proces dat hij af en toe onderbrak om een demi-plié te maken, waarbij hij zich aan de deurkruk van de koelkast vasthield om in evenwicht te blijven.

Er klonk een geluid alsof boven iemand uit bed viel. Zoë zocht een stoel op en ging met haar rug naar de muur in de hoek zitten, waar nog enige kostbare warmte was blijven hangen. Geen wonder dat het zo koud was, de ramen stonden open. Originele glas-in-loodramen uit de jaren dertig, opengehouden door metalen uitzetijzers. Toen ze klein waren, beschilderde Sally met Kerstmis alle ruitjes in hun slaapkamerramen. Elk een andere kleur. Zilver, groen, rood.

'Het is hier verdomme ijskoud.' Jake kwam binnen, klappertandend en met een dekbed om zich heen. Hij trok een lelijk gezicht naar Zoë, maar was nog te slaperig om de strijd met haar aan te gaan. Hij leek zich vooral druk te maken om de verwarming. 'Wat heb je tegen een beetje warmte?' schreeuwde hij tegen Angel. 'Wangedrocht dat je bent.'

'Moet je haar horen,' zei Angel sarcastisch. 'De boze witte heks op de slee. IJskoningin.'

'Houd je bek,' zei Jake. 'Houd je bek.'

'Oooo, wreeeeed. Het probleem zit in je bloed.' Hij sprak het uit als blud. 'Er is niet genoeg voor je hele lichaam. Het probleem begint met de pinken en we weten allemaal waar het eindigt.'

'Houd je bék.'

Angel maakte een verachtelijk klikgeluidje achter in zijn keel, stak zijn kin omhoog en liet de vingers van zijn hand naar achteren schieten, alsof het hem totaal, maar dan ook totaal niet verwonderde dat iemand die zo onwetend en grof was als Jake de politie naar zijn huis had geleid, alsof je van mensen als hij niet meer kon verwachten. Hij draaide zich abrupt om, met zijn neus in de lucht, sloeg de deur achter zich dicht en verdween naar boven.

'Let maar niet op hem.' Jake deed geërgerd het raam dicht en legde een hand op de radiator om te voelen of die warm was. Dat bleek niet zo te zijn. Hij bukte en draaide de knop helemaal open. 'Ik heb geprobeerd hem wat manieren te leren, echt. Maar wat kun je verwachten van die lui?'

Zoë bekeek de mok die ze had gekregen. Er stonden met de hand geschilderde afbeeldingen op van Billie Holiday in roze en groen. 'Hoe heb je dit al die jaren voor ons geheim weten te houden?' Ze knikte naar de deur waardoor Angel was verdwenen. 'Jake the Peg en zijn vriendje. Ik moet toegeven dat ik dat niet verwacht had. En nu we het toch over onthullingen hebben, is Jake the Peg als pornoster nog opzienbarender. Daar zijn we mooi ingestonken, zowel letterlijk als figuurlijk. Maar je bent beroemd! Ik heb onlangs wat van je optredens gezien. Op kantoor. Wij allemaal. Als je er zo over nadenkt, is het wel gek, maar je leek in levenden lijve altijd veel kleiner.'

Jake keek haar strak aan en ging zitten. 'Ik weet wat je hier komt doen.'

'O, ja? Vooruit dan maar. Vertel het me.'

'Wat Jake doet, lijkt niet helemaal legaal, toch? Omdat er school-meisjes in zaten? Maar zie je die video met die gele rug daar? Op de plank? Haal hem er maar eens af. Toe maar. Het is een video van al die meisjes, die hun paspoort omhooghouden voor de camera. Dat bewijst dat ze allemaal achttien waren.'

'Niet helemaal legaal? Gek, dat is niet waar ik voor kom.'

Jake fronste. 'Ik zeg je, ik heb mijn huiswerk gedaan, ik weet hoe de wet luidt. Dit is nu een legale bedrijfstak en je kunt me niets maken. Zo eenvoudig is het.'

'Dat zal allemaal best, Jake, dat zal allemaal best. Ik heb altijd het volste vertrouwen in je gehad. Maar daar kom ik niet voor. Ik wil met je praten over Lorne Wood.'

Hij zoog op zijn tanden en rolde met zijn ogen. 'O, ja. Daar heb je me al naar gevraagd. Wat wil je nu weer weten?'

'Ik wil dat je nog eens in je herinnering graaft. Dat je die grijze massa van je nog eens aan het werk zet. We vergeten wel eens iets.'

'We hebben het hier al over gehad.'

'Ja, maar toen heb ik je gevraagd of je haar bij de school hebt gezien. Wat ik niet gevraagd heb, is of ze ooit bij je op de filmset is verschenen.'

'Die?' Jake stootte een sarcastisch lachje uit. 'Ben je bedonderd? Veel te chic.'

'Weet je het zeker? Weet je zeker dat David Goldrab jullie nooit aan elkaar heeft voorgesteld?'

Jakes gezicht werd een nietszeggend masker. 'Goldrab? Wat heeft die ermee te maken?'

'Je kent hem toch? Of niet soms?'

'Je vraagt het alsof ik een of andere idioot ben, zie je. Alsof ik tachtig ben. Maar dat ben ik niet. Want ik heb wel door dat ik daar geen antwoord op hoef te geven. Dat hoef ik niet te doen omdat jij het antwoord al weet. Anders zou je het niet gevraagd hebben.'

'Ik ben onder de indruk. Je bent een man van vele talenten, hè?'

'En wat hij ook over me gezegd heeft, wat hij je ook verteld heeft, dat komt alleen omdat hij een hekel aan me heeft.'

'Hij heeft helemaal niets over je gezegd.'

'Je zou bij hem rond moeten snuffelen, niet bij mij. Die vent is een homohater. Je kunt hem pakken op discriminatie en zo.'

'Je hebt me duidelijk niet gehoord. Ik zei dat hij helemaal niets over je heeft gezegd. Op het moment zegt hij namelijk niet erg veel.'

Jake fronste. Hij trok het dekbed strakker om zich heen. De voeten die eronderuit staken, waren kunstmatig gebruind en de nagels waren netjes geknipt en vertoonden de subtiele glans van transparante nagellak. 'Wat bedoel je daar nou weer mee?'

'Ik bedoel dat hij sinds donderdag 12 mei spoorloos is. Die morgen heeft zijn moeder hem nog gesproken, maar daarna is er niets meer van hem vernomen. Door niemand.'

Dat gaf Jake stof tot nadenken. 'Oké,' zei hij langzaam. 'Oké.'

'Wanneer heb jij hem voor het laatst gezien?'

'Donderdag 12 mei. Vier dagen geleden. Ik heb geprobeerd het uit mijn hoofd te zetten. Hij gaf me niet meer het respect dat ik verdien, begrijp je wat ik bedoel?'

'Dat zal de dag zijn waarop hij spoorloos is verdwenen.' Ze nam een slokje thee. 'Hadden jullie die dag een vriendschappelijk gesprek?'

'Nee. Maar dat weet je, want je hebt het allemaal op video staan – van zijn camera's. Dat hij me heeft beschoten, bijvoorbeeld. Dat heb je zeker wel gezien?'

'Inderdaad. Wil je me vertellen waar die ruzie over ging?'

'Over het feit dat hij gek is. Een homohater. Hij kan me niet meer zien sinds hij gehoord heeft over...' Hij maakte met zijn hoofd een beweging naar het plafond.

'En daarom probeerde hij je neer te schieten?'

'Ja.'

'Ben je later die dag soms teruggekomen? Of was jullie gesprek op dat moment al tot een... Hoe zal ik het zeggen? Tot een natuurlijk einde gekomen?'

Jake rolde nog eens met zijn ogen. 'Zit je me uit te lachen? Nee, ik ben niet teruggegaan. En dat doe ik ook nooit meer.'

'Ik weet het niet, hoor Jake. Er klopt iets niet. Jij bent de laatste die die man heeft gezien.'

'Ja, alleen zijn er hele volksstammen mensen die die zak graag spoorloos zouden willen laten verdwijnen. Waarom moet ík het dan ontgelden?'

'Volksstammen mensen die willen dat hij spoorloos verdwijnt?' Zoë haalde haar iPhone voor de dag. 'Dat klinkt interessant. Je vindt het zeker niet erg als ik dit opneem.'

'Jawel.'

Ze liet de telefoon zakken. 'Dat is je goed recht, Jake, dat je je stem niet wilt laten opnemen. Maar laat me er een aantekening van maken. Ik beloof je dat ik je stem niet opneem.'

Hij stak hooghartig zijn neus in de lucht. Toen stak hij haar zijn open hand toe. Ze keek er even naar, zette de telefoon op *aantekeningen* en gaf het toestel aan hem. Hij wierp er een korte, minachtende blik op, alsof het een dode rat was die ze voor hem mee naar binnen had genomen, en toen gaf hij hem terug. Ze nam hem aan en begon woorden in te tikken terwijl hij sprak.

'Hij heeft vijanden.' Hij keek even argwanend naar de telefoon, maar begon toch namen te noemen en telde ze op zijn vingers af. 'Dat meisje uit Essex, Candi. Die zou hem graag overhoopschieten, dat kan ik je wel vertellen. Op straat, morgen, als ze hem zou zien.'

'Een meisje? Een vrouw? Die een volwassen man laat verdwijnen? Ik weet niet – meestal denken we bij zulke dingen niet meteen aan vrouwen.'

'Candi? Echt, verdomme, die krabt je zo de ogen uit, die meid. Ze gebruikt en ze woont samen met een vent die Fraser heet. Ik weet niet precies waar, ergens in die contreien. En dan is er nog die vent die bij de sas is geweest. Die ziet er zo uit.' Hij hield zijn armen uit elkaar om de hoogte en de breedte van de man aan te geven. 'Hij kwam altijd jagen, en hij heeft iets tegen David, als je begrijpt wat ik bedoel. Spanner, noemden ze hem. Ik weet niet waarom. Ik geloof dat zijn echte naam Anthony of zoiets was. Hoewel... nee, hij zou nooit het lef hebben. Maar er was nog een andere vent. Die zou volgens mij wel eens gek genoeg kunnen zijn om iets te doen.'

Zoë hield op met tikken en keek naar hem op.

'Ik heb zijn naam nooit geweten.' Jakes stem was zacht en beheerst bij het woord 'zijn', alsof alleen dat al de hel kon doen losbreken in zijn halfvrijstaande jarendertighuis. 'Maar ik zag hem ervoor aan, snap je. Hij zou in en uit kunnen lopen zonder dat iemand ook maar iets zag.'

'Wie was hij?'

'Geen idee. Ik heb hem maar één keer ontmoet, toen hij overkwam voor de jacht. Zo doet David zaken, weet je wel? Hij laat een jachtopziener fazanten voor hem fokken en dan komen die lui op bezoek als er een jachtpartij wordt georganiseerd. Die vent kwam ook een keer en hij had een heel grote mond. Hij was iets in het leger. De – hoe noem je het? Het ministerie van je weet...'

'Van Defensie? Het ministerie van Defensie?'

'Ja.'

'Wat was zijn voornaam?'

'Geen idee. David noemde hem gewoon "makker". Ze kenden elkaar uit Kosovo. Meer weet ik niet van hem. Anders zou ik het zeggen, dat zweer ik je.' Hij stak zijn handen op.

'Nog anderen?'

'Nee.'

Zoë typte de laatste paar woorden in, sloeg het bestand op, zette de telefoon uit en deed hem weer in haar zak. Ze nam even de tijd om alles op een rijtje te zetten en boog zich toen naar voren, met haar ellebogen op haar knieën.

'Wat nou weer?'

'We hebben nog steeds een probleem, Jake. Ik bedoel maar, kijk me recht aan en zeg me alsof ik er volgens jou van overtuigd ben dat jij niets te maken hebt met het feit dat Goldrab vermist wordt.'

'Waar heb je het verdomme over?'

'Geen van die namen pleit jou vrij. Of wel soms?'

'Maar ik heb een alibi voor die middag. Dat is het goede nieuws.'

'Dat hangt ervan af hoe je het bekijkt. Wie is het? Angel? Die zou wel overtuigend overkomen op een jury.'

Jake glimlachte sluw en de diamant in zijn voortand glinsterde haar toe, alsof dit het mooiste was dat hij in jaren had gedaan. 'Dat is de gemakkelijkste vraag die je gesteld hebt, zus. Ik heb een scheur in mijn spijkerbroek opgelopen toen David me beschoot. Toen ik dat zag, ben ik meteen de stad in gegaan om een nieuwe te kopen. Bij River Island. De bedienden zullen zich mij wel herinneren en ze hebben daar zeker weten een beveiligingscamera.'

'Maar als alibi heb je er niets aan, want wij weten natuurlijk niet precies wanneer Goldrab verdwenen is. Waarschijnlijk ergens die middag, omdat zijn moeder hem 's avonds niet aan de telefoon kon krijgen, maar dat weten we niet zeker. Het kan zijn dat je later terug bent gekomen om met hem af te rekenen. Om zes of zeven uur, bijvoorbeeld.'

'Dan zit ik nog goed. Meteen nadat ik de spijkerbroek had gekocht, ben ik naar de bioscoop gegaan. Met vrienden. Ik heb betaald met mijn creditcard en we waren met zijn zessen. En de rest van de avond hebben we in de Slug in George Street gezeten. Dus waar David Goldrab die avond ook naartoe is gegaan en wie hij ook heeft ontmoet, ik was het niet. Maar dat maakt helemaal niets uit, of wel soms?'

Zoë trok een wenkbrauw op. 'O, nee?'

'Nee,' zei hij met een zelfvoldane glimlach. 'Omdat David niet vermoord is. David, die slimme meneer Goldrab, verdomme. O nee, hij niet. Hij heeft zichzelf laten verdwijnen.'

12

Boven het veld fladderde een enorme massa witte vlinders. Ze dreven als feeën in de wind langs Sally's gezicht, onderschepten het zonlicht en landden op haar schouders en haar handen. Aan haar rechterkant kon ze onduidelijke vormen onderscheiden in de storm van wit. Ze waren belangrijk, dat wist ze instinctief, en ze begon ernaartoe te lopen, met haar handen voor haar gezicht als beschutting tegen de insecten. De eerste vorm was groot en hoog, een gigantische, bewegende witte massa. Een auto, zag ze toen ze dichterbij kwam – ze zag de zijspiegels en koplampen tussen de insecten door. Ze klapte in haar handen en de vlinders stegen op als een wolk, draaiend en fladderend. De auto eronder was glanzend zwart en Sally zag dat het de Audi van Steve was. En dat betekende dat de in het wit gehulde gedaante op de grond, drie meter verderop, beslist David Goldrab moest zijn.

Haar hart begon te bonzen als een grote trom, die haar hele borstkas vervulde. Ze deed een paar stappen; vlinders kraakten toen hun lijfjes braken onder haar schoenen. David lag roerloos op zijn rug, met zijn armen over zijn borst als in een sarcofaag, en de vlinders bedekten zijn gezicht. Ze wilde niet naar hem toe, maar wist dat ze moest. Ze kwam tot op dertig centimeter, en hoewel elk zintuig haar zei het niet te doen, ging ze bij zijn hoofd op haar hurken zitten en stak ze een hand naar hem uit.

Het lichaam bewoog. Het rolde naar haar toe en wilde overeind gaan zitten. Een hand schoot uit en greep haar vast. De vlinders vlogen op van het gezicht, maar het was niet David die eronder zat. Het was Zoë, die overeind ging zitten en Sally smekend aankeek, alsof ze zich onder in een heel diep gat bevond en Sally het enige licht was dat ze kon zien.

'Sally?' Er werd aan haar geschud. 'Sally? Word wakker.'

Ze sloeg haar handen voor haar gezicht. 'Wat?' mompelde ze. 'Je huilde.'

Ze deed haar ogen open. Het was donker in de kamer en het

klokje naast het bed verspreidde een zwakke gloed. Drie uur. Steve lag achter haar, met zijn hand op haar schouders. Ze raakte heel even met haar vingers haar gezicht aan en merkte dat haar wangen nat waren.

13

Hij heeft zichzelf laten verdwijnen...

Jakes woorden bleven nadreunen in Zoës hoofd. Een tijdlang was ze er bijna zeker van geweest dat Goldrab dood was, maar nu wist ze het niet meer. Het was niet eerder bij haar opgekomen dat hij zelf had kunnen verdwijnen. Maar nu zag ze dat het mogelijk was, en dat was een heel ongemakkelijke gedachte. Als hij niet dood was, betekende dat dat hij elk moment terug kon komen, haar leven binnen kon wandelen en haar met één haal onderuit kon halen. Zo'n schoft was hij namelijk wel.

De volgende dag ging ze meteen aan het werk; ze ploegde de lijst door die Jake haar had gegeven en stak haar antennes uit – telefoongesprekken met de politie van Essex om Candi en Fraser op te sporen en met de soca om te zien of iemand enig idee had wie 'Spanner' zou kunnen zijn. Via de website van het parlement, Dodspeople, keek ze honderden cv's door, op zoek naar mensen van het ministerie van Defensie die in Kosovo hadden gediend, en hoe dieper ze groef, hoe vaster ze ervan overtuigd raakte dat de persoon die ze als eerste onder de loep moest nemen ene Dominic Mooney was. Mooney was tegenwoordig hoofd inlichtingen van een van de afdelingen van Buitenlandse Zaken, maar wat haar het meest interesseerde, was dat hij net na de eeuwwisseling bij het Civil Secretariat in Kosovo had gewerkt en drie jaar directeur was geweest van een eenheid die onderzoek moest doen naar prostitutie en mensenhandel. Als iemand van zijn personeel in Kosovo contact had gehad met Goldrab of iets verdachts in zijn schild had gevoerd, was Mooney degene die het zou weten.

Ze belde naar Whitehall, maar hij was in vergadering, dus liet ze een bericht achter bij zijn secretaresse en begon daarna systematisch haar lijst met andere taken af te werken. Ze sprak met het hoveniersbedrijf in Swindon, maar daar konden ze haar niet veel vertellen. Goldrab was een teruggetrokken man, hij betaalde per automatische incasso en de tuinlieden waren soms acht uur achter elkaar bij Lightpil aan het werk zonder dat ze hem zagen of spraken. Bij het zwembadbedrijf hoorde ze ongeveer hetzelfde verhaal, en ook bij de stallen waar Goldrab zijn paard, Bruiser, had ondergebracht. Hij kwam bijna elke dag rijden, maar meestal alleen, en hij betaalde ook hier per automatische incasso. Niemand die Zoë sprak had er enig idee van wat voor mens Goldrab was, laat staan dat ze wisten of hij ongelukkig was of plannen had om weg te gaan.

Agent Goods belde vanuit de stad. Zoë had hem verteld dat Jake the Peg weer in de problemen zat en hem opgedragen Jakes alibi na te gaan. Hij kwam al met ondersteunende bewijzen op de proppen: het personeel van River Island herinnerde zich hem en er waren ook nog videobeelden om die herinnering te staven. De bedrijfsleider van de bioscoop was er na één blik op de foto ook bijna zeker van dat ze zich Jake herinnerde. Ze zat op dat moment naar de bewakingsbeelden te kijken, waar de tijd op was aangegeven. Zijn alibi voor die nacht leek waterdicht. Het verbaasde Zoë niet echt; het was wel al te gemakkelijk geweest als Jake degene zou zijn die Goldrab had laten verdwijnen.

Ze opende een e-mail van het technische team op het hoofdbureau. De beelden van de pornofilms die van Goldrabs computer waren gehaald, waren terug en geen van de vrouwen was Lorne. Ze staarde naar de beelden en probeerde Lornes trekken in de gezichten van de meisjes te passen, maar het lukte niet. Ze vroeg zich nogmaals af of de verdwijning van Goldrab slechts toeval was. Liet ze Lorne dus in de steek als ze naging wat er met Goldrab was gebeurd? Ze keek naar de foto van Lorne, die aan de muur was geprikt. Kom op, dacht ze, jij hebt me tot zover gebracht, dus zeg nou maar wat ik nu moet doen. Je weet dat ik David Goldrab echt wil vinden. Ga ik ermee verder? Of heeft hij niets met jou te maken?

Er werd op de deur geklopt. Ze zorgde dat haar blouse recht zat en niet uit haar broek hing en dat haar manchetten waren dichtgeknoopt, en toen draaide ze haar stoel naar de deur toe. 'Ja?'

Ben stak zijn hoofd om de deur.

'O.' Haar hoofd voelde opeens zwaar aan en haar voeten leken wel van lood. 'Ben.'

'Hallo.'

Ze keken elkaar zonder iets te zeggen aan. Ergens in de gang rinkelde een telefoon. Aan de andere kant van het gebouw sloeg een deur dicht. Ze vroeg zich af wat de volwassen manier was om Ben tegemoet te treden. Hoe zou een normaal iemand omgaan met wat er tussen hen gebeurd was? Ze wist het niet. Ze had geen idee.

Uiteindelijk redde Ben de situatie door zijn mond open te doen. 'Heb je het al gehoord?'

'Wat moet ik gehoord hebben?'

'Over Ralph?'

'Wat is er met hem?'

'Ik vond dat jij het als eerste moest weten.' Hij keek op naar haar whiteboard, waar Ralphs naam op stond met een dikke rode streep erdoor. Voor het eerst zag ze donkere wallen onder Bens ogen zitten. Hij had hard gewerkt. 'Hij heeft geprobeerd zelfmoord te plegen. Twee uur geleden. Zijn moeder heeft hem gevonden.'

'Jezus.' Ze dacht eraan terug hoe Ralph hier op de grond had gezeten, met zijn rug tegen de muur, terwijl zijn tranen het vloerkleed nat maakten. 'Komt het goed met hem?'

'Dat weten we nog niet. Maar hij heeft een briefje achtergelaten. Er stond op: "Lorne, het spijt me."'

Zoë leunde achterover in haar stoel, met haar ogen dicht en haar handen op haar bovenbenen. Ze voelde hoe lang en zwaar de laatste dagen waren geweest.

'Zoë?'

Ze deed een oog open en keek hem ermee aan. 'Wat is er?'

Hij krabde op zijn hoofd, wierp een blik op het whiteboard en keek toen weer naar haar. 'Niets,' zei hij. 'Niets. Ik dacht alleen dat je het moest weten.'

14

Na de droom duurde het een hele tijd tot Sally de slaap weer kon vatten. Ze leek maar een paar minuten geslapen te hebben toen Steves wekker afging. Hij moest naar een vergadering in Londen, had hij haar verteld. Hij had er niet bij gezegd wat voor vergadering, maar ze wisten allebei dat het met Mooney was. Om het geld in ontvangst te nemen. Hij douchte en kleedde zich aan terwijl Sally nog in bed lag en probeerde de herinnering aan de droom van zich af te schudden. Het ontbijt sloeg hij over en hij liep gespannen heen en weer met een mok koffie, op zoek naar zijn sleutels en zijn navigatiesysteem. Hij zei Sally hem niet te bellen, hij belde haar wel.

Ze zat in haar ochtendjas voor het raam en zag de auto vanaf de oprit links afslaan, zodat hij niet op de weg, maar op een smal pad uitkwam dat het bos in liep. Daar hadden ze geheel in de stijl van De Vijf een blikje met Davids tanden en ring begraven in een gat bij een boomstam. Ze wachtte bij het raam tot Steves auto twintig minuten later weer uit het bos kwam en langs de oprit schoot. Ja. Hij ging naar Mooney. Hij ging het geld incasseren. En morgen ging hij naar Amerika om zijn andere zaken af te ronden. Hij was er goed in dingen van elkaar gescheiden te houden, dacht ze. Dat moest ook wel, met zijn werk. Ze was er jaloers op. Hij had geen idee hoe het in haar hoofd toeging. De rotzooi en de verwarring. Hoe verschrikkelijk het was geweest om gisteren door Zoë verhoord te worden.

Er lag een hoop dood kreupelhout in de tuin dat ze in december had gesprokkeld en nog niet had verbrand. In de winter was het nat geworden en gaan rotten, maar de laatste paar dagen was het in de zon gedroogd. Ze hoefde pas tegen lunchtijd aan het werk en ze wilde niet in het huisje blijven piekeren over het feit dat Steve morgen wegging of over het vreemde licht in Zoës ogen toen ze had gevraagd: 'Waarom ben je zo nerveus, Sally?' Dus trok ze een spijkerbroek en rubberlaarzen aan en zocht ze alles bij elkaar om een vuurtje te stoken. In de garage vond ze het blik petroleum dat ze hadden gebruikt om Davids spullen en hun bebloede kleren te verbranden. Haar oude tuinhandschoenen lagen al weken op de vensterbank in de kas en waren opgedroogd tot stijve leren klau-wen. Ze moest ze zachter maken door ze krakend om te buigen voordat ze ze aan kon doen.

De plek waar ze vijf nachten eerder een vuur hadden gestookt, was nog steeds zwart en grijs van de as. Er lag een schroef of een spijker of zoiets in de aarde gedrukt. Ze duwde hem met haar teen verder naar beneden, stapelde het kreupelhout erbovenop en liep heen en weer door de tuin tot er mos op haar kleren zat en ze lange sporen afval op het gras had achtergelaten. Het ging makkelijker met de petroleum dan ze had verwacht. Terwijl ze aan het werk was, keerde iets van de vastberadenheid die ze laatst in de auto had gevoeld terug. Ze kon dingen doen. Ze kon dit in haar eentje. Ze kon doorgaan alsof er niets was gebeurd. Misschien kon ze zelfs wat informatie inwinnen en iets doen aan het rieten dak. Dat zou nog eens iets zijn! Ze was net zo sterk als Zoë. Ze zag de vonken wegvliegen, omhooggestuwd op de toppen van de olieachtige vlammen, en keek ze na toen ze over de velden wegdreven en grijze vlokken achterlieten op het verse groen. Toen het vuur over zijn hoogtepunt was en een beetje begon in te zakken, wilde ze een hark pakken die achter haar lag om alles bij elkaar te houden en zag een auto op de oprit staan.

Ze had hem door het gebrul en geknetter van de vlammen niet gehoord. Hij was blauw en haveloos en ze herkende hem van de vorige dag. Achter het stuur zat Zoë in een wit T-shirt en een leren jasje, met een muts over haar wilde bos rood haar – alsof Sally haar op magische wijze had laten verschijnen. Sally staarde naar haar toen ze met het zelfvertrouwen van een cowboy uit de auto stapte. Wat moest het fijn zijn om zo'n lijf te hebben, met die lange benen en sterke armen. Geen kleren die te strak om je middel zaten of oude, gerafelde, uitgerekte en uitgezakte beha's.

Zoë kwam met een ernstig gezicht naar haar toe. 'Waar is Millie?'

'Bij Julian. Hoezo?'

'Kunnen we even praten?'

'Ik moet...' Ze keek naar het blik petroleum. 'Ik moet dit afval verbranden.' Ze streek met de achterkant van haar pols het haar uit haar gezicht. 'En daarna moet ik naar mijn werk.'

'Dat geeft niet. Het duurt niet lang.'

'Ik moet Millies schoolkleren ook nog wassen.'

'Ik zei dat het niet lang zou duren.'

Sally zweeg even. Ze keek uit over de velden. Ze zag het weggetje dat naar de hoofdweg liep. Steve zou nu wel bij Victoria zijn. 'Waar wil je over praten?'

'O, het een en ander. Eigenlijk zou ik wel een kop thee lusten,' zei ze met een blik op het huisje. 'Als het niet te veel moeite is.'

Sally bleef naar de velden kijken en probeerde te raden wat er komen ging. Ze was er nooit erg goed in geweest haar zus te doorgronden. Het was niet anders. Ze legde de hark neer, liep naar het huisje en trok haar handschoenen uit. Zoë volgde haar en bukte om door de lage deuropening naar binnen te gaan. Terwijl Sally water opzette en thee in de pot schepte, dwaalde Zoë door de keuken, pakte dingen van de planken om ze te bekijken en bleef even staan voor een schilderij van een tulpenboom, dat Sally had gemaakt. 'Dus hier woon je nu,' zei ze. Ze bekeek een foto van Millie en de andere kinderen – Sophie, Nial en Peter – die achter elkaar over een omgeploegd veld liepen. 'Ga je me er nog over vertellen? Over jou en Julian?'

'Er is niets te vertellen. Hij kreeg een vriendin. Ze hebben een baby.'

'Hoe vindt Millie dat allemaal?'

'Dat weet ik niet.'

'Ik heb haar laatst gezien. Millie.'

'Dat weet ik.'

'Ze zag er goed uit. En wat groot al. Knappe meid. Gedraagt ze zich een beetje?'

'Niet echt. Nee.'

Zoë glimlachte even en Sally hield op met thee in de pot te scheppen.

'Wat is er?'

'Niets.'

'Kwam je daarover praten? Over Millie?'

'In zekere zin. Er is nieuws. Ralph Hernandez, haar vriend. Het komt goed met hem, maar hij heeft vanmorgen geprobeerd zelfmoord te plegen.'

'Rálph?' Ze zette het blik met een harde tik neer. 'O, goeie god,' mompelde ze. 'Er komt gewoon geen einde aan.'

'Er is iemand met de directeur van Kingsmead gaan praten. Die zal wel beslissen hoe ze het de kinderen gaan vertellen.'

'Maar is het Ralphs manier om...' Ze zocht naar het juiste woord. '... zijn manier om toe te geven dat hij iets te maken had met wat er met Lorne is gebeurd?'

'Sommige mensen denken van wel.'

Sally sloeg haar ogen neer en deed het deksel weer op het theeblikje. Ze had Ralph nooit ontmoet, maar wel veel over hem gehoord. Ze stelde zich een lange donkere jongen voor. Een zelfmoordpoging, dus. Weer iets waar Millie mee moest leren omgaan. Alsof er nog niet genoeg op dit huishouden drukte. Ze sneed een paar plakjes van de amandelcake met sinaasappelglazuur die ze in het weekend had gemaakt in een optimistische poging zichzelf wat op te vrolijken. Ze haalde bordjes, servetten en vorkjes voor de dag en had zich omgedraaid naar de koelkast om de melk te pakken toen ze Zoë achter zich hoorde zeggen: 'Maar dat is niet echt waarom ik ben gekomen.'

Ze bleef staan met haar hand aan de deur van de koelkast en

haar rug naar de keuken. Roerloos. David, dacht ze. Nu ga je me vragen stellen over David. Wat ben je toch slim, Zoë. Ik ben geen partij voor je. Haar hoofd zakte naar voren, zodat haar voorhoofd bijna de koelkast raakte. Zo wachtte ze tot de bijl zou vallen. 'O,' zei ze zachtjes. 'Waar kom je dan echt voor?'

Er viel een korte stilte. Toen zei Zoë zacht: 'Om mijn excuses aan te bieden, geloof ik.'

Sally verstijfde een beetje. 'Om... Neem me niet kwalijk?'

'Je weet wel, voor je hand.'

Ze slikte moeizaam. Dat was wel het laatste. Het allerlaatste... Sinds de dag waarop het was gebeurd, bijna dertig jaar geleden, was er in de familie Benedict niet meer over het ongeluk met haar hand gesproken. Het was net alsof je de naam van de duivel hardop zei als je erover begon. 'Doe niet zo raar,' bracht ze uit. 'Er is niets om je excuses voor te maken. Het was een ongeluk.'

'Het was geen ongeluk.'

'Jawel. Een ongeluk. En het is ook al heel lang geleden. Zo lang geleden dat we er echt niet op terug hoeven te komen en...'

'Het was geen ongeluk, Sally. Dat weet je net zo goed als ik. We hebben bijna dertig jaar gedaan alsof het niet gebeurd is, maar het is wel gebeurd. Ik heb je van dat bed geduwd omdat ik je haatte. Ma en pa wisten ook dat het geen ongeluk was. Daarom zijn we naar verschillende scholen gestuurd.'

'Nee.' Sally sloot haar ogen, legde haar vingers tegen de oogleden en deed haar best de feiten op een rijtje te houden. 'We zijn naar verschillende scholen gestuurd omdat ik niet slim genoeg was voor die van jou. Ik zakte voor het toelatingsexamen.'

'Je kon waarschijnlijk amper de pen vasthouden met je gebroken vinger.'

'Ik kon de pen best vasthouden. Ik ging niet naar die school omdat ik te stom was.'

'Praat geen onzin.'

'Het is geen onzin.'

'Ja, dat is het wel. Dat weet je best.'

Er kwam een harde, diepe snik uit Sally's buik omhoog. Ze worstelde om hem in bedwang te houden. Eindelijk deed ze met een enorme krachtsinspanning haar ogen open en draaide zich om. Zoë stond slecht op haar gemak aan de andere kant van de tafel. Er zaten rode vlekken op haar wangen, alsof ze ziek was.

'Ik moet dingen goedmaken, Sally. Dat moet iedereen. Als we behoorlijk willen leven, moeten we onder ogen zien wat we in het verleden verkeerd hebben gedaan.'

'Is dat zo?'

'Ja. Dat moet. We moeten ervoor zorgen dat we... dat we een band krijgen met andere mensen. We mogen nooit vergeten dat we deel uitmaken van een groter geheel.'

Sally zweeg. Het klonk zo raar om dergelijke woorden te horen uit Zoës mond. Ze had haar zus nooit gezien in relatie met andere mensen. Ze stond helemaal op zichzelf. Een eenzame planeet. Ze had niets nodig. Niemand. Daar was Sally misschien nog het meest jaloers op.

'Nou, ja.' Zoë schraapte haar keel en maakte een afwijzend gebaar. 'Ik heb mijn zegje gezegd, en nu kan ik beter gaan. Boeven vangen. Poezen uit bomen redden. Je weet hoe het gaat.'

En toen was ze weg, de keuken en het huisje uit, en liep ze over het grind terwijl ze haar sleutels liet ronddraaien om haar vinger. Ze keek niet achterom toen ze de oprit af reed, dus zag ze Sally ook niet kijken vanuit de keuken. Ze zag niet dat haar zus zich een paar minuten lang niet verroerde. Als er op die afgelegen plek voorbijgangers waren geweest, hadden die gedacht dat ze verstijfd was. Een vaag bleek gezicht aan de andere kant van de glas-in-loodruitjes.

15

Toen Sally die middag bijna klaar was met haar werk, belde Steve om te vragen of ze in de stad konden afspreken. Er was niet genoeg tijd om naar zijn huis te gaan voordat ze Millie moest ophalen, dus stelde hij voor elkaar te ontmoeten in de Moon and Sixpence, waar ze voor het eerst samen hadden gegeten. Ze waste zich haastig in de badkamer die ze net had schoongemaakt en trok haar kleren recht. Ze deed ook een beetje make-up op, maar haar spiegelbeeld zag er nog steeds moe en afgetrokken uit. Ze bleef maar denken aan wat Zoë die ochtend had gezegd. Over dingen goedmaken en het grotere geheel en het verleden.

Ze was om vier uur bij het café, waar hij in kostuum en een camel overjas op het terras koffie zat te drinken. Ze ging tegenover hem zitten. Hij keek haar met zijn grijze ogen nauwlettend aan. 'Alles goed met jou?'

'Ik geloof van wel. Hoe was de vergadering?'

Hij knikte naar de derde stoel aan het tafeltje. 'Daarin.' Hij zag er moe en gelaten uit, als een man die net door heeft gekregen dat de wereld voor altijd een teleurstelling voor hem zal zijn. 'Daarin.'

Ze zag een rugzak op de stoel staan. 'Is dat...'

Hij knikte. 'Ik ben betaald in Krugerrands.'

'Krugerrands?'

Hij knikte. 'Ik moest ze gaan wisselen in Hatton Garden. Maar ik heb een goede koers gekregen. Er zit meer dan tweeëndertig-duizend pond in die tas.'

Sally huiverde. Tweeëndertigduizend pond om een man te vermoorden. Bloedgeld, zouden ze dat noemen. Ze zou ervan moeten walgen, maar dat deed ze niet. Ze voelde zich gewoon verdoofd. 'Wat ga je ermee doen?'

'Ik ga er helemaal niets mee doen. Het is van jou.'

'Maar...'

'Echt. Jij hebt het werk gedaan.'

'Maar jij hebt geholpen. We hebben het samen gedaan. Als partners.'

'Spreek me nou maar niet tegen. Neem het gewoon aan.'

Ze beet op haar lip en keek naar de rugzak. Hij puilde uit. Sinds donderdagnacht had ze niet meer naar een volle tas kunnen kijken zonder de rij plastic tassen op het gras bij Peppercorn voor zich te zien. De rode pasta die tegen het plastic drukte. Ze wendde haar blik af en speelde met het deksel van Steves cafetière.

'Millie is vandaag weer door Jake gebeld.'

'Dat geeft niet. We handelen het vanavond af.'

'Ik weet niet of ik dat wel wil.'

'Nou, we zullen wel moeten. We doen het vanavond, en morgen ga ik naar Amerika. Dat weet je toch, dat ik nog steeds naar Amerika ga?'

Ze knikte.

'Red jij je wel?'

'Ja,' zei ze afwezig. 'Dat komt wel goed.'

Maar het kwam natuurlijk niet goed. Haar hoofd zat vol geruis en beelden. David Goldrab. De geur. De felle kleur die in Zoës wangen was gekropen toen ze vanmorgen in de keuken stond. Het 'grote geheel'. En nu bedacht ze dat het grote geheel dat zij en Steve de laatste paar dagen hadden gecreëerd lelijk en verkeerd was. En wat er ook gebeurde, ze konden er niets meer aan veranderen. Dat lelijke, knobbelige deel zou een oneffen, afwijkende draad zijn in de stof die na verloop van tijd opnieuw zou worden geweven en waarop verder zou worden geborduurd als de generaties elkaar opvolgden.

16

Zoë was de rest van de dag op kantoor bezig dingen na te gaan en e-mails te beantwoorden. Ze had nog steeds niets van Dominic Mooney gehoord, dus belde ze nog een laatste keer, maar kreeg weer te horen dat hij 'in vergadering' was. Tegen de tijd dat ze wegging, stond de zon al laag en werden de daken en hoge ramen van Bath verguld door het laatste licht, alsof ze in goud waren gedoopt. Als ze thuiskwam, zou het donker zijn. Ze kon een glas rum met gemberbier nemen en gaan kijken hoe de sterren tevoorschijn kwamen – in haar eentje, terwijl Ben en Debbie deden wat ze ook deden en waar ze het ook deden. De zere plekken en striemen op haar armen verspreidden een doffe pijn toen ze de parkeerplaats op liep.

Ze kwam tot stilstand. Er stond een man in een rode katoenen broek en een blazer in de weg. Hij was heel lang en mager, net een Aziatische versie van David Bowie met zijn inktzwarte haar, dat met gel omhoog was gezet. Zelfs op haar laarzen met hoge hakken was ze een centimeter of wat kleiner dan hij, en dat maakte ze niet vaak mee. Ze deed een stap opzij om hem te passeren, maar hij deed hetzelfde, zodat ze er nog niet langs kon. Ze deed nog een stap, dit keer naar links, en weer versperde hij haar de weg.

Ze lachte. 'Heel goed. Dat is leuk zoals je dat doet.'

'Ik zou niet lachen als ik jou was.' Hij kwam uit Schotland. Een bekakte plaats, Edinburgh misschien. 'Als dit een film was, zou ik je nu op je hoofd slaan en achter in de Chrysler gooien.'

Ze hield haar hoofd schuin en bekeek hem eens goed. 'Ken ik jou?'

'Kapitein Zhang.' Hij haalde een kaartje voor de dag en hield het omhoog. 'In de film zou je wakker worden met een felle lamp op je gezicht, vastgebonden op een stoel. Vertrouw nooit een oosterling – leren ze jullie dan niets meer op het werk?'

'Geef hier.' Ze greep naar het kaartje, maar hij deed het netjes weer in zijn zak. 'Special Investigative Branch. SIB.'

'De SIB? O, alsjeblieft. Ik dacht dat je zei dat dit geen film was. De Special Investigative B...' Ze maakte de zin niet af. Natuurlijk – ze had aan zijn kleding moeten zien dat hij een militair was: met die kleren kon hij zo van de militaire academie komen. 'De SIB. Ik weet wie jij bent. De militaire politie. De dolk in de rug, noemen ze jullie, de matennaaiers. Je staat nou wel te verkondigen dat je van de Special Forces bent, maar je bent een doodgewone politie-spion. En jij wou me ervan weerhouden om op mijn motor te stappen? Ik dacht het niet.'

'Nou, ik wel.'

Ze haalde haar schouders op en probeerde hem nog eens te passeren. Hij versperde haar weer de weg.

'Wou je soms vechten?' vroeg ze. 'Kijken wie er wint?'

'Ik.'

'Dat had je gedacht.'

Zhang zuchtte, alsof hij probeerde zijn geduld te bewaren. 'We moeten je spreken, inspecteur Benedict. We moeten een eerlijk en zinvol gesprek hebben over Dominic Mooney. Als je even geduld hebt, zul je denk ik merken dat we allemaal aan dezelfde kant staan, dus een potje armdrukken zal niet nodig zijn.'

Ze bekeek Zhang zorgvuldig. Dominic Mooney. Die vent van het ministerie van Defensie die ze gebeld had. 'Oké. Nu wordt het interessant. Nu wordt het echt interessant.'

'Mooi.' Hij deed het knoopje van zijn blazer dicht en streek de voorkant glad, alsof het door hun treffen scheef was gaan zitten. 'Dat hoopte ik al.'

'En?' Ze draaide zich om en maakte een gebaar naar de auto's die op de parkeerplaats stonden. 'In welke kofferbak ga je me opsluiten?'

17

Twerton was het manke neefje van Bath. Het geheime broertje met de bochel. Niemand van de mooie pleinen en straten in het noorden van de stad kon de naam uitspreken zonder een plat boerenaccent te gebruiken en als een geboren idioot zijn tong in zijn mondhoek te duwen. Alles wat verkeerd ging leek daarvandaan te komen of ermee verband te houden. Het was de plek waar je Jake the Peg kon vinden als hij niet voor een van de betere privéscholen rondhing.

'Wat er ook gebeurt, jij blijft in de auto.'

Sally keek Steve vanaf de passagiersstoel aan. 'Waarom? Wat ga je dan doen?'

'Maak je geen zorgen. Ik heb dit eerder bij de hand gehad. Vertrouw maar op mij.'

Ze klemde de envelop tussen haar knieën. Haar handen waren zweterig en glad. Ze had Millie Jake laten bellen om te zeggen dat het geld voor hem klaarlag en had haar voor de rest van de avond bij Isabelle gebracht. Zij en Steve hadden te horen gekregen waar Jake hen zou opwachten, maar toen ze stopten, dacht ze dat ze hem puur op instinct ook wel had gevonden. Hij stond bij een bushalte voor een rij winkels. Er waren een paar zaken open, allemaal felverlicht: een cafetaria, een slijterij, een nachtwinkel. Verder was de straat donker.

Steve zette zijn auto naast en iets voor die van Jake, zodat hij de weg gedeeltelijk blokkeerde. Het leek hem niet te kunnen schelen dat ander verkeer vast kwam te staan. Hij leek ook geen bezwaar te hebben tegen getuigen.

'Hallo.' Hij liet de motor draaien, liet het raampje naar beneden schuiven, hield Jake zijn mobiel voor en drukte op het icoontje voor *filmen*.

Jake hield meteen een hand voor zijn gezicht. Hij deed zijn eigen raampje open, boog zich naar buiten en schreeuwde: 'Wat denk je verdomme dat je aan het doen bent? Zet dat vervloekte ding uit.'

'Niet als je je geld terug wilt.'

'Jézus.' Hij stapte uit de jeep, sloeg het portier dicht en beende naar hen toe, nog steeds met zijn hand voor zijn gezicht. Hij droeg een mouwloos T-shirt en een spijkerbroek die zo laag zat dat hij in plooien over zijn sportschoenen hing. Hij leek een heel ander mens nu hij zich op zijn eigen terrein bevond in plaats van op dat van David. Zelfbewuster, brutaler. 'Wat maak je me nou, man. Ben je helemaal belazerd. Haal dat ding uit mijn gezicht.'

Hij boog zich door het raampje om de telefoon te pakken, maar Steve hield hem buiten zijn bereik. 'Als jij die telefoon pakt, krijg je geen geld.'

'Geef me verdomme die telefoon.' Hij graaide ernaar. 'Anders kun je het bedrag dat je me schuldig bent verdubbelen.'

'Wil je het geld of niet?'

'Hier met die vervloekte telefoon.'

Hij boog zich weer door het raampje en dit keer drukte Steve op het knopje om het te sluiten. Jake besefte net op tijd wat er gebeurde en trok zich terug om te voorkomen dat hij klem kwam te zitten. 'Verdomme. Stelletje sukkels.' Hij sloeg woedend met zijn handen op het raam en bonsde op het dak. 'Stelletje sukkels.'

Hij ging alle portieren af en trok aan de deurgrepen. Toen hij er niet in bleek te kunnen, ging hij terug naar zijn jeep, deed het achterportier open en rommelde wat in de auto.

'Wat doet hij nou?'

'Ik weet het niet.' Steve draaide zich niet om. Hij gaf Sally de telefoon, stelde de achteruitkijkspiegel bij en hield Jake erdoor in de gaten. 'Als hij terugkomt, blijf je filmen en je houdt de camera op zijn gezicht gericht. Niet op mij, oké?'

Ze ging achterstevoren op haar knieën op de stoel zitten en richtte de camera op het achterraam. Terwijl ze dat deed, kwam Jake weer uit de jeep tevoorschijn. Hij had een lang stuk metaal in zijn hand, rood verlicht door de achterlichten. Het duurde een paar tellen voor ze besefte dat het een wielmoersleutel was.

'Steve,' begon ze, maar toen had Jake de moersleutel al geheven en neer laten komen op het dak van de Audi.

'Verdomme.' Steve sloeg met zijn hand op de claxon. 'Klootzak dat je bent.'

Het lawaai was oorverdovend. Een groepje kinderen in het trappenhuis van de flat aan de overkant draaide zich naar hen om. Steve haalde zijn hand van de claxon, deed het raampje open en stak zijn hoofd naar buiten. 'Hé! Wat denk je verdomme dat je aan het doen bent?'

Jake kwam naast hem staan en bukte met een akelige grijns op zijn gezicht. De sleutel bungelde in zijn ene hand. De andere stak hij uit naar de telefoon. Steve wierp een minachtende blik op de hand. 'Ik dacht het echt niet.'

'Nou,' zei Jake, 'ik wel.'

Hij hief de sleutel weer, klaar om hem op de auto te laten neerkomen, maar dit keer weerhield iets hem daarvan. Het was een
snelle beweging geweest, bliksemsnel. Steve was even met gestrekte rug naar achteren gaan zitten, zodat zijn jasje open was
gevallen. Het gebeurde zo snel dat Sally dacht dat ze het zich ver-
beeld had, maar dat was niet zo. Ook Jake had gezien wat er te
zien was en er verscheen meteen een andere uitdrukking op zijn
gezicht. Het was de kolf van een pistool, dat achter Steves broekband stak.

Jake liet de sleutel vallen en bleef besluiteloos staan. Even was
hij dezelfde zenuwachtige man die ze bij David had gezien. 'Ja,
nou.' Hij wierp een blik door de straat om te zien wie er allemaal
stond te kijken, en iets in zijn ogen zorgde ervoor dat de kinderen
in het trappenhuis zich afwendden. Hij likte langs zijn lippen en
maakte een draaiende beweging met zijn hand. 'Oké, man. Laten
we het dan maar doen. We doen het gewoon en dan zand erover,
hè?'

'Dank je,' zei Steve. 'Dank je zeer.' Hij deed het raampje weer
dicht. 'Je mag de camera uitzetten, Sally, en het geld uittellen.'

'W-wat?'

'Je hebt me gehoord.'

Ze zette beverig de telefoon uit, pakte de envelop die aan haar
voeten lag en begon stapeltjes biljetten van twintig pond af te tellen. Ze bleef naar Steves broekband kijken, ook al was die nu weer
bedekt door zijn jasje. 'Was dat wat ik dacht dat het was?' fluisterde
ze.

'Hij is onklaar gemaakt. Maak je geen zorgen, ik ga heus mijn
ballen er niet af schieten.'

'Dit is niet te geloven.' Ze keek naar Jake, die een eindje verderop stond en met zijn armen over elkaar zijn hoofd op en neer
bewoog als op muziek die niemand anders kon horen. 'Ik kan dit
absoluut niet geloven.'

'Ik ook niet. Tel het geld nu maar af.'

Ze deed het en gaf het haastig aan hem.

'Oké. Begin weer te filmen. Als we weggaan, neem je een goede opname van de jeep. Vooral van het nummerbord.'

Ze zette de telefoon aan, draaide zich om op de stoel en hield het toestel als een schild voor zich. Steve deed het raampje naar beneden. Jake kwam met een boos gezicht naar voren. Hij griste het geld weg en wandelde terug naar zijn jeep. Het portier ging met een klap dicht en hij bleef even voorovergebogen in de gloed van de binnenverlichting zitten om het geld te tellen. Toen hij daarmee klaar was, keek hij niet meer naar hen, maar deed zijn arm omhoog om het licht uit te doen, startte de jeep en scheurde ervandoor, waarbij hij net niet hun voorbumper meenam.

'Heb je zijn kenteken?'

Sally knikte. Ze stopte met filmen en liet zich zwaar ademend op de stoel zakken. 'God,' mompelde ze. 'Is het nu klaar? Zijn we er nu echt klaar mee?'

'Dat is verdomme wel te hopen.' Steve stelde de spiegel bij en startte de motor. 'Dat hoop ik echt wel.'

18

Kapitein Charlie Zhang werkte tijdelijk vanuit een oude, victoriaanse, roodstenen villa, die vreemd genoeg deel uitmaakte van een kazerne ten oosten van Salisbury Plain. Het had een militaire basis kunnen zijn, maar toen Zhang haar door de koele, van vloerbedekking voorziene gangen leidde, kwam Zoë tot de conclusie dat de militaire politie er beslist beter van afkwam dan de gewone huis-tuin-en-keukenpolitie. Overal zag ze kamerbrede tapijten en houtbetimmering langs de muren, en de deuren gingen allemaal met een vertrouwenwekkend gesis dicht, alsof ze zich op *Starship Enterprise* bevond.

Zhangs meerdere was een koel ogende vrouw van tegen de zestig, luitenant-kolonel Teresa Watling – in het leger het equivalent van een hoofdinspecteur en in het algemeen dus een behoorlijk zwaargewicht. Met haar geföhnde grijze haar, de gouden hanger op haar zwarte coltrui en haar hooggehakte schoenen van zwart reptielenleer leek ze net een zakenvrouw uit Manhattan. Maar eigenlijk, legde ze Zoë uit toen ze door de gangen liepen, was ze een heel gewoon iemand. Ze was geboren en getogen op het platteland van Zuidoost-Engeland.

'Leuk.' Zoë zwaaide met de identiteitskaart die ze bij het hek had gekregen. 'Mag ik u iets vragen?'

'Ga je gang.'

'Als ik straks op een stoel word vastgebonden, bent u dan de aardige agent of de nare agent?'

Daar gaf luitenant-kolonel Watling maar geen antwoord op. Ze bleef staan voor een deur en duwde hem open. De ruimte daarachter leek wel wat op de bestuurskamer van een oliemaatschappij met de tafel van gewreven walnotenhout en de twaalf met de hand besneden teak stoelen. Bij elke stoel stond een waterglas en lag een leren aantekenboek, dus de bezuinigingen die bij de gewone politie duizenden mensen van het ondersteunend personeel de kop kostten, waren nog niet tot hier doorgedrongen. Ze liepen achter elkaar de kamer binnen. Zoë koos een stoel aan het hoofd van de tafel, het verst van de deur, en kapitein Zhang ging naast haar zitten en vouwde zijn lange, tengere handen over elkaar. Midden op de tafel waren zes dikke dossiers neergelegd. Het zou wel heel wat tijd gekost hebben om al die informatie bij elkaar te krijgen, dacht Zoë. Heel wat tijd.

Luitenant-kolonel Watling maakte een slanke zwarte doos open en hield hem Zoë voor. Ze dacht aanvankelijk dat het een humidor was – het leek passend om in een kamer als deze een dikke sigaar op te steken en ontspannen te gaan zitten kijken hoe de hemel buiten indigo kleurde. Ze zou geen nee zeggen als de avond zo ging verlopen. Misschien een glaasje Talisker erbij. Er zaten echter geen sigaren in de doos, maar koffiecapsules in alle kleuren van de regenboog. Ze keek naar de lijst met verklaringen en koos de sterkste.

'Zwart, alstublieft. Met twee klontjes suiker.'

Watling ging koffie zetten. Zoë keek toe en vroeg zich af hoe ze deze baan had gekregen. Het zou wel gaaf zijn om Jimmy Choo's te dragen naar het werk, dacht ze. En om ze af en toe te verwisselen voor gevechtslaarzen voor een snelle, veilige inspectie van een van de bases in Irak of Afghanistan. Ze had gehoord dat ze in Camp Bastion een Piacetto-café hadden waar ze de lekkerste taart serveerden. 'Ik ken je baas,' zei Watling. 'Ik heb met hem samengewerkt bij een paar operaties in Wiltshire.'

'Had hij toen ook al zo'n vertrouwen in psychologische profielen?'

'Pardon?'

'Laat maar. Het is een aardige vent. Waar wilt u over praten?'

'O, zomaar wat.'

'Zomaar wat?'

Watling gaf Zoë haar koffie en zette haar eigen kopje naast het leren notitieblok. Ze ging zitten en legde haar elegante, gevouwen handen op het blok. 'Zoë,' zei ze. 'Herinner je je die goede oude tijd nog toen de recherche en de inlichtingendienst hun krachten bundelden en de soca ontstond? Dat er toen tegen ons werd gezegd dat dit een revolutie zou betekenen in ons werk? Dat de rechterhand eindelijk zou weten wat de linkerhand deed?'

'Geloofde u dat?'

Ze stootte een kil lachje uit. 'Ik heb de menopauze allang achter de rug en werk al twintig jaar in een mannenwereld. Een cynischer en wreder vrouw dan ik zul je niet snel tegenkomen. Maar toch, ik dacht inderdaad dat de soca een verbetering zou zijn. Ik geloofde in ieder geval dat andere eenheden er gebruik van zouden maken om er zeker van te kunnen zijn dat er boven iemand die ze op de korrel hadden geen grote vlag met sib erop wapperde. Waarom heb je dat niet gecontroleerd voordat je berichten achter begon te laten bij het kantoor van meneer Mooney?'

'Wilt u zeggen dat Mooney in de problemen zit?'

'Ja.' Watling gebaarde naar de lange rij mappen. 'Dit is bijna twee jaar werk. We zijn klaar om naar de Service Prosecuting Authority te gaan, onze eigen aanklager, en geloof me, die is net zo gebrand op de juiste procedures als...'

'Ho eens even, ho eens even. Zeg het als ik het mis heb, maar die Mooney, dat is toch een belangrijke gozer, niet?'

'Heel belangrijk. Dat betekent niet dat hij niet ondeugend kan zijn.'

Zoë roerde bedachtzaam in haar koffie. Ze keek hoe de suiker oploste en wachtte tot deze nieuwe informatie op zijn plek was gevallen. 'Oké,' zei ze uiteindelijk, 'ik snap het. Ik ben ergens over gestruikeld en daar wil ik me voor verontschuldigen. Ik heb niet in soca gekeken omdat het nooit bij me is opgekomen; ik heb Mooneys naam gewoon uit de grote hoed getrokken, via Dodspeople, omdat hij in Kosovo had gediend. Ik dacht dat hij wat informatie voor me zou kunnen hebben, me op het juiste spoor zou kunnen zetten. Ik zit met een vermiste persoon, een pornograaf die verwikkeld was in duistere zaakjes met iemand die verbonden was aan de vn in Priština. Ik volgde mijn neus en Mooney was mijn beginpunt.'

'Hoor eens.' Watling sloeg haar armen over elkaar. 'Je weet natuurlijk, want hoewel er niet over gesproken wordt is het inmiddels algemeen bekend, dat overal waar de Verenigde Naties zijn ook de mensenhandel is. Dat de vn een soort gat in de grond maakt en dat alle vrouwen in het gebied die niet goed zijn vastgelegd er gewoon in rollen.'

'Jawel.'

'Nou, dat is in Priština ook gebeurd. De sluizen gingen open en de prostituees stroomden naar binnen. Maar dit keer pakten ze het bij de vn eens slim aan en zetten ze een eenheid op om de zaak in de gaten te houden en mensenhandel tegen te gaan.'

'Ja, dat heb ik gezien. Mooney stond aan het hoofd ervan.'

'En nu is gebleken dat hij zelf ook inbreuk heeft gemaakt op de rechten van de plaatselijke bevolking.'

'Inbreuk?'

'Dat is een eufemisme. Om wat hij gedaan heeft en hoe hij zijn positie heeft misbruikt minder afschuwelijk te laten klinken.'

'Wat heeft hij dan precies gedaan?'

'O, wat niet. Meisjes verkopen aan de hoogste bieder, mensen vrijwaren van gerechtelijke vervolging wegens seksmisdrijven, het regelen van abortussen. Sommige van de baby's waren van hem. De lijst is verbijsterend.'

'Gek.' Zhang wreef verbaasd over zijn hoofd. 'Als je die vent ontmoet, zou je zeggen dat hij de aardigste mens op de planeet was.'

'Oké,' zei Zoë langzaam. 'Ik begrijp waar jullie naartoe willen. Ik waag een schot in het duister en wed dat hij ze ook wel heeft overgehaald om mee te spelen in pornofilms.'

'Heel goed. Héél goed. Daar zou je je voor moeten laten betalen.'

'Dank u. En dan nu mijn tweede truc: hij maakte de films niet zelf, toch? Met belichting en camerawerk en zo? Hij leverde alleen de meisjes.'

'Dat weten we niet. We geloven van niet. Het is een van de aspecten waar we nog geen streep onder hebben kunnen zetten.'

'Nou, laat mij jullie helpen met het zetten van die streep. Laat me eens een gokje wagen en zeggen dat dit het verband is met mijn meneer Goldrab. Die waarschijnlijk, denk ik zo, alle technische aspecten voor zijn rekening nam. David Goldrab. Doet dat belletjes rinkelen? Gold-rab. Brits staatsburger, had in de jaren negentig een lucratief handeltje in porno uit Kosovo. Goedkoper om het daar te maken, natuurlijk.'

'Goldrab?' Zhang keek vragend op naar Watling. 'Mevrouw? Is die naam niet ergens opgedoken?' Hij pakte een dossier en bladerde door de papieren. 'Ik weet zeker dat ik hem heb gezien.'

Watling trok een van de andere mappen naar zich toe. 'Was het soms in... Nee. Het was in een van die betalingen, nietwaar? Een van die bedrijven.'

'Dingdong.' Zhang deed alsof hij met zijn vinger op haar schoot. 'Dat is het.' Hij legde het dossier neer, pakte een ander en keek bliksemsnel de bladzijden door terwijl hij zachtjes namen mompelde. Eindelijk kwam hij bij een certificaat van de Kamer van Koophandel. Hij trok het uit de map. 'Hier is het. DGE Enterprises. Directeur en secretaris: de heer David Goldrab. Adres in Londen, maar dat is waarschijnlijk van een accountant of een jurist of zo.'

'Wat is het voor bedrijf? Leveranciers van de beste kwaliteit smeerlapperij? Hofleveranciers van hare majesteit koningin Elizabeth II?'

'Nee. Ze doen in verpakkingsmaterialen. Voedselverpakkingen voor cateraars. En in 2008 heeft Dominic Mooney tweeduizend pakken jampotten van DGE gekocht.'

Zoë trok een wenkbrauw op. 'Nou, dat is een heleboel jam. Hij heeft ongetwijfeld een fruitkwekerij.'

'Bij zijn stadshuis in Finchley?'

Ze keken elkaar aan.

'Nou,' zei Zhang met een glimlach, 'wie gaat het het eerst zeggen?'

'Mijn suffe persoontje natuurlijk.' Zoë stak haar hand op. 'Chantage. Goldrab heeft jaren geleden porno gemaakt in Kosovo en Mooney zorgde voor de meisjes, precies die meisjes die zijn eenheid had horen te beschermen. Er komt een eind aan hun verstandhouding en jaren later, lang nadat ze allebei zijn teruggekeerd uit Kosovo, krijgt Goldrab het in zijn hoofd dat het chanteren van een oude vriend een legitieme manier is om wat bij te verdienen.'

'Dat zijn die betalingen van Mooney aan dat zogenaamde verpakkingsbedrijf.'

Zoë knikte. 'Als Goldrab Mooney heeft gechanteerd, zal de laatste er wel heel gelukkig mee zijn als Goldrab dood is. Die situatie kan hem alleen maar voordeel opleveren.' Ze keek van Watling naar Zhang en terug. 'Wat is Mooney voor iemand? Ik bedoel, behalve wat hij in Kosovo heeft uitgevreten. Is hij ook op andere terreinen actief? Waar is hij toe in staat? Is hij in staat tot moord?'

Watling stootte een droog lachje uit. 'Nou en of. Het zou niet de eerste keer zijn. Dat toont ons onderzoek tenminste aan; we kunnen hem in verband brengen met ten minste twee vermiste personen, hier en in Kosovo.'

'Maar de naam Lorne Wood is zeker niet opgedoken?'
Watling trok haar wenkbrauwen op. 'Nee. Ik bedoel, ik ken de naam. Dat is die moord waar jullie in Bath mee zitten, nietwaar? Het zal je misschien verbazen dat wij van de sib belangstelling hebben voor wat de provinciale politie doet, ook al is die belangstelling niet wederzijds. Maar Lorne is niet in verband gebracht met Mooney. Op geen enkele manier. Waarom vraag je dat?'

'Waar was hij zaterdag een week geleden? Op 7 mei? De dag waarop Lorne is gestorven?'

'In Londen.'

'Weet u dat zeker?'

'Voor honderd procent. Ik kan je verzekeren dat hij niets te maken heeft met de dood van Lorne Wood.'

'Maar hij is wel een moordenaar.'

Watling zoog tussen haar tanden door lucht naar binnen. 'Over één ding kunnen we duidelijk zijn: ja, hij is een moordenaar, maar niet dat soort. Als Mooney iemand uit de weg wil ruimen, gaat dat via een kil, berekend zakencontract en wordt het geen seksuele moord. Lorne Wood? Niks voor hem. Goldrab? Misschien. Maar hij zou er zeker zijn eigen handen niet aan vuilmaken. Hij zou het laten doen.'

'Laten doen? Dan moet er ook voor betaald zijn.' Zoë stond op en boog zich over Zhang heen om naar het dossier te kijken. 'Heb je Mooneys bankafschriften daar soms ergens tussen zitten?'

Hij deed de map dicht, draaide zich iets om in zijn stoel, sloeg zijn ene been over het andere en trok beschermend zijn schouder op, zodat ze niets kon zien.

'Daar is niets van terug te vinden,' zei Watling. 'Dat kun je van me aannemen. We zouden het weten. Als er onlangs een betaling gedaan is, zou dat toch niet schriftelijk vastliggen. Hij zou harde valuta gebruiken, die niet na te trekken zijn. Als je het mij vraagt, zou hij in Krugerrands betalen; hij heeft jaren geleden iets te maken gehad met die valutazaak bij de raf, weet je nog? De nederige Kruger was in die dagen een veelbegeerde munt.'

'Wat voor iemand zou hij inhuren?'

'Meestal een ex-militair. De markt wordt op het moment overspoeld door jongens die bij de IRA hebben gezeten – die maken iemand koud voor tienduizend pond. Maar dat is niet Mooneys stijl. Het zijn ongeleide projectielen, te onbetrouwbaar en naderhand te loslippig in de pub. Hij zou eerder wat meer betalen en iemand huren die hij kon vertrouwen.'

Zoë zette haar ellebogen op de tafel en ging met haar kin in haar handen naar de dossiers zitten staren om hierover na te denken. Een huurmoordenaar. Als Goldrab echt door Mooney uit de weg was geruimd en ze erachter kon komen wie hij daarvoor had betaald, zouden er stukjes van de puzzel op zijn plaats vallen. Als er een verband was tussen Goldrab, Mooney en Lorne dat de SIB vooralsnog over het hoofd had gezien, zou dat binnen de kortste keren duidelijk worden. En zo niet, dan zou ze er in ieder geval zeker van kunnen zijn dat Goldrab echt van het toneel verdwenen was.

'En waar bevindt Mooney zich op het moment?'

'Hij is op vakantie met zijn vrouw – zijn ex-vrouw, zodra dit bekend wordt.'

'Kan ik hem ergens gaan opzoeken?'

Zhang snoof. 'Ja, wacht even. Dan schrijf ik het adres op.'

'Wat ik bedoel,' zei Zoë langzaam, 'is hoe we het vanaf dit punt aanpakken. Wie trekt zich terug? Wie doet wat voor wie? Ik wil maar zeggen, ik ben bezig aan de zaak-Goldrab, en dat betekent dat ik het recht heb om na te gaan wat hij met Mooney te maken heeft.'

'En wij zijn bezig met wat Mooney in Kosovo heeft uitgehaald. Bovendien hebben wij de meeste bewijzen in handen.' Watling schudde haar hoofd. 'Alsjeblieft, we hebben hier jaren aan gewerkt, Zoë. Jaren. Ontelbare manuren. Alles is gereed, maar de hele zaak kan elk moment instorten.' Ze hield haar hand omhoog en bewoog hem op en neer als een auto op de rand van een klip. 'We zijn van plan Mooney volgende week te arresteren. Maar hij kan heel gemakkelijk vluchten; als hij ook maar iets van onraad bespeurt, kan hij zo uit het land verdwijnen. Zijn secretaresse wordt al zenuwachtig van je telefoontjes, want je hebt de afdeling Moordzaken genoemd, toch? Neem me niet kwalijk, maar je hebt de hele zaak al behoorlijk in gevaar gebracht. Nog één fout en we kunnen het wel schudden. Nee.' Ze zette twee handen op het bureau. Alsof ze tot een besluit was gekomen en alles voorbij was. 'Wij nemen de verdwijning van Goldrab er wel bij en laten je onze dossiers zien als alles achter de rug is. Dan krijg je de resultaten zonder dat je er iets voor hoeft te doen. Zo belangrijk kan Goldrab niet voor je zijn, toch?'

'Ja. Dat kan hij wel.'

'Waarom dan?'

'Om alle voor de hand liggende redenen,' zei ze liefjes. 'Zoals de slingers die mijn hoofdinspecteur voor me uithangt als ik de zaak oplos. Het moment dat elke rechercheur in Bath opstaat en zingt: "Wij houden van je, Zoë," als ik de recherchekamer door loop. Als de vogeltjes 's morgens binnen komen vliegen en mijn bureau opruimen.'

'We zullen alle glorie die we kunnen missen naar jou doorschuiven. Dat beloof ik je. Je krijgt je slingers nog wel, Zoë. Heus. Compleet met vogeltjes en wat je nog meer mag willen.'

Ze knikte glimlachend. Als dit een film was, zoals Zhang zei, zou dit het punt zijn waarop ze zou tegenstribbelen en zou weigeren de zaak uit handen te geven. Waarom deden ze het altijd op die manier, dacht ze. Wat hadden mensen er toch tegen om gewoon te knikken, een belofte te doen en dan verder te gaan met wat ze toch al van plan waren? Volgens haar bespaarde dat iedereen een hoop moeite.

Ze slaakte een diepe zucht, leunde achterover en spreidde haar armen. 'Oké, oké. Maar als er slingers komen, mag ik de kleur kiezen.'

19

Het was al laat en Millie wilde bij Sophie blijven slapen. Blijkbaar waren ze weer vriendinnen. Sally zou na wat er die avond gebeurd was liever niet hebben toegestemd, maar ze bedacht een beetje hoopvol dat Millie niet alleen bij Sophie zou zijn, maar ook bij Nial. Misschien zou ze Peter Cyrus dan eens uit haar hoofd krijgen. En Steve had volgehouden dat Jake geen probleem meer was; Sally hoefde niet meer bang te zijn, ze kon naar hem toe komen en dan konden ze het samen op een drinken zetten en het einde van de hele afgrijselijke zaak vieren. Eigenlijk was ze daar blij mee. Het gaf haar de kans om te ontsnappen aan de stilte die zich in de velden rond Peppercorn Cottage leek op te bouwen.

Ze bleven die avond laat op en dronken een zoete dessertwijn die Steve voor tien euro per fles te pakken had gekregen in een supermarkt in Bergerac. Ze vreeën twee keer, een keer op het aanrecht met hun kleren nog aan, en veel later nog een keer in bed onder de dekens, toen ze al heel dronken waren en Sally gewoon niet kon stoppen met hikken en giechelen. Op het eerste oog leek alles bijna normaal. Maar toch zette ze voor ze ging slapen nog even de ramen open, zodat de onbekende stadsgeluiden de kamer in kwamen en konden doordringen tot haar dromen, waar ze misschien zouden voorkomen dat Zoë of David Goldrab in het veld rechtop ging zitten en haar bij de arm greep.

Ze werd laat wakker met een heel zwaar en duf hoofd. Het was die ochtend zo warm alsof het midden in de zomer was. Zij en Steve ontbeten op het terras. Ze dronken cranberrysap en aten verse frambozen. Vandaag ging hij naar Amerika en ze had gedacht dat ze daar klaar voor was, maar toen ze na het ontbijt de gang in kwam en hem in pak naast een koffer zag staan, kreeg ze het opeens koud.

'Stel dat er iets gebeurt? Stel dat ik weer verhoord word? Ik zou niet weten wat ik moest zeggen.'

'Je wordt niet meer verhoord. Dat gebeurt niet.'

'Stel dat iemand erachter komt waar je dat gewisselde geld vandaan hebt?'

'De Krugerrands? Dat gebeurt niet. Vertrouw maar op mij.' Hij pakte zijn koffer op. 'Alles komt goed.'

Sally was stil tijdens de rit naar het vliegveld. De Audi moest naar de garage, dus namen ze haar auto. Steve reed met het raampje open en de radio voluit, alsof er geen wolkje aan de lucht was. Zij zat ineengedoken naast hem, met haar handen om de handtas op haar schoot geklemd, en staarde naar de buitenwijken van Bristol en de zonneschijn die in scherpe blokken op de vervallen huizen viel. Ze vroeg zich af of Zoë wel eens in Bristol kwam. Dat zou best, voortdurend zelfs. Ze was de hele wereld over geweest. Op dat moment kreeg ze het gezicht van Zoë weer voor ogen zoals ze bij de tafel had gestaan en 'ik wil mijn excuses aanbieden' had gezegd. Ze probeerde zich voor te stellen dat het beeld werd weggenomen, dat het als een grijze draad uit haar hoofd werd getrokken en door het autoraampje verdween, meegesleurd door de rijwind, als een kronkelige geest.

Zij en Steve zeiden niet veel terwijl ze parkeerden, de zonneschijn achter zich lieten toen ze de hal ingingen, zijn bagage incheckten en met de lift naar boven gingen. Zijn vlucht werd al omgeroepen, dus wilde hij rechtstreeks naar de poortjes van de beveiliging. Maar toen ze hem een zoen had gegeven en met gebogen hoofd wegliep, hield hij haar nog even tegen.

'Sally?'

Ze kwam op drie meter afstand tot stilstand en draaide zich om. Hij stond in de rij voor de poortjes naar haar te kijken, terwijl de andere passagiers langs hem heen stroomden. Zijn gezicht stond vreemd. Hij wreef zijn vingers over elkaar en bekeek ze nieuwsgierig. 'Wat? Wat is er?'

Hij fronste en deed zijn hand open om het haar te laten zien. 'Lipstick?'

Ze liep naar hem terug en samen keken ze naar de lipstick op zijn vingers. Een soort oranjerood. 'Waar komt dat vandaan?'

'Ik weet het niet. Van net toen ik je kuste...' Hij legde zijn hand op haar schouder, draaide haar om en keek naar haar rug. 'Het zit op je jurk. Kijk maar.'

Sally keek over haar schouder en trok de achterkant van haar jurk opzij om hem te inspecteren. Hij had gelijk; haar jurk zat vol lipstick. In een heel opvallende oranjerode kleur.

'Ben je ergens langs gestreken?'

'Dat geloof ik niet.' Ze deed alle mogelijke moeite om het goed te zien. 'Het is wel veel.'

'Je moet ergens tegenaan hebben gestaan. Hier.' Steve haalde een opgevouwen zakdoek voor de dag en maakte aanstalten ermee over de stof te wrijven.

'Het is al goed. Laat maar.' Ze nam de zakdoek van hem aan, liet haar jurk los en deed de zakdoek weer in zijn borstzakje. 'Maak je geen zorgen, ik red me wel. Straks kom je nog te laat.' Ze gaf hem een zoen op zijn wang en duwde hem zachtjes in de richting van de veiligheidspoortjes. 'Ga nou maar.'

Hij keek nog een laatste keer naar haar jurk. 'Weet je het zeker?'

'Natuurlijk. Goede reis. Bel me als je er bent.'

20

De gegevens van Dominic Mooney in de *Who's Who* waren sinds zijn terugkeer uit Kosovo niet meer bijgewerkt. Er stond:

Geboren: Hongkong, 20 sept. 1955; z van Paul en Jean Mooney; geb. 1990, Paulette Frampton; 1 z.

Opleiding: Kings, Canterbury; Edinburgh Univ., BA; RMA Sandhurst.

Carrière: militaire dienst 1976-1988, VK, Belize en Noord-Ierland (1979-80). Ambtenaar 1986-heden: 1986-99 Defence Procurement Agency; 1999-2001 Civil Secretariat, Kosovo;

Zoë wist dat 'I z' in de eerste zin betekende dat Mooney één zoon had – waarschijnlijk een tiener en te oud om met zijn ouders op vakantie te gaan. Op het internet had ze hem binnen de kortste keren gevonden. Ze begon er na de ochtendvergadering mee, zocht op Mooney/Kosovo en had hem binnen tien minuten te pakken: Jason Mooney. Hij had zo'n beetje zijn hele levensverhaal online gezet, inclusief de periode dat zijn vader in Kosovo had gediend. (Geen melding van de vrouwen en de geaborteerde halfbroers en -zussen.) De jongen zag er heel aardig uit, zongebruind zoals blije studenten altijd leken te zijn op hun foto's op Facebook. Hij hield van zwemmen en van Punk, een club in Soho Street, en hij vond Pixie Lott zo'n beetje de heetste vrouw op de planeet. Hij had tatoeages in Hindi op zijn linkerenkel, droeg nog steeds een vriendschapsbandje dat zijn beste vriend hem op zijn twaalfde had gegeven en was eerstejaars op City University, waar hij vliegtuig-bouwkunde studeerde. Het was zijn grootste ambitie om te werken voor een met private middelen gefinancierd team dat een sonde de ruimte in wilde sturen. Maar zijn grootste liefde, zijn echte hartstocht, dat wat zijn ziel met zich mee zou nemen als hij het ooit zou kwijtraken, was zijn motor, een FX Harley Super Glide uit 1971. Er was een foto waarop hij ermee op een zonovergoten plat-telandsweggetje stond en hij wel uit elkaar leek te kunnen springen van blijdschap. De foto was met een soft focuslens genomen, die ook vaak bij bruidsparen werd gebruikt. Zodra Zoë hem zag, open-de zich een helder pad voor haar. Zo helder alsof er bakens aan weerszijden stonden.

Watling had gezegd dat er op de hele wereld geen cynischer mens bestond dan zij. Maar ze had het mis. Zoë was haar op het gebied van cynisme gemakkelijk de baas. Ze wist dat het beleefde handje dat Watling en Zhang haar ten afscheid hadden gegeven het laatste was wat ze ooit van hen zou krijgen. Er kwamen echt geen slingers van het bureau van de luitenant-kolonel op Salisbury

Plain. Ze wilde hun zaak niet verpesten, maar ze ging evengoed op jacht naar wat zij moest hebben.

Het hoofd van David Goldrab, dacht ze terwijl ze haar helm, bivakmuts, creditcards en sleutels pakte. Ze draafde de trap af. Vandaag geen enorme irritante spin in de gedaante van Zhang op het parkeerterrein. Ze stapte op de Shovelhead, trok de choke open en drukte op de startknop. Ze kon tegen de middag in Londen zijn.

Het was een zonnige dag, prachtig weer voor een ritje. Op de M4 was het rustig; er stond maar één file bij Swindon, waar ze doorheen slalomde. Ze trok heel wat blikken van mannen in hun auto's, de zon glinsterde van haar Oakley-motorbril alsof ze in een roadmovie uit de jaren zeventig meespeelde en onder het rijden ging steeds de eerste gitaarriff van een nummer van Steppenwolf door haar hoofd. De Mooneys woonden in Finchley in Noord-Londen, vlak bij de noordelijke randweg, waar de opeengepakte rijtjeshuizen van de binnenstad plaats begonnen te maken voor grasvelden, opritten, garages en een heleboel taxusheggen en coniferen. Ze kon de straat gemakkelijk vinden, het soort straat waar je maar één stap hoefde te zetten om te weten dat je in een chique buurt was beland. Hoge muren, elektronische hekken en beveiligingssystemen koesterden zich in de zon. Hij lag tenslotte niet ver van Bishop's Avenue, waar de extreem rijken woonden.

Aan deze kant bevonden zich de hoge huisnummers, dus de Mooneys moesten aan de andere kant zitten. Ze maakte een U-bocht met de Shovelhead en reed hem langzaam de straat weer uit, de noordelijke randweg op. Ze ging rechtsaf en toen nog eens, kwam bij het andere eind van de straat en vond een plekje waar ze kon stoppen. Ze zette de motor op de standaard, haalde de sleutel uit het contact en liep een paar meter terug terwijl ze haar helm afzette. In de beschutting van een gebogen stenen muur kon ze de straat afkijken en de huizen zien. Dat van de Mooneys was een groot, vrijstaand geval uit de jaren vijftig, met muren vol scherpe punten en een bakstenen oprit tussen borders vol ranonkelstruiken, waarvan de eigeelgele bloemen roerloos in de zon hingen.

Geen enkele ambtenaar hoorde in zo'n huis te wonen, zelfs niet als hij meer verdiende dan de premier.

Ze overwoog wat ze kon doen. Er stonden geen auto's op de oprit, de deuren van de dubbele garage waren dicht en het hek was ook gesloten. Een van de ramen op de eerste verdieping stond open. Op een kiertje maar. Ze ging iets naar voren, zodat ze het verkeerslawaai van de hoofdweg achter zich liet, en concentreerde zich op dat open raam. De gitaar van Steppenwolf zong nog steeds na in haar hoofd, maar er was nog iets anders. Ze was er zeker van. Een fanatiek bonken uit het huis. Een vrouwenstem, die R&B rapte uit Zuid-Londen, maar met aspiraties voor Hollywood. Het soort muziek waarvan degenen die echt in die buurt thuishoorden niets moesten hebben en waarvan alleen kinderen in rijke buitenwijken dachten dat ze radicaal was. Zoë glimlachte ironisch naar het open raam. Jason. Dat moest wel. Soms was het verdomme ook wel erg gemakkelijk.

Ze wandelde terug naar de motor, zette haar helm op, trok hem van de standaard en haalde het Leatherman-mes dat ze altijd bij zich had uit haar jaszak. Ze bukte, stak het mes in de ruimte boven de cilinderkop en gaf een scherpe tik op een van de keramische bougie-isolators. Er zat meteen een barst in. Ze stapte weer op de Shovelhead, startte de motor en reed de straat in, zodat het volle motorgebrul over de grote voortuinen sloeg en weerkaatste tegen de huizen. Na een meter of vijftig ging het gebrul over in gekuch en vervolgens in gestotter. Dat stierf weg en de motor liep uit tot hij ongeveer tien meter voorbij de oprit van de Mooneys tot stilstand kwam. Ze stapte af, zette haar helm af, schudde haar haar los, maakte de zadeltas open en begon er gereedschap uit te trekken. Een waterpomptang – volkomen ongeschikt voor het karwei. Ze ging op haar zij op de stoep liggen en begon onhandig de tang rond de isolator te bevestigen.

Ze hoorde Jason niet naderen. Het eerste wat ze van hem merkte, waren zijn voeten op ongeveer een meter afstand; bruin in een paar gehavende Ripcurl-sandalen, waarvan het vlechtwerk helemaal verbleekt en gerafeld was door de zon en het zand. Ze bleef er een paar seconden naar kijken. Toen duwde ze zich weg van de motor en rolde om tot ze met haar voeten in de goot zat.

'Neem me niet kwalijk. Ik hoop dat ik hier niemand in de weg lig. Ik ben binnen tien minuten weer verdwenen.'

'Hij slaat over. Dat hoor ik aan het geluid.' Jason leek magerder dan op zijn foto's op Facebook. En hij had foto's gekozen waarop zijn onderkaak vierkanter leek dan hij in het echt was. Maar hij had een open gezicht, met wijd uit elkaar staande, lichtblauwe ogen, waarin geen spoor van kwaadaardigheid of sluwheid te bekennen viel. Hij droeg een T-shirt met de tekst 'Jezus. Je wilt me opvrolijken, hè?' 'Ik hoorde je de straat door komen. Ik deed mijn ogen dicht en ik dacht: dat is een FX1 Superglide Shovelhead, toch? Uit 1980. Ik had het jaar mis, maar niet het merk en het model.' Jason schudde zijn hoofd. Hij leek vol ontzag. 'En van alle huizen waarvoor je pech had kunnen krijgen – ik wil maar zeggen, ik ben helemaal bezeten van motoren. Je had het niet beter kunnen uitkienen. Heb je al naar de bougies gekeken?'

'Dat ben ik aan het doen. Ik had het in een paar seconden kunnen fiksen als ik een bougiesleutel bij me had gehad. Nu moet het zo maar.' Ze hield de tang omhoog.

'Jezus. Je moet mijn werkplaats komen zien. Ik heb alles. Kom op, kom op.'

Ze aarzelde en keek de straat af. 'Weet je het zeker?'

'Natuurlijk. Kom op. Ik zweer je, dit is pure karma, wat hier aan het werk is.'

Samen duwden ze de Shovelhead de oprit op, en het gietijzeren hek ging weer achter hen dicht. Ergens opzij van het huis hoorde ze een fontein. 'Mooi huis, hoor,' zei Zoë toen Jason de garagedeur opendeed. 'Hier heeft iemand het goed voor elkaar.'

'Mijn ouders. Ze zijn er niet. Ik ben helemaal alleen met de schildpadden. Heb je ooit geprobeerd een gesprek te voeren met een schildpad? Neem maar van mij aan dat ze niets van motoren af weten.'

'Ik ken ook niet veel mensen die iets van motoren af weten. Niet zoals jij.'

Dat deed hem plezier. Hij trok een brede glimlach en stak zijn hand uit. 'Ik ben Jason.'

'Evie.' Ze schudde hem de hand. 'Leuk om een andere motorfanaat te ontmoeten. Nerd dat je bent.'

Hij grinnikte en wees naar zichzelf. 'Prent dit gezicht in je geheugen. Technisch genie. Op een dag laat ik een sonde op Mars landen. Wacht maar af.'

In de garage stonden een rode terreinwagen en de Harley. Hij nam de tijd om die aan haar te laten zien en stond erop dat ze haar vingers over een las liet gaan die hij zelf gezet had en te voelen hoe 'ontzaglijk glad' die was. Toen ging hij naar zijn werkbank achter in de garage en liet zachtjes mompelend zijn blik over het gereedschap aan de muur gaan tot hij zag wat hij wilde hebben. 'Hier heb ik een magnetische voor nodig, denk ik,' zei hij terwijl hij een bougiesleutel pakte. Hij knielde naast de motor op de koele garagevloer. Terwijl hij bezig was, ritste Zoë haar jasje open en liep langs de werkbank, zogenaamd om alles wat daar hing en stond te bekijken. Met haar rug naar hem toe haalde ze de waterpomptang onder haar T-shirt uit, bukte en legde hem op de vloer. Misschien moest ze nog terugkomen. Toen leunde ze met haar armen over elkaar en haar hoofd achterover tegen de werkbank. Van daaraf kon ze door de deur van het huis kijken. Die stond iets open. Ze ving een glimp op van de leefomgeving van Dominic Mooney: een lichtblauw vloerkleed, een haltafel van gewreven mahoniehout, witte kunstaronskelken in een vaas. Jason moest de R&B hebben afgezet, want het was stil in huis; er tikte alleen ergens een staande klok.

'Het duurt niet lang. De isolator is gebarsten.'

'O, ja? Goed dat jij thuis was, hè?' Ze knikte naar het huis. 'Ik kan zeker niet even...' Ze stak haar handen uit om te laten zien hoe vies ze waren. 'Ik zit al de hele dag in het zadel en ik zou het heerlijk vinden om mijn handen even te kunnen wassen.'

'Eerst deur links.' Hij keek niet op. 'Neem de handdoek aan de metalen ring en niet de opgevouwen dingen met kant en dat soort zooi. Die zijn voor gasten. Mam castreert me als ze gebruikt worden.'

Zoë wandelde met rammelende jasritsen het huis binnen. Ze ging naar het toilet en gooide water in haar gezicht. Er stonden fijne toiletartikelen, goed spul, zoals Champney's handzeep en een Italiaanse vochtinbrengende crème in een stenen flesje met gouden letters. Ze haalde de handdoek van de ring en liep de gang in terwijl ze haar handen afdroogde. Uit de garage kwamen de geluiden die de sleutelende Jason maakte. Hij ging er helemaal in op, dus keek ze snel even alle kamers in die uitkwamen op de gang. De woonkamer was enorm. Er lag vloerbedekking met een patroon en hij was ingericht als een hotel, met sierlijk beklede banken. De op maat gemaakte mahoniehouten kasten stonden vol boeken en fotoalbums. Openslaande deuren leidden naar een grote, ommuurde, zonovergoten tuin. Tegen de ramen stonden een tennisracket en een blik met ballen. Gek, dacht ze toen ze ze zag. Ze had er eigenlijk nooit echt bij stilgestaan hoeveel mensen tennisballen in huis hadden.

Ze ging naar de keukendeur en wierp daar ook even een blik naar binnen: een landelijke keuken met houten kastjes, gedroogde hop aan de gordijnkappen, keukengerei in een rustieke terracotta pot. Een kleurige theedoek. Het leek niet het huis van iemand die een moord zou plegen of iemand anders daarvoor zou betalen. Maar toch had dit huis iets ondefinieerbaars dat haar vertelde dat Mooney best verantwoordelijk kon zijn voor het feit dat David Goldrabs magnetronmaaltijd in Bath hard stond te worden.

In de garage sloeg de motor aan. Jason stootte een zegevierend piepje uit. Zoë kwam weer naar de deuropening, nog steeds met de handdoek in haar handen. Hij stond naast de motor en met een brede grijns op zijn gezicht draaide hij aan de gastoevoer en liet de motor brullen. 'Ik zei het toch?' riep hij boven het lawaai uit. 'Je zult nog met plezier aan me terugdenken!'

Ze legde de handdoek op de werkbank en liep met een waarderend hoofdschudden naar de motor. 'Fantastisch,' schreeuwde ze. 'Wat ben ik je schuldig?'

'Een ritje? Dat wil zeggen...' Hij dacht opeens aan zijn manieren, hield op met gas geven en zei met een ernstig gezicht. 'Een ritje? Als je het niet erg vindt.'

'Je wilt een ritje maken op mijn Shovelhead?'

'Nee... Ik bedoel, niet als je daar een probleem mee hebt. Echt niet. Laat maar zitten.'

'Nee, nee. Ik bedoel, het is...' Ze beet op haar lip. Deed alsof ze hier moeite mee had. Maar uiteindelijk zei ze: 'Ik vind het prima. Ben je verzekerd?'

'Ik rij alleen even naar de weg en terug. Ik ga niet de straat uit.'

'Oké. Het is ook eigenlijk wel het minste wat ik kan doen. Maar wel voorzichtig, hè?'

'Natuurlijk.'

Jason rende naar binnen en kwam haastig weer tevoorschijn met een zwarte, open Shoei-helm. Hij schopte zijn sandalen uit en deed laarzen aan zijn blote voeten. Hij zag er een beetje gek uit in zijn T-shirt en met die helm op toen hij op de motor stapte. Hij wiebelde een beetje toen hij het hek door ging, maar toen kwam hij op gang. Hij draaide de straat op en was binnen een seconde weg. Ze hoorde het gebrul van de motor over de heggen en de tuinen toen hij de straat door racete. Ze draaide zich om en ging snel het huis weer in.

De boekenplanken in de woonkamer leverden niets ongewoons op. Een paar foto's van het gezin, de Mooneys op hun trouwdag, Jason als baby, een lang, mager bruidsmeisje. De boeken waren voor het merendeel non-fictiewerken over de landelijke politie en over talen – Spaans, Russisch, Arabisch. Niets wat eruitzag als zakelijke dossiers. Ze ging de gang weer in en deed alle andere deuren open. Een washok, een studio vol half afgemaakt aardewerk, een eetkamer waar de gordijnen dicht waren om te voorkomen dat de meubels verschoten door de zon. En een afgesloten kamer.

Ze rammelde met de deur. Ze ging met haar vingers over het kozijn, tastend naar een sleutel. In een kom op het haltafeltje lagen autosleutels aan een rubber spiraal, een sleutel voor de gasmeter en een paar benzinebonnen. Geen deursleutel.

Ze ging terug door de garage, over de oprit en door het houten zijhek. Hier stonden de huizen heel dicht bij elkaar, en de zijdeur bevond zich in de schaduw. In deze muur zaten maar twee ramen, een met matglas, en met de overlooppijp van het toilet eronder. Het tweede was het raam van de afgesloten kamer. Ze legde haar hand ertegenaan en keek naar binnen. Ze zag een groot, mahoniehouten bureau met een leren blad en een groene bankierslamp erop, een leren leunstoel en een krukje. Op de planken achter het bureau zag ze duidelijk opbergdozen staan. 'Kosovo', stond er op een van de dozen, en op een andere 'Priština'. Misschien gegevens over de mensen die hij had betaald. En hoe. Ze trommelde met haar vingers op de ruit. Ze kon hem inslaan en binnen de kortste keren weer buiten zijn.

Het lawaai van de terugkerende motor weerklonk in de steeg tussen de twee gebouwen en ze deed een stap achteruit, hoewel haar handen jeukten om toe te slaan. Maar het motorgeluid werd luider en luider en op het laatste moment veranderde ze van gedachte. Ze ging terug naar het hek naar de oprit, maar het zat klem. Ze rukte eraan, ratelde met de greep, maar er zat geen beweging in. De motor kwam dichterbij. Ze keek over haar schouder naar de achtertuin. Het duurde te lang om die kant uit te lopen. Ze gaf nog één ruk aan het hek. Dit keer ging het open en ze stapte naar buiten op het moment dat Jason de oprit op draaide.

Hij bracht de motor tot stilstand, deed zijn helm af en keek haar nieuwsgierig aan.

'Hoi.' Ze streelde het stuur van de motor. 'Vond je het leuk? Of was het niks?'

Zijn blik ging van haar naar de zijdeur. 'Alles goed?'

'Hè?' Ze keek over haar schouder. 'Ja, hoor. Ik zocht een tuinslang. Ik wilde hem even afspoelen.'

'Afspoelen? Zo te zien is dat helemaal niet nodig.'

'Ik vind van wel.'

'Daar is een slang.' Hij wees naar de kraan die aan de voorgevel van het huis zat en naar de slang die keurig om een groene en gele haspel zat. 'Heb je die niet gezien voordat je naar achteren ging?'

'Nee.'

Jason krabde bedachtzaam op zijn hoofd en tuitte zijn lippen. Toen zwaaide hij zijn been over de motor en hing de helm aan zijn pols, zoals ze motorrijders had zien doen als ze het ding als wapen wilden gebruiken.

'Jason?'

'Wie ben jij?'

'Wie ik ben? Dat heb ik je toch gezegd. Ik ben Evie.'

'Nou Evie, je krijgt er spijt van als je iets uit dat huis hebt meegenomen. Ik heb je kenteken. En jij hebt geen idee hoe vasthoudend mijn vader is als het om zulke dingen gaat.'

'Dat wil ik best geloven.'

'Je wilt echt geen problemen met mijn vader.'

'Ik wil met niemand problemen.' Ze stak haar handen op. 'Ik ga weg.'

Ze liep hem voorbij, half in de verwachting de helm te horen suizen voordat hij op haar hoofd terechtkwam. Hij was omgeslagen als een blad aan een boom. Respect, Jason. Je bent niet het watje voor wie ik je aanzag. Ze pikte haar eigen helm op van de oprit. Jason liep met over elkaar geslagen armen achter haar aan en bleef toekijken terwijl zij haar jasje dichtritste en haar been over de Shovelhead zwaaide.

'Ik heb de handdoek op de werkbank laten liggen.' Ze liet de motor brullen, stak een hand op en glimlachte naar hem. 'Ik zou hem maar ophangen, dan is je moeder ook weer blij. Tot kijk, Jason. Het was leuk om kennis met je te maken.'

21

Sally stond met haar rug naar de spiegel in het damestoilet op de luchthaven van Bristol en trok haar jurk naar achteren om de lipstick te bekijken. In het spiegelbeeld dacht ze letters te zien, alsof ze ergens tegenaan had gestaan. Een uitstalling of graffiti. Maar waar dan? De meeste letters waren vlekkerig en onleesbaar, maar ze was er zeker van dat ze 'ME' kon onderscheiden. En misschien een 'E'.

Ze ging een van de toiletten in, trok haar jurk uit en probeerde hem schoon te maken met het pakje natte doekjes dat ze in haar tas had. Maar de lipstick wilde er niet af. Ze veegde de vlekken alleen verder in de stof, en uiteindelijk kon ze niet anders dan hem weer aandoen en haar trui rond haar middel slaan, zodat hij over de vlekken hing. Toen ze weer naar het parkeerterrein liep, had ze ondanks de zon kippenvel op haar armen. Ze gooide haar handtas op de achterbank van de Ka en wilde net achter het stuur gaan zitten toen haar iets inviel. Steve was hierheen gereden – zij had naast hem gezeten. Ze sloeg het portier dicht, liep om de auto heen, deed het andere portier open, hurkte en betastte voorzichtig de stoelbekleding. Haar vinger werd rood. Ze bleef er een hele tijd naar zitten kijken. Toen haalde ze haastig nog wat doekjes uit de handtas en legde ze over de zitting. Ze leunde er even op met haar handen en telde voor zichzelf tot honderd. Ze hoorde andere mensen met hun koffers op wieltjes voorbijgaan. Ze hoorde de hapering in hun voetstappen als ze haar voor het open portier zagen zitten.

Ze draaide de doekjes om en bekeek ze. De lipstick moest sinds het moment dat ze was ingestapt op de stoel hebben gezeten, anders was het niet op haar jurk gekomen. De auto had die nacht bij Steve gestaan, op de oprit. Ze probeerde zich te herinneren of ze hem had afgesloten. Bij Peppercorn deed ze dat nooit, dus misschien was ze het gisteravond ook vergeten. Misschien waren er kinderen in geweest.

Ze draaide de doekjes om en legde ze tegen elkaar. De letters waren vaag en sommige ontbraken, en de exemplaren die ze wel kon lezen, stonden achterstevoren. Ze zag een 'J', een 'N' en een 'W'. Ze zag 'EKS' achter elkaar staan en heel duidelijk 'VUILE'. En nog een 'E' en 'MEE', en toen begreep ze opeens wat er gestaan had.

Je komt er niet mee weg. Vuile heks.

Ze schoot trillend overeind en stootte bijna haar hoofd tegen het dak van de auto. Ze draaide om haar as alsof er iemand achter haar stond. Maar honderden meters in elke richting zag ze alleen maar auto's, waartussen de hoofden van een of twee reizigers bewogen. Ze sloeg het portier dicht en ging op een drafje op weg naar de vertrekhal. Toen besefte ze dat Steve al naar de gate moest zijn gegaan, en ze rende terug naar de auto en haalde onhandig haar telefoon uit haar tas, waarbij ze in de haast dingen liet vallen. Ze toetste zijn nummer in met vingers die wel van drilpudding leken. Er volgde een korte stilte, toen een elektronisch gezoem en vervolgens werd ze doorverbonden naar zijn voicemail.

'Met Steve. Als u een bericht wilt inspreken, zal ik...'

Ze verbrak de verbinding en bleef zwaar ademend met haar handen op het dak van de auto in de felle zon staan terwijl de onheilspellende waarheid tot haar doordrong.

Op de een of andere manier wist iemand precies wat zij en Steve met David Goldrab hadden gedaan.

22

Het was zo'n motel met geïsoleerde ramen om het lawaai van het verkeer buiten te houden, zeeppompjes aan de muur en automaten in de hal. Overal hingen bordjes met de garantie dat je je geld terugkreeg als je niet goed had geslapen. Het stond vijftien kilometer buiten Londen aan de M4 en zodra Zoë het zag nam ze de afslag en reserveerde ze een kamer. Ze was niet van plan er te slapen – ze moest alleen een plek hebben waar ze een paar uur kon liggen denken – maar ze nam plichtsgetrouw haar helm en schaarse eigendommen mee naar binnen en vroeg de receptionist om een in plastic verpakte tandenborstel.

Eenmaal in de kamer zette ze het raam op een kier, trok haar laarzen uit en ging met haar benen over elkaar op haar rug liggen. Ze legde haar bivakmuts over haar ogen, kruiste haar armen over haar borst en begon alles op een rijtje te zetten, zodat ze kon besluiten wat ze nu moest doen. Of ze verder moest graven naar Mooney of ermee moest stoppen en terug moest gaan naar Bath. Wat zou de zekerheid dat Goldrab dood was en dat alles wat hij van haar verleden wist met hem was verdwenen voor haar betekenen? Dacht ze dat ze opeens van alle blaam gezuiverd zou worden nu ze Sally haar excuses had aangeboden? Dat ze nu net zo onschuldig was als Debbie Harry? De onschuld bezat waar Ben van hield? Ze had het idee dat schuld een geestelijke toestand was, die nooit meer wegging als hij zich eenmaal ergens had gevestigd. Net als de bloedvlekken van Lady Macbeth.

Ze haalde diep adem om te kalmeren en begon alles rustig te overdenken. Maar de lange rit en de laatste slapeloze nachten braken haar op. Binnen vijf minuten sliep ze.

Ze droomde weer van de kamer, de kinderkamer en de sneeuw die buiten viel. Alleen zat ze dit keer op de vloer en voelde ze zich heel klein en bang, en Sally stond dreigend over haar heen gebogen. Ze stak een gebroken hand naar Zoë uit. Hij was helemaal kapot; aan alle kanten staken de botten door de huid en het bloed droop eruit en viel in dikke druppels op Zoës gezicht.

Ze zette zich met haar benen af om weg te komen, draaide zich om en kroop naar de deur. Sally volgde haar op de voet, met opgeheven hand. 'Nee!' riep ze. 'Ga niet weg – ga niet weg!'

Maar Zoë was de deur al uit; ze sprong de trap af en zette het op een lopen, straat in straat uit. Ze was in Bristol, besefte ze. St. Paul's. Voor haar zag ze een deuropening waaruit rood licht viel en een hand die haar wenkte. *Schiet op*, riep iemand. *Schiet op! Hier kun je door. Hierlangs!* En toen stond ze opeens op een podium en keek het publiek vol verwachting naar haar op. Op de eerste rij zaten haar ouders, de lerares van de eerste klas en de hoofdinspecteur. *Doe iets*, riep de hoofdinspecteur. *Doe iets goeds*. De man van de verlichting stond fronsend in de loge en achterin leunde de onderhoudsman op zijn bezem en keek haar grijnzend aan.

Vooruit, riep iemand. *Doe iets goeds.* Ze kreeg een duw in haar rug. Toen ze zich omdraaide, zag ze David Goldrab als jonge man, London Tarn.

Zoë, zei hij. *Wat heerlijk om je weer eens te zien, Zoë!*

Ze werd wakker in de motelkamer, met haar handen om de randen van het bed geklemd en wijd open ogen. Haar hoofd bonsde. Ze ademde in en uit, in en uit, en staarde naar het licht van koplampen, dat over de muur bewoog. Na een tijdje rolde ze om. Het klokje op het nachtkastje stond op 11:09. Ze tastte naar haar telefoon – het bereik was prima, maar in al die tijd had niemand geprobeerd haar te bellen of te sms'en. Ze vroeg zich af op wie ze gehoopt had. Ben? Het was elf uur. Hij en Debbie zouden wel in bed liggen en misschien een slaapmutsje of chocolademelk drinken. Of iets anders doen.

Debbie. De pure, onschuldige Debbie.

Ze deed de telefoon in haar zak, zwaaide haar benen van het bed, ging de badkamer in en gooide koud water in haar gezicht. Toen kwam ze overeind en keek in de spiegel. 'Verdomme,' siste ze. 'Verdomme, loop allemaal naar de hel.'

Ze wist wat ze ging doen. Ze ging terug naar het huis van Mooney.

23

'Millie, ga naar bed.' Honderdvijftig kilometer naar het westen zat Sally aan de keukentafel in Peppercorn Cottage naar haar dochter te kijken, die in de koelkast iets te eten zocht. 'Je moet morgen naar school. Vooruit. Het is al laat.'

'Jezus.' Ze wierp haar moeder een laatdunkende blik toe. 'Wat heb je toch? Zit toch niet zo te zeuren.'

'Ik zeg alleen dat je naar bed moet.'

'Maar je doet zo raar.' Ze draaide zich om met een pak melk in haar hand en knikte beschuldigend naar het wijnglas dat bij Sally's elleboog stond. 'En je hebt liters gedronken. Echt liters.'

Sally legde haar hand beschermend op het glas. Het was waar: ze had de hele fles leeggedronken, en het had helemaal niets geholpen. Helemaal niets. Ze had nog steeds een strak en gespannen gevoel in haar hoofd en haar hart bonsde. 'Schenk jezelf een glas melk in,' zei ze beheerst, 'en neem het mee naar bed.'

'En waarom zijn alle deuren op slot? Het lijkt hier wel een gevangenis. Ik wil maar zeggen, hij komt ons heus niet helemaal hier zoeken, hoor.'

'Wat zei je?'

'Hij weet niet waar ik woon.'

'Wie weet niet waar je woont?'

Millie knipperde met haar ogen, alsof ze niet zeker wist of ze Sally wel goed verstaan had. 'Jake, natuurlijk. Je hebt hem betaald. Nu laat hij me wel met rust.'

Sally gaf geen antwoord. De spieren onder haar ribben deden pijn, zo bang was ze de hele dag geweest. Ze had haar uiterste best moeten doen om de paniek binnen te houden. Na een tijdje schoof ze haar stoel naar achteren en ging naar de voorraadkast om nog een fles van Steves wijn te pakken. 'Schenk die melk nu maar in. Neem het glas mee naar je kamer. En laat de ramen dicht. Het gaat vannacht regenen.'

Millie stommelde rond in de keuken om een glas te pakken en de melk in te schenken. Ze zette het pak met een klap op het aanrecht en verdween. Sally bleef roerloos in de voorraadkast staan luisteren hoe ze door de gang kloste en haar slaapkamerdeur dichtsloeg. Ze haalde diep adem, legde haar hoofd tegen de muur en telde tot tien.

Het was bijna negen uur geleden dat Steves vliegtuig was opgestegen. Negen uur – het leek wel negen jaar. Negen eeuwen. Vermoeid zette ze zich af tegen de deur, ontkurkte de wijnfles, nam hem mee naar de tafel en schonk haar glas vol. Ze ging zitten en keek op het schermpje van haar mobiel. Niets. Hij moest over vijftig minuten landen. Ze had een paar berichten ingesproken op zijn voicemail. Als hij de telefoon aanzette voordat hij langs de douane ging, kreeg hij ze allemaal binnen het uur. Dan wist hij dat er iets mis was. Ze keek op naar het raam, naar de weerspiegeling van de verlichte keuken in de donkere ruitjes. De werkbladen en kastjes en in het midden haar eigen gezicht, zo bleek als de maan. Toen ze eerder op de dag Millie van school had gehaald, was ze door het huis gelopen en had alle deuren en ramen gesloten en alle gordijnen dichtgeschoven. Maar het idee dat er iemand ongezien bij een van die ramen kon staan had zich vastgezet in haar hoofd en uiteindelijk had ze de gordijnen weer opengedaan. Als ze moest kiezen tussen bekeken worden en niet kunnen zien wat er buiten gebeurde, werd ze liever bekeken.

Bekeken...

Ze was er die nacht zo zeker van geweest dat niemand haar en Steve kon zien in de tuin. Hoe kon het dan? Hoe kon het? Wat had ze over het hoofd gezien?

Ze trok de laptop naar zich toe en ging naar Google. Toen Google Earth pas nieuw was, hadden zij en Millie er uren naar gekeken. Ze hadden ingezoomd op de huizen van vrienden en hadden virtuele wandelingen gemaakt door straten die ze kenden. En door straten die ze niet kenden. Straten waar ze misschien nooit zouden komen. Nu zoomde ze in op Peppercorn. Het vertrouwde puntdak van de garage, de grijze geveldriehoeken – drie achter en drie voor – de stenen schoorsteen en het riet. De foto was midden in de zomer genomen en de bomen waren net zo dik en wollig als de pluizen van een paardenbloem en wierpen korte, donzige schaduwen op het gras. Ze ging met haar vinger over het scherm en tekende een grote cirkel rond het huis. Er was niets te zien, geen gebouwen die uitzicht boden op het terrein. Ze zoomde uit en zag nog steeds niets. Alleen de vertrouwde rijen gewassen in de naburige velden.

Ze duwde de computer weg en bleef even met een vinger tegen haar lippen zitten nadenken. Toen stond ze op, deed het licht uit en ging voor het raam staan. Er was niets daarbuiten. Geen enkele beweging of verandering. Alleen de verre lichtjes van auto's op de autoweg en het vage grijs van de maan achter de wolken. Ze deed haar schoenen uit en sloop zachtjes de gang in naar Millies kamer. Ze lag in bed te slapen en haalde rustig en gelijkmatig adem, dus liep ze de gang weer door, deed haar rubberlaarzen en een jas aan en zocht de grote, krachtige zaklantaarn op die ze van Steve bij Maplins had moeten kopen omdat hij het krankzinnig vond dat ze ergens achteraf woonde, waar voortdurend stroomstoringen waren. Steve. God, ze wilde dat hij nu bij haar was.

Stilletjes ging ze door de achterdeur naar buiten. Het was koel, heel koel, bijna koud na de ongewone hitte van die dag. Ze bleef even naar de vertrouwde omgeving staan kijken, de rij zilverberken aan de noordrand, het bosje in het oosten, het bovenste deel van de tuin waar een kiwiplant stond met harde en bittere vruchten. Haar auto stond op de plek waar zij en Steve zes nachten geleden hadden gestaan, trillend en misselijk na wat ze hadden gedaan.

Ze deed de deur achter zich op slot en liep naar de auto. Met haar rug ernaartoe liet ze haar blik langzaam langs de horizon gaan. Niets. Ze liep om de auto heen en deed hetzelfde aan de andere kant. Er was niets. Geen gebouw, geen plek waar iemand had kunnen staan kijken. Ze stak het grasveld over naar het perk waar ze de vorige dag het vuurtje had gestookt. De aarde was nog grijs en licht van de as en ze ving de vage geur van verkoold hout op. Ze bracht de enorme zaklamp omhoog, deed hem aan en richtte de straal op de bomen. Ze had de lamp nooit eerder gebruikt en hij was zo krachtig dat ze op honderden meters afstand details kon onderscheiden. Als hij op glas stuitte, een raam dat ze over het hoofd had gezien, zou het het licht weerspiegelen. Ze liet het licht over de velden vallen en beschreef een grote kring langs de zijkant van het huisje, langs de garage en over de heggen. Ze zag de individuele blaadjes en takken in het bos, de doorbuigende en ritselende bomen. In het bosje aan de rand van haar tuin ving de lichtstraal twee groene vlekjes. Ogen die haar vast aankeken. Ze bleef met bonzend hart staan. De ogen bewogen iets, gingen omlaag, draaiden weg. Het was maar een hert, dat bij het grazen was verrast.

Sally ademde diep uit en liet de lamp zakken. Er was niets, geen gebouw, geen verborgen parkeerhaventje of vogelkijkhut, geen boomhut of boerderijgebouw. Geen enkele plek waar iemand zich had kunnen verbergen en had kunnen zien wat ze aan het doen waren. En toen viel haar iets in. Iets wat al die tijd al duidelijk had moeten zijn, als ze maar logisch had nagedacht. De auto. Degene die het bericht had geschreven, had ervoor gekozen dat in de auto te doen, terwijl die bij Steves huis geparkeerd stond. Wat betekende dat? Waarom was hij niet naar Peppercorn gekomen? Waarom had hij de moeite genomen haar naar Steve te volgen als...

Natuurlijk. Ze deed de lamp uit en liep snel over het gras naar het huisje. Ze deed de voordeur van het slot en ging zonder haar rubberlaarzen uit te doen of het licht aan te doen naar de keuken, waar ze de laptop opensloeg. Het scherm kwam tot leven en alle dichtbegroeide zomervelden lagen groen en levend in het zonlicht. Ze zoomde uit, verschoof het beeld naar links en naar het noorden, en stopte toen ze bij de vage lijn van de Caterpillar kwam, tegenover Hanging Hill.

'Daar,' zuchtte ze, en ze liet zich op een stoel zakken. 'Daar.'

De foto was volgens haar aan het eind van juni genomen. Er hing een lichtroze waas van klaprozen over de velden. Daartussen stond Lightpil House, een grote gele vlek in het groen, waar de fonteinen en de terrassen het zonlicht weerkaatsten. Ten noorden ervan bevond zich de bijna driehoekige parkeerplaats waar David Goldrab was gestorven. En in het zuiden, vlak bij de erfgrens en halfverborgen door de hoge populieren was het dak van een huis te zien.

Degene die het bericht had achtergelaten, wist niets over Peppercorn Cottage; ze was gezien bij het huis van David. Ze had gedacht dat niemand haar kon zien op de plek van de moord, maar ze had niet gedacht aan de tuinen van de huizen aan de andere kant van Lightpil Lane. De kavel waarop het huisje op het scherm stond, grensde aan de noordelijke muur van Lightpil House en vormde aan het eind een kom met een lage heg erlangs. Als daar op het juiste moment iemand gestaan had, en als die iemand over de kom heen had gekeken...

Ze schrok toen de telefoon in haar zak overging. Ze haalde hem met trillende handen tevoorschijn.

'Steve. *Steve?*'

'Jezus christus, Sally, wat is er in godsnaam aan de hand?'

'Het is helemaal misgegaan. Ik heb je gezegd dat het fout zou lopen en dat is ook gebeurd.'

'Oké, oké, rustig aan. Om te beginnen is dit een internationale verbinding. Je weet wat ik daarmee bedoel. Hoor je dat zoemen?'

Ze haalde diep adem, nog steeds met haar blik op het dak van het huisje gevestigd. 'Ja,' zei ze beverig, en ze dacht aan die grote afluisterstations met hun koepels. En aan het communicatiehoofdkwartier van de overheid in Cheltenham. Werden telefoons echt afgeluisterd? In Steves wereld misschien wel. 'Ik geloof dat ik weet wat je bedoelt.'

'Leg dan voorzichtig uit wat er gebeurd is.'

Ze likte langs haar lippen. 'Toen ik weer in de auto kwam, kreeg ik een bericht. De lipstick waar ik op had gezeten, die kwam van een bericht. Er stond...' Ze slikte. 'Er stond dat ik er niet mee weg zou komen.'

Er viel een lange stilte aan de andere kant terwijl Steve dit tot zich liet doordringen. 'Oké.' Hij klonk alsof hij niet duizenden, maar miljoenen kilometers ver weg was. In een ander sterrenstelsel. 'Oké.'

'Maar als iemand... je weet wel, iets heeft gezien, is dat niet hier op Pepp... bij mijn huis geweest, dus ik geloof niet dat hij weet waar ik woon. Ik denk dat hij mijn auto heeft gezien en die later voor jouw huis heeft zien staan, en er vervolgens het bericht in heeft achtergelaten. Ik heb op Google Earth gekeken en ik denk dat ik weet waar hij gestaan moet hebben...'

'Oké. Ik kom meteen terug. Ik hoef de luchthaven niet eens af, ik draai meteen om en neem de eerste de beste vlucht terug. Goed?'

'Nee,' zei ze. 'Nee. Dat gaat niet.'

'Dat gaat wel.'

'Ja. Maar ik wil het niet.'

'Nou moet je niet raar gaan doen.'

'Ik meen het. Ik red me wel.'

'Nou, het kan me niet schelen wat je zegt, ik kom terug.'

'Nee.' Dit keer klonk haar stem zo vastberaden dat Steve stilviel. 'Ik moet dit echt zelf doen. En Steve, stel het alsjeblieft niet nog eens voor.'

24

Het was kouder nu het middernacht was geweest, en er was bijna niemand op de weg. Toen ze over de viaducten Londen in reed, was het net of ze op een vliegend tapijt boven een betoverde stad zweefde. Alle gebouwen waren verlicht als paleizen. Rechts van Zoë stulpte de Ark uit over de weg, en links van haar bevond zich de blauw betegelde uienkoepel van een moskee. Ze stond even in de file bij Paddington, waar twee politieauto's met zwaailichten stonden en alles naar één baan moest, maar verder liep ze geen enkele vertraging op bij haar rit naar Finchley.

Ze bracht de motor tot stilstand, zette hem uit en ging op haar tenen bij de stenen muur aan het eind van de weg staan. Het huis van de Mooneys was felverlicht. Zo te zien stonden alle ramen open en ze hoorde stemmen en muziek. De muziek stond zo hard dat ze zich verbeeldde dat ze het in haar voeten kon voelen. Op de oprit liet iemand een motor brullen. Het verbaasde haar dat er geen politie aanwezig was, want de buren zouden dit toch zeker niet fijn vinden, maar toen ze naar de stille huizen keek, waar hier en daar een buitenlantaarn brandde en waar alle hekken dicht waren, bedacht ze dat hier niet echt mensen woonden. Het was een van die straten met huiseigenaren die in Dubai of Hongkong woonden en alleen een huis in Londen aanhielden om hun zakenrelaties te imponeren. Het zou best eens zo kunnen zijn dat het huis van de Mooneys het enige in de straat was dat bewoond werd. Geen wonder dat Jason ongestoord een feestje kon bouwen.

Ze stapte behoedzaam weer op de motor en startte hem. Langzaam reed ze de weg af, waarbij ze haar hoofd recht naar voren hield, maar vanuit haar ooghoeken naar links keek. Het hek voor het huis van de Mooneys stond open en op de stenen oprit stonden zeven grote West Coast Choppers. In de garage, verlicht als een kerststal, stonden twee mannen in mouwloze T-shirts met blikjes bier in de hand Jasons Harley te bekijken. Ze praatten gewoon door toen ze langsreed, maar een van de mannen keek op en volgde haar met zijn blik tot ze uit het zicht was verdwenen.

Honderd meter verderop maakte ze een U-bocht, ging terug naar het huis en reed de oprit op tot aan de andere motoren. Ze parkeerde bij de tuinslang, die je gewoon niet kon missen tegen de voorgevel, zwaaide haar been over de motor en liep de garage in terwijl ze haar helm afzette.

'Alles goed?' zei de grootste van de twee mannen. 'Alles goed daar?'

'Ik geloof van wel.' Ze ging vermoeid met haar handen door haar haar en liep verder. Ze hielden haar niet tegen, dus ging ze door de deur die ze eerder ook gebruikt had het huis binnen. Daar was alles anders. De leefomgeving van Dominic Mooney was totaal overhoopgehaald. Elk meubelstuk lag vol leren motorkleding en helmen. De keuken stond stampvol bier drinkende mensen, en op het aanrecht zaten meisjes met tatoeages van prikkeldraad op hun armen en naaldhakken onder hun strakke spijkerbroeken. Iemand voerde een denkbeeldige drumsolo uit met een van de pollepels van mevrouw Mooney. Zoë liep door het huis, keek kamers in, telde neusringen en voorhoofdpiercings en het aantal voeten in met olie besmeurde laarzen op de mooie banken van de Mooneys. Haar ouders hadden nooit een feestje voor haar gegeven – in ieder geval niet meer na wat ze Sally had aangedaan. En ze hadden haar beslist nooit alleen thuisgelaten.

Ze vond Jason in de badkamer op de eerste verdieping, waar hij volledig gekleed in het bad lag met een blikje Gaymer's in zijn ene hand en een iPhone in de andere. Zijn hoofd rustte op zijn schouder en zijn mond stond open. Hij was stomdronken.

'Hallo, Jason.'

Zijn ogen schoten open. Hij ging met een ruk rechtop zitten en de cider vloog alle kanten uit. Toen hij zag wie het was, vermande hij zich en deed een flauwe poging om de cider weg te vegen. Hij streek het haar uit zijn gezicht. 'Hallo,' zei hij met onvaste stem.

'Waarom ben je teruggekomen?'

'Ik moest wel. Ik heb mijn waterpomptang in de garage laten vallen.'

'Dat weet ik. Ik heb hem gevonden.'

'Ik wist niet of ik welkom zou zijn.'

Hij keek naar haar alsof ze hem voor raadselen stelde. 'Wat moest je? Wat deed je daar stiekem in onze achtertuin?'

'Ik moest plassen, Jason. Daarom was ik achterom gelopen. Het spijt me.'

'Oké, goed dan,' mompelde hij, en zijn mond bewoog alsof hij het excuus uitprobeerde. Maar hij was te dronken om te beseffen dat ze gewoon gebruik had kunnen maken van het toilet waar ze haar handen had gewassen. Hij haalde zijn schouders op. 'Ja, nou, het zal wel goed zijn.'

'Maar Jason, op de rozen van je moeder piesen lijkt niet meer zo erg als je al die mensen ziet die in jullie keuken bier staan te zuipen.'

Jason staarde haar aan. 'Wat doen ze? Een paar biertjes en dan wegwezen, heb ik gezegd.'

'Een paar biertjes... Jason? Weet je hoeveel mensen er beneden zijn?'

'Vijf?'

'Vijf? Eerder vijftig.'

'Meen je dat?'

'Of ik dat meen? Nou en of. Zo serieus dat je beter eens goed kunt gaan nadenken over woonruimte en een baan om die slimme jongetjesstudie van je te kunnen afmaken. Want ik ken geen enkele vader of moeder die deze rotzooi kan negeren. Heb je al beneden gekeken? Heb je de schroeiplekken van de sigaretten al gezien op de vloerbedekking?'

'Schroeiplekken? Verdomme.' Hij krabbelde uit het bad. 'Zijn ze aan de gastendoekjes geweest?'

'De gastendoekjes zijn niet bepaald je grootste zorg. Het lijkt hier wel het happy hour bij Wetherspoon's.'

Jasons benen in de strakke spijkerbroek voerden een paniekerig dansje uit. Hij was doornat van de cider. 'Is het zo erg?' Hij bracht zijn handen naar zijn gezicht en keek haar aan als dat schilderij van Munch dat je overal zag. *De Schreeuw.* Vol ontzetting. Opperste ontzetting. 'Wat moet ik nou? Ik heb ze niet uitgenodigd. Echt niet.'

'Wil je dat ik ze wegjaag? Dat ze twintig verschillende kanten uit rennen?'

'Kun je dat?'

Ze haalde haar schouders op. 'Alleen als jij dat wilt.'

'Kan ik hier blijven? Kan ik de deur op slot doen en hier blijven?'

'Als je wilt.'

'Goed dan. Doe het maar.'

Zoë trok haar broek iets omhoog, deed de riem een gaatje strakker en voelde in haar zak naar haar identiteitskaart. 'Klaar om de deur op slot te doen?'

'Klaar.'

'Vooruit met de geit.'

Zoë had uiteraard al heel wat kamers ontruimd in haar leven, en op een schaal van een tot tien kwamen de motorrijders niet erg hoog. Ze verdwenen niet echt naar de vier windstreken, met de handen schaamtevol voor hun gezicht geslagen, maar ze sprongen ook niet op om naar haar te wijzen en haar aan te vallen, zoals sommige mensen deden. De motorrijders kenden het klappen van de zweep; ze wisten hoe ver een feestje kon gaan en wanneer ze eieren voor hun geld moesten kiezen. Dus toen ze door het huis liep, lampen en cd-spelers uitdeed zodat het stil werd en zo hard ze kon 'politie' riep, deden de motorrijders wat ze moesten doen. Ze pakten hun helmen, handschoenen en tabaksblikjes en slenterden mopperend naar de deur. Ze ging op de oprit staan, keek ze na en sprak ze beleefd toe, en ze hielp er zelfs een zijn onwillige motor aan de praat te krijgen.

Toen ze weer binnenkwam, zat Jason op de trap. Hij had zijn natte spijkerbroek uitgetrokken en een donzig wit badlaken omgeslagen. Met het kippenvel op zijn blote benen en de handdoek als een kap over zijn hoofd zag hij eruit als een vluchteling. Zijn ogen waren net gaten in zijn gezicht. Ze moest zich ervan weerhouden naast hem te gaan zitten en een arm om zijn schouders te slaan.

'Alles goed?'

'Je hebt helemaal niet gezegd dat je van de politie bent.'

'Dat is ook niet zo. Ik ben dierenartsassistente.'

'Dieren...' Hij deed zijn mond zo abrupt dicht dat zijn tanden op elkaar klapten. 'Maar hoe heb je ze dan laten geloven...'

'Ik heb ze mijn rijbewijs laten zien en gezegd dat het een politiekaart was.'

'Wat? En daar trapten ze in?'

'Ja.' Ze haalde haar rijbewijs uit haar portefeuille en zwaaide er zo snel mee langs zijn gezicht dat hij de naam niet kon lezen. 'Het zal je verbazen hoe lichtgelovig mensen zijn. Je moet het alleen overtuigend weten te brengen.'

Jason slikte en legde zijn handen tegen zijn slapen. 'Jezus. Het gaat allemaal zo snel.'

'Ik weet het. Heb je de troep gezien?'

'Dit overleef ik nooit. Wat moet ik doen?'

'Je gaat een kop koffie drinken. Daar word je niet minder dronken van, maar wel een beetje wakker. En daarna gaan we de boel schoonmaken.' Ze hielp hem met een hand onder zijn elleboog de trap af. Een paar keer verloor hij zijn evenwicht en liet hij bijna de handdoek vallen. Ze ving glimpen op van zijn bleke lijf, het spaarzame lichaamshaar en een ouderwetse lila onderbroek met een vochtige plek in het kruis. Toen ze hem beneden had, zette ze hem rechtop op een stoel, net achter de keukendeur, en zette de waterkoker aan.

Toen liep ze de gang weer in en probeerde de deur van de studeerkamer. 'Is hier niemand naar binnen geweest?'

'Hè? Ik weet niet. Ik hoop van niet.'

'Ik weet het ook niet. Hij zit op slot.'

'Nee. Hij klemt alleen. Geef hem maar een flinke zet.'

Ze knipperde met haar ogen en toen moest ze lachen. Traag en ongelovig.

'Wat nou?' zei hij.

'Niets.' Ze schudde haar hoofd. De deur was al die tijd open geweest – ze had die middag gewoon naar binnen kunnen lopen, zonder al die moeite te hoeven doen. 'Laat maar. Het is niets.'

Ze zette haar schouder tegen de deur, draaide de deurgreep driehonderdzestig graden en zette haar hele gewicht ertegenaan. Er klonk een bons en toen zwaaide de deur open. Alles stond er nog precies zo; de bankierslamp op het bureau, de leren leunstoel en het krukje. De dossiers. 'Je hebt geluk. Geen ongeregeldheden, niets ernstigs tenminste.' Ze ging weer naar buiten en trok de deur naar zich toe, maar liet hem op een kiertje staan. 'Weet je eigenlijk wel zeker dat je koffie wilt? Je ziet eruit alsof je beter even kan gaan liggen. Ik ruim wel op. Je hebt mij vanmiddag ook geholpen.'

Jason knikte suf. Hij liet zich meenemen naar de woonkamer en op de bank installeren. In de garderobe vond ze wat jassen, die ze boven op hem legde. 'En als je misselijk wordt, maak het dan niet nog erger voor jezelf en zorg dat je bijtijds bij het toilet bent.'

'Ik word niet misselijk. Ik ben alleen moe.'

'Ga dan maar slapen.' Ze bleef een tijdje in de deuropening naar hem staan kijken, met één hand tegen de muur. De openslaande deuren keken uit op het oosten en het duurde niet lang voor het eerste roze licht de kamer binnenstroomde. Alsof iemand een vuur had gemaakt in de tuin. Het stoorde Jason niet. Hij deed zijn ogen dicht en binnen een paar seconden ademde hij diep in en uit. 'Ik

geloof niet dat je nog koffie nodig hebt.' Ze wachtte nog vijf minuten om zeker van haar zaak te zijn en liep toen stilletjes de gang
door. Onderweg pakte ze een paar bierblikjes mee.

De studeerkamer was de enige plek waar niet gerookt was. Ze
zette de deur open, zodat de geur vanuit de gang naar binnen kon,
zette een paar blikjes op het bureau, duwde de leunstoel opzij en
schopte tegen het vloerkleed, zodat het leek of de motorrijders
binnen waren geweest. Toen begon ze de dossiers door te nemen.
Er waren hele dozen over Jasons schoolopleiding – hij had op
St. Paul's gezeten en de rekeningen waren om te huilen. Ze vroeg
zich af of Julian nog steeds Millies schoolgeld voor Kingsmead
betaalde. Rapporten, sportdiploma's, lijsten met schoolkleding en
de details van overzeese schoolreisjes – alles lag bij elkaar. Wat
voor onaangename dingen Mooney ook met de vrouwen van Priština had uitgehaald, hij hield wel van zijn zoon. Of liever, hij had
verwachtingen van hem. In andere dozen vond ze gegevens van
pensioenplannen van het ministerie van Defensie en een particu-
lier bedrijf, hypotheekpapieren, een huurcontract voor een huis
in Salamanca. Er waren medische rapporten en papieren over een
rechtszaak met betrekking tot een auto-ongeluk dat mevrouw
Mooney in 2005 had gehad. Zijn bankafschriften lagen er. Zoë
nam ze mee naar de leunstoel en ging zitten om ze door te nemen.

Boven de onmogelijk dure dakpannen van het buurhuis werd de
hemel steeds lichter en er hingen een paar wolken boven de schoorstenen, die nog steeds hun grijze nachtgewaad droegen. Ze werkte
tot de zon de ruimte tussen de twee huizen binnendrong en door
het glas-in-loodraam de studeerkamer in scheen. Ze zocht bijna
een uur in de bankafschriften zonder iets te vinden. De moed zonk
haar in de schoenen. Al die moeite, en nog steeds geen antwoorden.
Zhang en Watling hadden gelijk gehad: als Mooney iemand had
betaald om Goldrab uit de weg te ruimen, had hij zijn sporen met
zijn staart uitgewist. Ze ging met haar kin in haar handen naar de
foto's aan de muur zitten staren. Meneer en mevrouw Mooney
hand in hand voor de Taj Mahal. Mooney die iemand de hand

schudde die volgens haar iets hoogs in de Amerikaanse regering was; Alan Greenspan of zo. Krugerrands, dacht ze. Wie in het zuidwesten zou Krugerrands aannemen en weten wat hij ermee moest doen? Je zou ermee naar een van die afschuwelijke straatjes in Bristol of Birmingham moeten gaan. Het zou een nachtmerrie zijn om daar de ronde te doen met een gerechtelijk bevel in de hand. Onbegonnen werk...

Iets op een van de foto's trok haar aandacht. Ze schoof de stoel naar achteren en ging ernaartoe. Het was een afbeelding van Dominic Mooney in een standaard Barbour-jas en groene Hunterlaarzen. In een van zijn handen hing een open geknikt geweer van Holland and Holland. Hij glimlachte naar de camera. Achter hem was iets van de horizon zichtbaar, en een duidelijke vorm, zwart tegen de blauwe hemel. De Caterpillar tegenover Hanging Hill. En in zijn andere hand, opgetild naar de camera, een koppel fazanten.

De jachtopziener. Ze duwde het dossier weg. Die verdomde jachtopziener. Jake had gezegd dat iemand fazanten fokte voor Goldrab. Mooney was bij Lightpil House wezen schieten en moest de jachtopziener gesproken hebben. Ze borg het dossier op, schoof de foto in haar jas en deed hem dicht. Jezus christus. Iedereen wist hoe jachtopzieners waren, zo gek als een deur. En gevaarlijk. Vuurwapenvergunningen en gelegenheid zat om een lijk te laten verdwijnen. Als zij Mooney was en ze wilde iets aan Goldrab gedaan hebben, zou ze beginnen bij de jachtopziener.

Ze ging de woonkamer in. Jason sliep nog. Ze boog zich over hem heen, bracht haar hoofd dicht bij zijn gezicht en luisterde naar zijn ademhaling. Traag en gelijkmatig. Zo dronken was hij niet. Niet echt zo dronken als een tor. Hij overleefde het wel. Ze bukte en schoof hem verder op de bank, zodat hij er niet in zijn slaap af zou vallen. 'Welterusten, jongen,' mompelde ze. 'De groeten op Mars. Je zult die raket nodig hebben als je pa en ma thuiskomen.'

25

Sally ging niet naar bed. Ze doezelde een uurtje op de bank in de woonkamer, maar werd met bonzend hart weer wakker, denkend aan dat huisje. Het kronkelende pad dat naar het eind van de tuin leidde. Ze ging onder de douche en kleedde zich aan. Steve moest naar haar hebben geluisterd en toch naar dat diner zijn gegaan, want hij had niet meer gebeld. En ze was vastbesloten zelf ook niet te bellen. Ze trok een trui aan die hij had laten slingeren en bleef even staan om aan de mouw te ruiken. Toen ging ze de keuken in om het ontbijt klaar te maken. Millie verscheen geeuwend en in haar ogen wrijvend in de deuropening.

'Hoi.' Sally stond bij het aanrecht en voelde zich net een houten pop, zo stijf was ze. Haar ogen deden pijn. 'Goed geslapen?'

'Ja, hoor.' Millie liep naar de koelkast en schonk zich een glas vruchtensap in. Ze bleef er even aan nippen en keek toen naar haar moeder. 'O nee, nu kijk je me weer zo vreemd aan. Net als gister-avond.'

'Helemaal niet.'

'Wel waar. Wat is er in godsnaam aan de hand?'

Sally schonk de cafetière vol en zette hem op tafel. Toen bleef ze even naar Millie staan kijken. 'Schatje,' zei ze, 'weet je nog dat je vorige week met me mee bent gegaan naar het werk?'

'Ja.' Millie veegde met de rug van haar hand haar mond af. 'Bij die vent met al die blingbling? Dat weet ik nog, ja. Hoezo?'

'Wat heb je gedaan terwijl ik in het huis bezig was? Waar ben je naartoe gegaan?'

Ze fronste. 'Niets. Wat rondgelopen. Naar het eind van de tuin. Daar is een beekje, maar het was te koud om pootje te baden. Ik heb een tijdje in een boom gezeten. Liggen lezen op het grasveld. Toen kwam Jake opdagen.'

'Heb je met iemand gepraat?'

'Alleen met die griezel.'

'Die griezel?' Haar stem klonk vast.

'Je weet wel, de jachtopziener. Hij woont in dat huisje.'

Sally's hele nek leek opeens vast te zitten. 'De jachtopziener?'

'Ja. Die met de jonge fazantjes. Hoezo? Waarom kijk je zo?'

'Ik kijk heel gewoon. Belangstellend, meer niet. Ik heb hem nooit ontmoet.'

'Nou, je ziet hem wel eens in de stad rondlopen.' Ze bracht haar vinger naar haar slaap en maakte een kringetje. 'Je weet wel, hij heeft ze niet allemaal op een rijtje.'

'Nee. Ik geloof niet dat ik hem ooit gezien heb.'

'Die vent die naar Irak zou zijn geweest. En die nu een stuk metaal in zijn hoofd heeft. Vraag het maar eens aan Nial, die kent het hele verhaal. Ik en de anderen gingen er wel eens heen, weet je wel, vroeger als we ons verveelden, maar dat stuk metaal in zijn kop heeft hem gek gemaakt, dus nu gaan we niet meer. Peter en de anderen noemen hem Metalhead.'

Metalhead. Sally wist wie dat was. Kelvin Burford. Hij had op dezelfde kleuterschool gezeten als zij en Zoë toen ze klein waren. Kelvin was een vreemd jongetje geweest en werd altijd gepest. Ze had hem na de kleuterschool niet vaak meer gezien – hij was naar een van de scholen aan de andere kant van Bath gegaan – en als ze hem zag, was het op straat in het voorbijgaan. Ze had hem nooit meer gesproken. Ze zou hem helemaal zijn vergeten als ze niet over hem had gelezen in de *Bath Chronicle*, dat hij bij het leger was gegaan en in Irak bijna was omgekomen bij een bomexplosie. Ze hadden een metalen plaat in zijn hoofd gezet om stukken van zijn schedel te vervangen, en hoewel de dokters hadden gedacht dat hij volledig zou herstellen, wilde het leger hem niet terug omdat hij gek zou zijn geworden. Hij praatte alleen nog maar over nachtmerries en over mensen wier hoofd eraf geblazen werd. Toen ze in de krant had gelezen over de bom, had ze medelijden met hem gehad en ze had zich zelfs van tijd tot tijd zorgen om hem gemaakt. Maar dat Kelvin Burford nou de man in dat huisje was. De man die met lipstick in haar auto had geschreven. Ze wist niet of ze zich nu beter of slechter voelde.

'En op de dag dat ik moest werken heb je met hem gesproken? Met Metalhead?'

'Dat zei ik net.'

'Wat heb je tegen hem gezegd? Heb je verteld waarom je daar was?'

'Nee. Ik bedoel, ik zei hallo en zo. En ik zei dat mijn moeder in het grote huis werkte.'

'Weet hij je naam? Waar je woont?'

'Zo dom ben ik nou ook weer niet, mam. Ik ben naar zijn achtertuin gegaan. Hij heeft me de jonge fazantjes laten zien en dat was het. Toen ben ik weer teruggegaan. Ik mocht ze kapjes op doen, dat was wel gaaf. Maar je wilt niet al te aardig tegen hem zijn. Hij heeft in Radstock een meisje mishandeld. Daar heeft hij voor gezeten. Daarom heb ik je niet verteld dat ik daar geweest was. Ik dacht dat je over de rooie zou gaan.' Ze liet haar kin zakken en keek haar moeder oplettend aan. 'En ik had gelijk.'

'Ga je aankleden, Millie.' Sally huiverde onwillekeurig. 'Ik breng je naar school.'

26

Sally kon de auto niet meer op Davids parkeerterrein zetten. Het was alsof het bloed dat in de grond was gesijpeld op geheimzinnige wijze haar auto zou kunnen opzoeken en stiekem in de banden, over de dorpels en in de bekleding zou kunnen trekken. Toen ze Millie op school had afgezet, bracht ze de Ka dus twintig meter voor het terrein tot stilstand en stuurde hem een wegverbreding op, waar ze hem uit het zicht parkeerde.

Ze stapte langzaam uit, kwam met haar rug naar de auto overeind en bekeek de omgeving. Het was een heldere dag met maar een paar wolkjes aan de horizon. De verre rij taxusbomen die de noordelijke grens van Lightpil House markeerde, tekende zich scherp af tegen de hemel. Rechts van haar waren de bemoste dakpannen van het jachtopzienershuisje zichtbaar, achter het bosperceel dat afdaalde naar de vallei.

Ze liep langs de grens van Davids terrein tot waar de muur ophield en de heg begon en keek eroverheen. Voor haar, omringd door bruine beuken en scheve populieren, stond het huisje. Een klein stenen arbeiderswoninkje, kenmerkend voor de achttiende eeuw, met een laag pannendak en schoorstenen. In de tuin was het een enorme troep, overal onkruid en afval. Een gele Fiat met een verbleekt canvas dak stond met zijn neus in een ingestorte hooischuur, tegen de heg aan de andere kant stonden wat roestende, ongebruikte kippenhokken en midden op het grasveld vol onkruid lag een oude grasmaaier op zijn kant, met een rol kippengaas ernaast. Achter het huis bevond zich een enorme molenschuur. Misschien werden daar de fazanten gefokt. David had het wel eens over zijn jachtopziener gehad, maar ze was hem helemaal vergeten, tot Millie over hem was begonnen.

Toen er na een minuut of vijf niets had bewogen in het huis of in de tuin, drong ze door de heg de tuin in. Het was er akelig stil, op het vage geluid van stromend water na, misschien van het beekje dat van Hanging Hill kwam. De oprit was leeg. Geen auto te zien. Ze draaide om en ging naar het kommetje aan de rand van de tuin, dat ze op Google Earth had gezien. Daar was het uitzicht heel anders dan vanuit Lightpil House; dit terrein lag meer op het westen, waar Bristol was. Waar de bomen op de grens van Davids landgoed ophielden, liep het land omlaag en maakte de tuin plaats voor akkertjes. En daartussen, als een brede open wond, bevond zich de gele grindvlek waar het gebeurd was.

Ze draaide zich om en keek op naar het huis. De ramen waren leeg en weerspiegelden de hemel. Er was geen beweging te bespeuren. Niets. Ze keek nog eens naar het parkeerterrein en probeerde te beoordelen wat hij gezien kon hebben. Stel dat hij foto's had gemaakt? Stel dat Kelvin haar en Steve niet alleen gezien had, maar alles had vastgelegd? Ze dacht aan Steve, die duizenden kilometers ver weg in een restaurant in Seattle wijn en het ijswater dat ze daar eindeloos serveerden zat te drinken. Ze wilde dat ze hem gevraagd had terug te komen, dat ze niet zo trots en vastberaden was geweest.

Er kwam een briesje door het bos, dat de takken zuchtend optilde. Ze begon langzaam de heuvel op te lopen, naar het huisje. Van dichterbij zag ze hoe oud en vervallen het was. Overal stonden dierenvallen en tegen de muur waren nog meer rollen kippengaas opgestapeld. *Hij heeft in Radstock een meisje mishandeld. Daar heeft hij voor gezeten.*

De voordeur was oud en afgebladderd, kaal getrapt door een eindeloze reeks rubberlaarzen en misschien door honden. Op een papiertje, dat met een roestende punaise onder de bel was vastgemaakt, was een naam geschreven, die door de zon en de regen verbleekt was tot een roze, onleesbare veeg. Ze ging op de stoep staan en luisterde met haar hoofd bij de brievenbus. Stilte. Ze liep om het huis heen en keek naar de ramen, op zoek naar een manier om binnen te komen. Achter de meeste ramen hingen vuile flarden vitrage die haar het zicht benamen, maar door de ramen van de uitbouw achter het huis kon ze een smalle keuken zien met gele, formica kastjes. Er stond een pak Weetabix op de tafel met een vuil bord ernaast, en er lagen een paar Heineken-blikjes, die al platgedrukt waren om weggegooid te worden. Niemand te zien. Toen ze een stap achteruit deed, zag ze tot haar verrassing dat de deur op een kier stond.

Ze bleef ernaar staan staren. Haar benen leken opeens wel van lood.

Nee. Dat kun je niet doen...

Maar ze deed het toch. Ze duwde de deur open. De keuken was klein, de vloer modderig en op kuithoogte zaten er vieze strepen op de kastjes, alsof er iemand met rubberlaarzen had rondgelopen. Aan de andere kant was een deur naar de gang. Ze sloop er op haar tenen naartoe om te kijken. Het was een smalle gang met donkere betimmering. Geen geluid of beweging te bespeuren. Alleen een gordijn voor het raam op de overloop bewoog lui.

Er kwamen twee kamers uit op de gang. Na een snelle blik naar boven ging ze naar de eerste, aan de voorkant, en keek naar binnen. Het was een kleine zitkamer met een sierlijk betegelde open haard, waar nog steeds rails voor schilderijen hingen. De gordijnen waren dicht, maar lieten genoeg licht door om te kunnen zien dat de kamer bijna leeg was. Op anderhalve meter van de bank stond alleen een dure tv op een zwarte voet. De muren waren kaal en besmeurd met het vuil van jaren. Het leek niet het huis van een man die zijn leven op orde had, een man die de technische kennis bezat om mensen op een ver parkeerterrein te fotograferen of te filmen.

De tweede kamer, aan de achterkant, was omgetoverd tot een provisorisch kantoortje. Een bureau van IKEA dat vol lag met stapels papierwerk, en een draaistoel, alles gehavend en vol modder. Ze liep naar het bureau en begon de laden open te trekken. In de bovenste twee trof ze een paar dozen met hagelpatronen aan en een patroongordel vol olievlekken. In de onderste lag een adresboekje dat was onderverdeeld in 'drijvers', 'honden' en 'cliënten'. Ze wilde hem net dichtdoen toen ze iets goudkleurigs zag glinsteren. Ze ging op haar hurken zitten en schoof voorzichtig wat dingen opzij tot ze kon zien wat het was. Een lipstick. Ze haalde hem eruit, trok de dop eraf en draaide de lipstick omhoog. Het beetje dat nog over was, had een opvallende oranjerode kleur. Ze legde haar hoofd tegen het bureau en haalde diep adem, denkend aan de jongen die samen met haar met lego had gespeeld, en ze vroeg zich af waarom hij zo boos en gevaarlijk was geworden. En wat hij van haar wilde.

Er klonk geluid aan de voorkant van het huis. Niet veel, niet meer dan een vage fluistering. Ze deed stilletjes de la dicht, kwam overeind en keek de gang door naar de voordeur. Het briesje was aangewakkerd. Het liet de gordijnen op de overloop wapperen, zodat er schaduwen als klapperende wieken over de vloer van de gang bewogen. Aan de andere kant van het matglas bewoog een gestalte.

Ze wierp een blik op de keuken achter haar. De deur was nog open. Nog een geluid, en toen werd de stilte verbroken door geklop op de deur. Het geluid galmde door het huis en zette haar aan tot actie. Ze sloop weg zoals ze gekomen was, door de keuken de tuin in, en liep snel met haar handen in haar zakken en gebogen hoofd in een rechte lijn weg van het huis, zodat ze vanaf de voorkant niet gezien kon worden. Pas toen ze het gat in de heg tot op tien meter was genaderd, zette ze het op een rennen.

Ze rende zo snel ze kon en zocht intussen in haar zakken naar haar sleutels. De doorns in de heg grepen naar haar en het grind op het parkeerplekje liet haar struikelen. Zwetend en trillend kwam ze bij haar auto. Ze rukte het portier open en sprong naar binnen.

Toen ze de sleutel in het contact stak, hoorde ze de stem van Steve. *Je wordt er heus niet voor gestraft.*

'Steve, je had het mis,' mompelde ze terwijl ze de motor startte. 'Je had het zo mis.'

27

Zoë stond met haar armen over elkaar en haar rug naar het jachtopzienershuisje te wachten tot iemand de deur zou opendoen. Ze keek uit over de tuin. Het was er een rotzooi; gras vol onkruid en een vervallen garage, waarvan de rottende planken er los bij hingen. Bij het hek naar de tuin, waar een moestuin was uitgegraven, stond een stapel metalen kooien – vossenvallen. Een jachtopziener had die dingen vooral in deze tijd van het jaar nodig. De vossen waren zich nog maar net aan het herstellen van de winter. Dit was de tijd om bij te eten en omdat die samenviel met de periode waarin de jonge fazanten het kwetsbaarst waren, omdat ze nog te zwak waren om in de bomen te vliegen, zag je vaak jachtopzieners in hun landrovers over de velden hotsen en met hun grote lampen de duisternis in schijnen, zodat de vossen uit de heggen werden gelokt en een voor een met een hagelgeweer konden worden afgeschoten.

Er kwam niemand aan de deur, dus bukte ze om door de brievenbus te kijken. Ze zag een smalle gang met een donkere vloer en een loper met een patroontje op de trap. Er was niemand thuis.

Vreemd. Ze had het gevoel gehad dat er wel iemand was. Ze keek op haar horloge. De meeste mensen waren nu aan het werk, maar een jachtopziener kon zijn eigen tijd indelen. Als Goldrab tijdens het seizoen veel fazantenjachten had georganiseerd, moesten ze heel wat van die beesten fokken. Dat werd hier in de buurt nog steeds veel gedaan, in weerwil van de dierenbescherming, en in deze tijd van het jaar waren er talloze kuikens van verschillende leeftijd. De jachtopziener kon overal zitten.

Het drong tot haar door dat ze water hoorde. Een zwak geluid ergens achter het huisje. Ze liep eromheen en zag een vervallen stenen molenschuur met een leistenen dak, die in een rechte hoek op het huisje stond en een beekje overbrugde, dat ruiste in een echoënde tunnel onder de fundering. De opgeklampte roodhouten deuren waren opengeschoven, zodat de met een dunne laag stro bestrooide betonvloer van de molen zichtbaar was.

'Hallo?' riep ze. 'Is daar iemand?'

Geen antwoord, alleen het verre geluid van een koerende houtduif en het aanhoudende gemurmel van stromend water.

'Hallo?'

Ze stapte de molen binnen. Het was er warm en lawaaiig. Aan de andere kant van het gebouw, waar het water onder de planken door stroomde, moest eens een enorm waterrad hebben gezeten, maar het was weggehaald en over het open stuk was een vloer gelegd. Aan weerszijden van het betonnen looppad bevonden zich gazen kooien met losse aluminium bodems en rode warmtelampen erboven. Er steeg geluid op van de tientallen fazantenkuikens in de kooien, die piepten en schuifelden en ritselden met hun vleugels.

'Hé.' Zoë leunde over de kooi en stak haar hand naar ze uit. 'Hé, kleintjes.' Ze renden van haar weg, botsten tegen elkaar aan en verzamelden zich op een kluitje achter in de kooi, waar ze haar nerveus gingen staan aankijken. Ze liep nog even rond en zag aan de andere kant van het gebouw een kooi met een net erover waarin oudere fazanten zaten, allemaal met kappen over de kop om te voorkomen dat ze elkaar pikten. Ze rekten hun hals, knipperden met hun ogen en bewogen hun koppen schokkerig van de ene kant naar de andere.

Achter de kooi stond een werkbank met een bankschroef, een paar jampotten vol spijkers en schroeven en op een magnetische strip boven de bank een set jachtmessen van het soort waarmee je dieren kon villen en ontweien. Zoë bleef er even naar staan kijken en vroeg zich af of ze gebruikt waren om David Goldrab te villen. Ze keek naar de fazanten met de kappen. Zouden die erg kieskeurig zijn in wat ze aten? Je kon op die manier een lijk laten verdwijnen zonder dat het ooit nog gevonden zou worden.

Ze liep de openlucht weer in. Vlak bij de molendeuren, schuin in het gras, zat een gat met een rooster erop: de ingang van een onderaardse kerker of de oude ijskelder van een verdwenen land- huis, misschien. Het rooster was vastgezet met een ketting met een dik hangslot eraan. Ze prentte het in haar geheugen en liep met haar handen in de zakken van haar spijkerbroek terug naar het huisje, waar ze haar neus tegen de ramen drukte om naar binnen te kijken. Zonder veel hoop probeerde ze de deur. Hij ging open. Ze aarzelde en keek half verbaasd naar de deurkruk. Toen ging ze naar binnen.

'Hallo?'

Geen antwoord, dus ging ze de keuken in en de gang door, en deed onderweg deuren open om in de kamers te kijken. Er was niemand. Ze ging naar boven en het gordijn op de overloop wap- perde en bewoog als een spook. Ze zag twee slaapkamers, een met een bed tegen openslaande deuren, die toegang gaven tot een smeedijzeren balkon dat uitzicht bood op de beek, de tweede leeg, op een stapel kartonnen dozen en een oude poster van een voet- balteam aan de muur na. Op de vloer lag een blik tennisballen. Je- zus, overal waar ze ging vond ze tegenwoordig tennisballen. Lorne. Denk niet dat ik je vergeten ben. Ik zal erachter komen of jij hier ergens een rol speelt.

Er was een badkamer met grauw geworden handdoeken die hin- gen te drogen over een radiator en een ingelijste merklap op de vensterbank waarop het refrein van een humoristisch lied over fazanten geborduurd was. In het kastje stond een open doosje medicijnen waar doordrukstrips uit staken. 'Catapres', was op het etiket te lezen. Ze had ervan gehoord. Het was een middel tegen posttraumatische stress. Ze zette het doosje terug, leunde over het bad, deed het raam open en keek naar de toppen van de bomen. Van hier kon je delen van het huis van David Goldrab zien met zijn composietstenen tegels en zijn kokette, maar belachelijke pogingen om in het landschap op te gaan. De ruiten van het enorme atrium weerkaatsten schuine plekken zonlicht tussen de taxusbomen door. Ja, in Mooneys plaats had zij allereerst de jachtopziener benaderd.

Ze ging weer naar beneden. In de voorkamer was niet veel te zien, alleen een grote tv en een hele lading dvd's, maar achter in het huis was een kantoor met wankele stapels papieren. Ze ging zitten en begon ze door te bladeren in de hoop enig idee te krijgen hoe deze man in elkaar stak. Er was een hele stapel rekeningen van Mole Valley Farm Supplies met zwarte vingerafdrukken erop. En een reeks brieven van het Royal United Hospital over zijn medische behandeling. Het had iets te maken met hoofdletsel. De ene bladzijde na de andere over operaties en medicijnen en röntgenfoto's en...

Opeens bleef ze met een halve stapel papier in de ene hand en haar blik op de andere helft zitten. Ze zag iets wat ze niet helemaal begreep. Aanvankelijk dacht ze dat het een met Photoshop bewerkt grapje was, zoiets dat mensen elkaar graag via het internet doorsturen – uit hun krachten gegroeide dieren, het hoofd van de ene beroemdheid op het lichaam van de andere, belachelijke nepröntgenfoto's van vreemde voorwerpen die iemand zogenaamd had ingeslikt – omdat het zo buitenissig leek. Maar toen ze er beter naar keek, zag ze dat de foto echt was.

Watling en Zhang zouden hiervan smullen, dacht ze een beetje beverig. Het was het soort foto waar de laatste tijd veel ophef over ontstond, het soort foto dat militairen maakten met hun mobieltjes. Er stond een hoop lijken op van mannen, mager en half ontkleed, zwart en verdroogd door de zon. Het leek in Irak of Afghanistan, want er lagen een heleboel keffiyehs. Akelig. Misschien was de jachtopziener in dienst geweest. Dat zou nog een reden voor Mooney zijn om hem te benaderen. Ex-militairen, had Watling gezegd. Dat zouden de beste huurmoordenaars zijn.

Ze keek op toen ze een geluid in de deuropening hoorde en zag een man staan die haar met open mond aanstaarde, alsof hij verraster was om haar te zien dan zij om hem te zien.

Ze liet de foto vallen, kwam overeind en tastte geschrokken naar haar identiteitskaart. 'U laat me schrikken.'

Hij was lang en had een baard en met grijs doorschoten haar. Zijn buik stak naar voren onder het geruite houthakkershemd en hij droeg waterafstotende kappen over zijn spijkerbroek, zodat hij net een cowboy leek. In zijn hand had hij een rol opbindtouw. 'Denk maar niet dat je hier nog eens mee wegkomt,' zei hij. 'Echt niet.'

'Sorry, ik...' Haar stem stierf weg. Haar hand bleef roerloos op de kaart liggen, half in en half uit haar zak, terwijl ze naar het litteken op zijn hoofd staarde. 'Kelvin?' zei ze suf. 'Kelvin?' Het had even geduurd, maar nu herkende ze hem. Na achttien jaar was zijn naam als vanzelf bij haar opgekomen. Iemand met wie ze als klein kind op de kleuterschool had gezeten en die jaren later klusjesman was geweest in de stripclub in Bristol.

Op het moment dat ze hem herkende, herkende hij haar ook. Hij deed een stap naar voren en boog zich met een geboeide glimlach op zijn gezicht naar haar toe. 'Zoë?'

Ze liet de politiekaart in haar zak vallen. Langzaam haalde ze haar hand eruit, terwijl ze hem vast bleef aankijken. Hij wist hoe ze heette. Ze kon hem de kaart niet laten zien, hij mocht niet weten dat ze bij de politie was. Hij wist alles van haar verleden af. Alles.

'Wacht even.' Hij glimlachte. Hij had mooie tanden. Dat wist ze nog van vroeger. Ze herinnerde zich vooral zijn tanden. 'Ik ben zo terug. Ik moet je iets laten zien.'

Hij dook onder de dorpel door en liet haar als een standbeeld in de kamer achter. Kelvin Burford. *Die verdomde Kelvin Burford.* Ze had hem achttien jaar geleden voor het laatst gesproken en toch had ze gisteravond gedroomd dat hij achter in de zaal met een sluwe glimlach op zijn gezicht op zijn bezem leunde. Hij was een schoft. Een enge schoft. *En hij wist verdomme haar naam.* Al die tijd had ze gedacht dat alleen Goldrab die kende, maar Kelvin wist hem ook. Ze ging naar de deur en keek naar links en toen naar rechts. Ze stond nog steeds besluiteloos te weifelen welke kant ze uit moest gaan toen hij weer tevoorschijn kwam.

Dit keer zei hij niets, maar bleef gewoon in de deuropening staan. Ze had nooit eerder in de gaten gehad hoe groot hij eigenlijk was, in lengte en in breedte. Zijn buik in het houthakkershemd hing over zijn broekband. Hij stond scherp afgetekend in de zon die door de achterdeur op de smerige vloer scheen, en in zijn hand had hij een mes. Een van de jachtmessen die ze op de metalen strip in het molengebouw had gezien. Nu zag ze ook het lange litteken dat begon bij zijn oor en over zijn kruin terugliep naar zijn nek. Het was vierkant, met scherpe hoeken. Ze wist wat het was – dat was waar de metalen plaat zat die stukken van zijn schedel had vervangen.

Ze keek over haar schouder en schatte hoe ver het naar de voordeur was en of ze langs hem zou kunnen komen. Toen keek ze weer naar het mes. 'Kelvin,' zei ze, 'dat heb je toch helemaal niet nodig? Dat is nou net iets wat je een hele vrachtwagen aan ellende kan bezorgen.'

'Zoë,' zei hij. 'Ik vroeg het je net al. Wat doe je in mijn huis?'

Ze haalde diep adem, draaide zich om en schoot de gang in. Ze schoof over de vloer en knalde voluit tegen de deur. Ze maakte het Yale-slot open en trok, in de verwachting dat de deur open zou zwaaien. Dat gebeurde niet. De grendels zaten erop. Ze greep ernaar, schoof ze naar achteren. Haar handen trilden inmiddels. De deur wilde nog steeds niet open. Er zat nog een nachtslot op. Je zag de grendel tussen het kozijn en de sleutelplaat zitten.

Ze draaide zich om. Kelvin stond achter haar en blokkeerde de doorgang. Zijn hoofd was gebogen, alsof hij in diepe verwarring stond na te denken. Hij keek naar het mes, dat hij met het lemmet naar boven hield, alsof het licht dat eraf kaatste hem fascineerde.

Hij leek helemaal geen haast te hebben. Ze schoot weg van de deur en vloog de trap op, waarbij ze zich aan de leuning vastgreep om zich sneller omhoog te trekken. De openslaande deuren in de slaapkamer – die gaven toegang tot een balkonnetje. Ze rende de kamer in, dook op het bed en greep naar de klink, maar die zat stijf dicht geschilderd. Kelvin kwam met zware stappen naar boven. Toen bleef hij staan. Alsof hij verlegen of moe was, of niet wist of hij haar wel moest volgen.

Ze bonsde met de muis van haar hand tegen de deuren. Er zat een roestvrijstalen handgreep op met een sleutelgat erin, maar geen sleutel. Ze waren verdomme op slot. Wat had ze momenteel toch met afgesloten deuren? Ze keek paniekerig om zich heen, op zoek naar de sleutels. Tegen de verste muur stonden een gehavende klerenkast en een nachtkastje. Ze rukte de la open en zag wat schroeven, een telefoonbatterij en glijmiddel. Geen sleutels. Kelvin kwam verder de trap op. De houten treden kraakten onder zijn gewicht. Zoë kwam van het bed af en stelde zich op zoals ze geleerd had op de politieschool. Zijdelings naar hem toe zette ze haar knieën schrap. Ze haalde langzaam en diep adem en probeerde zich voor te stellen hoe haar zwaartepunt steeds lager zakte en steeds solider werd, klaar voor de strijd. Maar op het laatste moment kreeg de angst de overhand. Ze liet zich op haar buik op de vloer vallen en kroop onder het bed.

In de loop der jaren had ze af en toe dingen gehoord over Kelvin; hoe er een explosief in een dode hond was afgegaan toen hij in een Snatch Land Rover door Basra reed, waarbij alle inzittenden waren omgekomen, behalve hij. Ja, Irak dus – daar moest die foto van die hoop lijken gemaakt zijn. De aanslag was uitgebreid behandeld in de plaatselijke media. Zes maanden nadat hij geopereerd was, had hij een tienermeisje in Radstock mishandeld. Het verhaal ging dat het meisje hem gepest had en hem Metalhead had genoemd. Hij had zijn zelfbeheersing verloren en was in de aanval gegaan. Hij had haar tegen een muur gedrukt, een plastic zak gepakt en die om haar hoofd gewikkeld. Ze beweerde later dat hij zijn hand onder haar rok had geschoven toen hij dat deed en dat hij in zijn broek was klaargekomen terwijl hij haar wurgde. Dat had hij altijd ontkend. Maar hij was er toch voor in de cel beland. De familie van het meisje had het leger willen aanklagen omdat hij daar gek was gemaakt, maar dat was door de rechter afgewezen.

Zoë had Kelvin zo veel mogelijk gemeden toen hij klusjesman was bij de club. Maar in die dagen waren relaties gevormd, vreemde, halfslachtige vriendschappen die soms weken en soms jaren doorsukkelden. Zo moest Kelvin David Goldrab hebben leren kennen. Misschien was dat de reden waarom hij nu voor hem werkte.

Ze rolde hijgend op haar zij en keek paniekerig of ze iets zag waarmee ze zichzelf zou kunnen verdedigen. Onder het bed lagen dingen die je kon verwachten van een alleenstaande man: stof, een onderbroek, een stapel mannentijdschriften. En naast de tijdschriften, een paar centimeter van Zoës hoofd, een tot een bal gerolde roze damestrui.

Ze verstijfde en bleef er met bonzend hart naar liggen staren. Een roze fleecetrui.

Het was de trui die Lorne Wood had gedragen op de avond dat ze vermoord was.

28

Het was vreemd om elk besef van wie je was of van goed of fout kwijt te zijn. Terwijl ze ineengedoken in het vochtig ruikende bos zat, omringd door de stille bomen, kwam één gedachte steeds weer bij Sally terug, namelijk hoe jaloers ze was op Millie. Op Millie nog wel. Millie, die merkte dat ze geld nodig had en het zonder nadenken gewoon leende van de eerste de beste die het aanbood. Millie, die zonder erbij stil te staan iemands leven in en uit kon walsen. Ze was jaloers op het feit dat het voor tieners allemaal zo eenvoudig was; je wist waarom je deed wat je deed en je kon de redenering toch herleiden tot het startpunt. Je beweegredenen, doeleinden en morele overwegingen lagen nog onbezoedeld en goed van elkaar gescheiden in je hoofd. Ze waren nog niet door elkaar gaan lopen, hadden hun individuele kleuren nog niet verloren en waren nog niet samengeklit tot een dikke, wollige bal.

Ze krabde met haar blote vingers in de aarde onder de boom, groef door de bladeren van het vorige jaar en kreeg modder onder haar nagels. De rechtbank die ze in haar hoofd had bijeengeroepen, had bekeken wie de moordenaar van David Goldrab zou kunnen zijn, Kelvin of Sally, en had geoordeeld dat de uitkomst bij voorbaat vaststond. Kelvin Burford had een gewelddadige voorgeschiedenis, hij werkte voor David en hij had ernstige geestelijke problemen. Natuurlijk had hij David vermoord. Het kon beslist niet de beleefde, deemoedige huishoudster zijn met haar chique accent en haar tienerdochter op een privéschool. En er waren bewijzen voor.

Ze vond wat ze zocht en legde het op haar schoot. Het blik. Ze tilde het op en blies de aarde eraf. De inhoud ratelde. Davids tanden. Zijn ring. Ze haalde het deksel van het blik en keek ernaar. Steve had gebeld vanuit de vertrekhal van Sea-Tac. Na de vergadering had hij vier uurtjes geslapen in zijn hotel en daarna was hij teruggegaan naar het vliegveld om eerder dan gepland naar Engeland te vliegen. Hij vloog op Heathrow en zou over vier uur uit Seattle vertrekken. Morgenochtend vroeg was hij weer thuis. Ze had hem verteld over de lipstick in het huis van Kelvin en dat hij degene geweest moest zijn die het bericht op de stoel had geschreven.

'Maar ik heb je al gezegd, ik kan dit wel alleen af. Je hoeft je reis niet af te breken.'

'Ik weet dat je het alleen aankunt, maar het hoeft niet. Je zult dingen moeten doen die ik je niet alleen wil laten doen.'

'Dingen?'

'Sally, jij en ik hebben al dingen gedaan waarvan we geen van beiden hadden gedacht dat we ze konden. En we kunnen nu niet meer terug. We moeten doorgaan tot het einde.'

We moeten doorgaan tot het einde...

Ze wist wat hij bedoelde. Er waren genoeg plekken bij het jacht-opzienershuisje waar ze de tanden kon achterlaten. Ze kon ze be-graven of wachten tot Kelvin weg was en het huis binnengaan. Om ze daar ergens te verstoppen. Op een plek waar hij zelf niet zou kijken, maar de politie wel. En als ze daar toch was, kon ze ook de delen van het huis doorzoeken waar ze eerder niet lang genoeg had kunnen blijven en controleren of er echt geen foto's waren van haar en Steve op de parkeerplaats. Zoiets slims zou Zoë ook doen. Zoë zou het doen, ze zou overleven.

Ze kwam overeind, deed het deksel weer op het blikje, liet het in haar jaszak glijden en tastte naar haar autosleutels. Als ze het nu niet deed, deed ze het nooit. Ze liep snel en met gebogen hoofd terug naar de auto. Ze deed het portier open, gooide het blikje op de passagiersstoel en stapte in. Ze startte de motor en reed ach-teruit de oprit af, zodat de uitlaatwalm door de rammelende ach-terruitjes naar binnen kwam.

29

De planken voor de kamer kraakten. Kelvin liep op zijn gemak over de overloop, alsof hij op een zonnige dag een wandelingetje maakte in het park. Hij ging eerst de slaapkamer aan de voorkant in. Zoë hoorde hem dozen verzetten. Hij neuriede zachtjes. Hij had alle tijd van de wereld.

Ze pakte de trui, trok hem over de vloerplanken naar zich toe en betastte de zakken. Ze haalde er een mobiele telefoon uit en bekeek hem met bonzend hart. Een witte iPhone. Hij was van Lorne. Ze legde haar hoofd naar achteren en haar hart ging tekeer als een drilboor. Ze had gelijk gehad. Helemaal gelijk. Al die keren dat ze tegen Ben en Deborah was ingegaan en had gezegd dat de moordenaar van Lorne geen tiener was, had ze gelijk gehad. En ze had gelijk gehad toen ze zich op Goldrab en de porno-industrie had gericht. Lorne had Kelvin via Goldrab of via de nachtclubs ontmoet, het kon niet anders. Een meisje als zij was anders nooit in contact gekomen met een man als Kelvin. God, Lorne, het spijt me, dacht ze. Ik was je even uit het oog verloren. Maar je was er al die tijd. Ik had alleen nooit gedacht dat het zo zou gebeuren.

Zijn voetstappen stopten bij de deuropening. Ze probeerde de telefoon aan te zetten, maar de batterij was leeg, dus duwde ze hem weer in de zak van de trui. Ze zag zijn blauwe Hunters in de deuropening. Normaal gesproken had ze altijd een politieradio bij zich, maar die had ze in de auto laten liggen. Ze tastte in haar zak naar haar eigen telefoon. De schoenen kwamen dichterbij. Voordat ze kon kijken of ze bereik had, ging Kelvin Burford op zijn hurken zitten, stak zijn handen onder het bed en greep haar enkels. Ze graaide naar de latten onder het bed en liet de telefoon in haar haast vallen. Hij schoof draaiend over de vloer en raakte de plint. Kelvin zette een schoen tegen het bed om meer kracht te kunnen zetten en trok aan haar voeten. Ze hield zich krampachtig vast aan de latjes. Hij trok nog eens en dit keer verslapte haar greep. De nagel van haar wijsvinger scheurde af. Ze liet los en hij sleepte haar onder het bed uit en op haar buik over de vloer, zodat haar t-shirt omhoogging.

Hij liet haar benen met een bons vallen. Meteen zette ze beide handen op de vloer, sprong overeind en draaide zich met uitgestoken handen en ontblote tanden naar hem om. Hij stond tegen de muur met zijn ogen te knipperen, zijn handen half omhoog alsof hij niet goed wist of hij moest lachen of niet.

'Stomme klootzak.' Ze haalde naar hem uit. Hij probeerde zijn ogen te beschermen en ze zag haar kans schoon en gaf hem een knietje. Toen ze hem raakte, voelde ze dat hij dubbel begon te slaan. Hij viel zwaar tegen haar aan, zodat ze bijna haar evenwicht verloor, maar ze sprong opzij. Hij deed een paar wankele stappen naar voren, met zijn hoofd naar beneden alsof hij de open haard ging rammen. Ze draaide zich om, klemde haar handen in elkaar en liet ze hard neerkomen. Ze richtte op zijn nek, maar raakte hem tussen zijn schouderbladen. Hij brulde van de pijn, draaide en zijn hand schoot uit om haar bij haar been te pakken. Dat had ze niet verwacht. *Je bent de allereerste regel vergeten: wacht nooit op het effect van een klap, deel meteen de tweede uit.* Hij wist haar bij de knie te grijpen en trok zo hard dat ze haar evenwicht verloor en met een bons op haar rug terechtkwam.

Hij liet zich op zijn knieën naast haar vallen, maar keek er bijna verveeld bij, alsof dit al te vermoeiend was, te veel moeite. Toen sloeg hij haar hard in het gezicht. Haar hoofd schoot opzij door de klap. Er vloog iets uit haar neus. Hij pakte een handvol haar, tilde haar hoofd van de vloer – er klonk een zacht scheurend geluid van honderden uitgerukte haarzakjes – hief zijn vuist en sloeg haar nog eens.

Hij liet haar hoofd weer op de vloer vallen en ze bleef hijgend liggen en keek door bloeddoorlopen ogen naar een plek op ongeveer vijfentwintig centimeter van haar gezicht, waar spetters bloed op de onderkant van de deur waren verschenen. Er klonk een geluid, een gesuis alsof iemand de lucht uit de kamer perste. Het licht dat door de openslaande deuren naar binnen viel, leek opeens vettig en onscherp, alsof er iets mee gedaan werd. Ze probeerde een hand naar haar gezicht te brengen, maar haar spieren wilden niet gehoorzamen. De hand kwam iets omhoog, viel terug als een stuk dood vlees en bleef bij haar gezicht liggen alsof hij niet van haar was. Kelvin liep hijgend door de kamer. De vloerbalken onder haar kraakten alsof de vloer overal waar hij liep iets doorboog. Ze dacht aan het gezicht van Lorne. Het bloed en de blauwe plekken. In de andere slaapkamer lag een blik tennisballen. Hoeveel jachtopzieners speelden tennis? Hoe kon ze zo enorm stom zijn geweest?

Kelvin gromde. Hij schoof zijn handen onder haar oksels en tilde haar op het bed. Ze lag snel ademend op haar zij, nog steeds niet in staat te bewegen. Waar haar hoofd net had gelegen, lag een plas bloed op de vloer, helderrood als de inkt van de lichtgevende pennen die ze op kantoor gebruikten. Er lag ook een bos haar met iets wits eraan. Haar huid, besefte ze.

'Ik ga je vastbinden. Goed?'

Ze probeerde haar benen te bewegen. Vergeefs. Ze hingen roerloos en gevoelloos over de rand van het bed. Ze begreep wat er nu ging gebeuren.

'Schuif op.'

Hij duwde haar wat verder op het bed. Ze huiverde en had het tegelijkertijd warm en koud. Waar zijn handen haar aanraakten was het alsof warme spieren over koud glas streken.

'Zo ja,' zei hij. 'Oké.'

Hij tilde haar verdoofde benen op en legde ze op de lakens. Ze zag de adertjes in zijn gelige oogwit. Hij rook naar verbrand hout en motorolie en vieze kleren. Zoë dacht aan de lijntjes bloed over Lornes wangen. Haar huid was gespleten. Echt gespleten. 'Tis goed,' zei ze onduidelijk.

Hij keek haar verbaasd aan. 'Wat?'

'Tis goed. Pak me maar.'

Kelvin keek haar strak aan. Dit had hij niet verwacht. Er zat een witte streep op zijn lippen, misschien droge huid of tandpasta of spuug, dat wist ze niet. Als ze nu doodging, zou Ben de sporen zien – iedereen zou weten dat ze weerstand had geboden. Je moest vechten, toch? Vechten voor je eer. Alleen waren er momenten dat je de veldslag op moest geven om de oorlog te winnen.

'Kwil het.'

Hij legde zijn kin op zijn borst en keek haar recht aan.

'Ik meen het.'

Hij ging op het bed zitten, zodat de veren kraakten. 'Wat?'

'Ik wil het.'

Hij trok de sluwe grijns die hij ook achter in de zaal had laten zien, de grijns die haar ervan overtuigde dat ze vanbinnen smerig was, diep vanbinnen, niet alleen vanbuiten, en dat ze dat vuil had opgepikt door het werk in de club.

'Wat wil je?'

Ze klemde haar tanden op elkaar.

'Zeg het. Zeg wat je wilt.'

'Ik wil dat je me neukt.'

'Zeg: "Kelvin, ik wil dat je me neukt."'

'Ik wil dat je me neukt, Kelvin.'

'Nee. Doe het goed. Zeg: "Kelvin, ik wil echt dat je me neukt."
Lik langs je lippen als je het zegt. Net als vroeger.'

Ze bleef hem strak aankijken. Er begon iets te trillen onder haar
ribben. 'Kelvin.' Ze stak haar tong tussen haar lippen en bewoog
hem beverig heen en weer. 'Ik wil echt dat je me neukt.'

Hij maakte zijn schoenveters los en zette de schoenen weg. Hij
stond op, maakte de waterproof beenbeschermers los en gooide ze
op de grond. Hij ritste zijn spijkerbroek open en stapte eruit. Hij
droeg er niets onder. Geen ondergoed. Ze zag zijn rode testikels
en penis onder het geruite overhemd. Hij ging naar de kaptafel en
zocht iets tussen de dingen die erop lagen. *Geen tennisbal. Alsjeblieft
niet...*

In plaats daarvan pakte hij een condoom en scheurde de verpakking open. Ze hield haar blik erop gericht toen hij terugkwam naar
het bed. Hij was niet stom; hij zou geen sporen achterlaten. Dat
had hij bij Lorne ook niet gedaan.

Hij ging op het bed zitten en begon aan haar broek te trekken.
Ze bewoog niet – ze kon het niet. Hij kreeg de rits los en trok de
spijkerbroek naar beneden, samen met het slipje. Ze hield haar
tanden strak op elkaar. Probeerde al haar gedachten samen te ballen tot een strakke, harde knoop in haar hersenen. Hij trok haar
trui over haar hoofd en sjorde haar billen naar de rand van het bed.
Haar voeten bonsden dof op de vloer. Hij ging voor haar op zijn
knieën zitten en deed het condoom om. 'Doe je benen van elkaar.'

De trilling onder haar ribben groeide uit tot een huivering over
haar hele lichaam.

'Doe je benen van elkaar.'

Ze wist ze iets uit elkaar te krijgen en hij schoof ze met zijn
knieën verder opzij. Toen trok hij haar naar zich toe en schoof naar
binnen. Hij keek haar oplettend aan terwijl hij met haar bezig was,
zijn ogen strak op haar gezicht gericht. Ze klemde haar tanden op
elkaar en richtte haar blik op zijn borstzakje, terwijl ze zich bleef
concentreren op die strakke knoop in haar hoofd. Ze kreeg weer
gevoel in haar lichaam. Ze wilde dat het niet zo was, ze wilde dat
ze niets kon voelen. Het bloed in haar neus liep in haar keel. Het

bloed in Lornes neus was gestold, zodat haar neus dicht was gaan zitten. Daar was ze aan doodgegaan. Wat had Amy in de boot gezegd? Dat leek een eeuwigheid geleden. Dat het bij verkrachting ging om de heimelijke haat van mannen voor vrouwen?

Plotseling was het voorbij. Hij kwam klaar. Hij trok zich terug en deed het condoom af. Knoopte het dicht en liet het op de vloer vallen. Toen ging hij bijna kameraadschappelijk naast haar op het bed zitten, stak zijn hand onder haar T-shirt en masseerde haar borst. 'Dat vond je fijn. Nietwaar?'

Ze sloot haar ogen en knikte.

'Je hebt een bloedneus.'

Ze hief een trillende hand, nog steeds zwak, en veegde langs haar neus. Kelvin stond op en ging de kamer uit. Ze deed haar ogen open en knipperde naar de lege kamer. *De tennisbal*, dacht ze. *Nu gaat hij de tennisbal halen.* Maar toen hij weer naast het bed stond, had hij een handdoek bij zich. Hij gaf hem aan haar. Ze probeerde te gaan zitten, maar dat lukte niet. Hij trok haar overeind en ze duwde de handdoek tegen haar gezicht. Het gevoel in haar benen kwam nu ook terug en ze prikten alsof er naalden in gestoken werden.

'Ik zou graag nog eens terugkomen.'

'Wat? Wat zei je?'

Jaren geleden had Zoë eens een verkrachte vrouw verhoord. Het meisje had hetzelfde gezegd tegen haar verkrachter, naderhand. *Ik vind je echt lief. Kunnen we dit nog eens doen?* Hij had haar geloofd en in plaats van haar iets aan te doen, had hij haar laten gaan. Zoë slikte nog wat bloed door. En herhaalde het, dit keer luider. 'Ik zou graag nog eens terugkomen. Om het nog eens te doen.'

Hij fronste, oprecht verbaasd. 'Je denkt toch niet dat ik je nu nog laat gaan?'

30

Sally werd tegengehouden door het gezicht van Zoë. Ze was halverwege Hanging Hill, had het stuur zo krampachtig vast dat haar handen wit waren en zat voorovergebogen door de voorruit te staren. Voor haar lag de afslag naar Lightpil House en Kelvins huisje, maar toen ze haar richtingaanwijzer aanzette, kwam opeens Zoës gezicht bij haar op. Hoe ze had gekeken toen ze eergisteren aan de keukentafel had staan praten over patronen en hoe iedereen met elkaar in verband stond.

Sally aarzelde. Haar voet verschoof op het gaspedaal. Ze probeerde zich Zoë voor te stellen met een blik vol tanden van een dode man, waarmee ze over de plattelandsweggetjes reed. Om wat te doen? Om een onschuldig iemand erbij te lappen. Het lukte haar niet. Ze kon het gewoon niet. Hoe slim Zoë ook was, dit was niet hoe ze hiermee zou omgaan. En toen moest Sally denken aan Kelvin Burford zoals hij al die jaren geleden op de kleuterschool was geweest, een fel en stevig jongetje met half weggeveegde korsten snot op zijn gezicht, met een dierlijke vastberadenheid in zijn ogen als hij naar je keek.

Toen ze bij de afslag naar het jachtopzienershuisje was, zette ze de richtingaanwijzer uit. Ze liet de auto er voorbij rijden, verder over de hoofdweg. Hoe bang ze ook voor Kelvin was, zoiets gemeens kon ze niet doen. Wat Steve ook zei, ze kon het patroon niet nog meer bederven.

Nee. Er moest een andere manier zijn.

31

'Wat is er?' Kelvin had een fles cider uit de keuken gehaald. Hij stond bij het raam aan de zijkant van het huis, schroefde de fles open en schonk de inhoud in een wit uitgeslagen glas. Hij keek met een lange, peilende blik neer op Zoë. 'Wat heb je? Je ziet er zo raar uit.'

Ze lag ineengedoken tegen het hoofdeinde van het bed. Ze kon niet meer door haar neus ademen; hij zat vol gestold bloed. Net als die van Lorne. Ze bleef maar denken aan de hoop lijken in Irak. Ze bleef maar denken dat Lornes dood Kelvin niet veel zou doen als hij iedere dag dat soort dingen had gezien.

All like her... Allemaal net als zij...

Hij kende Lorne als stripper of als toplessmodel. Zo had hij Zoë ook gekend. Geen van hen betekende iets voor een gek als hij. Ze waren slechts schakels in de reeks. De hoofdinspecteur had gelachen en gezegd: 'Wil je ons vertellen dat er ergens een hele hoop lijken ligt?' Maar Kelvin zou het verschil niet zien tussen een hoop dode vrouwen en een hoop dode Irakese opstandelingen. En ze had niets om mee terug te vechten. Die slimme Zoë. Spits en kil, ja, en dat slimme raakte ze nooit meer kwijt. Alleen nu wel. Nu ze gewoon geen slimme oplossing kon vinden.

'Ik...' begon ze.

'Wat?' Hij keek scherp op. 'Wat, jij?'

Ze aarzelde. Als ze hem nu vertelde dat ze bij de politie was, kon het twee kanten uit gaan. Hij zou zo bang worden dat hij haar liet gaan, of hij maakte het karwei nog sneller af.

'Wat, jij?'

'Ik heb het koud. Mag ik mijn trui terug?'

Hij griste hem van de vloer, gooide hem haar toe en ging zitten om het glas cider in één teug achterover te slaan. Hij stak een sigaret op en bleef even met zijn blik op de muur gericht zitten roken, alsof hij opging in zijn gedachten. Ze trok de trui om haar schouders. Huiverde even. 'Ik moet weg.' Haar stem was een beetje dik als ze praatte, zodat ze klonk alsof ze doof was. 'Mijn man zal de politie bellen, hij zal ongerust worden. Ik wil je terugzien. Ik kom terug.'

'Dat heb je al gezegd.'

Hij schonk zichzelf nog wat cider in, schroefde de dop op de fles en hief het glas alsof hij geen belangstelling meer voor haar had. Ze legde haar hoofd naar achteren en ademde langzaam door haar mond. De laatste tien minuten had ze gezien dat het kozijn niet al te stevig was. Misschien... misschien...

'Je hebt me boos gemaakt.' Kelvin keek haar niet aan. 'Je hebt me boos gemaakt en je hebt het me laten doen. Er is een grens, weet je.' Hij tikte ritmisch tegen het ciderglas. 'Een duidelijke grens. Als je die eenmaal bent overgestoken, als je eenmaal in die andere wereld bent, moet je de gevolgen aanvaarden. Dan moet je bijzondere maatregelen treffen.'

'Ik kom terug.'

'Houd je bek. Ik denk na.'

Ze bleef zwijgend liggen, en haar ogen gingen van hem naar het kozijn. Er zaten eksters in de boom voor het raam, net als bij Lornes huis. Ze wilde iets tegen ze schreeuwen, tegen ze zeggen dat ze iemand moesten halen, alsof ze haar konden helpen. Kelvin dronk nog wat. Hij trok een stoel naast de ladekast en leunde met zijn ellebogen op het bovenblad alsof het een bureau was. Hij stak nog een sigaret op.

'Mag ik wat water?'

Hij keek met een ernstig gezicht op haar neer. 'Wat?'

'Water? Ik heb dorst.'

'O, ja?'

'Alsjeblieft?'

Hij haalde zijn schouders op en schoof de stoel achteruit. 'Vond je het fijn toen ik je neukte?'

Ze klemde haar tanden op elkaar.

'Ik vroeg: vond je het fijn toen ik je neukte?'

'Ja.'

Hij hield zijn hoofd scheef en zijn hand achter zijn oor.

'Ik vond het fijn. Kelvin.'

'Mooi. Dan haal ik wat water voor je.' Hij stond op. Halverwege de deur deed hij abrupt een stap naar haar toe en zijn handen gingen omhoog alsof hij haar ging slaan. Ze trok zich met een ruk terug tegen het hoofdeinde en haar armen schoten omhoog om haar gezicht te beschermen. Toen zag ze dat hij lachte. Behoedzaam liet ze haar handen zakken. 'Je hoeft niet zo te schrikken.' Hij glimlachte. 'We komen hier wel doorheen, schat.' Hij liep weer naar het bed en kneep geruststellend in haar been. 'We komen hier samen doorheen.'

32

Toen hij eenmaal weg was, kwam ze snel in actie. Ze trok haar broek en haar trui aan. Geen tijd voor haar slipje. Het leek een eeuwigheid te kosten om haar schoenen aan haar verdoofde voeten te krijgen. Beneden draaide Kelvin de keukenkraan open. De waterleidingen in de muren tikten en kreunden. Het condoom stopte ze in haar achterzak. Ze had goed nagedacht. De latjes tussen de ruitjes in de openslaande deuren waren maar dun en net sterk genoeg om het glas vast te houden. Als ze drie ruiten onder elkaar brak, paste ze door het gat. Maar zodra het eerste ruitje sneuvelde, zou hij het horen, dus ze moest het snel doen. Bam bam. Net als de karateka's die ze eens bij dageraad in een Japans park had gezien. Als Uma Thurman in dat gele broekpak in die oude film.

Vanaf het balkon was het een val van drie meter. Als ze niet goed terechtkwam, kon ze het wel vergeten. Haar benen en voeten waren zonder verdere verwonding al zwak genoeg en ze maakte alleen een kans als ze meteen herstelde van de val en het bos in rende voordat hij haar kon volgen. Zelfs als hij besefte wat hij hoorde, zou het even duren voor hij vanuit de keuken aan de voorkant van het huis kon komen. De voordeur zat op slot; hij zou de sleutel moeten pakken of via de achterdeur naar buiten moeten gaan en om het huisje heen moeten lopen voordat zij de bomen in de verte kon bereiken.

Uit de keuken kwam het duidelijke geluid ven een open- en dichtgaande koelkastdeur. Ze hoorde hoe hij de ketel vulde. Wat was hij aan het doen? Ging hij een kop thee voor zichzelf zetten? Hij was verdomme zo rustig dat hij gewoon thee ging zetten, alsof dit een normale donderdag voor hem was. Ze spande elke spier om te controleren of hij werkte en haar niet in de steek zou laten. Toen klemde ze haar handen om het ijzeren hoofdeinde om zich schrap te zetten, trok haar rechterknie naar haar kin en schopte. Het glas brak meteen en viel tinkelend op het balkon. De lat erboven had nog een schop nodig. Het versplinterde en nam het ruitje erboven mee. Nog een schop en het laatste ruitje schoot naar buiten. Het gat was ongeveer een meter breed.

Kelvins voetstappen klonken in de gang; ze hoorde hem brullend de trap op komen. 'Teef! Vuile teef!'

Mooi. Het zou hem nog meer tijd kosten als hij eerst naar boven kwam. Ze trok de mouw van haar trui over haar hand, stompte de overgebleven glassplinters weg en duwde haar voeten door het gat. Toen haar heupen. Ze hoorde Kelvin schreeuwen en vloeken, maar ze was al weg en gleed over de reling van het balkon omlaag tot ze eraan hing.

'Vooruit,' siste ze met een blik op de grond, die zich duizenden kilometers van haar voeten leek te bevinden. 'Vooruit.'

Ze zag hem met een van woede vertrokken gezicht door het kapotte raam in de deuropening verschijnen. Toen liet ze de reling los en viel. Ze landde op het door onkruid gebarsten beton en haar enkel verdraaide pijnlijk. Ze struikelde en haar knieën kraakten afschuwelijk toen ze de grond raakten. Maar ze was in orde. Ze duwde zich overeind en zette het op een rennen. Kelvin schreeuwde ergens in het huis en gooide in zijn razernij met de meubels. Ze stelde zich voor dat er een geweer geladen werd terwijl ze naar de bomen sprintte en halsoverkop het bos in dook.

De bomen hadden nog niet hun volledige bladerdek en ze kon ver vooruitkijken. Ze zag de zigzaggende reeks groene vlekken van gazons. Misschien de rand van het landgoed naast dat van Goldrab. Ze dwong haar onvaste benen door te gaan, ademde door haar gezwollen mond en stormde door dood hout en bladeren en zag groene tapijten wilde knoflook uit haar ooghoeken. Uiteindelijk maakte het bos plaats voor een grasveld, zo groen en goed gemaaid dat het een golfbaan zou kunnen zijn. Daarachter zag ze een oprit met licht grind en een spectaculair stenen landhuis met torentjes en stenen urnen op de borstwering, dat zich koesterde in de zon. Op de oprit stond een landrover. Ze rende ernaartoe en trok aan de portieren – op slot – liep hijgend langs een tweede auto en langs kassen en een ommuurde tuin waar witte pioenen en vroege rozen groeiden, allemaal met nette etiketten eraan. Op de voordeur zat een enorme oude klopper in de vorm van een gezicht en ze sloeg ermee op de deur, zodat het geluid weergalmde door het huis en over het terrein. Ze wierp een bezorgde blik over haar schouder. Nog geen spoor van Kelvin.

'Hallo?' riep ze door de brievenbus. 'Iemand thuis?'

Geen antwoord. Ze hinkte langs de voorkant van het huis, zag gordijnen met kwastjes achter het glas in lood en haar weerspiegeling die eroverheen bewoog. Haar haar stond alle kanten uit en haar neus was twee keer zo dik als normaal. Ze sloeg de hoek om en kwam langs afvalemmers, een stapel gezaagd brandhout en twee blikken olie. Ze bonsde op de achterdeur, zette haar hand boven haar ogen tegen het glas en keek naar binnen. Ze zag een elegant geschilderde keuken met een kookeiland en een groot fornuis. Geen licht of geluid. Ze ging weer naar de hoek van het huis en toen zag ze hem. Niet meer dan een schim tussen de bomen, zijn rood met zwarte overhemd een bewegende vlek, die met zwaaiende armen naar het grasveld rende. Ze draaide zich om en wilde naar de voorkant van het huis gaan, naar de oprit die naar de weg leidde. Maar ze zag meteen dat dat een fout zou zijn – op de oprit was geen enkele beschutting. Ze aarzelde. Er stond een afvalcontainer naast een van de afvalemmers. Ze maakte hem open en keek erin. Hij was bijna leeg, op de bodem lag slechts één dichtgebonden zak met afval, en hij stond stevig tegen de muur. Hij bewoog niet toen ze haar ene been en toen het andere erin zwaaide, op de bodem terechtkwam en het deksel omlaag trok.

Het was donker en warm in de afvalcontainer. Ze hoorde niets, alleen haar eigen warme, explosieve in- en uitademen. Ze veegde het zweet van haar voorhoofd, tilde de afvalzak voorzichtig op haar knieën en scheurde met haar vingernagels een gat in het plastic. In de zak zaten de restanten van een meeneemlunch voor een kind – een paar ingedeukte kartonnetjes waar drinken in had gezeten, een bal zilverfolie met kruimels eraan, een prop servetten met blauwe dinosaurussen – en drie lege blikken witte bonen in tomatensaus. Ze trok het deksel uit een van de blikken, klemde het tussen haar knieën en duwde tot het dubbel vouwde. Toen boog ze het weer recht en vouwde het nog eens dubbel, maar naar de andere kant. Dat deed ze drie keer voor het langs de vouw brak. Ze haalde een stuk langs haar vingertop. Het was scherp. Ze zou er iets mee kunnen als ze de goede hoek te pakken kreeg.

Er klonken voetstappen op het grind. Kelvin. Ze hield haar adem in en hield het stuk deksel met beide handen boven haar hoofd. Hij liep zo dicht langs de container dat ze zijn ademheling kon horen, een raspend, diep geluid. Ondanks zijn werk en zijn legerachtergrond was hij niet fit; de drank en de sigaretten hadden hun tol geëist. Ze was sneller dan hij en had de weg kunnen bereiken als ze meer zelfvertrouwen had gehad. Ze hoorde hem twee keer als een aasgier om het huis cirkelen, zo dicht langs de container dat ze zijn kleren erlangs voelde strijken. Toen verdwenen zijn voetstappen naar de weg.

Na een hele tijd durfde ze eindelijk naar buiten te kijken. De lange, zonovergoten oprit leidde naar twee stenen pilaren en een wijd open hek. Ze zag hem nog net naar buiten gaan en in beide richtingen de weg af kijken. Hij aarzelde, draaide zich om en begon weer naar zijn huisje te lopen.

Toen ze er zeker van was dat hij weg was, klom ze uit de afvalcontainer. Ze bleef even staan, haalde de prop dinosaurusservetjes uit elkaar en maakte zorgvuldig de binnenkant van het tweede blik bonen schoon. Ze spoelde het af onder de kraan in de tuin, droogde het met de servetten af, haalde het dichtgeknoopte condoom uit haar zak en liet het erin vallen. Voor de zekerheid deed ze er nog een paar in elkaar gepropte servetten bovenop. Toen spoelde ze haar handen nog eens af, gooide wat koud water in haar gezicht en begon over de oprit naar de weg te hobbelen. Het was vroeg in de middag. De zon was net begonnen aan zijn lange afdaling.

33

Sally staarde aan het open keukenraam met een onaangeroerde kop koffie bij haar elleboog over de velden. Tegenover Hanging Hill had de Caterpillar nieuw blad gekregen en het silhouet tegen de middaghemel was dikker geworden. De ene dag was het een rij skeletten geweest die hun handen naar de hemel hieven, en de volgende waren ze uitgegroeid tot bomen. Opeens was de zomer begonnen.

Ze pakte de telefoon en keek ernaar. Geen berichten, geen sms'-jes. Steve ging al aan boord voor de terugvlucht. Ze vouwde de tissues open, die inmiddels waren gedroogd, streek ze glad op de tafel en ging met haar vingers over de woorden.

Vuile teef.

Er was iets tegen te doen. Echt. Ze zag alleen nog niet hoe.

De deurbel ging en ze schoot overeind. Ze had geen auto gehoord. Er was beslist geen auto naar het huis gereden. Ze vouwde de tissues haastig op, ging naar het raam en keek naar buiten. Voor de voordeur stond een ontzettend smerige vrouw in een gescheurde spijkerbroek en met een wilde bos haar, met haar rug naar het raam.

'Hallo?'

De vrouw draaide zich om en keek haar zonder iets te zeggen aan. Ze had kapotte plekken in haar gezicht, haar neus was dik, er zat opgedroogd bloed in haar haar en op haar gezicht. Haar ogen waren twee dode zwarte gaten.

'Zoë?'

Ze stopte de tissues in een la, schoof die met een klap dicht, ging naar de gang en deed de deur open. Zoë stond met afhangende schouders en gebogen hoofd met één arm tegen de muur geleund. Ze keek Sally aan alsof er een enorme woestijnvlakte tussen hen in lag. Alsof ze zich in zo'n verschrikkelijke wereld bevond dat niemand die ooit doeltreffend zou kunnen beschrijven.

Ze probeerde te glimlachen. Een spiertrekking in haar mondhoek. 'Iedereen blijft maar tegen me zeggen dat ik om hulp moet durven vragen.'

Sally zweeg even. Toen deed ze een stap naar buiten en sloeg haar armen om haar zus heen. Zoë blijf stijfjes staan. Ze huiverde.

'Ik wil in bad, Sally. En iets te drinken. Kan dat? Dat is alles. Ik heb wat geld nodig om thuis te komen, maar ik betaal je terug.'

Sally schudde haar hoofd. Ze hield Zoë met gestrekte armen van zich af en bekeek haar in het zonlicht. Haar neus was een bloederige bal. Er liepen straaltjes bloed over haar kin en haar lippen waren gezwollen. Ze keek Sally niet aan.

'Vraag alsjeblieft niets. Alsjeblieft. Alleen een bad.'

'Kom mee.'

Ze loodste haar naar binnen, schopte de deur dicht en hielp haar de gang door. Zoë hinkte en bij iedere stap gromde ze een beetje. In de badkamer draaide Sally de kranen open, verzamelde de handdoeken die Millie die ochtend had laten slingeren en deed ze in de wasmand.

'Hier.' Ze sloeg een schone handdoek om Zoë heen. 'Je rilt.'

'Ik blijf niet langer dan noodzakelijk is. Dat beloof ik.'

'Stil nou maar.' Ze zette de verwarming aan en haalde washandjes en schone handdoeken uit een kast. Terwijl het bad volliep, ging ze naar de keuken en zette een grote kan bronwater en een pot koffie op een blad. Als kind had Zoë al hele sloten koffie gedronken. Zwart en sterk.

In de badkamer had Zoë haar kleren uitgetrokken. Ze stapte net in het bad. Sally zette het blad op de vensterbank en keek naar haar. Het was vreemd om het naakte lichaam van een andere vrouw in haar badkamer te zien, maar het feit dat het dat van haar eigen zus was, maakte het nog vreemder. Om de huid en spieren en het vlees te zien waar Zoë in rondliep, het lichaam waar ze dag in dag uit in woonde en waaraan ze zo gewend was dat ze er niet eens naar keek. Het verschilde niet zoveel van dat van Sally met die kuiltjes en kwabjes en verzakkingen, de bewijzen van een vrouwenleven, alleen was Zoë lang en slank. En er was nog iets anders: ze zat vol verwondingen. Overal striemen en sneden en blauwe plekken. Sommige zagen er oud uit, andere nieuw. Haar gezicht vertrok pijnlijk toen ze in het bad ging zitten, een washandje natmaakte en het tegen haar gezicht hield. De nagels van haar rechterhand waren kapot en zwart van het bloed.

'Wat ben je mooi,' zei Sally. 'Veel mooier dan ik ooit geweest ben. Ma en pa zeiden altijd al dat jij het mooie kind was.'

Er viel een stilte. Toen begon Zoë te huilen. Ze drukte het washandje tegen haar gezicht, boog voorover en ademde met lange, krampachtige uithalen. Haar schouders schokten. Sally ging op de rand van het bad zitten, legde een hand op de naakte rug van haar zus en keek naar de wervels die zich wit en scherp onder haar huid aftekenden. Ze wachtte tot het schokken minder werd. Tot het afschuwelijke, hortende snikken ophield.

'Het is al goed. Het is al goed.'

'Ik ben verkracht, Sally. Ik ben verkracht.'

Sally haalde diep adem, hield de lucht even vast en ademde uit. 'Oké,' zei ze. 'Vertel.'

'De man die Lorne Wood heeft vermoord. Hij heeft me verkracht, maar ik wist weg te komen. Ik had dood moeten zijn.'

'De man die Lorne heeft vermoord? Maar ik dacht dat Ralph Hernan...'

Zoë schudde haar hoofd. 'Hij heeft het niet gedaan.'

Even bleef Sally doodstil zitten. Toen pakte ze de handdoek. 'Jij hoort niet in bad te zitten. Kom eruit. Ze moeten tests op je doen.'

'Nee.' Ze trok haar knieën op naar haar kin en sloeg haar armen eromheen. 'Nee, Sally. Ik ga niet naar de politie.'

'Je moet.'

'Ik kan het niet. Ik kan het niet.' Ze liet haar hoofd op haar knieën zakken en huilde hoofdschuddend. 'Jij denkt dat ik mijn hele leven sterk en onafhankelijk ben geweest, hè? Maar dat heb je mis. Ik was stom. Toen ik van school ging, ben ik heel dom geweest. Al dat geld om een wereldreis te maken. Ik heb ma en pa verteld dat het betaald was door een tijdschrift, dat ik voor dat blad werkte.'

'Dat reisblad.'

'O god, dat heeft nooit bestaan. Ik heb het geld op een domme manier bij elkaar gekregen.'

'Een domme manier,' zei Sally hol. Ze dacht aan de manier waarop Millie geld in handen had gekregen, van Jake. Dat was ook dom geweest. 'Wat voor domme manier?'

'In nachtclubs. Je kent dat wel. Het soort club waar David Goldrab zou hebben rondgehangen. Het was het stomste wat ik ooit heb gedaan en ik heb er spijt van. O, jezus.' Ze veegde met de rug van haar hand haar tranen weg, maar zorgde dat ze haar neus niet aanraakte. 'Ik heb er de rest van mijn leven spijt van gehad. De rest van mijn leven.'

'Je kleedde je uit? Je stripte? Of deed je aan paaldansen of zoiets?'

Ze knikte terneergeslagen.

Sally fronste. 'Maar dat... dat is niets. Ik dacht dat je iets echt ernstigs bedoelde.'

Zoë hief verbaasd haar betraande gezicht. Sally spreidde verontschuldigend haar handen. 'Nou, ik kan wel ergere dingen bedenken. Het is alleen...' Ze stotterde. 'Jij? Het lijkt zo...'

'Ik moest snel geld hebben. Ik moest het huis uit. Jij weet waarom.'

'Maar het is iets wat mensen doen die...' Sally zocht naar de juiste woorden. 'Nou, die niet erg veel van zichzelf houden.'

Er viel een korte stilte. Zoës gezicht was star. Toen begreep Sally het.

'Maar Zoë... Hoe kon je? Ik bedoel... Je bent zo mooi en dapper en zo slim. Zo slim.'

'Zeg dat alsjeblieft niet.'

'Het is waar.'

'Nou, ik ben nu niet erg slim, of wel soms? Ik ben verkracht en ik kan er niets aan doen.'

'Dat kun je wel. We gaan aangifte doen.'

'Nee! Dat kan ik niet doen. Ik kan geen aangifte doen tegen die schoft, want...' Ze schudde haar hoofd. 'Hij kent me, die vent. Van de clubs. Hij werkte er vroeger als klusjesman. Ik kreeg altijd de rillingen van hem, zoals hij naar me keek. Dat zou hij tot zijn verdediging aanvoeren. Ik zou in het getuigenbankje moeten staan en die rotadvocaat van hem zou iedereen vertellen dat ik vroeger...' Ze veegde boos langs haar ogen. 'Ik kan het ze niet vertellen. Ik kan niets zeggen.'

Sally tikte bedachtzaam met haar vingernagels tegen haar lippen. 'Er moet een manier zijn. Wie is het?'

'Je kent hem. Je zult je hem wel niet herinneren, maar we hebben samen op de kleuterschool gezeten, kun je dat geloven? Kelvin Burford. Hij...'

Ze brak haar zin af. Sally had zich naar voren gebogen en zat haar met open mond aan te gapen. 'Meen je dat? Echt?'

'Natuurlijk meen ik... Wat is er?'

'Goeie god.' Sally stond op. 'Goeie god. Kelvin?'

'Ja. Jezus christus, Sally.' Zoë wreef de tranen van haar gezicht en staarde haar zus aan. 'Wat heb ik in godsnaam gezegd?'

34

Zoë had het water en de koffie opgedronken en werd langzaam weer een beetje mens nu ze Kelvins sporen had weggewassen. Ze droogde zich af en maakte voorzichtig met tissues en wattenbolletjes haar gezicht schoon. Ze depte wat ontsmettende zalf op de wonden en trok toen een badjas aan die aan de deur hing. En dat alles zonder in de spiegel te kijken. Van tijd tot tijd deed ze de deur op een kiertje open, gluurde het huisje in en vroeg zich af waar

Sally in godsnaam naartoe was en waarom ze zo lang wegbleef. Wat had ze verdomme gezegd waardoor ze zo abrupt was opgesprongen?

Na een hele tijd werd er op de deur geklopt. Toen Zoë hem opendeed, stond daar een zwijgende Sally met een open fles wijn en twee glazen tussen haar vingers. Haar gezicht was heel bleek en ernstig.

'Wijn?' vroeg Zoë. 'Om twee uur in de middag?'

'Ik heb besloten alcoholist te worden. Alleen gedurende de middelbare leeftijd.' Ze schonk een glas vol en zette het op de rand van de wastafel. 'Dat is voor jou.'

Zoë pakte het en ging op de rand van het bad naar haar zus zitten kijken. Er was iets veranderd in haar gezicht. Ze was niet meer de vrouw die de voordeur voor haar had opengedaan en het bad had laten vollopen. Alsof er iets belangrijks was gebeurd in de tien minuten dat ze weg was geweest. 'Kom op, Sally. Wat is er aan de hand?'

Er viel een korte stilte. Toen haalde Sally zonder haar aan te kijken een handvol tissues uit de zak van haar vest. Ze knielde op de vloer, duwde de badmat weg en legde ze op een rij. Er verschenen letters, een zin die achterstevoren was opgeschreven. Zoë tuurde ernaar en las langzaam wat er stond. *Je komt er niet mee weg. Vuile heks.* Ze schudde verwonderd haar hoofd. 'Ik begrijp er niets van. Wat is dit?'

'Kelvin Burford. Hij heeft het op mijn autostoel geschreven.'

Ze ging op haar hurken zitten. Las het nog een keer. Haar hoofd begon te bonzen. De lipstick had dezelfde tint als die waarmee Kelvin op Lorne had geschreven. Maar dat detail was niet openbaar gemaakt. Niemand wist van de met lipstick geschreven boodschap. 'Waarom denk je dat het Kelvin was?' vroeg ze langzaam.

'Door wat ik in zijn huis heb gevonden. Vanmorgen.'

'Was jij daar vanmorgen? Nee, ík was er van...' Haar stem stierf weg. 'Ik was daar, jij niet.'

'Ik was er ook. Toen jij arriveerde, was ik in de achterkamer. Heb je geklopt?'

'Ja.'

'Toen ben ik weggegaan.'

'Wacht even, wacht even.' Ze stak een hand op. 'Even terug. Wat deed je daar?'

'Hij probeert me te chanteren. Ik heb de lipstick gevonden waarmee hij dit heeft geschreven. Hij chanteert me of anders wil hij me zo bang maken dat ik mezelf aangeef.'

'Dat je jezelf aangeeft?'

Sally knikte naar haar zus. Haar gezicht stond triest – vastberaden en dapper, maar ook heel triest.

'Sally? Wat is er in godsnaam aan de hand? Wat is er gebeurd?'

'Ik heb het gedaan.'

'Wat heb je gedaan?'

'David Goldrab. Jij wilt weten wat er met hem gebeurd is, en ik vertel het je. Ik heb het gedaan. Ik heb hem vermoord.'

'Ja, hoor.'

'Ik meen het. Ik heb hem vermoord en ik heb het niet gemeld. Dat had ik moeten doen. Maar ik heb het niet gedaan. En toen...' Ze wreef nerveus in haar handen. 'Toen moest ik het lijk kwijt zien te raken.'

Zoë snoof. 'Ik wou dat ik erbij was geweest. Ik had je geholpen. Die vent is een klootzak.'

'Nee, Zoë. Ik meen het echt.'

Zoë bleef heel stilzitten. Ze bestudeerde het gezicht van haar zus. De blauwe ogen waren niet meer zo zacht als vroeger. Alsof er iets in gebarsten was, als knikkers. Er lag iets van taaiheid en trots in. Zoë glimlachte aarzelend en onzeker. 'Sally?'

'Iedereen dacht dat jij heel onafhankelijk en slim was. Nou, iedereen dacht dat ik heel mild en onschuldig was. En stom. Maar dat blijk ik niet te zijn. Ik heb David Goldrab vermoord en alle sporen uitgewist. Dat heb ik gedaan.'

'Nee. Nee. Dit is...'

'Het was een ongeluk. Min of meer. Hij randde me aan toen ik daar op een dag aan het werk was. Ik was helemaal alleen... Het was niet de bedoeling. Maar ik heb het toch gedaan.'

Zoë staarde naar haar en Sally staarde terug. Door het open raam kwam het vaag elektronisch klinkende getsjilp van een leeuwerik die zingend de lucht in vloog. Zoë dacht aan Jake the Peg, aan Dominic Mooney. Ze dacht aan Jason, die sliep op een bank met dekens over zich heen. Aan kolonel-luitenant Watling en kapitein Charlie Zhang en alle verkeerde paden die ze was ingeslagen. Ze boog haar hoofd, drukte haar vingers tegen haar oogleden en probeerde helder te denken. Toen ze iets zei, was haar stem dik. Onnatuurlijk hoog.

'Wat heb je... Nou ja, hoe heb je...'

'Ik heb hem vermoord met een spijkerpistool. En toen heb ik hem in stukjes gesneden. Ik weet dat het krankzinnig klinkt, maar ik heb het gedaan.' Ze gebaarde met haar kin naar het raam. 'Daarbuiten.'

'Ligt hij in je tuin?'

'Nee. Hij ligt overal. Verspreid over het platteland.'

'Jezus.' Ze had het verschrikkelijk koud en voelde zich heel transparant en wafeldun. 'Dit is krankzinnig. Dit is...' Ze kon geen woorden vinden. 'Je meent het echt,' zei ze uiteindelijk. 'Je meent het echt serieus. Je maakt geen grapje. Toch?'

'Nee.'

'Heb je zoiets nooit eerder gedaan?'

'Nee. Maar toen ik het gedaan had, voelde ik me goed. En nu voel ik me beter. Over alles. Kijk naar me. Ik ben veranderd.'

Het was waar, dacht Zoë, ze was inderdaad veranderd. Alsof de botten die heel haar leven diep onder haar zachte, smetteloze huid hadden gelegen opeens naar het oppervlak waren gekomen en er ongeduldig tegenaan drukten. Al die tijd was ze bang geweest dat Goldrab terug zou komen, maar in werkelijkheid was hij dood. Morsdood. En dat had ze te danken aan haar eigen zuster. Ze gebaarde naar de lipstick op de tissues. 'En dit stond op je autostoel?'

'Aan de bijrijderskant.'

Zoë verschoof de tissues met haar vinger. 'Dat jongetje dat we op de kleuterschool hebben gekend,' zei ze na een tijdje. 'Kelvin. Hij is er niet meer. Dat weet je toch? Je weet dat hij een volwassen man is en wat er ook met hem gebeurd is, hij is gevaarlijk en erger nog, hij is gek.'

'Ik weet het.'

'En je begrijpt dat we een manier zullen moeten vinden om hem te laten opsluiten, wat er ook gebeurt. Zonder dat ik vertel wat er met mij gebeurd is, en zonder dat jij vertelt wat er met... met Goldrab gebeurd is.'

'Ja.'

'Er liggen dingen in zijn huis die hem in verband brengen met Lorne.'

'Kunnen we de politie geen tip geven? Anoniem? Kan dat?'

'Dat kan. Maar het zal niet gemakkelijk zijn. Ik denk dat hij alles heeft verstopt of vernietigd nu ik ben ontsnapt. Hij weet dat de politie elk moment voor zijn deur kan staan.'

'O,' zei ze teleurgesteld. 'Wat doen we dan?'

'Ik weet het niet.' Zoë wreef over haar enkel. Hij deed pijn van de val van het balkon. 'Nog niet helemaal. Maar ik heb wel wat ideetjes.'

35

De hemel boven Kelvins huisje leek vreemd dof. Alsof de wereld voelde wat daar leefde en het met een deken wilde bedekken. Om het langzaam te verstikken. Er krasten wat roeken in de lindebomen langs de weg en het molenbeekje kabbelde zachtjes. De twee vrouwen zaten in Sally's Ka, die boven aan het weggetje stond, naast de auto die Zoë die ochtend bij haar ontsnapping had laten staan. Ze konden langs de heg met zijn nieuwe zachte bladeren de voorkant van Kelvins huisje zien. Het stond er verlaten bij.

'Dat had ik al verwacht.' Zoë deed de zonnebril af die Sally haar had geleend, klapte de zonneklep naar beneden en keek in de spiegel. Ze leek alles in de hand te hebben, maar Sally wist dat het slechts toneelspel was. Ze depte met de manchet van de blouse – ook van Sally – een snee in haar lip. Ze had ook wat van Sally's make-up gebruikt; wat concealer over de rode en grijze plekken die al op haar rechterjukbeen verschenen. Uiteindelijk schudde ze haar hoofd, alsof haar uiterlijk een verloren zaak was, en klapte het spiegeltje weer omhoog. 'Alles is misgegaan voor hem omdat ik ben blijven leven. Dat was niet de bedoeling. Ik had dood moeten zijn. Nu is hij bang. Hij is op de loop gegaan. Zoals ik al vermoedde, zullen we daarbinnen geen spullen van Lorne meer vinden. En ook niet van mij.'

Sally beet op haar lip, boog wat naar voren en keek bezorgd de omgeving af. Een appelboom aan de andere kant van David Gold-rabs tuin had zijn bloesem laten vallen. Die was in smerige witte plukken over het weggetje gewaaid en lag in ingewikkelde kronkels rond Kelvins vervallen garage. Dit stond haar niet aan. Dit stond haar helemaal niet aan. Zolang hij zich hier in het huisje had bevonden, had ze haar angst in ieder geval op één plek kunnen richten. Nu kon hij overal zijn, overal en nergens. Als een virus in de wind.

'En de foto's dan? Als hij bewijs tegen me heeft, foto's of zoiets, dan zou dat nog binnen kunnen liggen.'

'Ik verzeker je dat er in dat huis niets te vinden is. Ik heb het doorzocht. Er waren foto's, maar niet van jou. Hoe dan ook, hij is te ongeorganiseerd voor zoiets. Hij had er minstens een grote zoomlens voor moeten hebben.'

'Weet je het zeker?'

'Ik weet het zeker. Echt.'

Sally wreef over het kippenvel op haar armen. 'Plan b, dus?'

'Plan b. Nog een paar hoepeltjes om doorheen te springen. Kom op, laten we ons erdoorheen wurmen.'

Ze stapte uit, ging in haar Mondeo zitten en startte de motor. Sally volgde in de Ka en ze reden langzaam naar het huisje. Ze parkeerden boven aan de oprit en lieten de portieren open en de sleutels in het contact. Als Kelvin weer kwam opduiken, kon hij niet allebei de auto's tegelijk meenemen. Ze zouden een paar kostbare seconden hebben om de andere te starten en te ontsnappen. Hoe dan ook, Zoë hield vol dat hij zich niet meer zou laten zien. Niet hier.

Ze liepen om het huis heen, op zoek naar een manier om binnen te komen. Maar hij had snel gehandeld en nadat Zoë was ontsnapt had hij overal hangsloten op gemonteerd. Sally had nog nooit zoveel hangsloten gezien. Sommige ramen waren dichtgetimmerd, er zaten planken over de achter- en de voordeur en de openslaande deuren op de eerste verdieping waren ook dichtgemaakt. Ze kwamen bij een garage die ze geen van beiden eerder hadden opgemerkt. Volgens Zoë reed Kelvin in een landrover – ze had op het politiebureau getelefoneerd en in haar zak zat een stukje papier met zijn kenteken erop – maar die stond er nu niet. Het enige wat ze zagen, waren een olievlek en bandensporen op de grond.

Zoë bleef staan bij de molen. Ze ging op haar hurken zitten en trok aan de roestige ketting die door het rooster over het gat liep. Ze probeerde het hangslot. Het ging piepend open.

'Doe wat je moet doen,' zei ze tegen Sally. Ze trok de ketting uit het rooster en tilde het op. 'Ik ga hier kijken.'

Ze bukte, ging naar binnen en verdween uit het zicht. Sally keek haar na. Toen keek ze de stille omgeving af, trok de nitril handschoenen aan die Zoë haar had gegeven en begon te graven met het tuinschepje dat ze hadden meegebracht. De grond was zacht, hoewel er veel stenen in zaten, en het duurde niet lang voor ze een geel litteken had geschept. Ze voelde in de zak van haar jas naar het blikje. Met trillende vingers haalde ze het deksel eraf en gooide de inhoud eruit. Het was Zoës idee geweest om de tanden hier te begraven, en dat was ironisch als je bedacht dat Sally het eerder niet gedaan had omdat ze dacht dat Zoë een betere manier zou hebben gevonden. Maar nu Sally wist van de verkrachtingen, had ze er geen bezwaar meer tegen om Kelvin een loer te draaien. Zoë had niet gevraagd hoe Sally de moed had kunnen opbrengen Davids tanden te verwijderen, hoe ze erin geslaagd was helemaal in haar eentje het lijk te laten verdwijnen en of er iemand anders bij betrokken was. Maar Sally had het gevoel dat ze het wist.

Ze liet de tanden in het gat vallen en porde er een beetje in om ze tussen de aarde te krijgen. Ze maakte het gat weer dicht met de aarde die ze eruit had geschept. Het deed haar niets om die mensentanden met hun vullingen en kwetsbare wortels te zien. Helemaal niets. Je bent een monster, zei een stemmetje in haar hoofd. Je bent een monster geworden.

'Leeg.' Zoë kwam dubbel gebogen uit het gat en veegde het spinrag van haar hoofd. 'Niets te zien. Het is een ijskelder.' Ze rammelde met het hangslot. Deed het een paar keer open en dicht. 'Ik weet niet of dit ding dicht zat of niet. Ik heb het niet geprobeerd.'

Sally kwam overeind, legde haar handen in haar rug en boog achterover om de stijfheid uit haar spieren te verdrijven. 'Hoezo? Denk je dat daar iets te vinden was?'

'Ik weet het niet. Misschien wel. Maar nu is het weg. Meegenomen in de landrover.'

'Wat voor iets?'

Zoë veegde haar handen af. Ze raakte voorzichtig haar neus aan en keek omhoog. De wolken die de hele dag al tegen de horizon hadden gehangen, waren de laatste paar minuten bijna onopgemerkt langs de hemel getrokken en hadden een dunne, ondoorzichtige grijze deken gevormd. Het leek verscheidene graden kouder, bijna alsof de winter van gedachten was veranderd en terugkwam om zich de wereld weer toe te eigenen.

'Zoë?'

Ze keek naar Sally. Haar ogen waren heel donker en ernstig. 'Niets. Niets waar jij je zorgen om hoeft te maken.'

36

Er was lef voor nodig geweest om in de spiegel te kijken, maar Zoë was er nu tenminste zeker van dat haar neus niet gebroken was, en toen ze het bloed had weggeveegd, zag ze dat hij er alleen dik uitzag, alsof ze zo geboren was, met een grote neus en kleine oogjes. Haar bovenlip was gespleten, maar dat kon doorgaan voor geïnfecteerde koortsuitslag. Ze zag er evengoed idioot uit in Sally's kleren. Ze waren te kort en slobberden om haar middel. Nadat ze naar het huis van Kelvin waren geweest, waren de twee vrouwen uit elkaar gegaan, Sally om met Millie te praten en Zoë om naar huis te gaan en zich te fatsoeneren voordat ze elkaar weer troffen voor de volgende stap in het plan. Een bezoekje aan Philippa Wood.

Zoë parkeerde voor haar huis, controleerde of haar zonnebril goed zat voor het geval de buren thuis waren, sprong uit de auto en liep naar de voordeur. Ze had haar sleutel al in het slot toen ze achter zich een stem hoorde.

'Zoë?'

Ze draaide zich om en zag Ben het pad op komen.

'Zoë?'

'O, nee,' mompelde ze. 'Niet nu.'

Ze ging naar binnen en draaide zich om om de deur dicht te slaan, maar hij was er al en duwde ertegen met zijn hand op het paneel.

'Zoë. Waar heb jij in godsnaam gezeten?'

'Dat gaat je niets aan.' Ze probeerde de deur dicht te duwen, maar hij zette zijn schouder ertegen.

'Ik heb geprobeerd je te bellen.'

'Mijn telefoon is kapot. Ik heb hem laten vallen. Ga alsjeblieft weg.'

'Nee. Ik wil met je praten.'

'Nou, ik wil niet met jou praten. Ga weg. Alsjeblieft, Ben. Alsjeblieft.'

'Pas nadat je naar me geluisterd hebt.'

'Een andere keer.'

Ze zette haar voet tegen de plint van de smalle gang en duwde met haar hele gewicht tegen de deur. Ben zette zijn eigen gewicht in aan de andere kant. Er viel een korte stilte terwijl ze zich concentreerden op de worsteling. Na een korte strijd vloog de deur open en liep Ben met rechte rug naar binnen, om zich heen kijkend alsof hij zich volkomen thuis voelde en uitgenodigd was binnen te komen.

'Ik kan dit niet waarderen.' Ze liep hem met gebogen hoofd voorbij. 'Echt niet.'

'Het spijt me. Laat me gewoon even uitpraten. Dat is alles wat ik wil.'

Ze ging met haar zonnebril op aan tafel zitten en hield haar hoofd afgewend alsof ze uit het raam wilde kijken. Ze zette haar elleboog op tafel en hield haar hand tegen de zijkant van haar hoofd om te voorkomen dat hij haar gezicht zag.

'Ralph Hernandez heeft het niet gedaan.'

'O,' zei ze dof. 'Nou, hoera dan. Hoe weet je dat? Heeft je waarzegstertje dat in haar kristallen bol gezien?'

'Nee. Hij heeft een alibi voor die avond. Een volslagen vreemde heeft hem gezien ongeveer op het tijdstip dat Lorne werd vermoord. Hij was in Clifton en overwoog serieus om van de zelfmoordbrug te springen. Dat had hij ons niet verteld omdat hij niet wilde dat zijn ouders het te weten kwamen. Katholiek. Hij loog liever dat hij met vrienden uit was dan toe te geven wat er in zijn hoofd omging. Zijn vrienden hadden gezegd dat hij moest liegen, ze hadden gezegd dat ze hem zouden dekken.'

'Mooi. Bedankt dat je me dat verteld hebt.' Ze wuifde met haar vingers. 'Dag.'

Hij gaf geen antwoord. De stilte duurde. Ze kwam in de verleiding om zich naar hem om te draaien, maar ze wist dat hij naar haar zat te kijken.

'Het lijkt vreemd om dit tegen je achterhoofd te zeggen,' zei hij uiteindelijk, maar ik doe het toch en ik hoop dat het tot je doordringt. Ik ga niet zeggen dat het me spijt. Zeker niet.'

Ze haalde onverschillig haar schouders op. 'Dat hoeft ook niet. We leven in een vrije wereld. Je kunt neuken met wie je maar wilt, Ben. Het was fijn toen je het met mij wilde doen. Dat is veranderd, einde verhaal.'

'Het is niet veranderd. Dat is het juist. Ik heb het nooit met iemand anders willen doen dan met jou. Maar in tegenstelling tot jou wilde ik dat het meer werd dan gewoon een penis in een poes. Ik wilde meer dan dat. Maar in jouw wereld is dat natuurlijk iets voor losers.'

Zoë gaf geen antwoord. Ze bleef door het raam naar de geparkeerde auto's staren.

'Maar ik heb er eindeloos over nagedacht en voor zover ik kan zien, heb ik geen misdaad begaan. Het is niet verkeerd om meer te willen, of wel soms? Ik dacht dat dat de natuurlijke gang van zaken was.'

'Ik weet het niet,' zei ze droog. 'Ik vind alles best. Het maakt nu toch allemaal niet meer uit, het is nu te laat.'

'Vanwege Debbie, bedoel je?'

'Onze lieftallige assistente.'

'Ik ben niet stom, Zoë. Ik kijk dwars door haar heen.'

'O, ja? Interessant. En wat zie je dan?'

Hij zuchtte. 'Waarschijnlijk hetzelfde als jij. Je kunt niets geloven van wat ze zegt. Ze wist niet waar ze het over had toen het om Ralph Hernandez ging, maar ze loopt door het kantoor alsof het van haar is en mist geen enkele vergadering. Een echte streber, dat is ze.'

'O, dat heb je gemerkt.'

'Eigenlijk vind ik haar niet eens aantrekkelijk.'

'Slim gedaan dan, om naar bed te gaan met iemand die je niet eens aantrekkelijk vindt.'

'Heb jij nooit seks gehad uit woede?'

Ze draaide zich bijna naar hem om. 'Seks uit woede?'

'Ik was boos op je. Ik deed wat ik kon om je uit mijn hoofd te zetten. Je zit in mijn hoofd, Zoë. Ik krijg je er niet uit. Ik wilde dat ik het kon, maar het lukt niet.'

'Sorry, dat ik niet onder de indruk ben.' Ze schudde haar hoofd. Haar nek was stijf en deed zeer. Alsof ze koorts had. 'Maar als ik zo op iemand gefixeerd was, zou ik het wel uit mijn kop laten om met een ander naar bed te gaan.'

'Ja, maar ik ben een man en jij bent een vrouw. Dus misschien kun je dat niet begrijpen. En hoe kun jij verdomme weten wat je wel of niet zou doen? Jij bent je hele leven nooit op iemand gefixeerd geweest.'

Ze zweeg, haar tanden zo hard op elkaar geklemd dat ze dacht dat ze zouden breken. 'Ben je nu klaar?' mompelde ze uiteindelijk.

'Kijk me aan, Zoë.' Hij ging tegenover haar zitten.

Ze draaide haar hoofd nog verder af, boog het licht en deed alsof ze op haar hoofd krabde.

'Kijk me gewoon aan. Is dat zo moeilijk? Kom op.' Hij pakte haar bij de arm. Ze rukte zich los, maar hij boog naar voren en greep haar weer vast, en dit keer stootte hij tegen de zonnebril, die iets verschoof. Ze duwde hem met haar vrije hand haastig weer op zijn plek, maar hij had het al gezien. Hij deinsde sprakeloos achteruit. 'Jezus. Wat is dat in godsnaam?'

'Verdomme, Ben.' Ze boog haar hoofd en drukte de bril tegen haar gezicht. 'Verdomme, ik vroeg je nog niet binnen te komen.'

'Wat is er in vredesnaam met jou gebeurd?'

'Het maakt niet uit. Echt, het is niet erg.'

Hij sloeg met zijn handen op de tafel en stond op, zodat hij boven haar uit torende. 'Ja, het is wel erg, Zoë. Het is wel erg. Het is niet verboden om iets om je te geven. Sla me maar in de boeien, wijs me op mijn rechten, maar dat doe ik.'

Ze voelde hoe ze trilde, voelde een koude, harde bal in haar keel omhoogkomen. 'Je hoeft niet zo boos te doen,' zei ze effen.

'Zeg op. Wie heeft dat gedaan? Waar heb je aangifte gedaan?'

'Nergens,' mompelde ze.

'Wat?'

'Ik zei dat ik het niet aangegeven heb. Oké?' Ze kwam een beetje overeind en wreef onhandig over haar armen. Ze ging weer huilen als ze niet oppaste. 'En dat ga ik ook niet doen. Ik zeg toch dat het niet erg is. Laat me alsjeblieft met rust.'

Ben zweeg een hele tijd. Toen haalde hij zijn telefoon uit zijn zak. 'Ik ga zelf aangifte doen.' Hij toetste een nummer in. 'Wie dat ook gedaan heeft, hij moet aangepakt worden.'

'Nee.' Ze graaide over de tafel heen naar de telefoon.

Hij draaide weg en hield hem buiten haar bereik. 'Vertel me dan wie dat gedaan heeft. Anders meld ik het.'

'Alsjeblieft, Ben.' Nu ging ze beslist huilen. 'Jezus. Alsjeblieft, niet doen.' Ze schoof piepend haar stoel naar achteren en stond op. Alles ging mis, het liep volkomen uit de hand. 'Alsjeblieft, alsjeblieft...'

'Alsjeblieft wat?'

'Doe het niet,' smeekte ze. 'Bel niet.'

37

Sally voelde zich net een ijzerdraad die op knappen stond. Ze trilde van de spanning en haar tanden bleven klapperen onder het rijden, alsof ze het koud had. De donkere wolken waren nog lager gaan hangen en er lekte een fijne, bijna onzichtbare miezelregen uit, maar toen ze bij de school arriveerde, brandde daar licht achter de ramen, dat de invallende duisternis bestreed. Hij zag er zo huiselijk uit, de school, zo normaal dat haar keel ervan dichtkneep. Het alledaagse, het simpele, onopmerkelijke feit dat de deuren dicht waren en de lampen aan, dat de jassen op de haakjes hingen en de hockeyschoenen op een modderige hoop lagen – daar zou zij misschien nooit meer tussen kunnen passen. Het was mogelijk dat dat nu voor altijd buiten haar bereik lag.

Ze belde en kreeg Millie te pakken tijdens de middagpauze. Ze zei dat ze wel even naar buiten kon glippen, dat niemand het zou merken. Sally wachtte bij het hek, onder een paraplu. Ze keek onwillekeurig de straat af om er zeker van te kunnen zijn dat niemand haar in de gaten hield. Ze was er niet goed in om stiekeme dingen te doen. Ze snapte niet hoe mensen het voor elkaar kregen.

'Hallo, mam.' Mille keek opgewekt. Maar toen ze het gezicht

van haar moeder zag, vervaagde haar glimlach. 'O. Is alles goed met jou?'

'Prima. En met jou?'

'Het is helemaal niet prima. Wat is er aan de hand?'

'Niets.' Ze liet haar blik over het gezicht en het haar van haar dochter gaan. Ze had haar zo graag willen vasthouden. Ze wilde haar gewoon vastpakken en meenemen, ver weg van hier. Ze slikte moeizaam en zei luchtig: 'Hoe is het proefwerk gegaan?'

'O, belabberd. Ik had de verkeerde bladzijde gedaan. Stom.'

'Je gaat vanmiddag toch naar de huiswerkklas?'

'Ja. Tot vijf uur. Hoezo?'

'Ik wil niet dat je vanavond in je eentje naar huis komt. Ik zal papa bellen om te vragen of hij je wil ophalen.'

'Dat gaat niet. Hij zit in Londen.'

'Isabelle.'

'Die is naar die gymnastiekuitvoering met Sophie. In Liverpool. Niets aan de hand, mam, ik ga wel met de bus. Maak je om mij maar geen zorgen, ik...'

'Nee! Wil je in godsnaam eens naar me luisteren? Ik zeg toch dat je niet alleen naar huis komt.'

Millie knipperde geschokt met haar ogen. Even zeiden ze geen van beiden iets, geschrokken van Sally's uitbarsting. Aan de andere kant van de muur klonk het gegil en geschreeuw van andere kinderen. Ze dachten allemaal dat ze al zo volwassen waren, dacht Sally, dat ze wisten wat ze deden. Maar dat was niet zo. Het waren eigenlijk nog maar kinderen. Opeens kwam er een auto voorbij die piepend remde, en ze schrok alsof er op haar werd geschoten.

'Mam?' Millie fronste. Haar gezicht stond nieuwsgierig. Argwanend. 'Wat is er met je?'

'Niets.'

'Kom jij me dan ophalen als je zo bezorgd bent. Ben je vandaag niet vroeg klaar met je werk? Normaal gesproken wel.'

'Ik ga niet werken. Ik heb andere dingen te doen.'

'Andere dingen? Wat dan?'

'Dat maakt niet uit.' Ze bracht haar hand naar haar hoofd en drukte er hard tegen. Ze dacht aan de moeder van Peter Cyrus, maar zette het idee weer uit haar hoofd. Probeerde iemand anders te bedenken aan wie ze het kon vragen. Iemand anders die ze kon vertrouwen.

'Mam? Gaat het om waar we het vanmorgen over hadden? Om die rare Metalhead? Waarom ben je zo bang voor hem?'

'Dat ben ik niet. Het heeft niets met hem te maken. Blijf na de huiswerkklas maar gewoon op school. Ik zorg ervoor dat iemand je komt ophalen.'

'Kom op, er is iets mis.'

'Helemaal niet,' bitste ze. 'Er is verdomme niets mis. Vraag er alsjeblieft niet nog eens naar.'

Millie deinsde met open mond achteruit. Even keek ze alsof ze iets wilde zeggen en Sally deed een stap naar voren om zich te verontschuldigen. Maar Millie draaide zich abrupt om, liep de school weer in en liet Sally trillend onder haar paraplu in de regen staan.

Verdomme, dacht ze, terwijl ze in haar zak naar haar autosleutels zocht. Het leven was toch echt net een hel.

38

'Ik wil dit niet.' Zoë trok de gordijnen dicht en knipte de lamp aan het plafond aan. 'Je dwingt me ertoe. Dus vraag ik je als medemens om daar rekening mee te houden.'

Ben zat op een stoel aan de andere kant van de kamer en knikte dof. 'Ik hou er rekening mee dat je een mens bent, Zoë. Misschien wel meer dan je zelf doet.'

Ze ging voor hem staan, maakte haar schoenen los en schopte ze opzij. Ze ritste haar broek open en stapte eruit. Haar eigen slipje lag bij Kelvin op de vloer, dus droeg ze er een van Sally, dat te wijd was en om haar heupen slobberde terwijl ze zich uitkleedde. Ze hees het op, knoopte haar blouse los, gooide hem op de vloer en ging met haar armen langs haar lichaam een stap achteruit. Ze voelde zich enorm dwaas.

Ben zat voorovergebogen met zijn ellebogen op zijn knieën en zijn hoofd omhoog. Zijn gezicht vertoonde geen enkele uitdrukking en zijn mond hing een beetje open toen hij haar gezicht bekeek. Zijn blik ging over de gezwollen neus, de kapotte plekken op haar wangen en toen naar beneden over haar blote armen, die vol krassen zaten van de doornstruiken. Toen over de blauwe plekken en de littekens. Ze stak haar armen naar voren en zuchtte. 'Dit.' Ze legde een vinger op de korsten die ze vorige week had veroorzaakt, op de dag dat hij had toegegeven dat hij met Debbie naar bed was geweest. 'Dit is recent, maar dat heb ik zelf gedaan. En die? Die zijn oud. Die heb ik ook zelf veroorzaakt.'

Er lag absoluut ongeloof in Bens blik.

'Deze.' Ze tikte voorzichtig tegen een nieuwe blauwe plek op haar arm. Ze dacht aan de haat die erachter zat, Kelvins behoefte om haar pijn te doen. Ze vroeg zich af hoe het zo fout had kunnen gaan in haar leven dat ze het ooit in haar hoofd had gehaald zichzelf zoiets aan te doen. 'Dit is van vanmorgen.'

'Hoe is dat gebeurd?'

'Toen ik verkracht werd.'

Er viel een heel lange stilte. Toen liet Ben zijn hoofd zakken, legde zijn handen tegen zijn slapen en kneep zijn ogen dicht alsof hij een enorme hoofdpijn had. Even dacht ze dat hij zou opstaan en weg zou gaan. Toen besefte ze dat hij geluidloos huilde. Zijn schouders schokten. Na een tijdje haalde hij boos zijn hand over zijn gezicht en keek naar haar op. Er lag zoveel verdriet, zo'n verlies en zoveel woede in zijn ogen dat ze haar blik moest afwenden.

Ze ging aan tafel zitten, klemde haar handen tussen haar knieën en staarde naar haar bovenbenen, die overdekt waren met littekens. Ze voelde elke centimeter van haar gekneusde lichaam, de intense woede om alle plekken waar Kelvins vingers in contact waren geweest met haar huid. Er kraakte iets en Ben stond op van zijn stoel. Hij kwam naar de tafel en hurkte naast haar. Hij legde zijn handen zachtjes op haar knieën.

'Nee.' Ze schudde haar hoofd. 'Je moet nu niet lief tegen me gaan doen. Ik kan er niet tegen.' Ze kreeg de brok in haar keel niet ver genoeg weg om meer uitleg te geven. 'Het geeft niet. Ik bedoel, het is niet jouw schuld. Hoe kon je weten dat ik het belabberdste menselijke wezen ben dat ooit op deze planeet heeft rondgelopen?'

'Dat is niet waar. Er is iets met je gebeurd. Maar dat is niet jouw schuld.'

Ze schudde haar hoofd en beet op haar lip. Er kwam een enkele traan uit haar oog, die langs haar wang liep. 'Ben,' zei ze met moeite, 'je zult moeten luisteren. En je zult moeten vergeven.'

39

Toen Sally nog steeds trillend in de auto stapte, kwam er een gestalte in een regenjas met de capuchon omhoog uit de beschutting van de schoolmuur op haar af. Het was Nial. Er lag een vreemde trek over zijn gezicht. Vastbesloten, maar nerveus. Hij keek over zijn schouder alsof hij wilde controleren of er niemand achter hem stond en haastte zich naar haar toe.

'Mevrouw Cassidy?' Hij bukte, keek haar door het raampje aan, hief zijn vuist en deed alsof hij tegen het glas klopte. 'Kan ik u even spreken?'

Sally deed het raampje omlaag. 'Nial? Wat is er?'

'Ik breng haar wel thuis. Ik heb de bus bij me. Hij staat om de hoek.'

Ze staarde hem aan. De gel in zijn haar en de manier waarop hij zijn das knoopte maakten hem jonger en kleiner in plaats van volwassener. En nog onbeholpener.

'Wat is er?' vroeg hij.

Ze schudde haar hoofd. 'Niets. Dat zou heel aardig van je zijn. Ik kom haar wel bij jullie ophalen. Om een uur of zeven.'

Ze wilde het raampje weer omhoog draaien, maar hij zei met

een beleefd kuchje: 'Eh, mevrouw Cassidy?'

'Wat is er?'

Hij beet op zijn lip en keek weer over zijn schouder, alsof hij zeker wilde weten dat er niemand meeluisterde. 'Millie is...'

'Wat is Millie?'

'Mag ik het eerlijk zeggen? Vertel haar niet dat ik het doorverteld heb, maar ze is bang.'

'Bang? Ze heeft niets om bang voor te zijn.'

'Ze zegt dat u zo vreemd doet en ze heeft zich in haar hoofd gehaald dat u door iemand wordt bedreigd. Wilt u daarom niet dat ze met de bus thuiskomt?'

'Waarom zou ze dat in vredesnaam denken?'

'Ik weet het niet, maar ze praat er al de hele morgen over. Ze denkt dat iemand een spelletje met u speelt.'

'Luister goed, Nial. Millie hoeft zich om mij geen zorgen te maken. Absoluut niet. Het enige is dat ik hier om vijf uur niet kan zijn om haar op te halen. Dat is alles. Verder gaat alles prima.'

'Oké,' zei hij onzeker. En toen: 'Mevrouw Cassidy, ik weet niet wat er met u aan de hand is, maar ik kan u dit vertellen. Als iemand ooit zou proberen Millie iets aan te doen...' Hij schudde droevig zijn hoofd, alsof het hem speet dat hij dit moest zeggen. '... dan moet hij eerst langs mij. Niets en niemand komt bij haar in de buurt zolang ik er ben.'

Sally glimlachte geforceerd en stak haar hand uit naar het contact. Ze kreeg een beetje genoeg van zijn heldhaftige gedoe. Hij was te jong om de feiten te kunnen bevatten en enig idee te hebben van de verschrikkelijke, overweldigende realiteit van Kelvin Burford,

'Dank je, Nial,' zei ze geduldig. Ze was moe. Zo moe. 'Dank je. Ik haal haar nog voor zeven uur op.'

40

Er was sinds Zoës laatste bezoek niets aangeraakt in Lornes slaapkamer. Dat merkte ze aan de stille, besloten, zware atmosfeer. Die moest in beweging worden gebracht en had menselijke adem nodig. Ze zette haar zonnebril op haar hoofd, knielde, trok een van de onderste laden open en begon de lagen kleding weg te halen. Het was al zes uur geweest en de regen was over de stad weggetrokken. De prachtige bomen voor Lornes raam dropen van het vocht. Daarachter was de oprit en aan het eind daarvan zat Sally in haar Ka. Ze had Zoë hierheen gereden en wilde dit onderdeel van het proces net zo graag goed afronden als zij. Sally, kleine Sally, die niet zwak en verwend bleek, maar taaier en slimmer dan Zoë ooit had kunnen denken. En dan was Ben er nog, goeie god...

Ondanks alles wat er bij Kelvin was gebeurd, werd de oude pijn in Zoë minder toen ze aan Ben dacht. Hij was... Wat was hij? Te mooi om waar te zijn? Een realiteit die ze niet met een sarcastisch 'ja, hoor' weg kon duwen? Bij haar thuis had hij niets gezegd en geen vragen gesteld, maar eenvoudig met zijn armen om haar heen en zijn kin op haar hoofd naar het hele verhaal zitten luisteren. Het hele verhaal. En daarna, toen ze had verwacht dat hij ongemakkelijk zou kuchen, stijfjes zou mompelen dat haar geheim bij hem veilig was en dat ze eens moest denken aan psychologische hulp, had hij zijn schouders opgehaald, was opgestaan, had de waterkoker aangezet en gezegd: 'Oké, heb je tijd voor een kop thee voor we die klootzak te grazen nemen?' Hij was nu met de auto onderweg naar Gloucester met een lijst namen van bekenden van Kelvin in zijn zak. Ze zuchtte. Hoe kon dit haar zo gemakkelijk in de schoot vallen na alle verkeerde dingen die ze had gedaan?

Ze schoof de la dicht en trok de volgende open. Achterin lagen wat boeken en daar weer achter een paar prulletjes waar Pippa nooit veel aandacht aan had kunnen besteden toen ze na Lornes verdwijning gehaast had gekeken of er iets weg was uit Lornes kamer. Ze duwde een beha en slipjes opzij; Lornes ondergoed was gevonden, dus daar had ze niets aan. Ze bekeek een grijze pet met een versiering van nepdiamantjes. Nee. Die was te opvallend, iemand zou zich zo'n pet hebben herinnerd. Toen zag ze een oranje zijden sjaal.

Ze bleef op haar hurken zitten en legde de sjaal op haar knieën. Hij had die middag onder Lornes roze trui kunnen zitten toen ze het huis verliet, dan had niemand hem hoeven zien. Hij was opvallend genoeg; hij zag er niet uit alsof je hem in de eerste de beste zaak kon kopen, meer iets wat ze op vakantie had aangeschaft. Ze keek op het etiket. 'Sabra Dreams', stond erop. 'Made in Morocco'. Op het prikbord boven het bureau zat een foto van Lorne tijdens een gezinsvakantie in Marrakech. Pippa zou zich herinneren dat ze deze sjaal gekocht had.

Zoë deed de sjaal in haar jaszak en ritste hem dicht. Ze sloot de laden, zette haar zonnebril weer op en ging naar beneden. Pippa zat vreemd genoeg op een stoel naast de voordeur. De stoel was bedoeld voor jassen en tassen en andere spullen, niet om op te zitten; hij stond op de verkeerde plek. Pippa leek zich niet binnen, maar ook niet buiten het huis te bevinden. Alsof ze daar permanent op iets zat te wachten.

'Heb je gevonden wat je zocht?'

'Ik moest alleen nog even rondkijken. Ik dacht dat ik misschien iets gemist had. Maar dat was niet zo.' Ze bleef op de onderste tree naar Pippa staan kijken.

'Wat?' Ze knipperde suf met haar ogen. 'Wat is er?'

'Ik weet het niet. Ik geloof dat ik dacht...'

'Wat dan?'

'Ik hoor het niet te vragen, het is niet ethisch, maar ik wil het toch graag. Ik wil weten wat je gevoelens zijn ten opzichte van de persoon die dit gedaan heeft.'

Pippa's gezicht betrok. 'O, alsjeblieft. Niet weer een preek over vergiffenis, alsjeblieft. Ik vergeef het hem nooit. Ik weet dat het verkeerd is, ik weet dat het tegen alle idealen indruist die ik dacht te hebben, maar als het je zelf gebeurt, wil je alleen nog dat hij doodgaat. Doodgaat zonder een laatste boodschap te kunnen achterlaten. Zonder een laatste maaltijd of iemand wiens hand hij kan vasthouden. Dat is het enige waaraan ik kon denken, dat ze niemands hand kon vasthouden toen ze doodging. En nu wil ik dat zijn moeder dat ook voelt. Al betekent het dat ik zal rotten in de hel, het kan me niets schelen. Zo voel ik me.'

Zoë knikte. Pippa had het niet gezegd, maar ze geloofde duidelijk nog steeds dat Ralph Lorne had vermoord. Toen Ben en zij naar het bureau waren gegaan om een politietelefoontje voor haar te halen ter vervanging van het toestel dat Kelvin nu in zijn bezit had, waren ze door een achterdeur naar Bens kamer geslopen en hadden ze snel wat informatie over Kelvin opgezocht. Het resultaat was verbijsterend. Hij was keer op keer gearresteerd voor kleine vergrijpen. Nog voordat hij in het leger was gegaan, ongeveer in de periode dat zij haar wereldreis had gemaakt, was hij een nachtmerrie geweest voor de plaatselijke politie. Keer op keer had hij alarmerende signalen afgegeven dat hij gevaarlijk was. Maar hij was ook keer op keer wegens vormfouten vrijgelaten. Verrassend genoeg was de aanvraag voor de vijfjaarlijkse verlenging van zijn wapenvergunning pas na zijn veroordeling wegens de mishandeling in Radstock afgewezen. Tot die tijd had hij vrije toegang tot een zwaar hagelgeweer. Als Pippa moeite had Ralph te vergeven, hoe zou ze zich dan voelen als ze over Kelvin hoorde en hoe het hele systeem haar in de steek had gelaten?

'Dat wilde ik niet zeggen,' zei Zoë uiteindelijk. 'Ik wilde zeggen dat het me spijt. De manier waarop het allemaal gegaan is.'

'Het spijt mij ook, Zoë. Mij ook.'

Ze kwam moeizaam overeind en hield de deur open. Zoë ritste haar jas dicht en zette haar capuchon op, ook al regende het niet meer. Pippa legde een hand op haar arm en keek nauwlettend naar haar gezicht. Naar de gezwollen neus en de rode plekken op haar wangen. 'Zoë? Lopen mensen wel eens echt tegen deuren aan?'

'Voortdurend.'

'Het is mij nog nooit gebeurd. Helemaal nooit.'

'Dan ben je nog nooit zo dronken geweest als ik.'

Pippa probeerde te glimlachen, maar het was een verwrongen,

trieste poging. Meelijwekkend. Zoë trok de capuchon strakker om haar hoofd en deed alsof ze moeite had met de rits. Toen stak ze ten afscheid een hand op en liep snel weg over het natte pad, met de sjaal veilig in haar zak.

41

De regen was weggetrokken en de wolken waren verdwenen, maar de zon was al bijna onder en het bijna vloeibare oranje licht loste op rond de huizen en de kerken op de heuvels boven Bath. Het was koud. Sally trok haar jas dichter om zich heen en zag Zoë het pad naar het huis van de Woods af komen. Ze had haar capuchon opgezet, maar haar zonnebril afgedaan en haar gezicht was open en bloot te zien in de schemering. De schrammen en de zwellingen waren de laatste twee uur erger geworden, maar op de een of andere manier zag ze er toch niet meer uit alsof ze kapot was. Het was alsof iets in haar geheeld was.

Ze stapte in de auto en sloeg het portier dicht. 'Alles goed?'

'Ja.'

'Mooi. Je kunt nu wel gaan rijden. Ga over de hoofdweg en dan naar links, zodat we dicht bij het kanaal blijven. Ik zeg wel waar je moet stoppen.'

Terwijl Sally de motor startte en invoegde in het avondverkeer, trok Zoë haar jasje uit en stak haar hand in een van de zakken. Ze legde een plastic zak op haar schoot en daarop kwam een oranje sjaal. Toen zocht ze nog iets in haar zak, haalde er een klein, afsluitbaar zakje uit en maakte het open. Er zat een condoom vol sperma in.

'O god,' mompelde Sally.

'Kijk maar niet als je er niet tegen kunt.'

'Ik kan er wel tegen. Heus wel.'

'Zet de verwarming aan.'

Sally zette de verwarming op de hoogste stand en richtte zich op het verkeer. Af en toe wierp ze een blik op haar zus, die geconcentreerd met haar lip tussen haar tanden het condoom openmaakte en de inhoud over de sjaal verspreidde. Ze vouwde de sjaal dubbel en wreef de stof over elkaar. Toen legde ze hem op de plastic zak op de vloer voor de verwarming.

'Walgelijk.' Ze deed het condoom weer in het zakje en veegde met natte doekjes haar handen af. 'Walgelijk.'

Ze leunde achterover, streek het haar uit haar ogen en zette de stoel naar achteren, zodat ze ruimte had om haar benen te strekken. Ze was zo lang, dacht Sally, en haar benen waren het einde, zo lang en sterk. Als Sally zulke benen had gekregen om mee door het leven te gaan, was ze de wereld op dezelfde manier tegemoet getreden als Zoë. Ze zou zich er vol in hebben gestort. Ze zou alle dingen hebben gedaan die zij had gedaan en nergens spijt van hebben gehad. Ze wilde dat ze het kon uitleggen, dat ze overal trots op zou zijn geweest. Zelfs op het paaldansen. Volgens haar moest je echt lef hebben om zoiets te doen.

'Het komt goed,' zei Zoë opeens. 'Het komt allemaal goed.'

'Hoe weet je dat?'

Ze trok een verwonderd glimlachje en schudde haar hoofd. Het licht van de tegemoetkomende koplampen flitste over haar gezicht. 'Ik weet het gewoon.'

Het was druk op dit uur van de avond. Zelfs op de weg van het kanaal naar het centrum stonden overal files. Het kostte hun bijna een halfuur om bij de bushalte te komen waar Lorne de avond dat ze door Kelvin was aangevallen was uitgestapt. Met zaklampen zochten de vrouwen een weg tussen de bomen door naar het kanaal. Niet alleen op de wegen was het spitsuur; het jaagpad langs het kanaal was een snelle manier om de stad uit te komen en werd vaak door werknemers met hun pak in een rugzak gebruikt als fietspad. Maar tegen de tijd dat de zussen er aankwamen, was zelfs die drukte voorbij en was het pad verlaten. Er was niets te horen, behalve de geluiden van de mensen op de boten, die hun avondmaal aan het klaarmaken waren.

Ze liepen snel en met gebogen hoofd. De plaats delict was twee dagen eerder vrijgegeven en toen ze naderden, zagen ze een paar doorweekte bossen bloemen in het natte gras liggen, bruin geworden in het cellofaan. Zoë keek snel even rond, verliet het jaagpad en liep krakend het kreupelhout in. Sally volgde haar. Een paar meter van een natuurlijke open plek, omringd door druipende takken en brandnetels, bleven ze staan. Aan een boom een eindje verderop was een met bloemen geborduurd kruis vastgespijkerd. Sally keek ernaar. Het zou wel zijn achtergelaten door de Woods. Het gezin met de leegte in het hart.

'Dit gaat een technische rechercheur een heleboel last bezorgen.' Zoë haalde de sjaal uit haar jas. 'Ik vind het niet leuk om dit te doen.'

'Een technische rechercheur?'

'Dat zijn de jongens die de plaats delict moeten onderzoeken en ook hier hadden moeten kijken. Als het werkt, ben ik iemand straks behoorlijk wat verschuldigd.' Ze beet op haar lip, bekeek de open plek en knikte in de richting van het pad. 'Blijf jij maar daar. Houd het kanaal in de gaten. Niet roepen als er iemand komt, loop gewoon weer naar me toe. Dan verdwijnen we aan die kant tussen de bomen. Oké?'

'Oké.'

Sally bleef met haar handen in haar zakken het jaagpad af staan kijken, waar de plassen het licht van de woonboten weerkaatsten. Achter haar baande Zoë zich een weg door het kreupelhout. Ze had een collega uit haar team verteld wat ze aan het doen waren. Ben heette hij. Hij wist niet wat er met David Goldrab was gebeurd, dat zou altijd het geheim van de twee zussen blijven, maar hij wist wel wat Kelvin met Zoë en Lorne had gedaan. Sally voelde zich geruster nu ze wist dat nog iemand anders hen hielp. Niet dat Zoë in haar eentje niet capabel genoeg was. Ze keek achterom en zag haar op de open plek staan, waar ze op haar tenen de sjaal over een boomtak hing. En of ze capabel was. Een paar tellen later kwam ze er alweer aan lopen en veegde onderweg haar handen af.

'Iemand gezien?'

'Nee.'

'Ik geloof niet dat het nog gaat regenen.' Zoë keek naar de hemel toen ze terugliepen naar de auto. Er waren nog een paar wolken te zien. De maan wierp een koel, diffuus licht over het landschap, dat alles op monsters deed lijken. 'Dat geloof ik echt niet.' Ze viste in haar zak naar haar telefoon en drukte op een toets. 'Maar ik moet Ben zeggen dat hij ervoor moet zorgen dat iemand hem zo spoedig mogelijk vindt.'

Sally liep door en keek haar zus van opzij aan. Ze had het gevoel dat Ben meer was dan slechts een vriend die ze vertrouwde.

Toen werd er opgenomen en hoorde ze een mannenstem – Ben, nam ze aan – opgewonden praten. Ze hoorde hem zeggen: 'Ik wilde je net bellen,' en toen iets onhoorbaars dat Zoë abrupt tot stilstand bracht. Sally bleef ook staan en keek naar haar zus.

'Weet je het zeker?' fluisterde Zoë in de telefoon. De uitdrukking op haar gezicht was compleet anders geworden. 'Voor honderd procent?'

'Wat is er?' siste Sally. 'Wat is er gebeurd?'

Zoë gebaarde dat ze stil moest zijn. Ze wendde zich af en liep een paar stappen weg, met haar vinger in haar oor om beter te kunnen horen wat Ben allemaal zei. Ze bleef een tijdje luisteren en stelde toen een paar korte vragen. Toen ze ophing, kwam ze op een drafje terug en gebaarde dat Sally mee moest gaan naar de auto.

'Zoë?' zei ze, terwijl ze met haar mee draafde. 'Wat is er?'

'Ben is in de haven van Gloucester.'

'En?'

'Kelvin heeft een vriend, een legermaatje dat daar een woonboot heeft.'

'Een woonboot?'

'We hebben van het begin af aan een boot gezocht. We vermoedden dat hier die avond een woonboot was geweest. Dit moet hem zijn. Hij is op slot. Ben staat te wachten tot de jongens van het arrestatieteam arriveren, maar...'

'Maar wat?'

'Hij denkt dat er iemand in de boot aanwezig is. Ik denk dat we hem gevonden hebben. Ik denk dat we Kelvin te pakken hebben.'

42

Sally reed snel Lansdown Hill op, met Zoë naast zich. Zoë trommelde met haar vingers, keek naar het klokje in het dashboard en berekende hoe lang het zou duren om naar Gloucester te komen. Er was nu niet veel verkeer. In minder dan tien minuten konden ze Millie ophalen bij de Sweetmans en dan kon Sally Zoë afzetten bij haar auto. Met een beetje geluk en de wind mee kon Zoë van daaraf binnen het uur in de haven zijn.

Er schoten allerlei gedachten door haar hoofd. Was de woonboot op de avond dat Lorne vermoord werd gewoon door de kanalen weggevaren? Ze probeerde zich te herinneren of je via het Kennet and Avon-kanaal in Gloucester kon komen. Ze wist het niet, maar ze herinnerde zich wel dat de haven van Gloucester zich op minder dan anderhalve kilometer van de hoerenbuurt bij Barton Street en Midland Road bevond. Ze vroeg zich af of Kelvins 'legermaat' die foto van de hoop lijken in Irak had genomen en wat ze op die boot zouden aantreffen. Haar hand bleef naar de zak gaan waarin haar telefoon zat. Ze wilde Ben bellen, want telkens als ze aan de boot dacht, zag ze in het water eromheen olieachtige slierten bloed wegdrijven. Ze wilde hem zeggen dat hij voorzichtig moest zijn, dat hij moest wachten tot zij er was.

Sally zette haar linker richtingaanwijzer uit en reed Isabelles lange oprit op. Zoë schrok toen haar telefoon ging. Ze griste hem uit haar zak. Het was Ben.

'Alles goed daar?'

'Prima.' Hij klonk opgewonden, gehaast. Ze kon horen dat hij liep. Ze hoorde verkeer langsrijden alsof hij zich in een drukke straat in de stad bevond. 'Maar Zoë, waar ben jij? Ben je al vertrokken?'

'We moeten even mijn nichtje ophalen. Ik ben over vijf minuten bij mijn auto en dan kom ik meteen.'

'Nee. Kom niet naar Gloucester.'

'Waarom niet?'

'Hij was er niet.'

'Verdomme.' Ze leunde teleurgesteld achterover en keek Sally van opzij aan terwijl ze over het pad hotsten. 'Hij was er niet,' mompelde ze. 'Hij was er niet.'

'Hoe dat zo?'

'Hoe dat zo, Ben?'

'Het arrestatieteam heeft de deur ingeschopt. Zijn vriend was aan boord, zo dronken als een tor, maar hij had Kelvin in geen weken gezien. De boot is helemaal niet in de buurt van Bath gekomen en is in geen jaar Gloucester uit geweest, dat heeft de havenmeester bevestigd. Dus ging ik weer bezig met de telefoon. Je weet dat ik niets te weten kon komen over zijn mobiel, daar had ik toestemming van de hoofdinspecteur voor nodig. Maar iemand bij BT was me nog wat verschuldigd en...'

'En?'

'Burford heeft halverwege de dag een paar keer gebeld met een nummer in Solihull. Daar blijkt zijn zus te wonen.'

'Solihull? Dat is... hoe ver? Veertig minuten als je de...'

Ze maakte haar zin niet af. Sally remde en in de koplampen was een voertuig te zien dat slordig op de oprit stond. Een landrover.

'Dat is gek,' begon Sally toen Zoë vooroverboog. 'Ik dacht dat Isabelle niet...'

'Stop!'

Sally trapte op de rem. Ze staarde door de voorruit naar de bemodderde landrover. Zoë gebaarde heftig. 'Terug.' Ze draaide zich om en keek door het achterraampje. 'Vooruit. Naar achteren.'

Sally schakelde en de auto ging hotsend over gaten in de weg en de grasberm twintig meter achteruit. Uit het telefoonspeakertje kwam blikkerig de stem van Ben. 'Zoë? Wat gebeurt er?'

'Daar. Zet hem daar neer. Snel.'

Sally reed de auto nog tien meter achteruit en zette hem achter een rij laurierstruiken. Ze deed de motor en de koplampen uit. Zoë zat voorovergebogen op haar stoel en tuurde naar de oprit.

'Zoë?'

Ze bracht de telefoon omhoog met het doffe gevoel dat er een bal adrenaline vastzat in haar borst. 'Ja.'

'Alles goed?'

'Ja,' zei ze mat. 'Maar hoor eens, ik geloof niet dat Kelvin naar Solihull is gegaan.'

43

De Sweetmans hadden een kast van een huis, een victoriaans monster met drie verdiepingen en een torentje op het dak. In sommige benedenkamers brandde licht en op de begane grond stond een raam open. Zoë boog zich door het open raampje en nam elk detail in zich op. 'Isabelle kent Kelvin niet.' Ze draaide het raampje omhoog en keek naar haar zus. 'Toch?'

'Nee.'

'Nou, dat is zijn landrover. Dat is het kenteken dat ik vanmiddag heb doorgekregen.'

Sally tastte naar haar telefoon. Ze was bleek geworden. 'Hij kent Isabelle niet, maar hij kent Millie wel.'

'Kent hij Millie? Hoe dat zo?'

Ze drukte een sneltoets in en hield het toestel tegen haar oor. 'Ze is op een middag bij zijn huis geweest.'

'Wat deed ze daar in godsnaam?'

'Ze is een keer meegekomen toen ik voor David moest werken, maar ze kende Kelvin al eerder. Zij en de anderen gingen daar soms naartoe. Ik geloof dat ze hem pestten. Peter en Nial en Sophie en Millie. En Lorne waarschijnlijk ook. Ze deden allemaal mee...'

Ze legde haar vinger tegen haar lippen. De telefoon werd zeker opgenomen. Ze deed haar mond open om iets te zeggen, maar toen ging hij weer dicht. Ze sloot haar ogen en drukte haar vingers tegen haar voorhoofd. 'Eh, Millie,' zei ze na een paar seconden. 'Met mam. Ik ben bij Nial. Je moet me bellen zodra je dit bericht hoort. Meteen.' Ze hing op en drukte haar duimnagel in de spleet tussen haar twee voortanden. 'De batterij van de telefoon raakt steeds leeg. Ik moet hem nog steeds vervangen.'

Zoë staarde Sally aan. 'Sally? Zei je nou net dat ze Kelvin vroeger pestten? En dat Lorne daar ook aan meedeed?'

'Ja. Hoezo?'

Ze draaide zich weer om naar de landrover. Stel dat Lorne Kelvin niet in de clubs had ontmoet, dacht ze, maar dat ze hem kende uit de tijd dat ze met het groepje van Millie naar het huisje ging om hem te pesten? Ze kon zich voorstellen dat iemand als Peter Cyrus dat deed, en ook Kelvins woede. *All like her. Allemaal net als zij.* Stel dat die woorden sloegen op alle meisje die in dat groepje hadden gezeten? Het bericht in Sally's auto was op de passagiersstoel geschreven, waar Millie zou hebben gezeten, en dat betekende dat het voor Millie bedoeld kon zijn en helemaal niet voor Sally.

'Verdomme,' siste ze. 'Bel Nial.'

'Wat?' zei ze dommig. 'Sorry?'

'Doe het nou maar. Nu meteen.'

Sally scrolde beverig door haar adresboek. Ze vond het nummer en belde.

'Zet hem op de luidspreker.'

Dat deed ze en de twee vrouwen zaten met hun hoofden bij elkaar naar de knipperende display te kijken. Na vier keer bellen werd er opgenomen.

Er klonk een gedempt geluid aan de andere kant. En toen duidelijk een ademhaling. En een woord, zo vervormd dat het onmogelijk te verstaan was. Een mannenstem.

'Nial?' fluisterde Sally ontzet. 'Nial?'

360

Weer die ademhaling. Een geluid. Alsof er iets zachts tegen glas sloeg. Daarna werd de verbinding verbroken. Sally keek naar haar zus.

'Wat was dat voor geluid?' fluisterde ze met van angst tranende ogen. 'Wat was dat geluid in godsnaam?'

'Verdomme.' Zoë sloeg met haar handen op het dashboard. Haar hoofd viel tegen de rugleuning. 'Jezus, godverdomme, ik kan gewoon niet geloven dat dit gebeurt.' Ze draaide zich om op haar stoel en keek naar het pad en de hoofdweg. Gloucester was zeker vijfenzestig kilometer verderop. Het zou nog minstens een uur duren voor Ben hier kon zijn. 'Oké. Laten we nadenken.' Ze konden de politie niet bellen. Ze zag het al gebeuren dat Kelvin door een arrestatieteam werd weggevoerd en schreeuwend alles naar buiten gooide wat hij wist over haar en over Sally en Goldrab. Ze voelde haar zakken na. Ze had haar uitvouwbare knuppel in haar auto lagen liggen. Het enige wat ze in haar leren jasje had, was het blikje traangas dat alle politiemensen kregen uitgereikt. 'Waar bewaren ze hier het gereedschap?'

Maar Sally was in shock. Haar gezicht was bleek en ze zat te trillen. 'Het betekent dat Kelvin ze te pakken heeft,' zei ze bijna hysterisch. 'Allebei.'

'Nee.' Zoë schudde haar hoofd. 'Dat betekent het helemaal niet.'

'Jawel. Dat weet je net zo goed als ik. Millie neemt haar telefoon niet op. Hij heeft haar iets aangedaan. Bel de politie.'

'Sally.' Ze greep haar zus bij de arm. 'Houd je hoofd erbij. Je weet waarom ik de politie niet bel. Ben is onderweg. We kunnen iets doen. Echt.'

'O, god.' Ze sloeg haar handen voor haar gezicht. 'O god, ik kan dit niet.'

'We kunnen dit wel. Je moet naar me luisteren. Oké? We moeten gereedschap hebben. Waar vind ik dat?'

'Er is een garage, maar...' Ze maakte een vaag gebaar naar achteren. 'In de kofferbak. Daar ligt wat. O god, hij gaat haar vermoorden.'

Zoë stapte uit de auto. De warmte die zich gedurende de dag

had opgehoopt, straalde nu uit naar de open hemel, alsof ze op weg was naar de sterren. Het was koud. IJskoud. Ze liet het portier wijd openstaan en sloop stilletjes naar de kofferbak, terwijl ze behoedzame blikken wierp op de lichten in het huis, die ze tussen de bomen door kon zien. Ze hoorde helemaal niets. Het enige geluid op dit eenzame boerenland was het vage gezoem van auto's op een verre weg. Maar wat er in haar oren bleef weergalmen, was het geluid op de achtergrond tijdens dat telefoontje. Bonk, bonk, bonk. Wat was dat in godsnaam? Ze bekeek snel wat er in de kofferbak lag. Een paar stukken gereedschap: een bolhamer, een grote schaar en een beitel. Een kleine bijl.

'Hier.' Ze hield zelf de hamer en nam de bijl mee naar Sally, die hem zwijgend aannam en ernaar staarde alsof ze geen idee had waar hij vandaan kwam of hoe hij daar was gekomen.

'Bel me met je telefoon. Mijn nummer op het werk.'

Trillend deed ze wat haar gezegd werd. Zoë haalde het politietoestel uit haar zak en toen het begon te rinkelen, nam ze op. 'Beëindig het gesprek niet, laat de lijn open. Zo kunnen we communiceren.' Ze duwde de telefoon weer in de zak van haar jasje. 'Luister goed. Concentreer je. Het is absoluut onmogelijk dat Isabelle al terug is? Of haar man?'

'Ja. Hij zit in Dubai en zij... Ik weet niet waar ze is. Ik weet het niet, ik kan het me niet meer herinneren, maar kilometers uit de buurt.'

'Waar zitten ze meestal?'

'In de keuken aan de achterkant.'

'Wat is er op de eerste verdieping?'

'Ik w-weet het niet. Vier slaapkamers, geloof ik. Links aan de voorkant is de kamer van Nial en rechts die van Sophie. Er zit een badkamer tussen.' Ze keek wezenloos naar de bijl en naar de telefoon in haar hand, die nog steeds in verbinding stond met die van Zoë. 'Wat gaat er gebeuren, Zoë? Wat gaan we doen?'

'Ik ga naar binnen. We houden de verbinding in stand. Wat je ook doet, zeg niets tegen me. Wat er ook gebeurt. Maar luister goed. Als het klinkt alsof ik in de problemen zit, wordt alles anders.

Dan verbreek je de verbinding en bel je meteen de politie. Dat is de enige manier. Als er problemen van komen, lossen we die later wel op.'

'O, jezus.' Sally schudde haar hoofd. Haar tanden klapperden luid. 'O jezus, o jezus, o jezus.'

44

In de twee jaar dat ze bij de geüniformeerde dienst had gezeten had Zoë honderden huiszoekingen gedaan, en ook af en toe bij de recherche. Je wist nooit wat je kon verwachten. Ze was de tel kwijtgeraakt van het aantal trappen dat ze op was geslopen met een bus traangas in de hand en van het aantal kofferbakken dat ze open had gemaakt zonder te weten wat haar van daaruit kon bespringen. Ze was altijd volkomen kalm geweest. Een rots in de branding. Zelfs die keer dat een junk in een parkeergarage met meerdere verdiepingen op haar af was gesprongen en met een spuit had gezwaaid, gillend over de duivel en Jezus en politiehoeren en *hoe ruikt jouw poes, teef?*, had ze geen spier vertrokken. Maar nu had ze het gevoel dat ze oog in oog kwam met God. Of met de duivel. Alsof de hemel haar neerdrukte en de lucht uit haar longen perste.

Het eerste wat haar opviel toen ze dichter bij het huis kwam, was dat de voordeur openstond. Door de kier was een dun reepje vloerbedekking zichtbaar. Ze ging ineengedoken met haar rug tegen de gevel zitten. Op de een of andere manier had ze zich voorgesteld dat alles op slot zou zitten, niet dat de deur zo uitnodigend open zou staan. Ze bleef denken aan dat verschrikkelijke geluid, als van vlees dat tegen een muur sloeg.

Ze draaide behoedzaam haar hoofd en gluurde door de kier. Ze zag een paraplubak, een tafel. Ze stak haar hand uit en duwde de deur open. Hij zwaaide naar binnen. De hal was leeg. Er bewoog niets. Het enige geluid was het elektronische gezoem van een vriezer in de laatste ruimte aan de rechterkant, waar Sally had gezegd dat de keuken zich bevond.

Ze haalde haar telefoon voor de dag en fluisterde: 'Zeg niets, Sally. Ik ben bij de voordeur en ik hoor niets. Ik ga nu naar binnen. Ik blijf op de benedenverdieping. Begin langzaam te tellen. Voordat je bij driehonderd komt, praat ik je bij. Zo niet, dan bel je de politie.'

Ze deed de telefoon weer in haar zak, kwam overeind en ging in de deuropening staan. Ze probeerde haar schouders hoger en breder te maken. Het was niet de manier om een pand te betreden, maar de politieschool en haar tijd in uniform leken heel lang geleden en ze kon zich niet precies herinneren hoe je zoiets aanpakte. Ze hield het busje traangas met gestrekte arm voor zich uit en deed twee stappen de hal in. Ze wachtte even. Toen deed ze nog twee stappen. Ze stond bij de woonkamer, keek om de hoek van de deur, wierp een snelle blik door het vertrek en trok haar hoofd weer terug. Niets. Alleen een heleboel stoelen en tafels in een stille kring, alsof ze in de afwezigheid van hun eigenaren een stil gesprek hadden. Daarna de muziekkamer – ook leeg.

Ze deed de deuren dicht – dat herinnerde ze zich nog van de opleiding, sluit de kamers die je hebt gecontroleerd – en liep verder door de gang, spiedend, knoppen indrukkend en deuren sluitend. Toen ze achter in het huis was aangekomen, was de hele benedenverdieping fel verlicht. Ze bracht de telefoon naar haar mond. 'Tot dusver niets gevonden,' fluisterde ze. 'Ik ga naar boven. Begin weer te tellen.'

De trap kraakte toen ze naar boven ging, ook al zette ze haar voeten aan de randen, waar de planken ondersteund werden. Dit was een oud huis, niet netjes geschilderd en geschrobd en vastgespijkerd. Het droeg de butsen en deuken van een heel leven. Op de overloop zwaaide een papieren Chinese lantaarn die aan het plafond hing langzaam heen en weer toen ze een luchtstroom veroorzaakte. Er waren zes deuren. Ze werkte ze methodisch af. Als ze bijna dicht waren, duwde ze ze met haar teen open en hield intussen het traangas paraat. In elke kamer liet ze het licht branden en deed ze de deur dicht. Pas toen ze bij de laatste slaapkamer kwam, die van Nial, vond ze een spoor van Millie. Daar lagen een paar sportschoenen en een trui met Millies naam op het etiket op een hoop op het bed. Ze pakte ze op en ging weer naar beneden.

De keuken was het soort middenklassenkeuken dat je veel zag in Bath, met kastjes in een dofgroene kleur en veel tuinbloemen in flessen van gekleurd glas op de vensterbanken. Openslaande ramen gaven toegang tot een tuin die onzichtbaar was door de weerspiegeling van de kamer. Op het eiken kookeiland in het midden stonden twee schooltassen met de naam 'Kingsmead' erop. Een blik met het opschrift CAKE stond open. Er zat nog één eenzaam cakeje in, en in de spoelbak stonden twee koffiekopjes. De kraan druppelde erop. Een tinkelend accent in de stilte.

'Je kunt binnenkomen,' zei ze in de telefoon. 'Hier is niemand.'

Ze ging naar de tafel, waar twee open blikjes Stella Artois stonden. Ze tilde er een op en schudde ermee. Het bier klotste rond. Het was gewoon achtergelaten. Net als de borden met eten op een spookschip. Ze zag een deurtje bij de koelkast en toen ze er met haar voet tegenaan tikte, ging het open en zag ze een washok met een aanrecht, een wasmachine en de gebruikelijke rommel – emmers en dweilen in de hoek, een snoeischaar aan een haak aan de muur. De deur achter in het kamertje trok haar aandacht. Hij stond op een kier.

Ze liep ernaartoe en duwde hem open. Er was een treetje naar een stenen patio en daarachter lag een zwarte vlakte die het grasveld moest zijn. Het werd omringd door bomen, waarvan de grote inktzwarte kruinen de hemel verborgen. De takken bewogen bijna onmerkbaar tegen de blauwe wolken. Ze bleef even in de deuropening naar de avond staan luisteren. Het zachte geritsel van de bladeren. Het getinkel van de lekkende kraan achter haar.

Dit huis bevond zich niet ver van Pollock's Farm – de tuin moest er aan de achterkant aan grenzen. Ze was daar vaak genoeg naartoe gestuurd om dat te weten. De laatste keer was in een dichte herfstmist geweest, de dag dat het lichaam van de oude Pollock was weggehaald door mannen in beschermende kleding, zo vergaan was het. Ze had gezworen nooit meer een voet in dat godverlaten huis te zetten. Het was geen plek waar je wilde zijn, zeker niet op een avond als deze.

Ze draaide zich weer om naar de keuken en schopte ergens tegenaan. Toen ze omlaag keek, zag ze een telefoon. Ze bukte en pakte hem op. Het was een zwarte Nokia. Ze drukte op de knop om hem aan te zetten. Er gebeurde niets. De batterij was leeg. Ze draaide hem om en zag dat er een barst in het omhulsel zat.

'Zoë?'

Ze maakte een sprongetje van schrik. Sally stond met een bleek gezicht in de keukendeur. Haar handen trilden. Ze hield de bijl stijf vast.

'Het is oké,' zei Zoë. 'Er is niemand.'

Sally's blik schoot door het washok. Haar kaken waren stevig op elkaar geklemd. Ze zag eruit alsof ze doormidden zou breken.

'Leg die bijl neer,' zei Zoë. 'Leg neer.'

Ze liet hem langzaam zakken. 'Die is van haar,' zei ze met een blik op de trui die Zoë in haar hand had. 'Het is de enige die ze bij zich heeft. Ze bevriest zonder die trui.'

Zoë stak haar de telefoon toe. 'En deze?'

Sally boog zich ernaartoe om hem te bekijken. Haar spieren trokken even en ze sloot haar ogen. Ze zocht steun bij de muur alsof ze flauw ging vallen.

'Sally? Sally? Kom op, houd je hoofd erbij.'

45

Sally knipperde met haar ogen. Ze zag het gezicht van haar zus vlak bij dat van haar. Het washok achter haar draaide en de kleuren liepen door elkaar. Ze bleef maar denken aan Millie op die tarotkaart, met haar besmeurde, bevlekte, verwoeste gezicht. 'Het spijt me,' zei ze en haar stem leek van kilometers ver weg te komen.

'Het spijt me. Ik heb het allemaal helemaal verkeerd aangepakt.'

'Bel Nial.'

Isabelle had gelijk gehad dat de tarotkaart een waarschuwing was, maar niet voor Jake. De waarschuwing was hiervoor bedoeld geweest, ze was al die tijd gewaarschuwd voor deze avond.

'Hé,' siste Zoë. 'Heb je me gehoord? Bel hem.'

'Ja. Ja.' Ze haalde haar telefoon voor de dag en probeerde te bellen, maar haar vingers leken niet te werken. Ook die leken kilometers ver weg, alsof haar armen heel lang waren.

'Geef hier.'

Zoë pakte haar de telefoon af, zette hem op de luidspreker en belde Nial. Het rinkelen klonk ver weg en eenzaam. Als iets uit de onzichtbare donkere wereld daarbuiten, dat zich door dit nietige kanaaltje boorde om hen te bereiken. Dit keer werd er niet opgenomen. De telefoon ging vier keer over. Vijf keer. Toen werd er doorgeschakeld naar de voicemail.

Zoë schudde haar hoofd. Ze haalde de telefoon van de luidspreker en belde nog eens, maar dit keer deed ze hem in haar zak en hield hem tegen haar heup. Ze stapte de patio op en keek strak naar de bomen.

'Wat is er?' fluisterde Sally. 'Wat is er aan de hand?'

Zoë legde een vinger tegen haar lippen. 'Luister.'

Sally ging naast haar zus staan en luisterde naar de ademloze nacht. Nu hoorde ze het – in de duisternis rinkelde zwak een telefoon. Het kwam van ergens ver achter de bomen, aan het eind van de tuin. Net toen ze dacht dat ze precies de richting wist, hield het gerinkel op. De voicemail weer. Zoë haalde snel de telefoon uit haar zak en belde nog eens. Het spookachtige gerinkel klonk nogmaals, kwam aandrijven uit de duisternis.

'Pollock's Farm,' mompelde Zoë.

De moed zonk Sally nog dieper in de schoenen. Ze dacht aan de hectaren verlaten grond. De roestende landbouwwerktuigen. De steile rotswand en het verlaten huis, waar een man wekenlang had liggen rotten. 'God, nee,' fluisterde ze. 'Daar zijn ze. Ja toch?'

'Kom op. We gaan.'

Ze keken in de garage en vonden een zware zaklamp, van hetzelfde type als het exemplaar dat Steve voor Sally had gekocht – een miljoen jaar geleden, leek het wel. Zoë knipte hem aan om te controleren of de batterij vol was en toverde een verblindend witte cirkel op de muur, waarvoor beide vrouwen hun ogen moesten dichtknijpen. Ze hing hem aan een canvas lus om haar hals en toen liepen ze rond om alles te verzamelen waar ze iets aan konden hebben. Zoë had de hamer in haar riem gestoken en het traangas in haar achterzak en nam een grote houten hamer in haar rechterhand, zo'n ding waar je palen mee in de grond kon slaan. Sally had een beitel in haar jaszak en de bijl in haar hand. In de andere hand droeg ze een opwindlamp, zo'n kinderding dat op een dynamo werkte. Haar tanden bleven onbeheersbaar klapperen. Haar botten leken wel van water – ze was het liefst ineengedoken op de grond gaan liggen en had gedaan alsof dit allemaal niet echt gebeurde. Maar als je de gedachten die door je hoofd gingen niet meer kon verdragen, kon je alleen maar iets gaan doen. In beweging blijven.

Ze liepen over het pad naar de boerderij. Zoë ging met rechte rug voorop en de straal van de zaklamp gleed tussen de bomen door die zich over het pad bogen en hun takken erover uitstaken. Aan de linkerkant liep dit bos door tot Hanging Hill, en aan de rechterkant maakte het bijna anderhalve kilometer verderop plaats voor een buitenwijk van Bath met huizen, sportvelden en een rugbyclub, waarvan de spookachtige doelpalen boven de heggen uit staken. Toen er meer ruimte tussen de bomen kwam, bleven de vrouwen staan. Zoë deed de lamp uit en ze stonden zwijgend te kijken naar wat voor hen lag. De velden waren lichter dan de bossen en de uitgedroogde restanten van dode gewassen leken als een mist boven het land te hangen. Hier en daar zagen ze de verspreide schaduwen van kapotte werktuigen en uitgebrande auto's. Daarachter staken de donkere vormen van oude, rottende balen kuilvoeder af tegen de horizon, stil als slapende beesten. En daar weer achter, onzichtbaar voor wie het land niet kende, lag de rotswand.

Zoë haalde de telefoon weer voor de dag en belde nog eens. Dit keer hoorden ze het geluid veel duidelijker. Het stond wel vast waar het vandaan kwam. Van de andere kant van die balen kuilvoer. Van de groeve waarin Pollocks huis stond.

46

De maan brak door het wolkendek toen ze over de velden liepen en even was het zo licht dat ze zich wel onder een enorme schijnwerper leken te bevinden. Twee eenzame gestalten die lange blauwe schaduwen voor zich uit wierpen terwijl ze door de dode maïs ritselden. Ze kwamen bij het hek boven aan de groeve en namen langzaam het zigzaggende pad dat tussen de dikke bomen door naar beneden voerde, steun zoekend bij de stammen. Onder aan het pad bleven ze staan. Het dal strekte zich sereen en roerloos voor hen uit. Aan de rechterkant was het huis. Het lag in het donker, maar het maanlicht viel eroverheen en weerkaatste in de gebroken ruiten op de bovenverdieping.

Zoë belde Nial nog eens. Even bleef het stil, toen kwam de verbinding tot stand. Dit keer klonk het gerinkel zo dichtbij dat ze er allebei van schrokken. Het kwam uit het huis en zweefde als een smeekbede in de ijskoude lucht naar buiten. De telefoon ging vijf, zes keer over en schakelde toen over op de voicemail.

'Kom op,' zei ze geluidloos. 'Kom op.'

Ze liepen met gebogen hoofd achter elkaar aan. De achterkant van het huis bevond zich maar een paar meter van de rotswand, alsof het ervan af was gevallen en als door een wonder rechtop was neergekomen. Het was gepleisterd en er zat een dak op, maar sinds de laatste keer dat Zoë hier was geweest, was het gebruikt door drugsverslaafden, en nu deed het aan als een trainingslocatie van het leger met zijn tot op de stenen blootliggende kozijnen en de grote plas regenwater op het met onkruid begroeide en gespleten beton. Alles was overdekt met graffiti, zelfs de rotswand achter het huis. Voor sommige ramen zat nog traliewerk, maar het meeste was eraf getrokken en lag op de grond te rotten.

De vrouwen kwamen bij de zijkant van het huis en gingen met hun rug tegen de smerige muur op hun hurken zitten terwijl Zoë nog eens belde. Ze hielden met gespitste oren hun adem in. Het gerinkel kwam van in het huis, op de begane grond, ergens aan de achterkant. Zoë beëindigde de oproep en deed de telefoon in haar zak. Met ingehouden adem luisterde ze nog eens. Dit keer hoorde ze iets anders, op ongeveer dezelfde plek in het huis. Het geluid, het ritmische gebons dat ze door de telefoon hadden gehoord. Alsof er iets zachts tegen glas sloeg.

Ze veegde over haar voorhoofd. 'Jezus. Jezus.'

'Hé,' fluisterde Sally opeens. 'We moeten verder.'

Zoë keek haar even aan. Sally's ogen stonden helder en haar gezicht was opmerkelijk rustig. Het gaf Zoë nieuwe kracht. Ze wachtte nog even, en toen knikte ze. Ze pakte de hamer en de lamp. 'Kom op.'

Samen slopen ze langs het huis en stopten bij de hoek, vijfentwintig centimeter van de voordeur. Zoë legde haar hoofd tegen de muur, haalde een paar keer diep adem en toen draaide ze om de hoek heen en stak haar hoofd door de deur. Ze trok het met een ruk weer terug.

'Iets gezien?'

Ze schudde haar hoofd. 'Maar ik zie niet veel,' fluisterde ze. 'Het is te donker. Ik moet deze jongen gebruiken.' Ze likte langs haar lippen, keek naar beneden en zette een schakelaar op de lamp om. 'Het licht zal iedereen daarbinnen verblinden. Maar niet langer dan twintig seconden of zo. Dan weten ze dat we er zijn. Ben je daar klaar voor?'

Sally drukte met twee vingers haar oogleden naar beneden. Ze was zo wit als een doek, maar ze knikte. 'Ja. Als jij dat ook bent.'

Ze gingen in de deuropening staan, Zoë bracht de lamp omhoog en scheen ermee het huis in, en de twee vrouwen keken naar binnen en namen snel in zich op wat ze voor zich zagen. De gang liep van de voordeur naar de achterdeur en aan de linkerkant waren nog twee deuren. Het hele huis was ontmanteld en er waren maar een paar stukken muur waar nog wat pleisterwerk op zat. In de gang lagen flarden vloerbedekking, maar die waren zo rot en nat dat het eerder modder leek. Overal lagen plassen. Hier moest menig feest gevierd zijn; de vloer was bezaaid met lege flessen en bierblikjes en bij de achterdeur lag iets groots. Zoë dacht eerst dat het een opgerold vloerkleed was, of een hoop kleren, half bedekt met bladeren, maar toen zag ze dat het een mens was. Zijn shirt was half omhooggeschoven over zijn rug, waarop lange schaafwonden zaten, waaruit bloed in de achterkant van zijn spijkerbroek was gedropen.

Ze deed het licht uit en drukte zich snel weer tegen de muur. Sally volgde haar voorbeeld en ze bleven even hijgend en met gesloten ogen staan om tot zich door te laten dringen wat ze gezien hadden.

'Het is de jongen,' fluisterde Sally. 'Nial.'

'Ja.'

Hij had op zijn zij gelegen, met zijn rug naar hen toe, zodat ze zijn gezicht niet hadden kunnen zien, maar hij was het beslist. Die verwondingen op zijn rug kon hij alleen hebben opgelopen bij een val van de rotswand. Misschien was hij met zijn laatste krachten door de achterdeur het huis in gekropen. Ze deed de lamp weer aan, ging weer in de deuropening staan en liet het licht op de twee deuren vallen om te controleren of Kelvin daar niet stond. Toen bewoog ze de straal naar het lichaam aan het eind van de gang en zag het een beetje bewegen.

'Nial?' Ze kromde haar handen rond haar mond en siste door de gang: 'Nial? Is alles goed met je? Waar is Millie?'

Nials hand ging omhoog. Hij leek naar hen te wuiven. Het kon een bevestigend gebaar zijn of een waarschuwing, maar het kon ook zijn dat hij ze probeerde te wijzen waar Millie was. De hand bleef een paar seconden in de lucht en viel toen terug. Zijn been trok, hij probeerde zich naar hen om te rollen, maar de inspanning was te veel voor hem. Hij gaf het op en bleef liggen, en zijn magere ribbenkast ging traag omhoog en omlaag.

Bonk. Bonk. Bonk. Het geluid kwam uit de tweede deuropening.
Bonk. Bonk. Bonk.

Er kwamen twee straaltjes zweet uit Zoës haargrens. Het was de kamer waar de oude Pollock gevonden was.

Bonk. Bonk. Bonk.

Ze raakte bijna haar zelfbeheersing kwijt. Ze deinsde terug en drukte zich weer hijgend tegen de muur. Ze zou het liefst weg willen rennen. Ze bracht haar handen naar haar gezicht en probeerde rustiger te ademen. Langzamer. In en uit. In en uit. Ze had het tot zover gered. Ze kon dit. Ze kon dit echt.

'Zoë?'

Een koele hand op haar schouder. Ze keek opzij. Sally stond vlak naast haar. Haar gezicht was rustig, sereen. Ze trok voorzichtig de grote lamp uit de stijve vingers van haar zus.

'Het is goed.' Ze keek Zoë recht aan. 'Het is echt goed. Met mij. Ik ben niet bang. Helemaal niet.'

47

Terwijl ze over het veld liep, de rotswand afdaalde en het huis naderde, was er iets met Sally gebeurd. Iets wat al weken op weg was naar boven kwam eindelijk aan het oppervlak. Het had haar in staat gesteld nee te zeggen tegen Steve toen hij haar geld had aangeboden en toen hij vanuit Seattle naar huis had willen komen. Het had haar de kracht gegeven die avond in Twerton te blijven filmen en David Goldrab in een miljoen stukken te snijden. Iets zonder huid en met scherpe tanden en het lange gezicht van een draak, dat zich nu vrij had gemaakt van de oude Sally, zodat ze volkomen rustig en geconcentreerd was. Ze ging hier naar binnen en haalde Millie eruit. Zo simpel was het.

Ze bekeek de lamp, duwde de schakelaar naar achteren en naar voren en controleerde of hij goed werkte. Toen nam ze de bijl in de andere hand en legde hem als een houthakker over haar schouder. Met een strak gezicht en een langzaam kloppend hart ging ze de gang in en liep krakend over het glas naar de deur waar het geluid vandaan kwam.

Ze keek om de deur heen, heel koel en ongehaast. Ze had de lamp niet nodig – de maan die door het raam tegenover haar scheen, verlichtte de vochtige en smerige kamer. Hij stond vol oude meubels, een dressoir en een bank die iemand in brand had proberen te steken, een kapotte staande lamp die tegen de muur leunde. Er hingen gerafelde, zwart uitgeslagen gordijnen voor het raam, dat uitzicht bood op de rotswand achter het huis, en aan de andere kant van het gebarsten glas, onaards verlicht door de maan, zag ze het donkere, ovale gezicht van een man. Kelvin. Hij stootte monotoon met zijn hoofd tegen het glas en straalde een rauwe vastberadenheid uit. Ze sprong niet weg, maar bleef als vastgenageld in de deuropening naar hem staan kijken. Hij keek niet haar naar. Hij had haar aanwezigheid niet eens opgemerkt, zo ging hij op in zijn beestachtige verlangen om het huis in te komen.

Hij was kleiner dan ze had verwacht. Hij moest vlak voor het raam op zijn knieën zitten, met zijn handen onder het kozijn. Wat ze ook gedacht had in zijn gezicht te zien, sluwheid of kwaadaardigheid, het was er niet. Het was vlak. Slap. Ze kwam ter plekke tot een besluit. Ze ging hem vermoorden. Ze had David Goldrab ook vermoord, en dit zou gemakkelijker zijn. Veel gemakkelijker.

'Wat is er met hem?' Zoë was achter haar komen staan en keek over haar schouder. 'Wat ziet hij er raar uit. Is hij dronken?'

'Ja,' mompelde ze. 'Dat is goed. Hij kan niets meer doen.' Ze zette de lamp op de vloer en hief de bijl. Ze proefde gal in haar mond. Dit was het dan. Dit was het moment. 'Kijk de andere kant uit.'

'Stop.' Zoë greep haar bij de arm. 'Wacht even. Er klopt iets niet.'

Sally liet de bijl zakken en Zoë tilde de lamp van de vloer. De verblindende lichtstraal viel door het kamertje, op de bank en het dressoir en de gerafelde gordijnen, en Kelvins gezicht tekende zich scherp af tegen de rotswand. Hij reageerde niet op het licht. Op geen enkele manier. Hij bleef in dezelfde positie zitten en bonsde ritmisch met zijn hangende hoofd tegen het glas. Er zat een rode plek waar zijn voorhoofd het raam raakte, maar geen bloed. En het bonzen miste elke doelbewustheid. Het was meer een spiertrek dan een bewuste daad.

'Waarom zit hij zo laag?'

Sally schudde haar hoofd, helemaal in de ban van dat gezicht. 'Knielt hij dan niet?'

'Nee. Het komt ergens anders door.'

De twee vrouwen deden tegelijk een stap de kamer in. Zoë schudde met de lamp en bewoog hem schokkerig heen en weer om een flitseffect te krijgen. Toen deed ze nog een stap naar voren en scheen er recht mee in zijn ogen. Hij reageerde nog steeds niet. Hij staarde met zwarte en niets ziende ogen recht voor zich uit, alsof hij zich concentreerde op iets aan het raam zelf.

Sally liet alle lucht uit haar longen ontsnappen, liep naar het raam en sloeg met de bijl het glas weg. Kelvins lichaam zwaaide een beetje, maar hij keek niet naar haar op. Zijn hoofd kwam naar voren en raakte het kozijn op een paar centimeter van haar gezicht. Toen schoot het naar achteren. Ze zag zijn ogen onder de half geloken oogleden. Zag hoe zwart ze waren. Ze zag het litteken op zijn hoofd, dat van zijn oor naar de kraag van zijn geruite overhemd liep. Er lag een grimas op zijn gezicht. Op de voorkant van zijn overhemd zat wat bloed, misschien afkomstig uit zijn mond.

'Hij is dood,' zei ze. 'Dood.'

Ze boog zich door het kapotte raam, richtte de lamp naar beneden en zag dat hij helemaal niet knielde. Hij had gewoon geen benen. Zijn onderlichaam was in elkaar gedrukt tot een zak gebroken botten, half bij elkaar gehouden door zijn spijkerbroek. Hij was opgevangen door een boom die uit de rotswand groeide en hing als een ledenpop aan een tak die heen en weer wiegde en hem tegen het raam sloeg. Langzaam richtte ze de lamp op de rotswand. De boom hing er half uit en er viel lichtgele aarde naar beneden. Er zat een lang litteken op de wand, alsof er iemand naar beneden was gestort. Ze zag het nu allemaal voor zich. Een worsteling tussen Kelvin en Nial. Een lange val langs de rotswand.

Ze trok haar hoofd weer naar binnen en liep tussen de bierblikjes door naar de gang. Daar liet ze zich op haar hurken naast Nial zakken, waar de grond kleverig was van het bloed. Ze legde haar hand tegen zijn zij en voelde die onder haar vingers snel omhoog- en omlaaggaan. Hij voelde warm aan. Alsof de inspanning van de worsteling met Kelvin nog steeds niet helemaal weg was.

Hij had een smalle borst, niet veel breder dan die van Millie. Ze trok zijn shirt omlaag. 'Hoor je me? Waar is Millie?'

Hij bracht zijn handen naar zijn gezicht en kreunde. Toen draaide hij half op zijn rug.

'Nial? Het is goed. Vertel het maar. Ik ben op alles voorbereid.'

'Met haar is alles goed.' Zijn stem was dik. 'Ze is veilig. Het is me gelukt.'

'Gelukt? Wat is je gelukt?'

'Ik heb haar gered. Ik heb Millie gered.'

Sally wiegde naar achteren en ging tussen de bierblikjes, het afval en het gebroken glas op de grond zitten. Ze hield haar enkels vast terwijl de vloer en de muren om haar heen bewogen. 'Waar is ze, Nial?' hoorde ze Zoë achter zich vragen. 'Waar is ze?'

'Ik heb haar opgesloten in het busje. Bij het huis. Ze heeft haar telefoon niet – het ging allemaal zo snel. Jullie moeten er vlak langs zijn gereden.'

Deel drie

I

Ben begreep niet waarom Zoë naar de begrafenis van Kelvin Bur-ford wilde. Wat dacht ze daarmee te bereiken? Had ze medelijden met zijn familie? Of wilde ze gewoon zeker weten dat hij echt dood en verdwenen was? Zoë had geen antwoord op de vraag, ze wist het gewoon niet, maar ze ging toch, samen met Sally en Steve. Millie, Nial en Peter waren ook gekomen; ze wilden er per se bij zijn. Dus schuifelden ze die dag met zijn zessen naar een bank in het kapelletje, stuk voor stuk onzeker en slecht op hun gemak in hun nette kleren, hopend dat de dienst niet te langdra-dig zou zijn.

Het was midden in de zomer. Het had de lijkschouwer vijf weken gekost om zich een mening te vormen over de dood van Kelvin Burford en zijn oordeel uit te spreken: dood door een ongeluk. In-tussen was het onderzoek naar de moord op Lorne Wood niet offi-cieel gesloten, maar Kelvin had er net zo goed door de rechtbank voor veroordeeld kunnen worden, want de hele wereld wist wat hij gedaan had. Op de sjaal die bij het kanaal was gevonden, was zijn DNA aangetroffen en toen zijn huis werd doorzocht, waren niet alleen Lornes roze trui en mobiele telefoon onder het bed gevon-den, maar in de ladekast hadden ook de lipstick gelegen waarmee hij op haar lichaam had geschreven en de opvallende opengewerkte oorbel die hij uit haar oor had getrokken. Dat was wel ironisch, na alle moeite die Zoë, Sally en Ben hadden gedaan om Kelvins schuld te bewijzen, omdat ze hadden aangenomen dat hij de be-wijzen in zijn huisje zou hebben weggehaald en op een andere ma-nier zijn verdiende loon moest krijgen.

Er waren in de krant veel verhalen verschenen over het 'monster' Kelvin Burford, waarin Kelvins verleden, de verwonding die hij in

Basra had opgelopen en het meisje dat hij in Radstock had aangerand uitgebreid aan bod waren gekomen. Er waren niet veel vrienden en familieleden die dapper genoeg waren om de begrafenis bij te wonen, dus was de groep maar klein. Zoë keek om zich heen; een paar politiemensen en een paar mensen die samen met hem in Basra hadden gediend zaten in de oncomfortabele banken elkaars blikken te ontwijken, alsof ze zich schaamden. Toen besefte ze met een schok dat ze in de bank die zij hadden gekozen precies achter Kelvins zus zaten. Ze hield op met om zich heen kijken en terwijl het stil werd in de kapel bestudeerde ze het achterhoofd van de vrouw. Blond haar dat onder een zwart strooien hoedje uit krulde. Toen viel Zoë in dat ze hier misschien naartoe was gedreven door schuldgevoelens. Schaamte om de talloze manieren waarop ze zich buiten het subtiele morele raamwerk van waarheid en leugens had begeven dat de politie werd geacht te kennen en te respecteren. En naast Kelvin drukte ook de verdwijning van David Goldrab op haar geweten. Ze had de familie herhaaldelijk verzekerd dat al het mogelijke gedaan werd, terwijl ze er in werkelijkheid stilletjes aan meewerkte dat de zaak steeds lager op het prioriteitenlijstje van het korps kwam te staan.

Er werd lucht in de orgelpijpen gepompt, er klonk een akkoord. Ze pakte de orde van dienst, wapperde zich koelte toe en sloeg haar ogen op naar de balken boven haar hoofd. De spinnenwebben en het stof. Wie weet bevonden de ogen van God zich daarboven, keken ze op haar neer en zagen al haar geheimen. Haar veronderstelling dat Lorne het tipje van de ijsberg was en dat Kelvin al eerder gemoord had, was niet juist gebleken. Nergens in het huis of in de landrover waren sporen van menselijke overblijfselen gevonden en de foto uit Irak was afkomstig van een website die duizenden keren bekeken was voor de server hem had verwijderd. Ja, dacht ze, ze had het de laatste paar weken in veel opzichten mis gehad. Maar er was ook iets goeds uit voortgekomen. Haar band met Sally en met Millie. En door dat alles heen misschien een nieuwe manier om relaties aan te gaan met de rest van de wereld. Een nieuwe dimensie in het patroon dat ze achterliet.

De deuren van de kerk gingen open en de dragers begonnen aan de lange wandeling over het middenpad. Zoë sloeg haar ogen neer en zag Sally's hand in haar schoot liggen. Ze keek naar links en zag Millies hand in die van haar. In een impuls pakte ze allebei de handen en terwijl ze dat deed, kwam het antwoord op Bens vraag over de begrafenis bij haar op.

Solidariteit. Daar ging het om. Ze was hier om de wereld en Kelvin te laten zien dat deze familie, haar familie, nooit meer uit elkaar gedreven kon worden. Nooit meer.

2

Toen de dienst was afgelopen, holden de tieners naar buiten, maar de volwassenen bleven nog even wachten tot Kelvins zus weg was voordat ze opstonden en door de oostelijke deur, die naar de begraafplaats leidde, naar buiten gingen. Ze wilden de journalisten vermijden die zich bij het westelijke hek verzameld hadden en zich verdrongen om Kelvins zus.

Ze liepen met zijn drieën naar het bankje onder de vlinderstruik om te wachten tot de kust veilig was. Sally ging op Steves knie zitten en Zoë stond glimlachend voor hen, met een hand boven haar ogen tegen de zon. Ze zag er fantastisch uit, dacht Sally, net een amazone. Ze was van top tot teen in het wit en was ongelooflijk bruin geworden door de ritjes op haar motor. Haar gezicht was weer helemaal geheeld en ze droeg een stevige, kersrode lipstick die niet was vervaagd.

'Mooie jurk,' zei Sally. 'En die hoed ook.'

'Dank je.' Zoë deed de hoed af en ging naast hen zitten. Ze probeerde een plooi uit de rok te strijken. 'Het is eigenlijk niet echt iets voor mij, een jurk en een hoed. Zo zie je maar dat ik er heel aardig uitzie als ik een beetje mijn best doe.'

'Is Ben er niet?'

'Jawel, hij wacht in zijn auto tot de journalisten weg zijn. Zie je hem?'

Sally keek over de graven en de cipressen heen en zag een donkerblauwe Audi in het onzekere zonlicht staan. Ben zat met een zonnebril op in de auto. 'Hij kijkt naar ons. Hij ziet er niet blij uit.'

'Let maar niet op hem. Hij vindt dat we niet naar de begrafenis hadden moeten gaan. Volgens hem zijn we gek.'

Achter Ben stonden de busjes van Nial en Peter geparkeerd. Peter was in het zijne gestapt en Nial maakte de zijdeur van zijn bus open en trok hem naar achteren om wat koelere lucht naar binnen te krijgen. In de dagen sinds het gerechtelijke onderzoek had Nial er gele bloemen en schedels op geschilderd. In het midden had hij een lichtblauwe baan geschilderd met de woorden 'vermoedelijk modderniveau Glasto 2011' erin.

'Ze gaan vanavond naar Glastonbury,' zei Steve tegen Zoë. 'Drie dagen in dat busje slapen. Brrr.'

'De modderpoel van Pilton? Jezus, ik ben zo jaloers. Durf je haar te laten gaan? Na alles wat er gebeurd is?'

Sally zag hoe Millie zich over de voorstoelen van Nials busje boog en iets aan de spiegel bevestigde, een geluksdingetje of een lint. Ze zag Nial zijn das lostrekken. Hij had nog steeds een bruinige vlek aan de zijkant van zijn hoofd, een overblijfsel van de val van de rotswand. Ze zagen er allebei ongemakkelijk uit in hun formele kleding. Millie droeg een witte blouse op een zwarte rok. Haar blote benen in de zwarte pumps leken kwetsbaar en pasten er niet bij. Nial droeg een pak waarvan de pijpen een beetje aan de korte kant waren en zijn handen staken onhandig uit de mouwen. Hij werd langzaam de man die hij moest zijn, precies zoals Sally had voorspeld. Er waren een heleboel verhalen over hem verschenen in de kranten. Nial, de kleine Nial, die opeens de rol van held had moeten spelen en die Kelvin naar Pollock's Farm had gelokt, weg van Millie, die hij in het busje had verstopt. De tarotkaart had het mis gehad; Millie was niet doodgegaan. Een waarschuwing voor Kelvin en wat er ging gebeuren, maar niet voor de dood. 'Ik maak me geen zorgen.' Sally glimlachte. 'Met Nial erbij komt het wel goed.'

'Hij is zo ontzettend verliefd op haar,' zei Steve.

Zoë lachte. 'Hij mag dan verliefd op haar zijn, maar hoe zit het met Millie? Heeft het gewerkt? Hij is nu een held. Is ze nu ook verliefd op hem?'

'Nee.' Sally zuchtte. 'Natuurlijk niet. Arme Nial.'

'Niet?'

'Zij ziet alleen Peter maar. Dat is altijd zo geweest.'

Zoë keek met half dichtgeknepen ogen naar Peter, die in zijn busje zat en zijn gordel omdeed. 'Die nutteloze figuur? Ik heb hem nooit gemogen, vanaf dat ik hem voor de allereerste keer zag. Hij is te vol van zichzelf.'

'Ik weet het. Maar hij heeft het nu uitgemaakt met Sophie, dus je weet maar nooit.' Ze schudde haar hoofd. 'Op een dag zal Millie terugkijken en zien wat ze in Nial gemist heeft. Ik hoop maar dat het dan niet te laat is.'

Sally meende het. Ze was er zeker van dat Nial de ware was voor Millie. Niet alleen door zijn heldhaftige gedrag van die avond, maar door iets wat was gebeurd op de dag dat Nial ontslagen werd uit het ziekenhuis. Hij en Millie waren met ernstige gezichten naar Sally toe gekomen en hadden haar een andere versie verteld van de gebeurtenissen bij Pollock's Farm. Ze was nog steeds bezig deze versie van alle kanten te bekijken om te besluiten wat ze ermee aan moest, wat ze ervan moest denken, of ze boos op hen moest zijn. Ze hadden haar verteld dat Millie die avond doodsbang was geweest toen ze uit school kwam, bang voor wat Sally misschien aan het doen was, bang dat ze de confrontatie met Kelvin zou aangaan. Ze wisten allebei waartoe hij in staat was, dus had Nial het heft in handen genomen.

Kelvin was Millie helemaal niet gevolgd naar Pollock's Farm. Het was juist omgekeerd. Hij was ernaartoe gelokt door Nial, die in zijn heldhaftige fantasieën had besloten dat hij Kelvin aan kon. Dat hij als een man met hem kon vechten. Millie had er tot op het laatste moment niets van af geweten, had Nial ridderlijk beweerd.

Ze wist alleen dat Nial twintig minuten nadat ze thuis waren gekomen naar buiten was gegaan om een privételefoontje te plegen. Een paar minuten later was hij haastig weer binnengekomen en had haar gezegd zich snel in het busje te verstoppen. Hij had de afschuwelijke uitkomst natuurlijk niet voorzien, de lange, stuntelige achtervolging die ertoe had geleid dat ze van de rotswand waren gevallen. Hij had het alleen gedaan omdat hij en Millie Sally wilden beschermen.

Ze had onzeker naar hem gelachen toen hij dat zei, gevleid, maar verbaasd. Ze vroeg zich af waarom iemand haar zou willen beschermen. Ze voelde zich net een leeuw. Ze geloofde niet dat ze ooit nog bescherming nodig zou hebben. Ze vond het leven wild en vreemd en fantastisch.

'Zoë,' zei ze, 'vind jij dat het oké is om verkeerde dingen te doen om de goede reden?'

Haar zus lachte voluit, met haar hoofd in haar nek. 'Goeie god! Wat denk je dat ik vind?'

'En het grote geheel dan?'

Zoë glimlachte en haar blik ging naar Bens auto. 'Het grote geheel?' zei ze zachtjes. 'Ach, dat wordt uiteindelijk vanzelf iets.'

Sally glimlachte en bloosde, en toen keek ze naar Steves handen die ineengestrengeld in haar schoot lagen. Ze dacht aan hen drieën, zij en Zoë en Millie, die voor altijd door een geheim met één persoon verbonden bleven. Voor Zoë was het Ben en voor haar was het Steve. En dat was goed. Het waren de mensen met wie ze verbonden wilden zijn. Maar voor Millie?

Nou, voor Millie zou het uiteindelijk ook gebeuren. Op een dag zou ze naar Nial kijken en weten dat ze de ware had gevonden.

3

Zodra Zoë in de auto stapte, zag ze dat Sally gelijk had: Ben was inderdaad in een slecht humeur. Zijn gezicht stond ernstig. Gesloten.

'Wat zit je nou boos te kijken?' Ze maakte de gordel vast en keek hem geërgerd aan. 'Omdat ik naar de begrafenis ben gegaan? Nou, ik weet nu waarom. We wilden laten zien dat we sterk zijn, geen lafaards zoals hij. Is dat een zonde?'

Hij zette zijn zonnebril af en startte de auto. 'Daar gaat het niet om.' Na een blik in de achteruitkijkspiegel reed hij de parkeerplek af. 'Totaal niet.'

'Waar dan wel om? Jezus.'

'We moeten praten. Over dit alles.' Hij wuifde met een hand naar de kerk. 'Er is iets helemaal mis.'

Zoë staarde hem aan. Ze voelde een ader kloppen in haar slaap. 'Mis?' zei ze op haar hoede. 'Wat bedoel je daarmee?'

'Ik heb de spullen uit Kelvins huis bekeken. We zochten niet alleen dingen die hem in verband brachten met Lorne, maar we wilden ook weten of hij iets te maken heeft met de verdwijning van David Goldrab.'

'Dat weet ik.'

'Het zou zo heerlijk zijn als we die zaak bij de opgeloste zaken kunnen zetten.'

'Heb je iets gevonden?'

'Niet wat we verwacht hadden. We hebben iets gevonden wat alles anders maakt.'

'Wat dan? Wat heb je gevonden? Iets van mij? Mijn telefoon?'

'Niets van jou. Nee, we hebben iets gevonden wat...' Hij bewoog zijn kaak van de ene kant naar de andere en knarsetandde. '... iets wat gewoon nergens op slaat. Hoe ik er ook naar kijk.'

4

Sally stond voor het raam in het washok van Peppercorn Cottage een kanten blouse te wassen in de wasbak en keek naar de volmaakt blauwe hemel, doorkruist door condensatiestrepen. De verschrikkelijke stilte die na Davids dood over Peppercorn was gevallen, was verdwenen en het voelde weer als een echt huis. Steve was in de garage wat losgeraakte betimmering aan het vastmaken. Naast de garage liepen Nial en Millie druk om het Volkswagenbusje om alles in te laden. Een koelbox die Nial had aangepast zodat hij aangesloten kon worden op de sigarettenaansteker zat vol met bier. Voor zover Sally wist, hadden ze geen eten of iets met enige voedingswaarde mee. Er waren kampeermatrasjes en Millies jurken hingen aan hangertjes voor de ramen. Ze was al helemaal in paniek; Nial had per ongeluk haar mobiel in het afwaswater gegooid. De onderdelen lagen nu op het dashboard in de zon te drogen, samen met twee van haar bloesjes, een korte broek en wat stukken ondergoed die niet op tijd gewassen waren.

'Je snapt het gewoon niet, mam. Als we niet heel vroeg zijn, kunnen we het wel schudden. De beste plekken zijn binnen tien minuten weg, zelfs in de velden voor de campers. Echt, we hadden onze spullen voor de begrafenis moeten pakken. Peter en de vrienden van zijn broer zijn er vast al.'

Sally wrong voorzichtig de blouse uit en hing hem in het raam, waar hij in de overgebleven hitte van de dag zou drogen. Buiten waren de gele vlekken van de ranonkelstruiken en de forsythia allang verdwenen. Dit was de tijd van de volle, zware zomerbloemen, de riddersporen en de papaver, waar de bijen zich omheen verdrongen. Millie kwam met een arm vol kleren langs het raam, op weg naar de bus, en stak haar tong uit naar haar moeder. Sally glimlachte. Ongelooflijk dat ze al die tijd had gedacht dat zij hen beschermde, terwijl het in feit andersom was. Nial zette het geluidssysteem van het busje aan – Florence and the Machine – en de bus schudde door de herrie. Het waren geen kinderen meer. Nee, ze waren volwassen.

Ze trok de manchetten van de blouse recht. Ze wilde hem vanavond aan en hem door Steve laten uittrekken. Ze gingen uit eten. Ze zouden uren praten en stomdronken worden. Ze zou hem vertellen over de baan die ze aangeboden had gekregen van de hippies die haar tarotkaarten hadden gekocht: hoofdontwerper voor een heel nieuwe lijn die ze gingen uitbrengen. Hij zou zeggen dat hij van haar hield en hij zou haar misschien wel voor de honderdste keer een belofte doen waar ze hem niet aan wilde houden. Hij zou zeggen dat hij de schuld op zich zou nemen als er ooit iets uitkwam over de dood van David Goldrab. Hij bleef maar zeggen dat hij zijn besluit genomen had en dat Sally's naam niet eens genoemd zou worden als het zover kwam.

5

Ben reed Zoë in stilte naar huis. Hij wilde niets meer zeggen tot ze in de woonkamer waren en de deuren hadden dichtgedaan. Ze verwachtte half dat hij de gordijnen ook nog dicht zou doen, zo somber en geheimzinnig deed hij.

'Wat heb je gevonden? Iets wat met Goldrab te maken heeft?'

'Ga zitten.'

Verdomme, dacht ze. Sally had gelijk gehad. Kelvin had die avond foto's van haar gemaakt.

'Ben, zeg het nou maar. Wat heb je gevonden? Gaat het om Goldrab?'

'Goldrab stond op de nominatie om uit de weg geruimd te worden, dat weet je. De sib heeft Mooney gearresteerd. Hij weigert iets te zeggen.'

'En?'

'We hebben Goldrabs tanden gevonden, begraven in Kelvins achtertuin.'

Ze ademde uit. 'Oké,' zei ze behoedzaam. 'Dus Kelvin heeft Goldrab vermoord?'

'Daar ziet het wel naar uit. Maar dat is niet waar ik me zorgen om maak. Het gaat ergens anders om. Bij de huiszoeking hebben we een heleboel papierwerk gevonden. Ik zit er al de hele week in te spitten. En nu...'

'Wat nu?'

'Ik ben tot de conclusie gekomen dat hij Lorne niet vermoord heeft.'

Ze staarde hem met open mond aan. 'Dat hij haar niet vermoord heeft?'

'Of verkracht.'

'Jezus. Wat heb je dan in godsnaam gevonden?'

'Oké, oké. Luister. Wat hij jou heeft aangedaan, staat vast, Zoë, en dat was het ergste wat ik me ooit heb kunnen voorstellen. Echt. Ik weet nog steeds niet hoe ik ermee om moet gaan, en ik weet ook nog steeds niet wat het met jou doet. Niet precies. Maar dat moet ik van me afzetten. Want het betekent niet dat hij Lorne ook heeft verkracht.'

'Wacht even, en al die spullen dan die je in zijn huis hebt gevonden? Haar trui. Haar mobiele telefoon.'

'Dat is juist wat me aan het denken heeft gezet. Hij had veel moeite gedaan om elk bewijs dat jij daar geweest was weg te halen. Er was geen spoor van jou te vinden. Waarom heeft hij de telefoon van Lorne dan ook niet weggedaan? En de lipstick?'

Zoë schudde verbaasd haar hoofd.

'Ik zal je zeggen waarom. Het is eenvoudig. Hij heeft de spullen niet weggewerkt omdat hij niet wist dat ze er lagen...'

'Wat?'

'Luister. Nadat hij dat ongeluk had gehad met die bom in Basra, hebben ze er een ontzaglijk karwei aan gehad om hem weer te fatsoeneren. Hij heeft drie maanden in het militaire ziekenhuis in Birmingham gelegen terwijl ze hem stabiliseerden en daarna nog twee maanden om te herstellen van een cranioplastie. Ze hebben een titanium plaat in zijn schedel gezet, maar hij had er last van. Op 7 mei werd er een scan gemaakt om te zien wat er mis was.'

Zoë fronste. Ze zag niet waar hij naartoe wilde.

'Lorne is vermoord terwijl hij in het ziekenhuis was. Ik heb het gecontroleerd. Ik heb de verslagen gezien en ik heb met het dienstdoende personeel gesproken. Het klopt allemaal, Zoë, we kunnen er niet omheen. Kelvin Burford lag de zevende en een deel van de achtste in het ziekenhuis. Onder verdoving. Hij kan Lorne Wood niet vermoord hebben.'

Ze ging abrupt zitten. Het duizelde haar. 'Maar...' begon ze. 'Maar...'

'Ik weet het. Het was zo gemakkelijk om overhaaste conclusies te trekken.'

Overhaaste conclusies... Bij die woorden ging er iets duisters en akeligs door Zoë heen. Iets wat had liggen wachten sinds de dag dat Kelvin haar had verkracht, iets wat ze al die tijd uit de weg was gegaan. Ze herinnerde zich dat ze bij Kelvin op het bed lag. Dat ze had gezegd: 'Doe het maar. Ik wil het.' Jaren geleden, toen Kelvin haar vanuit de schaduwen achter in de club in het oog had gehouden, had ze geweten wat hij wilde. En toen ze die dag op het bed lag, had ze gezegd dat hij het kon doen. Als ze er volkomen nuchter naar keek, volkomen eerlijk en rationeel, had hij alleen gedaan wat zij hem gevraagd had. Hij had haar geslagen. Haar mishandeld. Maar de rest? Was het verkrachting? Goed beschouwd?

'Nee,' mompelde ze bijna onhoorbaar. 'Hij heeft Lorne vermoord. Dat moet wel.'

Ben keek haar plechtig aan. 'Ik weet dat je denkt dat ik gewoon op zoek ben naar gerechtelijke dwalingen. Maar Zoë, ook al was Kelvin een verkrachter en een enorme klootzak, ik denk dat hij erin is geluisd. Ik moet je iets laten zien. Wacht hier.'

Hij ging de keuken in en begon kastjes open te maken. Ze staarde suf naar de open deur en liet alles tot zich doordringen. Had Kelvin de avond van de verkrachting in het ziekenhuis gelegen? Was iemand anders de dader?

Ben verscheen weer in de deuropening met een stapel papieren in een blauwe plastic map. 'De gegevens van Lornes telefoon. En wat foto's.'

Hij ging naast haar zitten en haalde de papieren eruit – de ene bladzijde na de andere met aanvraagformulieren en formulieren over de bescherming van persoonsgegevens. Hij kwam bij een aparte map. Aarzelde even. 'Dit is niet mooi.'

'Schiet toch op, Ben, ik ben ook bij de politie, hoor.'

Hij haalde zijn schouders op en trok de foto's uit de map. Het waren er vier. Foto's van Lorne, op de grond tussen de brandnetels. Op de eerste leefde ze nog en keek ze naar degene die de foto nam. Ze stak haar hand uit in een universeel smekend gebaar. Er liepen tranen over haar gezicht en haar neus was dik en zat vol bloed. Op de tweede foto leefde ze ook nog, maar de zilverkleurige tape die de bal in haar mond hield zat op haar gezicht en haar uitdrukking was heel anders. Op deze foto wist ze dat ze doodging.

'Deze zijn gemaakt met haar eigen telefoon. Hij heeft niet eens de moeite gedaan ze te wissen. Maar...' Ben ritselde met de papieren. '... er was wel iets gewist op die telefoon. Heb je wel eens gehoord van software waarmee je gegevens kunt terughalen? Dat gebruiken die jongens op de technische afdeling om al die kinderporno te achterhalen waarvan pedo's denken dat ze het gewist hebben door op de juiste knop te drukken. Die hebben ze ook op die telefoon losgelaten. Het leverde niet veel op. Alleen drie sms'jes die de ochtend na haar dood waren gewist.'

Hij stak Zoë het papier toe en wees naar de plekken die met roze markeerstift waren aangegeven. Ze las: HOI L. LEUK JE VANDAAG TE ZIEN. ZAG ER FANTASTISCH UIT. SPREEK JE LATER.

En een eindje lager: 'ZEG JIJ NIETS MEER TEGEN JE VRIENDEN? IK BEN GEEN VERKRACHTER, HOOR – GRIJNS – IK ZAL JE NIET AANRAKEN. JE ZAG ER FANTASTISCH UIT. HOU VAN JE, ECHT WAAR.

Op de laatste pagina: HAD NOOIT GEDACHT DAT JE ME ZO'N PIJN ZOU DOEN, SCHATJE. DENK NOOIT DAT HET NIET WAAR IS.

'Deze waren gewist?'

'Ja. Niet echt belastend, hè? Behalve het feit dat ze gewist waren. Dat doet de alarmbellen rinkelen.'

Zoë kon haar ogen niet afhouden van de foto waarop Lorne in de camera keek. Ze zag eruit alsof ze nog steeds niet zeker wist of dit een grap was of niet. Alsof ze dacht: *hij meent het niet. Straks houdt hij hiermee op en laat hij me gaan.*

'En jij gelooft dat degene die deze sms'jes heeft verstuurd...'

'Dat hij Kelvin erin heeft geluisd. Hij heeft de trui, de telefoon en de oorbel waarschijnlijk in zijn huis verstopt. En hij kan waarschijnlijk niet geloven hoeveel geluk hij heeft nu Kelvin dood is, nu hij het niet meer kan ontkennen.'

'Staat er een naam bij?' Ze keek de papieren door. 'Hij ondertekent zijn sms'jes niet. Heb je een naam?'

'Een nummer. Kijk maar.' Hij legde een vinger op een nummer dat met groen was gemarkeerd. 'Maar geen naam. De computernerds denken dat er over de adreslijst heen is geschreven. Die kunnen ze niet meer terughalen.'

Zoë duwde de papieren weg. Ze legde haar handen tegen haar slapen en dacht na. Ze hoorde weer wat Kelvin had gezegd toen hij haar in zijn huis had aangetroffen: *als je maar niet denkt dat je hier nog eens mee wegkomt.* Alsof hij had geweten dat er eerder al iemand bij hem ingebroken had. Godverdomme, waarom had ze dit allemaal niet eerder bedacht? Was het iemand anders? Had iemand anders Lorne die afschuwelijke dingen aangedaan? En was Kelvin er gewoon ingeluisd? Was Kelvin gewoon een boerenpummel die in staat was iemand in elkaar te slaan, om te doen wat hij met haar had gedaan, maar niet om een tienermeisje te vermoorden?

'Oké,' zei ze na een tijdje. 'We gaan bellen.'

Ben glimlachte. 'Ik hou van je. Hier is de telefoon.'

Ze nam het toestel van hem aan, zette het op de luidspreker, blokkeerde de nummerweergave en toetste het nummer in. Ze keek door het raam toen de verbinding tot stand werd gebracht. Er trok een rij donzige wolken over de horizon boven Bath. Vanaf de vensterbank keek een duif haar met zijn kraaloogjes aan. De telefoon rinkelde en rinkelde. Ze verwachtten de voicemail al toen de telefoon klikte en een stem 'hallo?' zei.

Ben hield een vinger tegen zijn lippen, maar Zoë verbrak de verbinding, leunde achterover en liet de telefoon kletterend op de tafel vallen. Ze had het koud. Zo koud dat ze rilde. Ze had het mis gehad. Ze had het al die tijd mis gehad en Debbie en Ben hadden het goed gehad.

'Waarom deed je dat?' Ben stond op. 'Waarom hing je verdomme op? Misschien neemt hij nooit meer op.'

'We hoeven niet meer te bellen. Ik weet wiens stem dat was.'

6

Sally hielp Millie de dozen met sap en chips en de hoopvolle zakken fruit die ze er per se bij had willen doen in te laden. Ze kregen de picknickmand half in het busje en toen bleek hij er niet verder in te gaan. Sally keek hulpzoekend naar Nial. Hij stond tegen het rechter voorwiel te schoppen, met zijn telefoon aan zijn oor.

'Hallo?' Hij ging naar het portier en leunde naar binnen om de muziek af te zetten. 'Hallo?' zei hij in de telefoon.

'Wie is het?' riep Millie. 'Peter?'

'Ik weet het niet.' Nial keek op het schermpje. Hij zette de telefoon uit en deed hem in de achterzak van zijn spijkerbroek.

'Nial?' zei Sally. 'Zou je ons even kunnen helpen?'

Hij liep naar hen toe, pakte de mand en schoof hem met een flinke duw naar binnen. Toen legden ze de slaapzakken en de jassen erbovenop. Nial sloeg het portier dicht en glimlachte. 'Nou, ik geloof dat we klaar zijn.'

'Wacht.' Sally viste een pak kaarten uit de zak van haar vest. 'Jullie zijn het hele weekend hippies, dus ik dacht dat jullie deze wel leuk zouden vinden.'

Millie kwam er meteen op af. 'Je tarotkaarten? Mam, dat kun je niet doen. Je hebt er zoveel werk aan gehad.'

'Dat geeft niet. Mijn nieuwe bedrijf heeft er kopieën van. Volgend jaar zie je ze misschien in de kraampjes liggen bij het festival. Alsjeblieft.' Ze duwde ze in haar handen. 'Ik wil dat jij ze hebt. Veel plezier ermee.'

'O, mam. Mám!' Millie sprong op en neer alsof ze drie was. Ze haalde ze uit het doosje, begon ze te bekijken en hield ze Nial voor. 'Weet je nog? Kijk, dat ben ik. De Staven Koningin.'

'Wat is ermee gebeurd?' Nial keek fronsend naar de kaart. 'Er is iets mis met haar gezicht.'

Sally glimlachte en dacht eraan hoe bang die kaart haar had gemaakt toen ze dat gezicht voor het eerst had gezien. Ze had een nieuwe kaart gemaakt voor de drukker, maar het origineel had ze niet weggedaan. Hij had nu geen macht meer over haar. 'Ik weet het niet. Het is niet erg. Er zijn nog andere kaarten van haar.'

'De Magiër en de Hogepriesteres.' Millie stond nog steeds de kaarten te bekijken. 'En – o, mijn god, dat is pa, hè? Pa en – jakkes – Melissa. En Sophie, en Peter. En kijk, hier ben jij, Nial.'

Nial nam de kaart van haar aan en bekeek hem.

'Vind je hem mooi?' vroeg Sally.

'Prachtig.' Hij draaide de kaart naar het licht en keek naar de afdrukken van de knijpers waarmee hij was opgehangen om te drogen. 'De Zwaarden Ridder. Wat betekent dat?'

'Dat betekent slim,' zei Millie.

'En intelligent,' voegde Sally eraan toe.

'Maar als je hem omdraait, betekent het verraderlijk en onbetrouwbaar. Een bedrieger.' Millie lachte met open mond, zoals een kind, een lach waar ze nog steeds niet van af was, hoe cool ze ook probeerde te zijn. 'Zie je nou? Mam, je hebt Nial altijd helemaal doorgehad. De bedrieger.'

'Dat ben ik.' Nial gaf de twee kaarten terug. 'De bedrieger.'

Millie duwde alle kaarten weer in het doosje en legde het op het dashboard. In het huis ging de telefoon.

'Gaat u opnemen?' zei Nial. 'Want wij moeten echt gaan. We moeten een plekje zien te bemachtigen. We komen eraan, Glasto!'

'Het kan wel even wachten. Ze spreken maar een bericht in.'

Nial stapte in het busje en stak de sleutel in het contact. Millie klom naast hem op de passagiersstoel. Ze had ergens een belachelijke stetson opgeduikeld en deed het raampje open om ermee te zwaaien. 'Yeehaa, mam. Yeehaa.'

Sally schudde glimlachend haar hoofd. Ze stond bij het raampje naar Nial te kijken. Hij droeg een van zijn verbleekte T-shirts met een band uit de jaren zeventig erop en een wijde korte broek. Zijn benen waren al bruin. Ze rook de pas gewassen kleren en de niet zo frisse slaapzakken die achterin lagen. Ze rook de boterhammen die ze voor de lunch hadden gesmeerd en ze rook hun huid. Ze was jaloers. Heel even.

'Weet u, mevrouw Cassidy?' zei hij.

'Nee.' Ze glimlachte. 'Wat?'

'Ik geloof niet dat ik u ermee weg laat komen.'

Sally's glimlach vervaagde. Ze bleef als aan de grond genageld staan. Er lag een nare trek over Nials gezicht. 'Neem me niet kwalijk?'

'Ik zei: ik geloof niet dat ik u ermee weg laat komen dat u het zo moeilijk hebt gemaakt. Om Millie mee naar Glasto te nemen.' Hij sprak elk woord heel langzaam en nadrukkelijk uit, alsof hij het tegen een heel dom iemand had.

Er viel een lange, ongemakkelijke stilte. Ze keken elkaar recht aan. Toen glimlachte hij en het was alsof de zon door de wolken brak. Lachend herhaalde hij: 'Echt, ik meen het. Ik dacht dat u nooit toestemming zou geven.'

Sally aarzelde. Ze keek even naar Millie, die de hoed naar binnen had getrokken en boos naar haar handen zat te kijken. Sally lachte gedwongen. Ze voelde zich een beetje dom, een beetje in de war. 'Nou, je moet wel beloven dat je wat foto's van haar neemt.'

'Dat doe ik.' Nial legde zijn hand op die van haar. 'Ik stuur ze op via de telefoon. Het worden de mooiste die u ooit hebt gezien.' Hij boog zich naar buiten en gaf haar een zoen op haar wang.

Dit keer glimlachte Sally echt. Ze hield zijn gezicht vast toen hij weer rechtop wilde gaan zitten. 'Dank je,' zei ze warm. 'Pas goed op haar.'

'Afgesproken.'

Sally liep om de voorkant van het busje heen terwijl Nial de motor startte. Ze boog zich door het raam en gaf Millie een zoen op haar wang.

'Ja, oké, mam.' Millie rolde met haar ogen. 'Denk om mijn make-up.' Ze trok de zonneklep naar beneden, keek in de spiegel en wreef over de plek waar ze gezoend was. Toen boog ze zich opeens uit het raampje en sloeg haar armen om Sally's nek. 'Ik hou van je, mam. Ik hou van je.'

'Ik hou ook van jou. Je zult het enorm leuk hebben. De tijd van je leven. Vergeet dat nooit.'

Nial gaf gas. Sally deed een stap achteruit. Er kwam een rookwolk uit de uitlaat. Steve kwam uit de garage en wuifde samen met Sally de tieners gedag. De bus schokte een keer, toen kregen de banden grip en rolden ze weg, de oprit af langs de heg, waar de eerste theerozen uitkwamen. Millie stak een arm uit het raam. Hij was lang en slank. Als ze terugkwam van Glastonbury, zou hij roodverbrand zijn, dacht Sally, en ze sloeg haar armen over elkaar. Die zonnebrandcrème zou nog steeds in de rugzak zitten.

Steve sloeg zijn arm om haar heen. 'Zie je wel?' zei hij. 'Ik heb je toch gezegd dat het allemaal wel goed kwam?' Hij gaf haar een zoen op haar hoofd en mompelde in haar haar: 'Ik heb je toch gezegd dat je niet gestraft zou worden.'

De bus ging linksaf. Niet rechtsaf, de weg die zij zou hebben genomen. 'Zo komen jullie nooit in Glastonbury,' had ze bijna geroepen. Maar ze hield zich in; ze probeerde zich weer overal mee te bemoeien. Ze moest lachen. Laat ze gaan, dacht ze, en ze legde haar hoofd tegen Steves borst toen de bus over de heuvel verdween, volkomen in de verkeerde richting, en de muziek van Florence en the Machine wegstierf tot er alleen nog vogeltjes te horen waren. Je kunt je niet altijd zorgen blijven maken om je kinderen.

Dankwoord

Jaren geleden heeft Transworld Publishers grote moeite gedaan om me ervan te verzekeren dat het een gelukkige, betrokken uitgever was die trouw was aan zijn schrijvers en zijn lezers en de liefde voor lezen hoog in het vaandel had staan. Om eerlijk te zijn, was ik in die tijd bang dat het slechts grote woorden waren om me te imponeren; ik geloofde er niets van. Maar in de loop der jaren is mijn ongelijk bewezen, voor honderd procent, en daarvoor wil ik iedereen daar bedanken: Selina, Larry, Alison, Claire, Katrina, Diana, Janine, Nick, Elspeth, Sarah, Martin (de lijst is nog langer).

Jane Gregory is mijn agente en mijn rots in de branding; hoe kun je je dankbaarheid onder woorden brengen voor iemand die er altijd is als de wereld dreigt in te storten (en dat gebeurt veelvuldig, neem dat maar van mij aan)? Hetzelfde geldt voor de mensen van haar team: Claire, Stephanie, Terry en Virginia.

De volgende mensen hebben me een blik laten werpen in hun wereld en zonder die blik had ik sommige dingen geen recht kunnen doen: Alex 'Billy' Hamilton heeft me geholpen met de raadselen van de telefonie en kolonel Len Wassell, Deputy Provost Marshal, RMP, heeft me inzicht gegeven in het doen en laten van de Special Investigations Branch. Verder ben ik geholpen door korporaal Kirsten Gunn (Signals Regiment), dr. Hugh White (patholoog) en Jeremy White. Er gaat ook een bedankje naar de Green and Black's-bende, vooral naar Sarah en Michael, die me de naam Peppercorn Cottage hebben laten lenen, en Marc Birch voor al zijn vrolijke, sensationele jachtopzienerverhalen. En naar Hazel Orme en Steve Bennett, twee mensen die nooit om dank of lof vragen of dat verwachten, maar die het absoluut verdienen.

Er gaat een groot excuus naar de stad Bath omdat ik haar hele geografie in de war heb gegooid en een combinatie heb gemaakt van Hanging Hill en Freezing Hill. Bath, je bent oud en wijs en ik denk dat je het me wel zult vergeven.

Boven alles gaat er een zacht gefluisterd woord van dank en liefde naar mijn gezin, mijn te gekke, geduldige vrienden, en, als laatste maar zeker niet als minste, naar Bob Randall voor zijn voortdurende hulp, steun en zijn wonderbaarlijke, onverklaarbare vertrouwen in mij.

Over de schrijver

Mo Hayder heeft een aantal van de meest angstaanjagende thrillers geschreven die u ooit zult lezen. Haar eerste boek, *Vogelman*, werd door de *Guardian* 'een schokkend verhaal van de bovenste plank' genoemd en het vervolg daarop, *De behandeling*, werd door *The Times* uitgeroepen tot 'een van de tien meest angstaanjagende thrillers die ooit zijn geschreven'. Mo's boeken profiteren van haar langdurige onderzoek bij verschillende Britse politiekorpsen en van haar persoonlijke ontmoetingen met misdadigers en prostituees. Ze ging op haar vijftiende van school en heeft gewerkt als barmeid, bewaker, lerares Engels en zelfs gastvrouw in een club in Tokio. Ze is afgestudeerd als filmproducent aan de American University in Washington DC en in creatief schrijven aan de Bath Spa University.

Ze woont tegenwoordig in het zuidwesten van Engeland.